FOLIO CLASSIQUE

Charles Dickens

Contes de Noël

Traduction de Marcelle Sibon et Francis Ledoux

Préface de Dominique Barbéris

Notes de Pierre Leyris
Chronologie d'André Topia

Gallimard

Titre original :

CHRISTMAS BOOKS

PRÉFACE

Dickens et l'Esprit de Noël

*Il faudrait avoir «un cœur de pierre», et non pas «un cœur d'homme» (*Un chant de Noël*, p. 104), pour rester insensible à ces contes de Noël, à leur humanité, à leur fantaisie. Dickens les publia en feuilleton — un par an entre 1843 et 1848 — avant de les réunir en volume. Ils sont indépendants, mais il y a un réel intérêt à découvrir l'ensemble qu'ils constituent : on y reconnaît le même ton ; ils sont inspirés par la même saison, le même «esprit», ouvrant autant de fenêtres sur la société anglaise de l'époque dans laquelle certains (le premier surtout,* Un chant de Noël*) eurent un grand succès populaire.*

Il faut reconnaître, avec André Maurois, que la gaieté, l'optimisme à la fois «national et personnel[1]*» qui caractérisent Dickens trouvent merveilleusement à s'exprimer dans l'espace du conte. Par essence, le conte est optimiste ; ceux qu'on va lire n'échappent pas à la règle : ils se terminent bien, les méchants sont amendés, les malheureux, consolés et nourris. Le pire n'est pas toujours sûr pour les pauvres.*

«L'Esprit de Noël», qui intervient d'ailleurs en per-

---

1. A. Maurois, *Études anglaises*, Grasset, 1927.

sonne dans le premier conte, décliné en trois avatars,
imprègne la philosophie charitable qui sous-tend l'ensemble. On pourrait même dire qu'au-delà, il imprègne
la substance sensible de ces récits tant la lecture nous
fait revisiter avec un bonheur contagieux et frileux
le complexe de sensations qui définit ce moment où
l'année «pos[e] enfin sa tête lasse pour mourir» *(Le
Carillon, p. 186).*

«Il vente et il pleut très fort», dit l'un des personnages du *Carillon,* et la pluie tourne à la neige. Il fait
noir. Et très froid.» «C'est un genre de soirée exactement fait pour les muffins» *(p. 245).* Muffins à part,
voilà bien l'hiver, l'Idée de l'hiver : le noir, la neige et
le froid au-dehors. Le sentiment aigu du confort au-
dedans. Un bon feu dans la cheminée, des nourritures
robustes. Et puis, cette appréhension vague du temps
qui s'accélère, ce sentiment d'un seuil (qu'exprime
dans tous les contes le rappel de l'heure fatidique
de minuit), le besoin de se souder dans des groupes
domestiques resserrés «contre les éléments déchaînés
au-dehors» *(p. 459),* la conscience fugitive du malheur
qui erre au-dehors, lui aussi.

C'est tout cela — qui n'est pas seulement anglais,
mais humain — que nous offrent ces contes. Et sans
doute Gracq pense à Dickens dans ce passage des Lettrines *où il rêve au charme puissant du voyage d'hiver :*
«chaque ville où on entre, chaque porte poussée, après
le vide froid et noir du crépuscule, fait jouer sur la
chaleur et la lumière une serrure magique, peut projeter au milieu d'un conte de Noël[1]».

Le surnaturel s'accorde à ce moment où s'installe
durablement le décor de la nuit.

1. J. Gracq, *Lettrines 2,* Corti, 1974.

Les contes de Dickens sont pleins de fantômes et de spectres. Ce sont parfois de vrais fantômes : dans Un chant de Noël, c'est un revenant, le fantôme de son ancien associé Marley, qui vient visiter le vieux Scrooge. Marley est mort (« aussi mort qu'un clou de porte ») (p. 39), et le fantôme ressemble bien à un fantôme, avec sa façon de traverser les murs, sa mentonnière et son attirail lugubre de chaînes. Mais dans Le Grillon du foyer, l'étrange vieillard que Peerybingle ramasse sur la route n'a que l'apparence d'un spectre : il s'agit d'un ancien fiancé déguisé pour se rapprocher de sa belle, menacée d'épouser le riche (et vieux) marchand de jouets, Tackleton.

Dans L'Homme hanté, l'inquiétante apparition avec qui Redlaw passe un marché faustien n'est sans doute que son double, une allégorie de sa conscience tourmentée : c'est du moins ce que suggère in fine le conteur. Le merveilleux est un instrument qu'il utilise avec une grande liberté. Il en va des fantômes comme des fictions qui les convoquent. Dickens prend soin de les accréditer avec un talent de bateleur ; il nous prend à partie, nous interpelle, donne des gages de sa bonne foi (vous pouvez les toucher, nous dit-il ; vous pourriez siffler l'air qu'ils sifflent) ; il nous y fait croire dur comme fer. Mais il désamorce ses pièges et s'en amuse : le fantôme de Marley est un fantôme de convention, trop probable pour être vrai, et ses lamentations pastichent avec drôlerie celles du fantôme d'Hamlet. Dans Le Carillon, les sombres visions de Tobie Le Trotteux, follement entraîné dans le Temps par les cloches, sont peut-être prosaïquement liées à la mauvaise digestion d'un plat de tripes. Quant aux charmantes figures du Grillon du foyer, elles s'évanouissent à la fin comme un rêve. Ce n'est pas un hasard si Ali-Baba fait partie des lectures enfantines de Scrooge.

*Dickens conteur est prestidigitateur ; ses fictions res-
semblent aux génies des contes orientaux qui sortent
des bouteilles. L'une des meilleures images de leur
réalité illusoire, brillante et volatile, on la trouve sans
doute dans cette scène du* Grillon du foyer *où le brave
commissionnaire Peerybingle, assis devant son feu,
voit passer dans la flamme, dans une sorte de rêverie
vague, vaporisée par les pluriels, tout l'avenir de sa
femme Dot, le sien, et même celui de son chien Boxer :
« de petites Dot maternelles, servies par des Slowboy
imaginaires, portant des bébés au baptême ; des Dot
mûres, encore jeunes et fraîches cependant, surveillant
de petites Dot qui dansaient dans des bals champêtres ; des Dots opulentes, entourées et assaillies par
des troupes de petits enfants vermeils ; des Dot fanées,
appuyant sur des cannes leurs pas chancelants. De
vieux commissionnaires apparurent aussi, avec de
vieux Boxer aveugles » (p. 307).*

Cette succession de vignettes revisite avec un
humour tendre et un remarquable sens de l'illustration le topos des âges de la vie. Le « ton Dickens » est
là : la faconde, le sens du croquis, une manière aussi
de s'ancrer dans les archétypes les plus universels.

Le foyer

*Et le feu, justement, est l'un des motifs récurrents
des* Contes de Noël, *sans doute même leur motif
central. Le feu, ou plus exactement le « foyer », qui
désigne pour nous à la fois le groupe familial et la cheminée autour duquel il se rassemble. La cheminée
éclaire la plupart des scènes d'intérieur de ce théâtre
imaginaire devant lequel le conteur nous promène,
tirant après lui son lecteur comme l'Esprit des Noëls*

passés traîne Scrooge à travers la nuit. Il faudrait faire l'inventaire de tous les coins de cheminées évoqués au fil des récits, pour leur pittoresque d'abord, et surtout parce que chacun d'eux, dans un rapport d'illustration et de correspondance, résume son propriétaire : ainsi la cheminée ancienne du vieux Scrooge (Un chant de Noël), *avec son maigre feu d'avare, son pourtour de vieilles céramiques hollandaises représentant des scènes de l'Écriture dont la description ironique n'aurait pas été désavouée par Flaubert :* « des messagers angéliques descendant du ciel sur des nuages pareils à des édredons [...] des apôtres qui faisaient prendre le large à des saucières » *(p. 54). Sa cheminée peint Scrooge : un avare de conte, un méchant pour rire, un peu comme le grand vizir Iznogoud. Il ne faudra pas gratter beaucoup pour retrouver l'enfant sous la surface du vieux grigou.*

*Autre conte, autre « foyer » : celui, modeste, rural et conjugal, du couple Peerybingle ; celui-là est au centre d'un conte (*Le Grillon du foyer*) qui célèbre le bonheur domestique. Il en a tous les accessoires : un grillon, un coucou hollandais et surtout « la » bouilloire, décrite en un incroyable morceau de bravoure. Ou encore la cheminée du Dr Jeddler (*La Bataille de la vie*), en surface esprit fort, au vrai bon homme, sensible dans le fond, parfait Anglais sentimental, que le conteur nous montre devant son feu, abandonné aux délices du « sweet home », « en robe de chambre et en pantoufles, les pieds étendus au chaud sur le tapis » (p. 442).*

Le feu est maigre chez les pauvres ou les avares. Il peut être inquiétant, vaguement fantastique, comme « la flamme rougeoyante » aux ombres longues devant laquelle médite Redlaw dans L'Homme hanté *(p. 515).*

Tantôt il est ronflant et aussi pétillant que les danses joyeuses qui célèbrent la fin de l'année. En un mot il symbolise la couleur triste, méditative ou chaleureuse de la vie domestique.

Quand on n'a pas de feu, on grelotte dans l'Angleterre du dix-neuvième siècle. C'est le cas de ces petites gens dont Dickens s'est fait le constant défenseur — ouvriers, commis, familles nombreuses —, atteints par la dureté de la société industrielle à ses débuts. Les coins de cheminées ont ainsi cette fonction toute simple : éveiller par contraste la sensation physique de l'hiver et du froid qu'y endurent tant de malheureux grelottants, impuissants à se réchauffer, ou insuffisamment couverts : la marmaille en haillons, rassemblée autour des feux de rue (Un chant de Noël). Les pauvres aux manteaux trop minces. De gros plans détaillent les «petons» glacés d'une fillette (la petite Liliane du Carillon, p. 204), ou les pieds nus, couverts de sang et de croûtes de l'Enfant sauvage livré à lui-même dans Londres comme un petit animal (L'Homme hanté). Le froid hivernal et le feu se répondent, l'un appelant le sentiment de l'autre dans un système constant de réversibilité. Comme il est dit d'un paysage d'hiver dans Le Grillon du foyer : «il faisait ressortir la chaleur du coin de feu dont on jouissait» (p. 329).

Car le point de vue est constamment mobile : il nous déplace d'un lieu l'autre, nous déporte du dedans au dehors, nous transforme en passe-muraille, et suscite autour des intérieurs éclairés et chauffés la conscience d'un extérieur nocturne et glacial. Dickens fait entrer dans ses contes — et c'est un de leurs charmes — toute la substance humide de l'hiver anglais : les pavés mouillés, la boue dans laquelle on laisse ses empreintes, la neige dite dans tous ses états, depuis la joie enfantine des premiers flocons jusqu'à «cet état glis-

sant et fangeux de la neige détrempée» (p. 274). Et si
certaines pages disent la beauté mystérieuse d'un soir
brumeux, la puissance de suggestion et de rêve d'une
fenêtre éclairée vue du dehors, symétriquement, du
dedans, au coin des cheminées, nous n'oublions
jamais la présence pénétrante de l'extérieur, notamment celle de Londres, la ville tentaculaire et grouil-
lante que Dickens a contribué à populariser dans ses
grands romans, et qui, traversée de part en part, redes-
sinée dans sa géographie par la fantastique circula-
tion de Scrooge, sert de toile de fond au Chant de Noël.

De cette économie des contrastes témoigne aussi le
début de L'Homme hanté, dans lequel un mouvement
de survol quasi cinématographique dispose autour de
Redlaw, le chimiste, l'entier de l'Angleterre hivernale ;
le paysage s'accroît, de cercle en cercle, depuis la figure
de l'homme songeur penché sur son feu, à son habitation (une «vieille partie en retrait d'une ancienne fondation pour étudiants», p. 515), à la ville, et au-delà
encore, à la mer «où les oiseaux de mer surpris par la
nuit se heurt[en]t à [la] puissante lanterne [des phares]
et tomb[en]t morts» (p. 517), à la campagne enfin où
« dans les parcs et les bois, les hautes et humides fougères, la mousse détrempée, les lits de feuilles mortes et
les troncs des arbres se dérob[en]t à la vue dans des
masses d'ombre impénétrable» (p. 517). Le conte ne
convoque pas seulement les paysages, mais aussi les
hommes qui les peuplent, dans leurs occupations des
soirs d'hiver : forgerons bouclant leurs ateliers, vieillards rêvant au passé, enfants lisant des contes qui
leur font peur (dans une mise en abyme de notre propre
situation de lecteurs). La technique, on le voit bien, est
comme la traduction de la sympathie dont ces contes
se veulent «l'Évangile» ; elle procède de la conscience
aiguë de l'épaisseur du réel et des existences séparées.

*Elle a une réelle force poétique lorsqu'elle restitue la
densité de la ville, ce « levain de brume et de ténèbres »
(p. 212), tissée de rêve et de réel, de destins différents
mais simultanés, de contrastes profonds et simples (la
lumière et la nuit, la richesse et la pauvreté) ; tout cela
se répondant et faisant, comme dirait Hugo, « un astre
dans le ciel », comme dans cette page merveilleuse du*
Chant de Noël :

> L'éclairage brillant des vitrines de magasins où les
> rameaux et les baies de houx craquaient à la chaleur
> des lampes mettait un reflet rougeâtre sur le visage
> pâle des passants. Les commerces d'épicerie et de
> volailles étaient devenus un splendide divertissement,
> un spectacle fastueux avec lequel il était à peu près
> impossible de croire que des principes aussi ennuyeux
> que l'achat et la vente eussent le moindre rapport. Le
> Lord-Maire, dans sa forteresse de l'imposante Mansion
> House, donnait des ordres à ses cinquante cuisiniers
> et à ses cinquante sommeliers, afin que Noël fût
> célébré comme il se doit dans la maison d'un Lord-
> Maire ; et même le petit tailleur que ce potentat avait
> condamné le lundi précédent à cinq shillings d'amende
> pour s'être montré ivre et altéré de sang, mélangeait
> dans sa mansarde les ingrédients du pudding, tandis
> que sa maigre épouse, son bébé dans les bras, sortait
> pour acheter le bœuf (p. 49).

À table

*De la même manière, aussi efficace que contrastive,
l'énumération des victuailles qui sont la tradition
joyeuse des fêtes de fin d'année vient rappeler qu'on ne
mange pas toujours à sa faim dans l'Angleterre de la
reine Victoria. Dans les taudis de Londres, comme
dans la campagne pauvre et reculée du Yorkshire où*

Jane Eyre, quelques années plus tard, dans le roman de Charlotte Brontë, fuyant Thornfield sans le sou, volera de la nourriture aux cochons pour survivre.

La plupart des contes rendent hommage aux joyeuses traditions de la vie sociale : les danses, les réjouissances, les charades. Mais le repas y a une place à part. On cuisine ; on met la table un peu partout et surtout on se met à table ; il y a une sorte d'exaltation, une anticipation de ce moment privilégié, auquel tous se préparent dans une communion qui, par-delà les différences, on le sent bien, est pour Dickens le sens profond de la fête. Le Chant de Noël *nous fait traverser une ville travaillée et comme soulevée par la fébrilité des préparatifs ; nous assistons même au repas traditionnel chez Bob Cratchit, le commis de Scrooge. Il y a de l'humour dans la pompe avec laquelle est célébré ce menu « extraordinaire » : l'oie farcie, la purée de « mashed potatoes », la compote de pommes, le pudding (son odeur de restaurant et de « jour de lessive »). Dans ces pages amusées et gourmandes, Dickens donne à la tradition anglaise une caution littéraire, ce qui dut contribuer pour partie à l'éclatant succès du* Chant de Noël.

Et nous ne nous contentons pas de voir la nourriture ; nous la respirons, comme les « jeunes Cratchit » attablés (qui, détail intéressant, se mettent une cuiller dans la bouche pour ne pas se ruer dessus). Ou comme Tobie, dans Le Carillon, *essayant d'identifier au fumet qu'il respire comme un « gaz hilarant » (p. 166) le contenu du récipient que lui apporte sa fille : cervelas ? pied de mouton ? saucisses ? andouilles ? tripes ? Nous « l'attaquons », comme le même Tobie : il « coupait et mangeait, coupait et buvait, coupait et mâchait, passant des tripes à la pomme de terre chaude » (p. 169). Nous la rêvons comme les passants devant des éta-*

lages qui promettent des bombances d'ogres. Aussi bien, l'inventaire — dans lequel la précision réaliste du détail rejoint l'expansion onirique de l'imaginaire — est un des traits du style : « on voyait des dindes, des oies, du gibier, des volailles, de la charcuterie, de grands quartiers de viande, des cochons de lait, de longs chapelets de saucisses, des petits pâtés, des puddings de Noël, des tonnelets d'huîtres, des châtaignes grillées toutes chaudes, des pommes aux joues écarlates, de juteuses oranges, de succulentes poires, d'immenses gâteaux des Rois, et des bols d'un punch bouillant qui obscurcissait la pièce de sa délicieuse vapeur » (Un chant de Noël, p. 91).

Il arrive même que le rêve gourmand se prolonge en un rêve de voyage, dans une sensuelle contiguïté des plaisirs : « les oignons d'Espagne, aux larges flancs, rougeâtres et basanés » sont « luisants et obèses comme les moines de ce pays » ; les « piles de noisettes, brunes et moussues », rappellent « par leur parfum les promenades dans les bois et le plaisir d'enfoncer lentement dans les feuilles mortes jusqu'à la cheville » (Un chant de Noël, p. 94).

On pourrait composer un livre de recettes à partir des contes : les tourtes confectionnées par Dot dans Le Grillon du foyer *(elle enfonce ses bras « jusqu'aux fossettes des coudes dans la farine », p. 385) ; les côtelettes de l'auberge, dans* La Bataille de la vie ; *le « flip » du* Carillon, *cette boisson chaude faite de bière, d'eau-de-vie et de sucre. Ou encore le jambonneau rôti « avec plein de peau craquante et une quantité illimitée de jus et de moutarde » qui fait saliver les petits Tetterby dans* L'Homme hanté *(p. 560). D'autant plus de jus et de moutarde, notons-le, qu'ils ont moins de jambonneau à se partager.*

Car l'appétit énorme, sain et joyeux, l'appétit de

*conte merveilleux dont témoignent tant de pages, est à
la mesure de la faim des pauvres qu'il évoque en creux,
dans un rêve enfantin, compensatoire, inversé — un
peu comme les images d'opulence qui visitent la petite
marchande d'allumettes dans le célèbre conte d'Andersen.*

*La description nous place implicitement dans le
point de vue des personnages mal nourris, ou nourris
de pain sec, affamés. Et Dickens n'est jamais plus
juste, jamais plus émouvant, il ne sert jamais mieux sa
cause, que lorsqu'il montre non pas tant le manque
absolu (la misère noire, la faim qui va pousser la malheureuse Margot du* Carillon *à se jeter dans le fleuve
avec son bébé) que les petites privations ordinaires : le
lait coupé d'eau des enfants Tetterby, la sauce plus
abondante que le jambonneau du dîner familial. Ou,
pis, les petites privations acceptées, dissimulées avec
pudeur : le pudding des Cratchit est un peu trop petit
pour une grande famille ; mais « pas un seul Cratchit
qui n'eût rougi de le suggérer » (p. 102).*

Des jouets et des hommes

*C'est que le fantastique coexiste avec le sens le plus
développé de l'observation et du concret. Si les contes
vont puiser dans l'arsenal du merveilleux leur population d'Esprits et de fantômes, ils peuvent tout aussi
bien fournir la matière d'une étude sociologique des
couches modestes de la société anglaise de l'époque :
ce qu'on y mange (un des riches et déplaisants protagonistes du* Carillon *propose d'ailleurs sur un mode
très grinçant une petite sociologie du plat de tripes),
mais aussi comment on y vit (ou plus exactement
comment on y vivait du temps de Dickens). Les objets*

*nous renseignent sur les usages de la vie domestique;
on peut par exemple penser que la glorification de la
bouilloire, sur un mode héroï-comique, est aux pro-
portions de son importance dans les foyers anglais. Il
y a autant de fantaisie que de précision dans les inven-
taires: celui des jouets de Caleb Plumer, ou celui des
poches de la servante Clemence Newcome dans* La
Bataille de la vie. *Les objets sont des «os du temps[1]»
selon le mot que Michel Butor applique à la philosophie de l'ameublement balzacienne. Ils suscitent
méditation et rêverie; leur usure dit le peu de ressources de leur propriétaire (les Cratchit n'ont pas
beaucoup de récipients, et parmi eux, «un petit pot à
crème qui [a] perdu son anse», p. 103). Dans le fonds
de commerce Tetterby, dans* L'Homme hanté, *où sédi-
mentent les restes d'un passé de négoces aussi variés
que peu fructueux, on trouve «une sorte de petite lanterne de verre contenant une masse languissante de
boules à la menthe qui avaient fondu en été pour se
regeler en hiver, jusqu'à ce que fût perdu tout espoir de
jamais plus les extraire ou les consommer sans avaler
en même temps la lanterne» (p. 551).*

*C'est toute une société, avec son décor, ses sédiments
et ses hommes, que Dickens «invente» au travers de
scènes qu'il semble tirer de son chapeau, comme des
lapins. L'espace social s'y partage entre la campagne
et la ville.* Le Grillon du foyer *ou* La Bataille de la vie
*peignent des sociétés de campagne: aubergiste, méde-
cins, avoués et leurs épouses provinciales,* Esquires
*(c'était le titre des petits gentilshommes ruraux). Dans
les autres contes, c'est Londres, avec sa population
composite, ses quartiers obscurs.*

---

1. M. Butor, «Philosophie de l'ameublement», dans *Répertoire
II*, Minuit, 1964.

On pense bien sûr à Balzac, à ceci près que *la société des* Contes de Noël *serait à* La Comédie humaine *ce que la société de poupées du fabricant de jouets Caleb Plumer, dans* Le Grillon du foyer, *est au monde réel : une miniaturisation et un miroir, une société pour rire, mais qui reproduit tout de même les clivages de la société réelle, avec « des habitations de banlieue pour poupées de moyens modestes ; des appartements d'une pièce et une cuisine pour poupées de classe inférieure ; de magnifiques résidences urbaines pour poupées du grand monde ». Ou encore des « habitations [...] déjà meublées à forfait pour la commodité de poupées à revenu limité » (p. 311).*

Le personnel des contes appartient aux petits métiers : voiturier, concierge, aubergiste, boutiquiers, crieurs de journaux, couturière. Nous entrons chez un modeste commissionnaire, chez un prêteur sur gages, dans les grands bâtiments vides de l'université (avec leurs tableaux de vieux lettrés à fraise), dans une chambre d'étudiant pauvre, dans des gourbis, dans une auberge de campagne.

Il y aurait de quoi remplir un annuaire avec les personnages. Ils ont un état civil, des noms dont la vertu comique ne passe pas toujours la barrière de la langue, et c'est dommage : ainsi, les patronymes des deux avoués associés, Snitchey et Craggs — sorte de Dupont et Dupond —, pourraient être rendus approximativement (si l'on en croit les traducteurs) par « Duflair » et « Falaise ». « Chickenstalker », qui est le nom d'une épicière du Carillon, *veut à peu près dire : « chasseur de poulet ». À quoi s'ajoute presque toujours le pittoresque phonétique : les dentales de « Tetterby », ou « Tackleton », la singularité farfelue, mi-anglaise, mi-orientale, « d'Ebezener Scrooge ».*

Ils ne sont pas introduits; ils surgissent devant nous, toujours en action, comme éclairés par une lanterne magique. Le conte n'a pas les contraintes de vraisemblance du roman; il procède par sauts et gambades, il accélère le temps à volonté, permet l'ubiquité dans l'espace. La survenue des personnages tient souvent de l'apparition. L'intrigue est prétexte à toutes sortes de scènes de genre dont le buissonnement et la fantaisie effacent la linéarité du récit à thèse: un concierge mettant la table, une godiche manipulant un bébé, un amoureux essayant de mettre la main sur celle qu'il aime en jouant à colin-maillard, la turbulente marmaille d'une famille nombreuse, ou encore un vieux couple (celui des époux Tetterby dans L'Homme hanté*) pris d'un soudain accès de scepticisme devant le mariage: «Je me demande ce que j'ai pu voir en elle [...]. Elle est grosse, elle vieillit», se dit M. Tetterby. «Je devais être un peu dérangé quand j'ai fait cela.» À quoi répond la désillusion symétrique de Mme Tetterby: «Il commence à se courber et il devient chauve» (p. 616).*

*Tous les âges sont représentés, du vieillard au bébé. Dickens était père de famille nombreuse, et le «personnel» des bébés est peint, on le sent, d'après nature. Le type social croise le type humain: il y a des amoureux et des ingrats, des avares, des tendres, des savants et des ignorants, un maniaque du bon vieux temps (Cute, l'*alderman — *magistrat principal — du* Carillon*) et même un nihiliste, le valet Bretagne (dans* La Bataille de la vie*) qui, en bon valet, épouse et caricature la philosophie de son maître: «Je ne me soucie de rien du tout. Je ne comprends rien du tout. Je ne crois rien du tout. Et je ne veux rien du tout» (p. 418).*

Ce sont bien, comme dirait Saint-John Perse, «toutes

sortes d'hommes dans leurs voies et façons[1] » et il faut
reconnaître que Dickens a une manière aussi drôle
qu'efficace, puissante par le nombre et la variété des
portraits et des situations, d'éclairer, selon sa formule,
les «multiples manières [qu'ont les hommes] de souffrir ou de vivre» (L'Homme hanté, p. 582).

Bien sûr, le conte est un univers d'essences : il y a
des personnages tout noirs, peints à charge, et d'autres
d'une bonté angélique. Bien sûr, leur psychologie se
rapproche parfois du fonctionnement rustique des
jouets à manivelle : la métaphore figure dans Le
Grillon du foyer, et elle éclaire bien l'écriture. Ils sont
pour la plupart saisis au moment où commence la
caricature, à ce point où la bizarre machine humaine
perce, avec ses tics, ses marottes, ses mots presque
inconscients : Tilly Slowboy bêtifiant avec le bébé de
Dot, que par ailleurs elle cogne dans toutes les portes.
Tobie le Trotteux sautillant dans la boue comme
Charlot ou Buster Keaton. Clemence Newcome, la
bonne du Dr Jeddler, grattant ses coudes écorchés. Ou
encore le vieux Swidger père répétant «j'ai quatre-
vingt-sept ans» avec une complaisance satisfaite et
sénile.

La netteté du trait n'exclut pas la profondeur. Tout
au contraire. C'est sans doute même à sa saisie à la
fois synthétique et profonde du comique humain que
se mesure la puissance de Dickens, ce qu'il faut bien
appeler son génie. Par exemple, Scrooge n'est pas seulement une marionnette qui nous fait rire par sa mes-
quinerie d'avare de caricature. Son entretien avec le
fantôme est un morceau d'anthologie plein de drôlerie et de pénétration dans l'enregistrement de ses

1. Saint-John Perse, *Anabase*, X, Gallimard, 1925.

réactions si humaines: ses fanfaronnades, ses ruses,
sa panique, ses tentatives pour négocier. Ce qui est vrai
de ce «héros» se vérifie chez les seconds rôles: dans
une scène de L'Homme hanté, *Mme Tetterby donne*
avant l'heure une assez bonne illustration du bova-
rysme féminin, lorsque rentrant de courses dans son
modeste foyer, vaguement acrimonieuse, regrettant (et
idéalisant) ses anciens prétendants, des «fils de Mars»
(p. 563), elle fait tourner rêveusement son alliance.

Aux côtés des enfants

Cet équilibre improbable et miraculeux, ce point de
tangence entre la finesse et la caricature, entre le rire et
les larmes, paraît surtout dans la peinture des enfants.
On sait que, chez Dickens, l'enfance est un point de
sensibilité névralgique. Il en a fait le sujet de ses grands
romans. Assez curieusement, pourtant, les enfants ne
sont pas, au sens propre, les héros des Contes de Noël.
Mais leurs protagonistes adultes ressemblent à des
enfants déguisés, ou à des hommes miniaturisés, pour
être plus juste. C'est le cas de Dot, la femme-enfant du
Grillon du foyer, *ou encore de Bob Cratchit, de Tobie*
le Trotteux, de Tetterby, qui tous, de petite taille, par-
tagent une forme de simplicité «innocente» et de
candeur. Mais l'amour paternel ou maternel fait le
sujet de tous ces contes, à travers des figures exem-
plaires, parfois substitutives d'oncle aimant, de
sœur aînée. Comme Milly, la femme sans enfants de
L'Homme hanté, *qui sert de mère aux étudiants*
pauvres.
Et des enfants surgissent partout, dans tous les
coins des tableaux: enfants des rues, à peine silhouet-
tés, apparus, disparus — un jeune nez rouge, un bras

passé autour d'un cou. Enfants de familles nom-
breuses saisis dans des scènes de repas ou de jeux
criantes de vérité. De l'enfance, les Contes de Noël
proposent en réalité une vision « mosaïque ». La variété
des croquis démultiplie les figures attachantes, drôles,
toujours blessées. Les contes prolongent le plaidoyer
pour l'enfance malheureuse de David Copperfield *ou*
*d'*Oliver Twist. *Ils débusquent le malheur enfantin*
où il se trouve, un peu partout. Dans ses formes
extrêmes comme dans ses formes moins visibles : le
dénuement de « l'enfant sauvage », cas d'école un
peu démonstratif de L'Homme hanté, *forgé pour les*
besoins de la cause, et dénoncé avec une violence pro-
phétique. L'infirmité de Berthe, la jeune aveugle du
Grillon du foyer, *ou celle de Tiny Tim sur ses béquilles*
d'acier dans le Conte de Noël. *On dira que la misère*
exemplaire de ces enfants-là, leur douceur édifiante,
appartiennent à l'univers du conte merveilleux, qu'il
est facile de faire pleurer Margot sur une jeune aveugle
ou un petit infirme appareillé. Mais Dickens est émou-
vant comme Andersen. Les fils auxquels il nous prend
sont solides, jamais grossiers. Il a certaines notations
déchirantes, qui font qu'à travers ces figures de
contes la cruauté du réel nous atteint. Par exemple,
lorsque Berthe demande à son père Caleb com-
ment est le soleil du soir qu'elle n'a jamais vu :
« il est bien rouge, papa ? — Rouge le matin et le soir,
*Berthe » (*Le Grillon du foyer, *p. 317). Ou quand, dans*
un des « mondes possibles » que l'Esprit des Noëls
futurs suscite devant Scrooge, la place du petit Tiny
Tim est vide auprès du foyer familial. L'hypothèse
sombre de sa mort est écartée au profit d'une fin opti-
miste, mais nous savons qu'elle est la réalité. Et elle
étend tout à coup devant nous « une tristesse glaciale »,
comme le dit Flaubert dans L'Éducation sentimen-

tale. *Et elle nous fait pleurer comme nous fait pleurer
ce court texte de Marguerite Duras, sobrement intitulé
«Cabourg[1]», dans lequel, intriguée par un cerf-volant
immobile au milieu des ballons qu'elle voit bouger
derrière la dune, elle s'aperçoit qu'il est tenu par un
petit infirme.*

*Souvent aussi, la drôlerie et l'humour, qui font le
charme de ces portraits d'enfants, se doublent d'aperçus fulgurants sur des drames silencieux, sur des
détresses menues, dont la cruauté «ordinaire» nous
échappe. Ainsi de l'enfance confisquée du petit Johnny
Tetterby de* L'Homme hanté, *voué, comme certains
aînés de famille nombreuse, au service de sa petite
sœur, un bébé «Moloch» et braillard dont il s'occupe
en «nourrice chevronnée» (p. 618), avec un dévouement innocent, consenti, éperdu, courant partout avec
la charge de ce gros poupon comme «un petit commissionnaire sous un très gros colis qui n'eût été adressé
à personne et qu'il n'eût pu livrer nulle part» (p. 550).*

Une «mascarade fantasque»

*La vie est une bataille: «On vous y abat, on vous y
piétine de terrible sorte» (p. 416), dit l'avoué Snitchey
dans le conte qui porte ce titre. Mais la vie est aussi
une comédie. Le découpage en scènes, les éclairages
souvent artificiels, le primat du dialogue apparentent
l'écriture des contes à celle du théâtre. Et du théâtre,
ils ont la fonction pédagogique et purgative. On y
assiste, on y rit, on y pleure. Les ficelles sont parfois un
peu grosses, la mécanique un peu visible, le pathos un*

1. M. Duras, *La Vie matérielle*, POL, 1987.

peu trop appuyé, mais on «marche». C'est la puis-
sance de l'écriture. Le merveilleux, qui permet de tra-
verser le temps et les murs, sert la leçon morale. En
une nuit, Scrooge parcourt toute la durée de sa vie
égoïste ; il est ainsi, avant l'heure, confronté à son
terme logique : sa mort solitaire, l'indifférence des
hommes de la Bourse, son dépouillement par des
femmes de charge sans scrupule, et finalement le spec-
tacle angoissant de sa propre pierre tombale. Dans Le
Carillon, *le cercle vicieux de la misère et du malheur*
dénoncé par Will Fern, l'homme révolté, dans un
brillant monologue («Je coupe un bâton. Ouste, en
prison ! Je mange une pomme pourrie ou un navet.
Ouste, en prison !», p. 234) est illustré par le récit
accéléré, démonstratif et noir qui, ballottant Tobie de
scène en scène à travers son propre avenir (est-il mort ?
est-ce un sortilège ?), lui fait voir tout ce que com-
porte en puissance le temps : la déchéance de sa fille,
délaissée par son fiancé, couturière sans ressources,
épousée sur le tard par un homme avili, et finalement
acculée au suicide la nuit de Noël avec son malheu-
reux bébé.

Le spectacle n'est pas inutile. Tout au contraire.
Cette «mascarade fantasque», comme l'écrit Dickens
dans sa préface (p. 33), est conçue comme une invita-
tion à nous tourner vers le spectacle du monde réel, à
ne pas imiter M. Tetterby dans L'Homme hanté *qui*
finit par dédaigner les faits divers et la vie des autres
(«Qu'est-ce que ça me fait, ce que font les gens ou ce
qu'on leur fait ?», p. 614). Ce que Dickens incrimine
avant tout, c'est l'indifférence. Les personnages les
plus antipathiques nous sont montrés incurieux des
autres, repliés sur leur égoïsme. En d'autres termes,
nous sommes appelés à faire nous-mêmes le chemine-

ment de Scrooge, à nous convertir à l'altruisme et à la charité.

Cette «conversion» passe, pour Dickens, par une conversion du regard. Écrits à hauteur d'enfant, les contes nous rendent un peu d'enfance «à l'état pur». Ils saisissent l'enfance au cœur, où elle s'origine : dans la vigueur native des sentiments : l'indignation et la pitié, le rire, la peur. Ils nous redonnent le bonheur oublié de nos premières lectures, ces lectures d'adhésion sans distance critique, sans réserve, non pas sceptiques et endurcies, mais merveilleusement sensibles et «crédules». Ils crèvent la carapace ; ils atteignent en nous ce noyau qui subsiste et où nous sommes, au fond, des Scrooges, épatés par la loufoquerie du perroquet de Robinson, avec sa laitue sur la tête, consternés par la mort probable de Tiny Tim, catastrophés par le mariage d'une princesse de conte persan.

DOMINIQUE BARBÉRIS

Note sur l'édition

Dickens écrit cinq contes de Noël de 1843 à 1848 ; il en publie un par an, en volume illustré, pour les fêtes de Noël.

Un chant de Noël (*A Christmas Carol*) paraît à Noël de l'année 1843 ; il se vend très bien mais ne rapporte pas grand-chose à l'auteur à cause d'une fabrication trop coûteuse. C'est pour cette raison qu'il rompt avec son éditeur Chapman & Hall et collaborera avec l'éditeur Bradbury & Evans à partir du deuxième conte : « par suite de la riche présentation à laquelle Dickens avait tenu, le profit qu'il retira de ce grand succès de librairie fut bien inférieur à ce qu'il escomptait. Son inquiétude et sa déception firent éclater la querelle qui couvait entre l'auteur et Chapman & Hall depuis les débuts malheureux de *Martin Chuzzlewit* [1] ». *Un chant de Noël* est pour Dickens une tentative pour reconquérir le public déçu par *Martin Chuzzlewit*. Le conte est immédiatement un grand succès : « Votre livre est un bienfait pour tous les hommes, pour toutes les femmes qui le lisent [2] », comme le dit Thackeray en félicitant Dickens à la sortie du livre. Dickens décide de réitérer l'expérience. L'écriture de ces contes survient à un moment où l'inspiration romanesque lui manquait : « Presque pour la première fois depuis *Pickwick* il n'avait aucun projet de roman en tête et il décida de nouveau de chercher dans des paysages

---

1. Angus Wilson, *Le Monde de Charles Dickens* [1970], traduit de l'anglais par Suzanne Nétillard, Paris, Gallimard, 1972 ; coll. « Tel », 1995, p. 162.
2. Ibid.

étrangers la perspective qui lui était nécessaire pour donner une forme artistique à la vision sociale qui se formait en lui[1].» Il part en Italie avec sa famille.

C'est là qu'il rédige *Le Carillon* (*The Chimes*), qui paraît à Noël 1844. C'est sans doute ce conte de Noël qui connaît le plus grand succès. Selon Angus Wilson, il «présente un grand intérêt pour l'examen des idées sociales de Dickens et frise la franche satire politique, chose peu habituelle chez Dickens[2]». Jean-Pierre Ohl fait le lien entre critique sociale et éloignement de l'Angleterre: «ainsi son plus vigoureux coup de semonce contre l'ordre social britannique depuis *Twist* est-il expédié d'Italie: tout se passe comme si Dickens avait eu besoin de cet éloignement pour frapper plus fort, à l'image de celui qui prend de l'élan pour enfoncer une porte[3]».

Le Grillon du foyer (*The Cricket of the Hearth*) paraît à Noël 1845 et connaît également un grand succès.

La Bataille de la vie (*The Battle of Life*) paraît à Noël 1846.

Dickens ne publie pas de conte en 1847 parce que *La Bataille de la vie* lui a donné du mal et qu'il se consacre alors exclusivement à la rédaction de *Dombey et Fils* (*Dombey et Son*).

L'Homme hanté (*The Haunted Man*) paraît à Noël 1848.

En 1852, Dickens réunit ces cinq contes sous le titre de *Christmas Books* (*Contes de Noël*) et les publie chez Chapman & Hall avec qui il renoue.

*

Après une interruption en 1849, Dickens reprend l'écriture de contes de Noël en 1850; il la poursuivra jusqu'en 1867. À partir de 1854, il met en place une nouvelle méthode d'écriture et de publication. Il publie dans le

1. Ibid.
2. Ibid., p. 159.
3. Jean-Pierre Ohl, *Charles Dickens*, Paris, Gallimard, coll. «Folio biographie», 2011, p. 145.

numéro de Noël des magazines *Household Words* puis *All the Year Round* les *Christmas Stories* (*Récits pour Noël*), récits plus courts que les contes. Comme l'explique Sylvère Monod dans son édition de ces textes en Pléiade : « L'idée nouvelle consistait à construire le numéro spécial de Noël à partir d'un récit central sur lequel venaient se greffer une série de textes rédigés par différents collaborateurs de *Household Words*, puis de *All the Year Round*. En qualité de maître d'œuvre, Dickens inventait le thème général et le fil conducteur de l'ensemble, écrivait la partie introductive, ainsi qu'un ou deux autres récits et souvent quelques pages de conclusion. Ses jeunes amis, comme Wilkie Collins, fournissaient chacun un chapitre ou récit, guidés par les instructions du patron, dans la mesure où ils les comprenaient[1]. » Au fil du temps, ces récits évoquaient de moins en moins la thématique de Noël. Contrairement aux *Christmas Books* (*Contes de Noël*) réunis en un volume lors du vivant de Dickens, les *Christmas Stories* (*Récits pour Noël*) ne furent publiés en édition complète qu'après la mort de l'auteur, d'abord en 1871 puis dans une version plus complète en 1874.

Les *Christmas Stories* ont été traduits et édités par Sylvère Monod dans la collection « Bibliothèque de la Pléiade » dans le volume *La Maison d'Âpre-Vent. Récits pour Noël et autres*.

*

Les *Christmas Books* ont été traduits par Marcelle Sibon et Francis Ledoux sous le titre de *Livres de Noël* et publiés dans le volume Pléiade *La Vie et les Aventures de Nicolas Nickleby* sous la direction de Pierre Leyris en 1966. C'est cette traduction que nous reprenons ici en adoptant le titre habituel de *Contes de Noël*, ainsi que les notes de Pierre Leyris.

---

1. *La Maison d'Âpre-Vent. Récits pour Noël et autres*, édition sous la direction de Sylvère Monod, Paris, Gallimard, coll. « Bibliothèque de la Pléiade », 1979, p. 1671.

CONTES DE NOËL

PRÉFACE DE L'AUTEUR

L'étroit espace dans lequel il fallut confiner ces histoires de Noël quand elles furent publiées originellement rendit leur construction assez malaisée et nécessita presque ce que leur mécanisme a de particulier. Je n'ai jamais cherché à beaucoup pousser le détail des personnages que je campais en de pareilles limites, étant persuadé que cela n'eût pas réussi. Mon dessein fut de recourir à une sorte de mascarade fantasque que justifiait la bonne humeur de la saison, pour éveiller quelques pensées d'amour et de clémence, qui ne sont jamais hors de saison en terre chrétienne.

Un chant de Noël

En prose,
ou une histoire de fantômes à Noël

Traduction de Marcelle Sibon.

PRÉFACE

J'ai entrepris ce petit livre spectral pour soulever le Fantôme d'une Idée qui ne devrait fâcher mes lecteurs ni avec eux-mêmes, ni les uns avec les autres, ni avec la saison ou avec moi. Qu'il hante plaisamment leur maison et que personne ne souhaite le reposer.

Leur fidèle Ami et Serviteur,
C. D.

Décembre 1843.

PREMIER COUPLET

LE FANTÔME DE MARLEY

Il faut dire, avant tout, que Marley était mort. Là-dessus, pas de doute possible. Le registre mortuaire avait été signé par le pasteur, son clerc, l'entrepreneur des pompes funèbres et le principal deuilleur. Scrooge l'avait signé. Et le nom de Scrooge était une garantie en Bourse, quel que fût le papier qu'il lui plaisait d'endosser.

Le vieux Marley était aussi mort qu'un clou de porte.

Attention ! Je ne veux pas insinuer par là que je sache, d'après ma propre expérience, ce qu'il y a de particulièrement mort dans un clou de porte. J'aurais été tenté, quant à moi, de considérer un clou de cercueil comme le morceau de ferraille le plus mort qui soit sur le marché. Mais la sagesse de nos ancêtres réside en cette image et mes mains profanes n'iront pas l'y troubler, ou c'en est fait de ce pays. Permettez-moi donc de répéter, avec emphase, que Marley était aussi mort qu'un clou de porte.

Scrooge le savait-il ? Bien sûr. Comment eût-il pu

l'ignorer? Scrooge et lui étaient associés depuis je ne sais combien d'années. Scrooge fut son seul exécuteur testamentaire, son seul curateur, son seul mandataire, son légataire universel, son seul ami, le seul qui eût pris son deuil. Et Scrooge lui-même, à vrai dire, ne fut pas si terriblement ému par ce triste événement qu'il ne se montrât excellent homme d'affaires le jour même des funérailles, dont il marqua la date par un marché des plus avantageux.

Cette allusion aux funérailles de Marley me ramène à mon point de départ. Il n'est pas douteux que Marley était mort. Il faut bien le comprendre, sinon l'histoire que je vais conter ne contiendrait pas le moindre mystère. Si nous n'étions pas absolument convaincus que le père de Hamlet est mort avant le commencement de la pièce, il n'y aurait rien de plus remarquable à le voir faire un petit tour le soir, en plein vent d'est, sur les remparts de son propre château, qu'il n'y en aurait à voir tout autre monsieur d'âge mûr se promener la nuit, au milieu des courants d'air de… mettons, du cimetière de St-Paul, à seule fin d'impressionner l'esprit débile de son fils.

Scrooge n'effaça jamais sur l'enseigne le nom du vieux Marley. Il était encore là, bien des années après, au-dessus de la porte du magasin : SCROOGE & MARLEY. La raison sociale était connue pour être celle de Scrooge et Marley. Parfois, des nouveaux venus dans les affaires appelaient Scrooge Scrooge, et parfois Marley, mais il répondait aux deux noms : pour lui, c'était tout un.

Oh! c'est qu'il maniait la meule d'un poing ferme, notre Scrooge! Le vieux pendard savait mieux que personne pressurer, tordre, arracher, serrer, gratter et tondre. Dur et tranchant comme le silex, un silex dont jamais acier ne fit jaillir une étincelle généreuse; secret, renfermé et aussi solitaire qu'une huître. Le froid qui l'habitait glaçait les traits de son vieux visage, pinçait son nez pointu, fripait sa joue, rendait sa démarche roide, ses yeux rouges, ses minces lèvres bleues; et s'exhalait en âpreté dans sa voix grinçante. Un givre blanc couvrait sa tête, ses sourcils, son menton maigre. Il transportait toujours et partout avec lui sa propre température à frimas; il glaçait son bureau pendant la canicule et ne le dégelait pas d'un degré à Noël.

Les changements de climat avaient peu de prise sur Scrooge. L'été le plus brûlant ne le réchauffait pas, l'hiver le plus dur n'aurait pu le faire grelotter. L'aquilon n'était pas plus âpre, ni la neige plus opiniâtre, ni la pluie torrentielle moins accessible à la prière. Le mauvais temps ne pouvait parvenir à lui damer le pion. Les plus fortes averses, la neige, la grêle et le grésil n'avaient l'avantage sur lui que d'une manière: ils tombaient sans lésiner. Scrooge lésinait jamais et partout.

Personne ne l'arrêtait jamais dans la rue pour lui dire d'un air joyeux:

«Mon cher Scrooge, comment allez-vous? Quand viendrez-vous me voir?»

Aucun mendiant n'implorait de lui la plus petite aumône, aucun enfant ne lui demandait l'heure. Jamais, de toute sa vie, homme ou femme ne pria Scrooge de lui indiquer le chemin de tel ou tel endroit. Les chiens d'aveugle eux-mêmes semblaient le connaître et, lorsqu'ils le voyaient approcher, tiraient leur possesseur sous les portes cochères et jusqu'au fond des cours; après quoi, ils remuaient la queue comme pour dire: mieux vaut pas d'œil du tout que le mauvais œil, mon ténébreux maître.

Mais qu'importait à Scrooge? C'était précisément

cela qui lui plaisait. Se faufiler le long des chemins de la vie qu'encombrent ses semblables en faisant savoir à toute sympathie humaine qu'elle devait se tenir à distance, c'était pour lui ce que les connaisseurs appellent du *nanan*.

Un jour, et parmi tous les bons jours de l'année, la veille de Noël, le vieux Scrooge était en train de travailler, assis à son bureau. Il faisait un froid noir, glacial, pénétrant, avec du brouillard par-dessus le marché ; et il entendait dans la ruelle le souffle bruyant des gens qui passaient dans un sens et dans l'autre en se frappant la poitrine pour se réchauffer les mains et en battant la semelle pour se réchauffer les pieds. Trois heures venaient de sonner aux horloges de la Cité, mais il faisait déjà complètement nuit (il n'avait pas fait jour de toute la journée), et les bougies qui flambaient aux fenêtres des bureaux voisins mettaient des éclaboussures rougeâtres dans l'air palpable et brun. Le brouillard pénétrait à flots par toutes les fentes et tous les trous de serrure, et il était si épais au-dehors que, bien que la cour fût des plus exiguës, les maisons d'en face avaient pris l'aspect de fantômes. À voir s'abattre ce nuage humide et sale qui obscurcissait tout, on eût pu croire que la Nature avait installé près de là quelque vaste brasserie, et y brassait sur une grande échelle.

La porte du bureau de Scrooge demeurait entrouverte, afin qu'il pût avoir l'œil sur son commis qui, assis à côté dans une lugubre petite cellule, une espèce de citerne, était occupé à copier des lettres. Scrooge avait un très petit feu, mais le feu du commis était encore bien plus maigre, si menu qu'il semblait contenir un seul morceau de charbon. Mais il ne pouvait pas le regarnir, car Scrooge gardait le seau à charbon chez lui, et, toutes les fois que le commis entrait avec la pelle, son patron lui annonçait qu'il se verrait forcé de se séparer de lui. Là-dessus, le commis mettait son cache-nez blanc et essayait de se réchauffer à la chandelle, mais comme il n'était pas doué d'une imagination très vive, ses efforts échouaient.

«Joyeux Noël, mon oncle, et que Dieu vous ait en sa garde!» cria une voix enjouée.

C'était le neveu de Scrooge qui était entré si vivement que cette voix fut le premier signe qu'il donna de sa présence.

«Bah! grogna Scrooge, sornettes!»

Il s'était si bien réchauffé à marcher d'un pas rapide dans le brouillard et le froid, ce neveu de Scrooge, qu'il en était tout en feu; ses joues rouges embellissaient son visage, il avait les yeux brillants et son haleine fumait encore.

«Des sornettes, Noël! mon oncle, dit le neveu de Scrooge. Vous ne parlez pas sérieusement.

— Si fait, dit Scrooge. Joyeux Noël! Quel droit avez-vous d'être joyeux? Quelle raison avez-vous d'être joyeux? N'êtes-vous pas pauvre?

— Allons, mon oncle, répliqua le neveu gaiement. Quel droit avez-vous d'être maussade? Quelle raison avez-vous d'être sombre? N'êtes-vous pas riche?»

Scrooge, qui ne trouva rien à répondre du tac au tac, se contenta de faire: «Bah!...» et de répéter ensuite: «Sornettes!»

«Ne soyez pas grognon, mon oncle, dit le neveu.

— Comment ne pas l'être, rétorqua l'oncle, lorsqu'on vit dans un monde d'insensés? Joyeux Noël! Au diable, votre joyeux Noël. Qu'est-ce pour vous que Noël, en vérité? Le moment où vous devez payer vos billets échus sans en avoir l'argent; le moment où vous vous trouvez plus vieux d'une année et pas plus riche d'une heure; le moment où vous faites la balance de vos livres pour découvrir qu'au long des douze mois chacun de leurs articles s'inscrit à votre passif. Si je pouvais agir à ma guise, poursuivit Scrooge avec indignation, tous les imbéciles qui parcourent la ville en criant: "Joyeux Noël", seraient mis à bouillir avec leur pudding et enterrés avec une branche de houx plantée dans le cœur. Et voilà!

— Oncle! protesta le neveu.

— Neveu! répondit l'oncle d'un ton sévère. Célébrez Noël comme il vous plaira et laissez-moi le célébrer à ma manière.

— Le célébrer! dit le neveu. Mais justement, vous ne le célébrez pas!

— Alors laissez-moi ne pas le célébrer. Grand bien vous fasse-t-il! Pour le bien qu'il vous a fait jusqu'à présent!

— Il y a beaucoup de choses, je le reconnais, dont je n'ai pas tiré tout le bien que j'aurais pu, répondit le neveu, et Noël en est une. Mais du moins ai-je toujours considéré cette fête (mis à part le respect dû au caractère sacré de son nom et de son origine, si l'on peut séparer ce respect de tout ce qui s'y rapporte) comme un très beau jour, et la saison de Noël comme une ère de bonté, de pardon, de charité, de joie; le seul moment que je sache dans le long calendrier de l'année où hommes et femmes semblent d'un commun accord ouvrir librement leurs cœurs longtemps fermés et traiter les gens qui leur sont inférieurs non en créatures d'une race différente marchant vers une autre destinée, mais comme leurs vrais compagnons de voyage sur le chemin du tombeau. Et c'est pourquoi, mon oncle, quoiqu'il n'ait jamais mis une once d'or ou d'argent dans mes poches, je crois que Noël m'a fait du bien et qu'il m'en fera encore. Aussi, je répète: "Vive Noël!"

Le commis, du fond de sa citerne, applaudit involontairement. S'apercevant aussitôt qu'il venait de commettre une inconvenance, il se mit à tisonner le feu dont il anéantit à jamais l'ultime et frêle étincelle.

«Que je vous entende encore faire le moindre bruit, cria Scrooge, et vous fêterez Noël en perdant votre place! Vous êtes un orateur fort éloquent, monsieur, ajouta-t-il en se tournant vers son neveu. Je m'étonne que vous ne soyez pas au Parlement.

— Ne vous fâchez pas, mon oncle. Allons, venez dîner chez nous demain.»

Scrooge déclara qu'il verrait son neveu aller au d...[1] Oui, il employa cette expression blasphématoire et déclara qu'il verrait son neveu réduit à cette extrémité, avant que d'accepter son invitation.

«Mais pourquoi? s'écria le neveu de Scrooge. Pourquoi?

— Pourquoi vous êtes-vous marié? demanda Scrooge.

— Parce que j'étais amoureux.

— Parce que vous étiez amoureux! grogna Scrooge comme si c'était la seule chose au monde qui fût plus ridicule encore que de fêter Noël. Bonsoir.

— Mais, mon oncle, vous ne veniez jamais me voir avant cet événement. Pourquoi me donner cette raison pour refuser de venir maintenant?

— Bonsoir, dit Scrooge.

— Je n'attends rien de vous. Je ne vous demande rien. Pourquoi ne sommes-nous pas amis?

— Bonsoir, dit Scrooge.

— Je suis peiné jusqu'au fond du cœur de vous voir si obstiné. Nous n'avons jamais eu de querelle, où j'aie pris part, du moins. Allons, j'ai fait cette tentative en l'honneur de Noël et je veux conserver jusqu'au bout mon humeur de Noël. Donc, mon oncle, je vous souhaite un joyeux Noël!

— Bonsoir, dit Scrooge.

— Et une bonne et heureuse année.

— Bonsoir», dit Scrooge.

Son neveu quitta pourtant la pièce sans un mot de colère. Il s'arrêta au seuil de la porte extérieure pour présenter les vœux de la saison au commis qui, tout transi qu'il fût, les reçut plus chaudement que Scrooge, et y répondit cordialement.

«En voilà un autre! marmonna Scrooge qui l'entendit de sa place; mon commis, qui a quinze shillings par semaine, avec une femme et des enfants, et qui parle d'un joyeux Noël! Je finirai par me retirer chez les fous!»

Le dément en question, en reconduisant le neveu de Scrooge, avait introduit deux autres personnes. C'était deux imposants messieurs, à l'air avenant, qui se présentèrent devant Scrooge, le chapeau à la main. Ils tenaient sous le bras des registres et des papiers. Ils le saluèrent.

«Scrooge et Marley, je crois? dit l'un des visiteurs en consultant sa liste. Est-ce à M. Scrooge ou à M. Marley que j'ai le plaisir de parler?

— M. Marley est mort depuis sept ans, dit Scrooge. Il est mort voici sept ans tout juste, ce soir même.

— Nous ne doutons pas que sa générosité ne soit bien représentée par son associé survivant», dit le gentleman en tendant ses papiers justificatifs.

Elle l'était certainement, car les deux associés avaient possédé des âmes sœurs. En entendant ce mot alarmant: générosité, Scrooge fronça le sourcil et, secouant la tête, rendit au visiteur ses certificats.

« En cette époque de l'année dédiée à la joie, commença ce dernier en prenant une plume, il est plus désirable encore qu'en temps ordinaire de recueillir quelque obole pour les pauvres et les nécessiteux qui souffrent cruellement des rigueurs de la saison. Bien des milliers manquent du strict nécessaire, des centaines de milliers ignorent le plus modeste confort, monsieur.

— N'y a-t-il pas de prisons ? demanda Scrooge.

— Un grand nombre de prisons, dit le gentleman, laissant retomber sa plume.

— Et les asiles et hospices des paroisses, demanda Scrooge, ont-ils été fermés ?

— Non pas. Je voudrais pouvoir dire qu'ils l'ont été.

— Le moulin de discipline et la Loi des pauvres [1] sont donc en pleine vigueur ?

— En pleine activité, monsieur.

— Oh ! j'avais craint, d'après ce que vous me disiez au début, que quelque circonstance fâcheuse n'eût entravé la bonne marche de ces utiles institutions, dit Scrooge, je suis enchanté d'apprendre qu'il n'en est rien.

— Ayant toutefois l'impression que la multitude n'y saurait puiser le contentement chrétien du corps ou de l'âme, quelques-uns d'entre nous s'efforcent de réunir des fonds destinés à donner aux pauvres nourriture et boisson, ainsi que le moyen de se chauffer. Nous avons choisi cette saison parce que, plus que toute autre, c'est celle où la pénurie se fait cruellement sentir et où l'opulence triomphe. Pour quelle somme dois-je vous inscrire ?

— Pour rien, répliqua Scrooge.

— Vous désirez demeurer anonyme ?

— Je désire qu'on me laisse en paix. Puisque vous

me demandez ce que je désire, messieurs, telle est ma réponse. Je ne me goberge pas à Noël et n'ai point les moyens de permettre aux oisifs de se goberger. J'aide à l'entretien des établissements dont je vous ai parlé. Ils coûtent très cher, et ceux qui sont dans le besoin n'ont qu'à y entrer.

— Beaucoup ne le peuvent pas, et beaucoup préféreraient mourir.

— S'ils préfèrent mourir, dit Scrooge, qu'ils le fassent : cela diminuera l'excédent de la population. Au surplus, excusez-moi, j'ignore tout cela.

— Mais vous pourriez ne pas l'ignorer, fit remarquer le gentleman.

— Ce ne sont pas mes affaires, répliqua Scrooge. Un homme a bien assez de ses propres affaires, sans se mêler de celles des autres. les miennes occupent tous mes instants. Bonsoir, messieurs. »

Voyant clairement qu'il serait vain d'insister, les deux visiteurs se retirèrent. Scrooge se remit à ses travaux, fort satisfait de lui-même, et d'une humeur plus enjouée que de coutume.

Pendant ce temps, le brouillard et la nuit avaient tellement épaissi que l'on voyait courir en tous sens des porteurs de torches qui offraient leurs services pour guider les voitures en marchant devant les chevaux. L'antique tour d'église, du haut de laquelle une vieille cloche bougonne passait son temps à épier Scrooge par une fenêtre gothique percée dans le mur, devint invisible et sonna les heures et les quarts dans les nuages, en les faisant suivre de tremblantes vibrations comme si ses dents claquaient là-haut dans sa tête gelée. Le froid devenait intense. Dans la grand-rue, au coin de la cour, des ouvriers occupés à réparer les conduites de gaz avaient allumé un grand feu dans un brasero, autour duquel se pressait un groupe d'hommes et de gamins en haillons qui se chauffaient les mains et clignaient des yeux devant la flamme d'un air ravi. La pompe à eau, abandonnée à sa solitude, se figea par mauvaise humeur et transforma son trop-plein en glaçons misanthropiques. L'éclairage brillant des vitrines de magasins où les rameaux et les baies de houx craquaient à la chaleur des lampes, mettait un reflet rougeâtre sur le visage pâle des passants. les commerces d'épicerie et de volailles étaient devenus un splendide divertissement, un spectacle fastueux avec lequel il était à peu près impossible de croire que des principes aussi ennuyeux que l'achat et la vente eussent le moindre rapport. Le Lord-Maire, dans sa forteresse de l'imposante Mansion House, donnait des ordres à ses cinquante cuisiniers et à ses cinquante sommeliers, afin que Noël fût célébré comme il se doit dans la maison d'un lord-maire ; et même le petit tailleur que le potentat avait condamné le lundi précédent à cinq shillings d'amende pour s'être montré dans les rues ivre et altéré de sang, mélangeait dans sa mansarde les ingrédients du pudding, tandis que sa maigre épouse, son bébé dans les bras, sortait pour acheter le bœuf.

Le brouillard et le froid continuaient de croître. Un froid vif, pénétrant, cuisant. Si le bon saint Dunstan[1] avait pincé le nez du Malin avec un peu de ce temps-là au lieu d'employer ses outils familiers, c'est alors que le diable aurait eu des raisons pour rugir de douleur. Le possesseur d'un jeune et maigre nez, grignoté et mâchonné par le froid comme les os sont rongés par les chiens, se baissa devant le trou de serrure de Scrooge pour le régaler d'un chant de Noël, mais aux premiers accents de :

Dieu vous bénisse, joyeux messieurs,
Que rien ne vienne vous troubler !

Scrooge s'empara de la règle avec un geste d'une telle énergie que le chanteur s'enfuit épouvanté, abandonnant le trou de la serrure au brouillard et au gel, mieux approprié encore.

Enfin l'heure de fermer le comptoir arriva. À contrecœur, Scrooge descendit de son haut tabouret, donnant ainsi le signal du départ au commis qui l'attendait impatiemment dans la citerne, et qui mit son chapeau, tout en éteignant la bougie d'un coup de mouchettes.

« Vous voulez disposer de toute la journée de demain, je suppose ? dit Scrooge.

— Si cela ne vous dérange pas, monsieur.

— Cela me dérange, dit Scrooge, et cela n'est pas équitable. Si je vous retenais une demi-couronne pour cette journée, vous vous croiriez lésé, si je ne m'abuse. »

Le commis eut un pâle sourire.

« Et pourtant, poursuivit Scrooge, vous ne pensez pas que moi, je sois lésé si je vous paie une journée à ne rien faire. »

Le commis lui fit observer que cela n'arrivait qu'une fois par an.

« Bonne excuse pour détrousser un homme tous les vingt-cinq décembre, dit Scrooge en boutonnant sa pelisse jusqu'au menton, mais je suppose que vous devez avoir la journée entière. Arrivez d'autant plus tôt le lendemain matin. »

Le commis promit qu'il tâcherait, et Scrooge sortit en maugréant. Le bureau se trouva fermé en un clin d'œil et le commis, avec les deux bouts de son cachenez blanc qui lui pendaient plus bas que la taille (car il ne possédait pas de pelisse), s'élança sur la pente de Cornhill[1] derrière une file de gamins et fit avec eux une vingtaine de glissades en l'honneur de la veille de Noël. Il regagna ensuite, à bride abattue, son domicile de Camden Town[2], pour y jouer à colin-maillard.

Scrooge absorba son dîner mélancolique dans sa mélancolique taverne habituelle ; et après avoir lu tous les journaux et charmé le reste de sa soirée par l'étude de ses livres de caisse, il rentra se coucher. Il habitait un appartement où avait vécu feu son associé. C'était une enfilade de pièces lugubres situées dans un bâtiment sombre, au fond d'une impasse où il avait si peu de raisons d'être qu'on ne pouvait s'empêcher d'imaginer qu'il s'y était égaré dans sa jeunesse en jouant à cache-cache avec d'autres petites maisons et qu'il n'avait pas retrouvé la sortie. À l'époque dont nous parlons, il était vieux et très triste, car personne n'y habitait, hormis Scrooge, tous les autres appartements étant occupés par des bureaux. La cour était si sombre que Scrooge lui-même, qui en connaissait le moindre pavé, fut obligé de tâtonner pour se diriger. Le brouillard et la glace s'étaient accrochés de telle sorte au vieux porche noir de la maison qu'on y croyait voir le Génie de l'Hiver assis sur le seuil et plongé dans une morne méditation.

Or, il est certain que le marteau de la porte n'avait absolument rien de spécial, sauf qu'il était très gros ; il est certain aussi que Scrooge l'avait vu, matin et soir, tous les jours depuis qu'il habitait cette maison ; il est non moins certain que Scrooge possédait aussi peu de ce qu'il est convenu d'appeler imagination que tout autre habitant dans la Cité de Londres, y compris même — et ce n'est pas peu dire ! — la municipalité tout entière : notables et membres des guildes. Qu'on ait en outre bien à l'esprit le fait que Scrooge n'avait pas accordé une seule pensée à Marley, depuis l'allusion faite cet après-midi-là à son ancien associé mort depuis sept ans. Qu'on m'explique alors, si l'on peut, comment il advint que Scrooge, ayant introduit sa clef dans la serrure, vit dans le marteau de porte, sans qu'une métamorphose graduelle l'y eût préparé, non plus un marteau, mais le visage de Marley.

Le visage de Marley. Il ne baignait pas, ainsi que tous les autres objets de la cour, dans une ombre impénétrable, mais s'entourait d'une phosphorescence sinistre, comme un homard avarié dans une cave obscure. Il n'était ni furieux, ni féroce, il regardait Scrooge avec l'expression habituelle de Marley et portait des spectres de lunettes relevées sur son front de spectre. Ses cheveux étaient bizarrement agités, comme par une haleine ou par des vibrations d'air chaud ; et bien que ses yeux fussent grands ouverts, ils étaient absolument immobiles. Ce détail, et sa couleur livide, en faisaient un objet d'horreur ; mais cette horreur semblait extérieure au visage et hors de son contrôle, plutôt qu'elle n'appartenait à son expression elle-même.

Pendant que Scrooge considérait fixement ce phénomène, le marteau redevint un marteau.

Dire qu'il ne tressaillit pas, ou qu'il ne sentit pas courir dans ses veines certaine sensation d'effroi qu'il n'avait pas éprouvée depuis sa petite enfance serait mentir. Mais il remit la main sur la clef qu'il avait lâchée, la fit tourner avec énergie, entra et alluma sa bougie.

Il eut bel et bien un moment d'hésitation avant de refermer la porte et il regarda bel et bien avec précaution par-derrière, comme s'il s'attendait, ou presque, au spectacle terrifiant de la perruque de Marley pointant sa queue de rat vers le vestibule. Mais il n'y avait rien derrière la porte que les vis et les écrous qui maintenaient le marteau, aussi Scrooge fit-il : « Peuh, peuh !... » en claquant la porte pour la fermer.

Le bruit résonna dans toute la maison comme un coup de tonnerre. Chacune des chambres aux étages, chacune des barriques dans les caves du négociant en vins sembla, pour y répondre, faire entendre sa propre gamme d'échos particuliers. Scrooge n'était pas homme à se laisser effrayer par des échos. Il verrouilla la porte, traversa le vestibule et monta l'escalier ; le monta lentement, qui plus est, en mouchant sa chandelle chemin faisant.

Il arrive que, parlant en l'air, on dise qu'on peut faire passer un carrosse à six chevaux par un de ces bons vieux escaliers d'autrefois (ou par les trous d'un mauvais Acte du Parlement frais éclos), mais moi j'affirme qu'il eût été possible de faire monter un corbillard par l'escalier de Scrooge, et même de le mettre en travers, avec le timon tourné vers le mur et la portière vers la rampe, sans la moindre difficulté ; il avait bien assez de largeur pour cela et plus encore. C'est sans doute pour cette raison que Scrooge crut voir monter devant lui dans la pénombre un corbillard locomobile. Une demi-douzaine des becs de gaz de la rue n'auraient pas suffi à éclairer le vestibule ; vous pouvez donc imaginer qu'il y faisait sombre autour de la chandelle à mèche que portait Scrooge.

Il poursuivit son ascension se moquant de cela comme d'une guigne. L'obscurité ne coûte pas cher, c'est pourquoi Scrooge l'aimait. Pourtant, avant de fermer sa lourde porte, il parcourut les pièces de son logement pour s'assurer que tout y était en bon ordre. Il se rappelait juste assez le visage pour éprouver le besoin de faire cela.

Salon, chambre à coucher, cabinet de débarras étaient exactement dans l'état où ils devaient être. Rien sous la table, personne sous le canapé ; un maigre feu dans la grille, le bol et la cuiller préparés et la petite casserole de tisane de gruau (Scrooge avait un rhume de cerveau) au chaud sur la grille. Personne sous le lit, personne dans le placard, personne dans sa robe de chambre qui pendait le long du mur dans une attitude suspecte. Le cabinet de débarras comme d'habitude. Un vieux garde-feu, de vieilles chaussures, deux bourriches à poisson, une table de toilette sur trois pieds et un tisonnier.

Tout à fait rassuré, il tira la porte et s'enferma à clef ; il s'enferma à double tour, ce qui n'était pas son habitude. Ainsi à l'abri de toute surprise, il ôta sa cravate et revêtit sa robe de chambre, ses pantoufles et son bonnet de nuit. Puis il s'assit devant le feu pour boire sa tisane de gruau.

C'était en vérité un très petit feu : autant dire rien par un soir aussi glacial. Il fut obligé de s'en rapprocher, de le couver, avant de parvenir à extraire la moindre sensation de chaleur de cette poignée de combustible. La cheminée était très ancienne, elle avait été construite autrefois par un marchand hollandais, et son pourtour était garni de vieilles céramiques hollandaises représentant des scènes de l'Écriture. Il y avait là des Caïn et des Abel, des filles de Pharaon, des reines de Saba, des messagers angéliques descendant du ciel sur des nuages pareils à des édredons, des Abraham, des Balthazar, des apôtres qui faisaient prendre le large à des saucières, des centaines de personnages capables de retenir ses pensées; et cependant, le visage de Marley, mort depuis sept ans, s'interposa et, comme la verge du Prophète antique, engloutit tous les autres. Si tous ces carreaux lisses avaient été vides d'images et doués du pouvoir d'en faire surgir une, en utilisant les fragments disjoints de la pensée de Scrooge, il y aurait eu un portrait du vieux Marley sur chacun des carreaux de céramique.

«Sornettes!» dit Scrooge qui se mit à arpenter la pièce.

Après quelques allées et venues, il vint se rasseoir. Comme il appuyait la tête en arrière sur le dossier de son fauteuil, ses yeux se posèrent par hasard sur une cloche, une cloche depuis longtemps inutilisée, qui pendait dans un coin de la pièce et communiquait à quelque fin oubliée avec une chambre située tout en haut de l'immeuble. Ce fut avec une extrême surprise, accompagnée d'une terreur étrange, inexplicable, qu'au moment où il la regardait, il vit cette cloche se mettre en mouvement. Elle bougea si peu au début qu'elle sonnait à peine, mais son carillon retentit bientôt à grand bruit, accompagné par toutes les autres sonnettes de la maison.

Cela ne dura peut-être qu'une demi-minute ou une minute, mais Scrooge eut l'impression que c'était une heure. Les cloches cessèrent de sonner, comme elles avaient commencé, toutes en même temps. Elles furent suivies d'un bruit de ferraille montant des profondeurs de la maison, comme si quelqu'un traînait une lourde chaîne sur les tonneaux du marchand de vin. Scrooge se souvint alors d'avoir entendu dire que, dans les maisons hantées, les fantômes traînaient des chaînes.

La porte de la cave s'ouvrit brusquement avec un grand fracas et Scrooge perçut ce bruit de plus en plus distinctement au rez-de-chaussée d'abord, puis montant l'escalier, enfin se dirigeant droit vers sa porte.

« Sornettes aussi que tout cela, dit Scrooge. Je ne veux pas y croire. »

Il changea pourtant de couleur quand, sans s'être arrêté, cela traversa la lourde porte et pénétra dans la pièce, sous ses yeux. Au moment où la chose entra, la flamme mourante bondit dans l'âtre, comme pour dire : « Je le connais : c'est le fantôme de Marley », puis elle retomba.

Le même visage, exactement le même. Marley, avec sa perruque à queue de rat, son gilet habituel, sa culotte collante et ses bottes ; les glands de ses lacets, la queue de sa perruque, les basques de son habit, les cheveux qui couvraient sa tête, se dressaient roides autour de lui. La chaîne qu'il traînait lui entourait la taille ; elle était longue et se déroulait comme une queue ; et elle était faite (car Scrooge l'observa de près) de coffres-forts, de clefs, de cadenas, de Grands Livres, d'exploits, et de pesantes bourses forgées dans l'acier. L'apparition était transparente, et Scrooge, qui regardait son gilet, put voir les deux boutons cousus par-derrière à son habit.

Scrooge avait souvent entendu dire que Marley n'avait pas d'entrailles, mais il ne l'avait encore jamais cru.

Non. Et même à ce moment-là il refusait d'y croire. Il avait beau examiner le spectre de part en part et le voir debout devant lui ; il avait beau se sentir glacé par le regard de ces yeux morts, et distinguer jusqu'à la trame du tissu d'un mouchoir qui passait sous son menton pour s'attacher au sommet de sa tête (et que Scrooge venait tout juste de remarquer), il demeurait incrédule et luttait contre le témoignage de ses sens.

« Eh bien ! dit Scrooge, plus caustique et plus froid que jamais, que me voulez-vous ?

— Beaucoup de choses. »

C'était la voix de Marley, sans erreur.

« Qui êtes-vous ?

— Demandez-moi qui j'étais.

— Bon. Disons qui étiez-vous ? Vous êtes bien tatillon, pour une ombre.

— De mon vivant, j'étais votre associé, Jacob Marley.

— Pouvez-vous… pouvez-vous vous asseoir ? demanda Scrooge en le regardant d'un air sceptique.

— Je le puis.

— Alors, asseyez-vous. »

Scrooge avait posé cette question parce qu'il se demandait si un fantôme aussi transparent était en état de prendre un siège, et parce qu'il pensait que, dans le cas où cela serait impossible, il serait contraint de se livrer à une explication embarrassante. Mais le Fantôme s'assit de l'autre côté de la cheminée comme s'il en avait l'habitude.

« Vous ne croyez pas en moi, dit-il.

— Non, répondit Scrooge.

— Quelle preuve de ma réalité vous faut-il donc, outre le témoignage de vos sens ?

— Je n'en sais rien, dit Scrooge.

— Pourquoi doutez-vous de vos sens ?

— Parce que la plus petite chose suffit à les troubler. Un léger malaise d'estomac en fait des imposteurs, et vous pourriez bien n'être qu'une bouchée de bœuf mal digérée, une boulette de moutarde, une parcelle de fromage, un fragment de pomme de terre mal cuite. Qui que vous soyez, vous sortez plutôt de la cave que du caveau.»

Scrooge n'avait pas pour habitude de faire des calembours et, dans le fond de son cœur, il ne se sentait pas, il faut bien le dire, enclin à la plaisanterie juste à ce moment-là. La vérité, c'est qu'il faisait le malin dans l'espoir de distraire sa propre attention et de surmonter sa terreur, car la voix du Fantôme le bouleversait jusqu'à la moelle des os.

Demeurer silencieux, ne fût-ce qu'un moment, à regarder ces yeux fixes et vitreux suffirait, Scrooge le sentait, à lui faire perdre la tête. Il y avait, en outre, quelque chose de terrifiant dans l'atmosphère infernale qui entourait le spectre comme son propre élément. Scrooge ne la sentait pas lui-même, mais il n'en pouvait douter, car, bien que le Fantôme se tînt parfaitement immobile, ses cheveux, les basques de son habit, les glands de ses bottes étaient encore agités comme par la vapeur chaude qui s'échappe d'un four.

«Voyez-vous ce cure-dent? demanda Scrooge, revenant vivement à la charge pour la raison que nous venons de dire et souhaitant, ne fût-ce qu'un instant, détourner de lui-même le regard fixe du Fantôme.

— Oui, répondit ce dernier.

— Vous ne le regardez pas, protesta Scrooge.

— Je le vois néanmoins, dit le Fantôme.

— Eh bien, répliqua Scrooge, il me suffirait de l'avaler pour être persécuté jusqu'à la fin de mes jours par une légion de lutins, tous sortis de mon imagination. Sornettes, vous dis-je, sornettes!»

À ce mot, le spectre poussa un cri épouvantable, et secoua sa chaîne en faisant un bruit si lugubre et si menaçant que Scrooge dut se cramponner à son fauteuil pour se retenir de tomber évanoui. Mais combien plus grande encore fut son horreur quand le Fantôme, détachant le bandage qui entourait sa tête comme s'il faisait trop chaud dans la pièce pour le garder, laissa sa mâchoire inférieure retomber sur sa poitrine.

Scrooge s'écroula, agenouillé, les mains jointes devant son visage.

« Pitié, s'écria-t-il, pitié! Apparition terrible, pourquoi viens-tu me tourmenter?

— Homme à l'esprit mondain, dit le Fantôme, crois-tu en moi, oui ou non?

— J'y crois, dit Scrooge, il faut bien que j'y croie. Mais pourquoi les esprits errent-ils sur la terre et pourquoi me visitent-ils?

— C'est pour tout homme, reprit le Fantôme, une obligation que de se mêler par l'imagination à la vie de ses semblables et d'étendre en tous sens son universelle sympathie; si son âme s'y refuse pendant la vie, il ne peut y échapper après sa mort. Il est condamné à errer de par le monde — oh! malheur à moi! — pour être le témoin de ce qu'il ne peut plus partager, de ce qu'il aurait pu partager sur la terre et transformer en source de bonheur. »

Le spectre poussa un nouveau cri, secoua sa chaîne et tordit ses mains spectrales.

« Vous êtes enchaîné, observa Scrooge en tremblant, dites-moi pourquoi.

— Je porte la chaîne que j'ai forgée pendant ma vie, répondit le Fantôme. C'est moi qui l'ai faite, anneau par anneau, aune par aune; je l'ai attachée autour de moi librement, et je la porte de mon plein gré. Son modèle te surprend-il, toi? »

Scrooge tremblait de plus en plus.

« Ou bien voudrais-tu connaître, poursuivit le Fantôme, le poids et la longueur de l'énorme câble que tu portes toi-même ? Tes fers étaient aussi importants et aussi pesants, il y a ce soir sept veilles de Noël, que le sont aujourd'hui les miens. Tu y as ajouté depuis. Ah, c'est une chaîne considérable ! »

Scrooge jeta un coup d'œil sur le plancher, comme s'il s'attendait à se voir entouré de cinquante ou soixante brasses de câble de fer, mais il ne vit rien.

« Jacob, dit-il d'une voix suppliante, mon vieux Jacob Marley, parle encore, dis-moi quelques mots de réconfort.

— Je ne saurais le faire, dit le Fantôme ; c'est d'autres régions que vient le réconfort, Ebenezer Scrooge, et il est dispensé par d'autres ministres à des hommes d'une autre espèce. Je ne puis non plus te dire tout ce que je voudrais. Quelques mots encore et j'aurai épuisé ce que j'ai le droit de te révéler ; je ne puis me reposer, je ne puis séjourner, je ne puis m'attarder nulle part. Mon esprit n'a jamais quitté jadis notre maison de commerce, note bien mes paroles ; quand je vivais, mon esprit n'a jamais vagabondé au-delà des étroites limites de ce trou où nous amassions de l'or, aussi me reste-t-il à accomplir de longs et pénibles voyages. »

Scrooge avait l'habitude, pour réfléchir, d'enfoncer les mains dans les poches de sa culotte. Retournant dans sa tête les paroles du Fantôme, il fit ce geste, mais sans relever les yeux et toujours à genoux.

« Il faut que tu aies avancé très lentement, Jacob, remarqua-t-il, parlant en homme d'affaires, mais avec humilité et déférence.

— Lentement ! répéta le Fantôme.

— Mort depuis sept ans, rumina Scrooge, et tout le temps en chemin !

— Tout le temps, dit le Fantôme. Sans trêve ni repos. L'incessante torture du remords.

— Et tu voyages vite ? demanda Scrooge.

— Sur les ailes du vent, répliqua le Fantôme.

— Tu as dû parcourir beaucoup de chemin en sept ans ! »

Le spectre, en entendant ces mots, poussa une nouvelle clameur et, secouant sa chaîne, troubla d'un si horrible fracas le silence de cette heure morte que l'homme du guet aurait eu le droit strict de le poursuivre pour tapage nocturne.

« Oh ! captif, lié, chargé de doubles chaînes, s'écria le Fantôme, pour ne pas savoir qu'il doit s'écouler dans l'éternité des siècles d'incessant labeur accompli pour cette terre par d'immortelles créatures avant que les bienfaisants effets ne s'en fassent sentir ! Pour ne pas savoir qu'une âme chrétienne, œuvrant avec bonté dans sa petite sphère, quelle que soit cette sphère, trouvera sa vie terrestre trop courte pour les innombrables moyens qu'elle a de s'employer. Pour ne pas savoir qu'une éternité de regrets ne peut réparer les possibilités négligées d'une seule vie ! Et j'étais ainsi ! Oh ! j'étais ainsi !

— Mais, Jacob, tu as toujours été un excellent homme d'affaires, dit d'une voix brisée Scrooge qui commençait à s'appliquer toutes ces condamnations à lui-même.

— Les affaires ! s'écria le Fantôme, se tordant les mains de nouveau. L'humanité était mon affaire. Le bien commun était mon affaire ; la charité, la compassion, la tolérance et la bonté, telles étaient mes affaires. Les opérations de mon commerce n'étaient qu'une goutte d'eau dans l'immense océan de mes affaires. »

Il tenait sa chaîne à bout de bras et l'on eût dit qu'il voyait en elle la cause de toutes ses stériles douleurs ; puis il en frappa lourdement le sol à nouveau.

«Au cours de l'année qui se déroule, reprit le Fantôme, c'est à cette époque-ci que je souffre le plus. Pourquoi ai-je jadis traversé la foule de mes semblables, les yeux baissés vers la terre, sans les lever jamais pour contempler l'Étoile bénie qui conduisit les Rois vers une humble demeure? N'y avait-il pas autour de moi de pauvres foyers où sa lumière eût pu me mener?»

Scrooge était très inquiet d'entendre le Fantôme discourir avec véhémence et il se mit à trembler de tous ses membres.

«Écoute-moi, cria le Fantôme, mon temps s'achève.

— J'écoute, dit Scrooge. Mais, épargne-moi, Jacob. Ne t'étends pas trop, je t'en prie.

— Comment se fait-il que je me trouve devant toi sous une forme que tu puisses voir, je ne saurais le dire. Mainte et mainte fois, je suis venu m'asseoir invisible à tes côtés.»

Ce n'était pas une idée agréable. Scrooge grelotta, en essuyant la sueur qui coulait de son front.

«Ce n'est pas la moindre peine qui me soit imposée, poursuivit le Fantôme. Je suis ici ce soir pour t'avertir qu'il te reste encore une chance, un espoir d'échapper à mon sort. Une chance et un espoir que tu me dois, Ebenezer.

— Tu as toujours été pour moi un bon ami, dit Scrooge. Merci beaucoup.

— Tu vas être hanté par trois Esprits.»

Le visage de Scrooge s'allongea presque autant que l'avait fait celui du Fantôme.

«Est-ce la chance, l'espoir dont tu viens de me parler, Jacob? demanda-t-il d'une voix qui se brisait.

— Oui.

— Je crois... je crois que j'aimerais mieux m'en passer.

— Sans leurs visites, ajouta le Fantôme, aucun espoir pour toi d'éviter le sort qui est le mien. Attends-toi à voir le premier demain quand une heure sonnera.

— Ne pourrais-je les avoir tous les trois d'un seul coup et que ce soit fini, Jacob? suggéra Scrooge.

— Attends le second la nuit suivante à la même heure. Le troisième viendra la troisième nuit, quand aura cessé de vibrer le dernier coup de minuit. Ne compte pas me revoir, mais aie grand soin, dans ton intérêt, de n'oublier rien de ce qui vient de se passer entre nous. »

Ayant ainsi parlé, le spectre reprit le mouchoir qu'il avait posé sur la table et se l'attacha autour de la tête, comme auparavant. Scrooge le comprit au claquement sec que firent entendre ses dents lorsque les deux mâchoires furent réunies par le bandage. Il se hasarda à relever les yeux, et trouva son visiteur surnaturel debout en face de lui, portant sa chaîne enroulée autour du bras.

Le spectre s'éloigna à reculons et, chaque fois qu'il faisait un pas, la vitre de la fenêtre[1] se soulevait un peu, de sorte que lorsqu'il y arriva, elle était grande ouverte.

Il fit signe à Scrooge d'approcher et Scrooge obéit. Lorsqu'ils furent à deux pas l'un de l'autre, le Fantôme de Marley leva la main, l'avertissant de ne plus avancer. Scrooge s'arrêta.

Il s'arrêta moins par obéissance que par crainte et surprise car, au moment où cette main s'était levée, il avait distingué des bruits confus qui s'élevaient dans l'espace : bribes incohérentes de lamentations et de regrets ; plaintes d'une inexprimable tristesse, gémissements de consciences tourmentées. Le spectre, ayant écouté un moment, se joignit à ce chœur funèbre et plongea dans cette nuit sombre et glacée qui l'engloutit.

Scrooge, que la curiosité rendait téméraire, le suivit jusqu'à la fenêtre. Il regarda au-dehors.

L'air était rempli de fantômes, errant çà et là, dans une agitation constante, sans cesser de gémir. Tous étaient chargés de chaînes, comme le Fantôme de Marley ; quelques-uns (c'étaient peut-être des gouvernements coupables) étaient attachés ensemble ; nul n'était libre. Scrooge en reconnaissait beaucoup qu'il avait rencontrés pendant leur vie. Il avait été intimement lié avec un vieux fantôme en gilet blanc, qui portait à la cheville un énorme coffre-fort et pleurait de façon déchirante parce qu'il ne pouvait venir au secours d'une pauvresse tenant un bébé dans les bras et qu'il voyait au-dessous de lui, assise sur le pas d'une porte. Leur supplice à tous était, visiblement, qu'ils essayaient d'intervenir dans les affaires des hommes, pour leur être secourables, et qu'ils en avaient perdu à jamais le pouvoir.

Ces formes finirent-elles par se dissoudre dans la brume, ou la brume les enveloppa-t-elle de son linceul, Scrooge ne put le discerner. Les spectres et leurs voix spectrales s'évanouirent ensemble, et la nuit retrouva l'aspect qu'elle avait eu lorsqu'il était rentré chez lui.

Scrooge referma la fenêtre et alla examiner la porte par laquelle le Fantôme était entré. Elle était fermée à double tour, ainsi qu'il l'avait fermée de ses propres mains, et les verrous poussés étaient intacts. Il essaya de dire : «Sornettes», mais ne put dépasser la première syllabe. Et se sentant, à cause de l'émotion qu'il venait d'éprouver, ou des fatigues du jour, ou du rapide coup d'œil qu'il avait jeté sur le Monde Invisible ou encore de l'ennuyeuse conversation du

Fantôme, en grand besoin de repos, il alla tout droit
se mettre au lit sans se déshabiller, et s'endormit
incontinent.

DEUXIÈME COUPLET

LE PREMIER DES TROIS ESPRITS

Quand Scrooge s'éveilla, il faisait si noir qu'en
regardant de son lit, il pouvait à peine distinguer
la fenêtre transparente des murs opaques de sa
chambre. Ses yeux de furet essayaient vainement de
percer les ténèbres lorsque l'horloge d'une église
voisine sonna les quatre quarts. Il tendit l'oreille
pour entendre l'heure.

À son grand étonnement, la lourde cloche passa de
six à sept, puis de sept à huit et continua ainsi régulièrement jusqu'à douze ; puis elle se tut. Minuit ! Il
était plus de deux heures quand il était allé se
coucher. L'horloge était détraquée. Un glaçon avait
dû s'introduire dans les rouages. Minuit !

Scrooge appuya sur le ressort de sa montre à répé-
tition pour corriger cette horloge erronée. Le petit
pouls rapide de la montre battit douze fois et s'arrêta.

« Comment, dit Scrooge, il n'est pas possible que
j'aie dormi toute une journée et une grande partie de
la nuit suivante. Il n'est pas possible qu'il soit arrivé
quelque chose au soleil et que ces douze coups soient
ceux de midi ! »

L'idée était alarmante, aussi Scrooge descendit-il
de son lit pour se diriger à tâtons vers la fenêtre. Il
fut obligé d'essuyer le givre qui couvrait la vitre avec

la manche de sa robe de chambre, avant de pouvoir distinguer quoi que ce fût, et encore ne put-il voir grand-chose. Tout ce qu'il découvrit, c'est que le brouillard était encore très épais, que le froid demeurait intense, et qu'on n'entendait pas les gens aller et venir bruyamment, ce qui aurait sans aucun doute été le cas si la nuit avait vaincu la lumière du jour et pris possession du monde. Il en ressentit un grand soulagement car «à trois jours de vue, payez à M. Ebenezer Scrooge ou à son ordre…» et ainsi de suite, n'aurait pas eu plus de valeur qu'un chiffon de papier[1] s'il n'avait plus été possible de compter par jours.

Scrooge se remit au lit et réfléchit, réfléchit, réfléchit à la question, qu'il tourna et retourna dans sa tête sans y rien comprendre. Plus il y pensait, plus il était perplexe; et plus il s'efforçait de n'y pas penser, plus il y pensait.

Le Fantôme de Marley le tracassait excessivement. Toutes les fois qu'après un mûr examen il décidait en lui-même que toute cette aventure n'était qu'un rêve, son cerveau, comme un puissant ressort qui cesse d'être comprimé, reprenait d'un bond sa position première et le remettait en face du même problème à résoudre: «Était-ce ou n'était-ce pas un rêve?»

Scrooge demeura dans cet état jusqu'à ce que l'horloge eût sonné trois nouveaux quarts d'heure, et c'est alors qu'il se rappela, brusquement, l'avertissement du Fantôme: un esprit devait le visiter sur le coup d'une heure. Il décida de rester éveillé jusqu'à ce que l'heure fût passée et, si l'on considère qu'il ne lui était pas plus possible de s'endormir que de s'envoler au Ciel, cette décision était sans doute la plus sage qu'il pût prendre.

Ce quart d'heure dura si longtemps qu'il crut à

plusieurs reprises s'être assoupi sans s'en apercevoir et n'avoir pas entendu sonner l'horloge. Elle frappa enfin son oreille tendue.

« Ding, dong !

— Le quart, dit Scrooge, en comptant.

— Ding, dong !

— La demie, dit Scrooge.

— Ding, dong !

— Moins le quart, dit Scrooge.

— Ding, dong !

— L'heure, s'écria triomphalement Scrooge, et rien d'autre que l'heure ! »

Il avait parlé avant que retentît le coup annonçant l'heure même, ce qui se produisit ensuite : un « bang ! » grave, sourd, creux, mélancolique. Une vive lueur inonda aussitôt la chambre et les rideaux de son lit furent tirés.

Les rideaux de son lit furent tirés, vous dis-je, par une main. Pas les rideaux qui étaient à ses pieds, ou derrière sa tête, mais ceux vers lesquels son visage était tourné. Les rideaux de son lit furent écartés ; dans un sursaut, Scrooge s'assit à moitié et se trouva face à face avec le visiteur surnaturel qui venait de les écarter : aussi près de lui que je suis près de vous en ce moment, moi qui vous coudoie en esprit.

C'était un personnage étrange : un enfant et qui pourtant ressemblait moins à un enfant qu'à un vieillard vu à travers quelque élément surnaturel qui lui donnait l'air de s'être éloigné au point de n'avoir plus que la taille d'un enfant. Ses cheveux qui flottaient autour de son cou et sur ses épaules étaient blanchis comme par l'effet de l'âge, bien que son visage n'eût pas une ride et que son teint fût de la fraîcheur la plus tendre. Il avait les bras très longs et musclés, les mains de même, et l'on devinait que ces

mains devaient étreindre avec une force peu commune. Ses jambes et ses pieds, d'une forme très fine,
étaient nus comme ses membres supérieurs. Il portait une tunique d'un blanc immaculé et il avait la
taille serrée dans une ceinture brillante, dont le cha-
toiement était magnifique. Il tenait à la main une
branche de houx fraîchement cueillie, et par un
contraste singulier avec cet emblème de l'hiver, sa
robe était garnie de fleurs d'été. Mais ce qu'il y avait
en lui de plus étrange, c'était que du sommet de sa
tête jaillissait un vif et clair faisceau de rayons lumineux qui rendaient visible tout ce que je viens de
décrire, et sans doute était-ce pourquoi, dans ses
moments de tristesse, il employait en guise de chapeau le grand éteignoir qu'il tenait alors sous son
bras.

Mais cela, lorsque Scrooge l'examina avec une
attention croissante, n'était pas encore son attribut
le plus extraordinaire. Car, de même que sa ceinture
brillait et scintillait tantôt d'un côté, tantôt de l'autre,
si bien que les objets s'éclairaient un instant, puis
disparaissaient dans l'ombre, de même les parties
distinctement visibles du personnage changeaient
sans cesse, et il apparaissait tantôt avec un seul bras,
tantôt avec une seule jambe, tantôt avec vingt jambes,
tantôt avec deux jambes sans tête, tantôt avec une
tête sans corps, et, des membres invisibles, aucune
trace ne restait dans l'obscurité épaisse où ils se dis-
solvaient. Cependant, parmi tous ces prodiges, il
restait lui-même, aussi clair et distinct que jamais.

«Monsieur, demanda Scrooge, êtes-vous l'Esprit
dont la venue me fut annoncée?

— C'est moi.»

La voix était douce et harmonieuse, singulièrement basse comme si l'Esprit, au lieu d'être tout près de lui, avait été très loin.

« Qui êtes-vous et qu'êtes-vous ? demanda Scrooge.

— Je suis le Fantôme des Noëls passés.

— Passés depuis longtemps ? demanda Scrooge, ayant observé sa taille de nain.

— Non, de ton propre passé. »

Le lui eût-on demandé, Scrooge aurait sans doute été incapable de dire pourquoi, mais il éprouvait un vif désir de voir l'Esprit mettre son chapeau. Il le pria de se couvrir.

« Quoi ! s'écria l'Esprit, voudrais-tu éteindre si vite, de tes mains charnelles, la lumière que je répands ? Ne te suffit-il pas d'être l'un de ceux dont les passions ont façonné cette calotte et m'ont forcé à la porter pendant de longues années enfoncée sur le front ? »

Scrooge protesta respectueusement qu'il n'avait jamais eu d'intention injurieuse et qu'à aucun moment de sa vie, il n'avait volontairement et consciemment « calotté » l'Esprit. Il s'enhardit ensuite jusqu'à lui demander ce qui l'amenait.

« Je suis ici pour ton bien », dit le Fantôme.

Scrooge se déclara très reconnaissant, mais ne put s'empêcher de penser qu'une nuit de repos ininterrompu aurait contribué davantage à produire ce résultat. L'Esprit dut l'entendre penser, car il s'écria aussitôt :

« Disons ta rédemption, alors… Prends garde. »

Il tendit sa forte main tout en parlant et saisit Scrooge doucement par le bras.

« Lève-toi et viens ! »

En vain, Scrooge aurait-il allégué que le temps et l'heure se prêtaient mal aux plaisirs de la promenade, que son lit était chaud et le thermomètre fort au-dessous de zéro, qu'il n'était que légèrement vêtu, en robe de chambre, pantoufles et bonnet de nuit, et que justement il avait un rhume. L'étreinte de cette main, aussi douce pourtant que celle d'une femme, était irrésistible. Il se leva, mais s'apercevant que l'Esprit se dirigeait vers la fenêtre, il s'accrocha à sa robe en le suppliant :

« Je ne suis qu'un mortel, lui rappela-t-il, exposé à tomber.

— Il suffit que ma main te touche *là*, dit l'Esprit, posant ses doigts sur le cœur de Scrooge, et tu seras soutenu, de plus d'une manière. »

Tandis qu'il parlait, ils avaient traversé la muraille et se trouvaient sur une route en rase campagne, avec des champs de part et d'autre. La ville avait entièrement disparu : on n'en voyait plus le moindre vestige. La nuit et le brouillard s'étaient évanouis en même temps qu'elle, car c'était un jour d'hiver, clair et glacé, et la neige couvrait le sol.

« Mon Dieu ! s'écria Scrooge, les mains jointes et regardant autour de lui. C'est ici que j'ai été élevé ; c'est ici que j'ai passé mon enfance ! »

L'Esprit le considéra avec bonté. Le contact de sa main, si léger et bref qu'il eût été, demeurait encore présent et sensible pour le vieillard. Il avait conscience qu'un millier d'odeurs flottaient dans l'air, dont chacune lui rappelait un millier de pensées, d'espérances, de joies et d'angoisses oubliées depuis bien, bien longtemps.

« Ta lèvre tremble, dit l'Esprit, et que vois-je, là, sur ta joue ? »

Scrooge murmura, d'une voix entrecoupée d'un chevrotement insolite, que c'était un bouton ; puis il pria l'Esprit de l'emmener où il voudrait.

« Tu te rappelles le chemin ?

— Si je me le rappelle! cria Scrooge avec ferveur, je m'y retrouverais les yeux bandés.

— Bizarre que tu l'aies oublié pendant de si nombreuses années! remarqua le Fantôme. Allons. »

Ils avancèrent le long de la route, où Scrooge reconnaissait chaque grille, chaque poteau, chaque arbre, jusqu'à ce qu'apparût au loin une petite bourgade, avec son pont, son église et sa rivière sinueuse. Quelques poneys à long poil trottaient vers eux, portant sur leur dos de petits garçons qui appelaient d'autres petits garçons montés dans des cabriolets et des carrioles rustiques conduits par des fermiers. Tous ces enfants étaient de belle humeur et ils échangeaient tant de cris d'allégresse que les vastes champs s'emplissaient d'une musique joyeuse et que l'air sec et vif riait de les entendre!

«Ce ne sont là que les ombres de choses qui ont été, dit l'Esprit, elles sont insensibles à notre présence. »

Les gais voyageurs continuaient d'avancer, et à mesure qu'ils s'approchaient, Scrooge les reconnaissait et appelait chacun par son nom. Pourquoi était-il immodérément heureux de les voir? Pourquoi son œil glacé brillait-il et pourquoi son cœur bondissait-il dans sa poitrine à leur passage? Pourquoi débordait-il d'aise en les entendant se souhaiter un Joyeux Noël lorsqu'ils se séparaient aux carrefours et aux chemins de traverse pour gagner leurs diverses demeures? Joyeux Noël! Quel sens ces mots avaient-ils pour Scrooge? Au diable, leur joyeux Noël! Quel bien en avait-il jamais tiré?

«L'école n'est pas tout à fait vide, dit l'Esprit. Un enfant solitaire, oublié de tous ses amis, y est resté. »

Dans un sanglot, Scrooge répondit qu'il le savait.

Ils quittèrent la grand-route et, par un chemin que

Scrooge se rappelait bien, se dirigèrent vers un grand bâtiment en brique d'un rouge terne, avec sur le toit un petit campanile surmonté d'une girouette et où pendait une cloche. La maison était vaste, mais on voyait qu'elle avait connu des temps meilleurs : ses spacieuses dépendances ne servaient plus guère, leurs murs humides se couvraient de mousse, leurs fenêtres étaient brisées, leurs portes disloquées. Des volailles se pavanaient en gloussant dans les écuries, et l'herbe envahissait les remises et les hangars. À l'intérieur, il ne restait pas trace non plus de sa prospérité d'autrefois ; car, en entrant dans le sombre vestibule et en jetant un regard par les portes ouvertes de nombreuses pièces, Scrooge et l'Esprit les trouvèrent pauvrement meublées, froides et nues. Il y avait un goût de terre dans l'air qu'on respirait et une sensation de vide glacial en ces lieux qui faisaient penser, je ne sais comment, à trop de levers matinaux à la bougie et à trop de maigres repas.

Ils traversèrent le vestibule et gagnèrent une porte de derrière. Elle s'ouvrit devant eux et ils découvrirent une longue pièce mélancolique et nue que faisaient paraître encore plus nue des rangées de bancs et de pupitres en bois blanc. À l'un de ces pupitres, un petit garçon solitaire lisait près d'un feu chétif. Scrooge s'assit sur un banc et pleura de revoir le pauvre enfant oublié qu'il avait été.

Pas un écho endormi dans toute cette maison, pas un cri des souris trottinant derrière les boiseries, pas une goutte d'eau tombant du robinet à demi gelé dans la triste cour, pas un soupir du vent dans les branches sans feuilles d'un unique peuplier désabusé, pas un vain battement de porte de garde-manger vide, non, pas le moindre craquement du feu qui ne résonnât dans le cœur de Scrooge, pour le péné-

trer d'une grande douceur et donner plus libre cours
à ses larmes.

L'Esprit lui toucha le bras et lui montra son jeune
lui-même plongé dans sa lecture. Brusquement
l'image d'un homme portant un costume exotique
leur apparut, merveilleuse de netteté : il se tenait
debout à l'extérieur de la fenêtre, une hache plantée
dans sa ceinture, et conduisant par la bride un âne
chargé de bois.

« Mais c'est Ali-Baba ! s'écria Scrooge en extase.
C'est ce brave, honnête Ali-Baba, ce vieil ami ! Oui,
oui, je sais. Un certain Noël où cet enfant abandonné
avait été oublié ici, tout seul, Ali-Baba est venu pour
la première fois, exactement de cette manière. Pauvre
gamin ! Et Valentin, poursuivit Scrooge, et son frère
sauvage Orson[1], les voilà ! et cet autre, comment
s'appelle-t-il, qui fut déposé en caleçon, pendant son
sommeil, à la Porte de Damas. Le voyez-vous ? Et
le palefrenier du Sultan, tourné à l'envers par les
Génies, le voici la tête en bas ! C'est bien fait pour lui.
J'en suis fort aise. Quel besoin avait-il de rechercher
la Princesse en mariage ? »

Entendre Scrooge gaspiller tout le sérieux et toute
la gravité de sa nature à de telles histoires, et cela
d'une voix tout à fait extraordinaire entre le rire et
les larmes, avec un visage rouge d'animation, aurait
causé une grande surprise en vérité aux hommes
d'affaires de la Cité qui le connaissaient.

« Voilà le Perroquet, poursuivit-il, corps vert et
queue jaune, avec une espèce de laitue qui lui pousse
sur le haut de la tête, le voilà ! Pauvre Robinson
Crusoë, cria-t-il quand son maître revint au logis
après avoir fait le tour de l'île en canot, pauvre
Robinson, où es-tu allé, Robinson Crusoë ? Robinson
croyait rêver, mais non : c'était le Perroquet, figurez-

vous! Et voilà Vendredi qui court vers la petite crique pour échapper à la mort. Hardi, vite, cours, cours!»

Puis, passant d'un sujet à l'autre avec une rapidité tout à fait étrangère à son caractère habituel, il dit, pris de pitié pour son jeune lui-même: «Pauvre enfant!» et se remit à pleurer.

«J'aurais voulu... murmura Scrooge en mettant la main dans sa poche et en regardant autour de lui lorsqu'il se fut essuyé les yeux avec sa manche, mais il est trop tard.

— Que voulais-tu? demanda l'Esprit.

— Oh! rien, répondit Scrooge. Rien. Il y avait un petit garçon qui chantait un noël, hier soir, à ma porte. J'aurais voulu lui donner quelque chose, c'est tout.»

L'Esprit sourit d'un air pensif et fit un geste de la main, en disant:

«Voyons un autre Noël.»

Tandis qu'il parlait, l'enfant qu'avait été Scrooge grandit et la pièce devint un peu plus noire et plus sale. Les boiseries se délabrèrent, quelques vitres se fendirent; des écailles de plâtre tombèrent du plafond, découvrant les lattes de bois; mais comment tous ces changements se produisirent-ils, Scrooge n'en savait pas là-dessus plus que vous. Il savait seulement que les choses étaient telles qu'elles devaient être, que tout s'était passé ainsi, qu'il était là, seul une fois de plus, pendant que tous les autres élèves passaient à leur foyer de joyeuses vacances.

Il ne lisait pas cette fois, mais se promenait de long en large, en proie au désespoir. Scrooge regarda l'Esprit, puis avec un mélancolique hochement de tête tourna vers la porte son regard anxieux.

La porte s'ouvrit et une petite fille, beaucoup plus jeune que le garçon, entra rapide comme l'éclair, lui jeta les bras autour du cou et, le couvrant de baisers, l'appela son cher, cher frère.

«Je suis venue te chercher pour te ramener à la maison, frère chéri, dit la fillette, frappant ses toutes petites mains l'une contre l'autre et riant à en être courbée en deux. Je te ramène chez nous, chez nous, chez nous!

— Chez nous, petite Fanny? interrogea son frère.

— Oui, répondit la petite, débordante de joie. Chez nous, pour de bon et pour toujours. Papa est tellement plus gentil qu'avant: la maison est un vrai paradis! Il m'a parlé avec tant de bonté, un soir béni, au moment où j'allais me coucher, que je n'ai plus eu peur et que je lui ai demandé une fois de plus si tu pouvais revenir; et il a répondu que oui, et il m'a envoyée te chercher en voiture. Et maintenant, tu vas être un homme, poursuivit-elle en ouvrant de grands yeux, et tu ne reviendras plus jamais ici. Mais d'abord nous allons passer ensemble toutes les fêtes de Noël et les célébrer le plus joyeusement du monde!

— Comme tu as grandi, ma petite Fanny!» s'écria le garçon.

Elle battit des mains et se mit à rire en essayant de lui toucher la tête, mais, comme elle était trop petite, ses rires redoublèrent et elle se dressa sur la pointe des pieds pour l'embrasser. Puis, dans son impatience enfantine, elle l'entraîna vers la porte et lui, sans se faire prier, se laissa guider.

Une voix terrible cria dans le vestibule: «Descendez la malle de maître[1] Scrooge, et vite!» Et, dans le vestibule, apparut le Directeur de l'école en personne qui jeta sur maître Scrooge un féroce regard protecteur et plongea l'adolescent dans une confusion horrible en lui donnant une poignée de main. Il escorta ensuite le frère et la sœur jusque dans le grand parloir qui était la vieille cave la plus glacée qui fût au monde, où le froid et l'humidité mettaient une couche visqueuse sur les cartes géographiques pendues aux murs et sur les globes terrestres et céleste placés dans l'embrasure des fenêtres. Là, il tira d'un placard un flacon de vin singulièrement léger et un bloc de gâteau singulièrement lourd et dispensa aux deux enfants des parts de ces friandises ; en même temps, il envoyait un serviteur chétif offrir au postillon un verre de «quelque chose», lequel postillon répondit qu'il remerciait le monsieur, mais que si ça sortait du même tonneau que la dernière fois il préférait ne rien boire. Quand la malle de maître Scrooge fut solidement attachée sur le toit de la chaise de poste, les enfants prirent très volontiers congé du pédagogue et, montant en voiture, descendirent gaiement l'allée du jardin où les roues rapides faisaient jaillir comme une blanche écume le givre et la neige qui couvraient les sombres feuillages persistants des arbustes.

«Ce fut toujours une créature délicate qu'un souffle aurait suffi à flétrir, dit l'Esprit, mais quel grand cœur elle avait !

— Oh, oui, s'écria Scrooge, vous avez raison ! Ce n'est pas moi qui vous contredirai, Esprit, Dieu m'en garde.

— Elle était mariée quand elle est morte, dit l'Esprit, et elle avait, je crois, des enfants.

— Un seul, corrigea Scrooge.

— C'est vrai, dit l'Esprit, ton neveu !»

Scrooge parut préoccupé par quelque chose et il répondit brièvement :

«Oui.»

Quoiqu'ils eussent quitté l'école à l'instant même,

ils se trouvaient déjà dans les rues encombrées d'une ville où des ombres de passants allaient et venaient, où des ombres de charrettes et de voitures se disputaient la chaussée et où régnaient le brouhaha et le tumulte d'une vraie cité. On voyait nettement, d'après les étalages des magasins, que là aussi l'on fêtait Noël ; mais c'était le soir et les rues étaient éclairées.

L'Esprit s'arrêta devant la porte d'un certain magasin et demanda à Scrooge s'il reconnaissait l'endroit.

« Si je le reconnais ! s'écria Scrooge. N'ai-je pas fait ici mon apprentissage ? »

Ils entrèrent. À la vue d'un vieux monsieur à perruque ronde, assis devant un pupitre tellement élevé que, si le monsieur avait été un peu plus grand, il se serait cogné la tête contre le plafond, Scrooge très surexcité s'écria :

« Mais c'est le vieux Fezziwig[1] ! Dieu le bénisse ! Le vieux Fezziwig ressuscité ! »

Le vieux Fezziwig posa sa plume et regarda la pendule qui marquait sept heures. Il se frotta les mains, rajusta son vaste gilet en riant de toute sa personne depuis les chaussures jusqu'au sommet de la tête, où se trouve le siège de la bénévolence, et appela d'une bonne voix sonore, onctueuse, généreuse et joviale :

« Eh là ! Ho ! Ebenezer ! Dick ! »

Le Scrooge d'autrefois, devenu un jeune homme, entra d'un pas leste, accompagné de son camarade d'apprentissage.

« Et lui, c'est Dick Wilkins, je ne me trompe pas, dit Scrooge à l'Esprit, mon Dieu oui, c'est lui-même. Il avait beaucoup d'amitié pour moi, Dick. Pauvre Dick ! Mon Dieu, mon Dieu !

— Allons, mes garçons, dit Fezziwig, assez tra-

vaillé pour aujourd'hui. Veille de Noël, Ebenezer!
Que les volets soient en place, cria le vieux Fezziwig
en frappant gaiement dans ses mains, avant que j'aie
le temps de dire ouf!»

Vous ne croiriez jamais à quelle allure les deux
gaillards lui obéirent. Ils se précipitèrent dans la rue
avec les volets, un, deux, trois; les mirent en place,
quatre, cinq, six; fixèrent les barres et les clavettes,
sept, huit, neuf; et ils étaient de retour avant que
vous ayez compté jusqu'à douze, haletants comme
des chevaux de course.

« Ohé! cria le vieux Fezziwig, dégringolant du haut
de son grand tabouret avec une agilité merveilleuse.
Débarrassez tout, les gars, et faites-nous beaucoup
de place libre. Vas-y, Dick! De l'entrain, Ebenezer!»

Débarrasser! Il n'y avait rien qu'ils n'eussent
voulu ou pu débarrasser sous l'œil du vieux Fezziwig. Cela se fit en un tournemain. Tout ce qui était
transportable fut déménagé, comme si cela disparaissait à tout jamais de la vie publique; le sol fut
balayé et arrosé, les lampes fourbies et garnies, le
charbon entassé sur le feu; et quand ce fut fini, l'on
n'eût pu souhaiter salle de bal plus chaude, plus
sèche, plus brillante et plus agréable par un soir
d'hiver, que ce magasin.

Entra un violoneux avec son livre de musique: il
escalada le haut pupitre, en fit un orchestre et
accorda son instrument en produisant le vacarme de
cinquante embarras gastriques. Entra Mme Fezziwig,
toute souriante, et bien en chair. Entrèrent les trois
demoiselles Fezziwig, radieuses et faites pour plaire.
Entrèrent les six jeunes galants dont elles brisaient le
cœur. Entrèrent tous les jeunes hommes et toutes les
jeunes femmes qui travaillaient dans l'affaire. Entra
la chambrière, accompagnée de son cousin le bou-

langer. Entra la cuisinière, flanquée de l'ami intime
de son frère, le laitier. Entra le petit domestique d'en
face qu'on soupçonnait de ne pas manger à sa faim
chez son maître, et qui essayait de se cacher derrière
la servante de deux maisons plus loin, laquelle avait
les oreilles tirées par sa patronne. Ils entrèrent tous,
les uns timidement, les autres hardiment, les uns
avec grâce, les autres en lourdauds, les uns poussant, les autres tirant, ils entrèrent tous n'importe
comment et de toutes les manières. Et ils se mirent à
danser, vingt couples à la fois : tour de main et
chassé, demi-promenade et retour au point de
départ ; ils tournèrent et virevoltèrent pour arriver
par degrés à se grouper d'un air tendre ; l'ancien
couple de tête surgissant toujours au mauvais
endroit ; le nouveau couple de tête repartant sans
attendre les autres, tous les couples se trouvant en
tête, finalement, sans danseurs derrière eux pour les
suivre ! Quand ce brillant résultat eut été obtenu, le
vieux Fezziwig, frappant dans ses mains pour arrêter
la danse, cria : « Bravo ! » Et le violoneux plongea son
visage en feu dans un pot de bière spécialement
préparé à cette intention. Mais lorsqu'il en émergea,
dédaignant tout repos, il se remit à jouer dare-dare,
bien qu'il n'y eût pas encore de danseurs, comme si
le violoneux du début avait été emporté chez lui,
épuisé, sur un volet, et remplacé immédiatement par
un musicien flambant neuf, résolu à effacer la
mémoire du premier ou à mourir.

Il y eut d'autres danses, et l'on joua aux gages ;
puis d'autres danses et l'on servit du gâteau, et l'on
servit du punch ; il y eut une grosse pièce de Rôti
Froid et une grosse pièce de Bouilli Froid ; et il y eut
des mince-pies[1] et de la bière en abondance. Mais le
clou de la soirée, ce fut — après le Rôti et le Bouilli —

quand le violoneux (un fin matois, croyez-moi, le genre de gaillard qui connaît son affaire et pourrait nous en remontrer, à vous et à moi) attaqua l'air de « Sir Roger de Coverley »[1]. Alors, le vieux Fezziwig se leva pour conduire la danse avec Mme Fezziwig. Couple de tête, naturellement, et avec une belle besogne à abattre : vingt-trois ou vingt-quatre couples à conduire, des gens avec qui l'on ne plaisantait pas, qui voulaient danser et n'avaient pas du tout l'intention de marcher.

Mais eussent-ils été deux fois — que dis-je, quatre fois — plus nombreux, le vieux Fezziwig aurait pu encore leur tenir tête et Mme Fezziwig aussi. Car elle était digne d'être sa partenaire dans tous les sens du mot : si ce n'est pas un bel éloge, soufflez-m'en un meilleur et je l'emploierai. Une véritable lumière semblait irradier des mollets de M. Fezziwig. On les voyait briller dans toutes les figures de la danse comme deux lunes. On n'aurait pu prévoir, à quelque moment que ce fût, l'endroit où ils se trouveraient la seconde suivante. Et quand le vieux Fezziwig et Mme Fezziwig eurent exécuté toutes les figures : les visites, les moulinets, les révérences, le tire-bouchon, enfilez-les-aiguilles, et chacun-à-sa-place, Fezziwig exécuta des entrechats avec tant d'agilité qu'il avait l'air de cligner de l'œil avec ses jambes, avant de retomber sur ses pieds, sans vaciller.

Quand onze heures sonnèrent à la pendule, ce bal de famille prit fin. M. et Mme Fezziwig allèrent se placer de chaque côté de la porte et, serrant personnellement la main des invités, homme ou femme, leur souhaitèrent à tous un Joyeux Noël. Lorsqu'il ne resta plus que les deux apprentis, ils en firent de même pour eux, et peu à peu, les voix joyeuses se perdirent au loin et les garçons regagnèrent leurs lits, qui étaient sous un comptoir de l'arrière-boutique.

Pendant toute cette scène, Scrooge s'était comporté comme s'il avait perdu la tête. Son cœur et son âme avaient pris part aux réjouissances avec son autre lui-même. Il reconnaissait tout, se rappelait tout, s'amusait de tout et était en proie à la plus étrange émotion. Ce ne fut qu'à la fin, lorsque les visages joyeux de Dick et du jeune garçon qu'il avait été se furent détournés, qu'il se rappela l'Esprit et qu'il s'aperçut que celui-ci le regardait bien en face, tandis que sur sa tête le jet de lumière brillait d'une vive clarté.

« Il faut bien peu de chose, dit l'Esprit, pour inspirer à ces sottes gens tant de gratitude !

— Peu de chose !… » répéta Scrooge.

L'Esprit lui fit signe d'écouter les deux apprentis qui épanchaient leurs cœurs en chantant les louanges de Fezziwig. Puis, il ajouta :

« Eh ! oui, peu de chose. Il n'a dépensé que quelques livres de votre monnaie terrestre : trois ou quatre peut-être. Cela vaut-il la peine de tant le louer ?

— Ce n'est pas cela, répliqua Scrooge, échauffé par cette remarque et parlant inconsciemment comme le Scrooge d'autrefois et non comme celui qu'il était devenu, ce n'est pas cela, Esprit. C'est qu'il a le pouvoir de nous rendre heureux ou malheureux, de faire que notre tâche soit légère ou pesante, devienne un plaisir ou une lourde peine. Vous allez dire que ce pouvoir est fait de paroles et de regards, de choses si insignifiantes et si ténues qu'il est impossible de les grouper pour en faire le compte…, et puis après ? Le bonheur qu'il répand est aussi grand que s'il coûtait une fortune. »

Il sentit peser sur lui le regard de l'Esprit et se tut.

« Qu'y a-t-il ? demanda le Fantôme.

— Rien de particulier, dit Scrooge.

— Je crois pourtant qu'il y a quelque chose, insista l'Esprit.

— Non, dit Scrooge, non. J'aimerais pouvoir dire un mot ou deux à mon commis en ce moment, c'est tout. »

Comme il exprimait ce regret, l'apprenti qu'il avait été éteignit les lampes et Scrooge se retrouva en plein air, l'Esprit toujours à ses côtés.

« Mon temps s'écoule, dit l'Esprit, hâtons-nous. »

Cette parole ne s'adressait ni à Scrooge ni à quelqu'un qu'il pût voir, mais elle produisit un effet immédiat. De nouveau, Scrooge se revit dans le passé. Il était devenu un homme dans la fleur de l'âge. Son visage n'était pas encore marqué des lignes dures et austères des dernières années, mais il commençait à porter les rides que creusent le souci et le goût du lucre. Il y avait dans son regard une mobilité ardente, avide, inquiète, qui trahissait la passion déjà enracinée, et l'on voyait d'avance où tomberait l'ombre de l'arbre grandissant.

Il n'était pas seul. Près de lui était assise une jeune fille en vêtements de deuil ; et les yeux de cette jeune fille étaient pleins de larmes qui brillaient dans la lumière répandue par l'Esprit des Noëls passés.

« Cela importe peu, disait-elle d'une voix douce ; pour vous, très peu. Une autre idole a pris ma place, et si elle peut vous apporter, dans les années à venir, la joie et le réconfort que j'aurais essayé de vous donner, je n'ai pas de raison légitime de m'en affliger.

— Quelle idole a pris votre place ? demanda-t-il.

— Le dieu de l'or.

— Voilà bien le jugement impartial du monde,

s'écria-t-il. Il n'est rien qu'il condamne aussi durement que la pauvreté, et rien qu'il fasse profession de juger avec autant de sévérité que la poursuite de la richesse.

— Vous craignez trop l'opinion du monde, répondit-elle calmement. Toutes vos ambitions se sont effacées devant l'unique espoir d'échapper à ses sordides critiques. J'ai vu vos aspirations les plus nobles se détacher de vous, une à une, jusqu'à ce que la passion dominante, celle du Gain, vous absorbe tout entier. N'est-ce pas vrai ?

— Et quand cela serait ? répliqua-t-il. Même si j'ai acquis cette sagesse, où est le mal ? Je ne suis pas changé à votre égard. »

Elle secoua la tête.

« Le suis-je ?

— L'accord qui nous lie est ancien. Nous l'avons conclu quand nous étions tous les deux pauvres et satisfaits de notre pauvreté, jusqu'à ce que vienne le moment où, par notre patiente industrie, nous pourrions améliorer notre situation dans le monde. Si, vous êtes changé. En ce temps-là, vous étiez un homme différent.

— J'étais un gamin, répliqua-t-il avec humeur.

— Vous sentez bien que vous étiez différent. Moi, je suis restée la même. Ce qui nous promettait le bonheur quand nos deux cœurs ne faisaient qu'un, n'est plus qu'une source de souffrance maintenant qu'ils sont désunis. Combien de fois j'y ai pensé, et avec quelle acuité, il est inutile que je vous le dise. Il suffit que j'y aie réfléchi et que je puisse vous délier de votre promesse.

— Ai-je jamais cherché à m'en libérer ?

— Jamais en paroles. Non.

— De quelle manière, alors ?

— Par un changement de nature, un jugement différent, une autre atmosphère dans votre vie, un autre
Espoir pour son ultime fin. Par tout ce qui donnait à
mon amour quelque valeur et quelque sens à vos
yeux. S'il n'y avait pas eu cet accord entre nous,
ajouta-t-elle en le regardant avec douceur mais
fermeté, dites-moi, me rechercheriez-vous, et tente-
riez-vous de me conquérir aujourd'hui? Oh, non!»

Il sembla céder malgré lui à la vérité de cette suggestion. Mais il se débattit encore et lui dit:

«C'est vous qui le pensez.

— Je serais trop heureuse de penser autrement si
je le pouvais, répondit-elle. Le Ciel m'en est témoin.
Pour que je me sois rendue à une vérité semblable, il
faut qu'elle ait une force irrésistible. Mais si vous
étiez libre aujourd'hui, demain, hier, pourrais-je
croire (même moi!) que vous iriez choisir une fille
sans fortune, vous qui, dans vos conversations les
plus confiantes avec elle, pesez tout au poids de l'or;
ou si vous trahissiez pour un moment votre principale règle de conduite au point de faire ce choix,
est-ce que je ne sais pas que, très vite, vous en viendriez à le regretter et à vous en repentir? Mais si. Et
je vous rends votre liberté. D'un cœur très lourd, en
pensant à l'amour qui m'unissait à celui que vous
étiez.»

Il allait parler, mais elle reprit en détournant la
tête:

«Peut-être — le souvenir du passé me le fait
presque espérer — peut-être cette décision vous fera-
t-elle souffrir. Pendant très, très peu de temps; et
puis vous bannirez ce souvenir de votre mémoire,
avec empressement, comme un rêve sans profit dont
il est bon que vous soyez éveillé. Puissiez-vous trouver le bonheur dans la vie que vous avez choisie!»

Elle le quitta et ils se séparèrent.

« Esprit, dit Scrooge. Ne me montre plus rien. Ramène-moi à la maison. Pourquoi te plais-tu à me torturer ?

— Une ombre encore ! dit l'Esprit.

— Non, cira Scrooge, non, plus rien. Je ne veux plus rien voir. Ne m'en montre pas davantage. »

Mais l'Esprit inexorable le saisit solidement à pleins bras et le força de regarder les scènes suivantes.

Ils se trouvaient dans un lieu et devant un spectacle tout à fait différents. C'était une chambre, ni très vaste ni très élégante, mais agréable. Près d'un bon feu était assise une ravissante jeune fille, si semblable à celle qu'ils venaient de quitter que Scrooge crut que c'était la même, jusqu'au moment où il la reconnut, assise en face de sa fille, sous les traits d'une mère de famille encore belle. Il régnait dans cette pièce un véritable tumulte, car il y avait là plus d'enfants que Scrooge, dans l'agitation de son esprit, n'en pouvait compter ; et, au contraire du célèbre troupeau dont parle le poème, ce n'étaient pas quarante enfants se conduisant comme un seul, mais un groupe d'enfants dont chacun se conduisait comme quarante. Il en résultait un vacarme dont il est difficile de se faire une idée ; mais personne ne paraissait s'en soucier ; au contraire, la mère et la fille riaient de bon cœur et s'amusaient beaucoup ; même, la jeune fille, s'étant bientôt mêlée à leurs jeux, fut mise au pillage par les impitoyables petits bandits. Ah ! que n'aurais-je donné pour être l'un d'eux ! Mais je n'aurais jamais pu montrer tant de rudesse, oh non ! Pour tout l'or du monde, je n'aurais pas voulu décoiffer et dérouler aussi brutalement ces belles tresses ; quant au précieux petit soulier, je ne m'en serais jamais emparé, grand Dieu ! dût-il m'en coûter la vie! Pour ce qui est de mesurer sa taille en manière de jeu, comme le faisaient ces jeunes audacieux, jamais je ne m'y fusse risqué; j'aurais craint que, pour mon châtiment, mon bras ne prît à jamais la forme de cette taille ronde et ne se redressât plus. Et pourtant, à dire vrai, j'aurais bien aimé toucher ses lèvres; lui poser une question afin qu'elle les entrouvrît pour y répondre; contempler sans la faire rougir les cils de ses yeux baissés; dénouer sa chevelure ondoyante dont la moindre mèche aurait été le plus précieux des souvenirs: en somme, j'aurais aimé, je le confesse, jouir du plus petit des privilèges dont ces enfants abusaient, tout en étant assez homme pour en connaître le prix.

Mais l'on entendit frapper, et ce fut le signal d'une telle ruée que la jeune fille, riant toujours et les vêtements en désordre, fut entraînée vers la porte par le groupe des enfants turbulents au visage empourpré, juste à temps pour accueillir leur père qui rentrait, suivi d'un homme chargé de jouets et de cadeaux de Noël. Alors quels cris, quelles batailles, quels assauts livrés au commissionnaire sans défense! Ce fut à qui l'escaladerait, en se servant de chaises comme d'échelles, pour plonger dans ses poches, le dépouiller des paquets enveloppés de papier d'emballage, se pendre à sa cravate, l'étrangler à demi, lui donner des coups de poing dans le dos et des coups de pied dans les jambes, en signes d'irrépressible affection. Puis, quels cris d'émerveillement et de joie saluèrent l'ouverture de chaque paquet! La nouvelle épouvantable que le bébé venait d'être surpris au moment où il s'enfonçait une poêle à frire de poupée dans le gosier, et qu'on le soupçonnait fortement d'avoir déjà englouti une petite dinde en carton collée sur une assiette en bois! L'immense soulagement lorsqu'on découvrit que c'était une fausse alarme! Leur joie, leur gratitude, leur émerveillement ne sauraient se décrire. Disons seulement que peu à peu les enfants et leur émoi quittèrent le salon et, marche par marche, montèrent l'escalier jusqu'en haut de la maison; là, ils se couchèrent et tout redevint calme.

Alors Scrooge regarda la scène avec une attention redoublée, car le maître de la maison, sa fille tendrement appuyée contre lui, s'était assis au coin du feu, en face de sa femme; et quand Scrooge pensa qu'une créature semblable, aussi gracieuse et aussi pleine de promesses, aurait pu l'appeler son père et faire fleurir le printemps dans le triste hiver de sa vie, sa vue devint en vérité très trouble.

« Belle, dit le mari, se tournant vers sa femme avec un sourire, j'ai vu l'un de vos vieux amis tantôt.

— Qui cela?

— Devinez.

— Comment le pourrais-je?... Bah! je m'en doute... M. Scrooge, ajouta-t-elle aussitôt, riant avec son mari.

— Lui-même, en passant devant la fenêtre de son bureau. Il y avait une bougie sur sa table et comme les volets n'étaient pas fermés, je n'ai pu m'empêcher de le voir. Son associé se meurt, à ce qu'on dit. Et Scrooge était là, seul, tout seul au monde, je crois.

— Esprit, dit Scrooge d'une voix brisée, éloigne-moi d'ici.

— Je t'ai averti, dit l'Esprit, que tu allais voir les ombres de choses qui se sont passées. Qu'elles soient ce qu'elles sont et non point autres ne dépend pas de moi, ne m'en fais pas reproche.

— Emmène-moi, s'écria Scrooge, je ne puis le supporter. »

Il se dressa devant l'Esprit et voyant dans son

visage, par un étrange phénomène, des fragments de tous les visages qu'il lui avait montrés, il se jeta sur lui.

« Laisse-moi, cria-t-il. Remmène-moi ! Cesse de me hanter ! »

Dans la lutte, si l'on peut appeler lutte un corps à corps où le Fantôme, sans aucune résistance visible de sa propre part, n'était ébranlé par aucun des efforts de son adversaire, Scrooge remarqua que la lumière de sa tête brillait d'une flamme haute et claire et, associant vaguement dans sa pensée cette source de clarté avec l'influence qu'exerçait sur lui le fantôme, il saisit l'éteignoir et, d'un geste rapide, le lui enfonça sur la tête.

L'Esprit s'affaissa sous le choc et l'éteignoir le recouvrit complètement ; mais Scrooge avait beau peser de toutes ses forces, il ne parvenait pas à cacher la lumière qui sortait à flots de dessous le cornet et couvrait le sol d'une nappe continue.

Il fut bientôt saisi d'une grande fatigue et d'un irrésistible besoin de dormir ; il avait en outre conscience d'être dans sa chambre à coucher. En un dernier effort, il pressa sur l'éteignoir, mais sa main se détendit et il eut à peine le temps de gagner son lit en titubant, avant de sombrer dans un profond sommeil.

TROISIÈME COUPLET

LE SECOND DES TROIS ESPRITS

S'éveillant au milieu d'un ronflement d'une sonorité prodigieuse et se mettant sur son séant pour rassembler ses pensées, Scrooge n'eut pas besoin d'être informé qu'une fois de plus le coup d'une heure allait sonner. Il sentit qu'il était rendu à la vie consciente juste au bon moment, dans le but exprès d'entrer en conférence avec le deuxième messager qui lui serait dépêché grâce à l'intervention de Jacob Marley. Mais comme il s'aperçut qu'un frisson glacé le saisissait lorsqu'il se demandait lequel des rideaux de son lit ce nouveau spectre allait tirer, il les ouvrit tous de ses propres mains et, s'allongeant de nouveau, se mit aux aguets pour surveiller les abords de son lit avec vigilance ; car il désirait affronter bravement l'Esprit au moment même où il apparaîtrait, et ne voulait pas se laisser prendre par surprise ni perdre son sang-froid.

Messieurs les gens désinvoltes qui se targuent de ne s'étonner de rien et d'être, quoi qu'il arrive, à la hauteur des circonstances, décrivent le vaste champ de leur pouvoir d'affronter les aventures en se décla-rant prêts à n'importe quoi, du jeu de pile ou face à l'homicide ; points extrêmes entre lesquels se pré-sente, sans aucun doute, un choix de sujets nom-breux et variés. Sans m'engager aussi hardiment pour Scrooge, je n'hésiterai pas à vous prier de croire qu'il était prêt à voir surgir bon nombre d'ap-paritions bizarres, et que peu de choses, d'un petit bébé à un rhinocéros, auraient pu le surprendre.

Or, s'il s'attendait à tout, ou peu s'en faut, il n'était nullement préparé à ce qu'il n'arrivât rien ; par conséquent, lorsqu'une heure sonna à la pendule sans qu'aucune apparition eût fait son entrée, il fut saisi de tremblements violents. Cinq minutes, dix minutes, un quart d'heure passèrent, rien ne se pro-duisit. Pendant ce temps, il reposait sur son lit, au centre et au cœur même d'une grande lueur rougeâtre dont les rayons avaient convergé sur lui au moment précis où sonnait l'heure. N'étant que lumière, la chose était plus alarmante pour lui qu'une douzaine de fantômes, car il lui était impossible de savoir ce qu'elle signifiait ou présageait ; il craignait même par instants d'offrir, sans avoir la consolation de le savoir, un cas fort intéressant de combustion spontanée. À la fin, toutefois, il lui vint à l'idée ce que vous ou moi nous aurions pensé dès le début (car c'est toujours la personne qui ne s'est pas trouvée dans l'embarras qui sait ce qu'il aurait fallu faire, ce qu'elle-même aurait fait indubitablement), à la fin, dis-je, il lui vint à l'idée que la source et le secret de cette lumière spectrale pourraient bien se trouver dans la chambre voisine, d'où, lorsque Scrooge la suivit à la trace, il eut l'impression qu'elle émanait. Cette idée s'étant complètement emparée de son cerveau, il se leva doucement, enfila ses pantoufles et se glissa jusqu'à la porte.

Au moment où il posait la main sur le loquet, une voix inconnue l'appela par son nom et lui enjoignit d'entrer. Il obéit.

C'était son propre petit salon, cela ne faisait aucun doute. Mais la pièce avait subi une étonnante transformation. Les murs et le plafond étaient si bien ornés de feuillages verts qu'on eût dit un vrai bocage où, de tous côtés, scintillaient de brillantes baies. Les feuilles luisantes du houx, du gui et du lierre reflétaient la lumière comme autant de petits miroirs éparpillés parmi la ramure ; et, dans la cheminée, montait en rugissant une flambée magnifique, dont ce triste foyer pétrifié n'avait jamais connu l'ardeur ni au temps de Scrooge, ni au temps de Marley, depuis bien des hivers. Entassés sur le plancher et formant une sorte de trône, on voyait des dindes, des oies, du gibier, des volailles, de la charcuterie, de grands quartiers de viande, des cochons de lait, de longs chapelets de saucisses, des petits pâtés, des puddings de Noël, des tonnelets d'huîtres, des châtaignes grillées toutes chaudes, des pommes aux joues écarlates, de juteuses oranges, de succulentes poires, d'immenses gâteaux des Rois, et des bols d'un punch bouillant qui obscurcissait la pièce de sa délicieuse vapeur. Trônant nonchalamment sur cette pyramide, était assis un joyeux Géant, magnifique à voir ; il tenait à la main une torche allumée dont la forme évoquait une corne d'abondance, et il l'éleva très haut, afin de répandre sa lumière sur Scrooge, lorsque ce dernier passa la tête par la porte.

« Entre, s'écria le Fantôme, entre et apprends à mieux me connaître, l'ami. »

Scrooge s'avança timidement, et se tint devant l'Esprit la tête basse. Ce n'était plus le Scrooge rétif des heures précédentes ; mais, bien que les yeux de l'Esprit fussent clairs et pleins de bonté, il n'aimait pas rencontrer leur regard.

« Je suis l'Esprit du Noël Présent, dit le Fantôme. Regarde-moi en face ! »

Scrooge obéit avec respect. L'Esprit était vêtu d'une robe simple, une tunique bordée de fourrure blanche. L'étoffe se drapait si négligemment autour de son corps que sa vaste poitrine était nue, comme s'il dédaignait d'user d'un artifice pour se garantir ou se cacher. Ses pieds qui dépassaient des amples plis du vêtement étaient nus pareillement ; et, pour seule coiffure, il portait une couronne de houx, parsemée de glaçons brillants. Les longues boucles de sa chevelure brune flottaient librement, sans plus de contrainte qu'il n'y en avait dans son visage franc, son œil clair, sa main ouverte, sa voix gaie, ses manières aisées et son air jovial. À sa taille pendait un antique fourreau, mais il était vide de toute épée et rongé par la rouille.

«Tu n'as jamais vu mon pareil! s'écria l'Esprit.

— Jamais, répondit Scrooge.

— Tu n'as jamais fréquenté les plus jeunes membres de ma famille… je veux dire (car je suis très jeune) mes frères aînés de ces dernières années? poursuivit le Fantôme.

— Je ne le crois pas, dit Scrooge, je regrette, mais je ne le crois pas. Avez-vous eu beaucoup de frères, Esprit?

— Plus de dix-huit cents, répondit l'Esprit.

— Famille énorme et ruineuse à entretenir!» murmura Scrooge.

L'Esprit du Noël Présent se leva.

«Esprit, dit Scrooge avec soumission, conduisez-moi où vous voudrez. Je me suis promené la nuit dernière, malgré moi, et j'ai reçu une leçon qui commence à porter ses fruits. Si vous avez ce soir quelque chose à m'enseigner, je veux en faire mon profit.

— Touche ma robe.»

Scrooge fit ce qu'on lui disait et saisit la robe d'une main ferme.

Houx, gui, baies rouges, lierre, dindes, oies, gibier, volaille, charcuterie, viandes, cochons, saucisses, huîtres, pâtés, puddings, fruits et punch, tout disparut à l'instant. S'évanouirent de même le feu, la pièce, la lueur rougeâtre, l'heure nocturne; et ils se trouvèrent le matin de Noël dans les rues de la ville, où les gens faisaient une sorte de musique fruste, mais alerte et assez plaisante, en raclant la neige qui couvrait le trottoir devant leur maison et en la faisant tomber du toit, à l'immense joie des gamins ravis de

la voir s'écraser sur la route avec un plouf! et s'épar-
piller en minuscules avalanches.

Les façades des maisons paraissaient très noires et
les fenêtres encore plus noires, par contraste avec la
nappe de neige lisse et blanche des toits et avec la
neige moins propre dont la dernière couche, sur le
sol, avait été labourée de profonds sillons par les
roues pesantes des charrettes et des voitures ; ces
sillons se croisaient et se recroisaient des centaines
de fois au carrefour des grandes artères, et creu-
saient un réseau compliqué d'ornières dont le tracé
se perdait dans la boue épaisse et jaune mêlée d'eau
glacée. Le ciel était sombre, et les rues les plus
courtes étaient bouchées par une brume noirâtre,
moitié glace, moitié eau, où les particules plus
pesantes descendaient en averse de suie, comme si
toutes les cheminées de la Grande-Bretagne avaient
pris feu d'un commun accord et flambaient à cœur
joie. Il n'y avait rien de très gai dans le climat ni dans
la ville, et pourtant il régnait partout un air de liesse
que le ciel d'été le plus clair, le plus brillant soleil
d'été auraient en vain tenté de diffuser.

Car les gens qui pelletaient la neige sur les toits
étaient affables et de bonne humeur : ils s'appelaient
d'un appentis à l'autre et, de temps en temps, en
manière de plaisanterie, ils échangeaient une boule
de neige (projectile assurément plus inoffensif que
bien des plaisanteries en paroles) ; ils riaient aux
éclats quand ils atteignaient leur cible et d'aussi bon
cœur quand ils la manquaient.

Les boutiques des marchands de volailles étaient
encore à demi ouvertes, et celles des fruitiers rayonnaient de toute leur splendeur. Il y avait de grands
paniers de châtaignes, ronds et ventrus comme de
vieux messieurs bons vivants à la panse rebondie,

s'étalant à la porte et débordant jusque sur le trottoir dans leur apoplectique prospérité. Il y avait des oignons d'Espagne, aux larges flancs, rougeâtres et basanés, luisants et obèses comme les moines de ce pays, lançant du haut de leur étagère d'aguichantes œillades aux jeunes filles qui passaient, puis regardant d'un air innocent le gui suspendu au plafond. Il y avait des poires et des pommes amoncelées en brillantes pyramides ; il y avait des grappes de raisin que le boutiquier avait suspendues par bonté à des crochets bien visibles, pour que les passants en eussent gratis l'eau à la bouche ; il y avait des piles de noisettes, brunes et moussues, rappelant par leur parfum les promenades dans les bois, et le plaisir d'enfoncer lentement dans les feuilles mortes jusqu'à la cheville ; il y avait des chaussons aux pommes, trapus et dorés, dont le hâle faisait ressortir le jaune des oranges et des citrons et qui, de toute la densité de leur juteuse personne, priaient et suppliaient avec instance qu'on les emportât dans des sacs en papier pour les manger après le dîner. Les poissons rouges eux-mêmes, placés dans un bocal au milieu de ces fruits de choix, bien qu'appartenant à une race apathique dont le sang stagne, paraissaient savoir qu'il se passait quelque chose, et tournaient en rond du premier au dernier, la bouche ouverte, autour de leur petit univers, en proie à une excitation lente et sans passion.

Les Épiceries ! Oh ! les Épiceries ! Presque fermées. Tous les volets en place sauf un ou deux peut-être, mais par ces fentes quelles perspectives ! Ce n'était pas seulement le son joyeux des plateaux de balance descendant sur le comptoir, ni l'allégresse avec laquelle la ficelle se séparait de sa bobine, ni le cliquetis des boîtes de fer-blanc montant et descendant comme dans un tour de jongleur, ni même les arômes mêlés du thé et du café si agréables à l'odorat, l'abondance et la beauté des raisins secs, l'extrême blancheur des amandes, la longueur des bâtons de cannelle si droits, la qualité exquise des autres épices, les fruits confits, couverts d'une couche inégale de sucre fondu, si épaisse qu'on se sentait pris, en les voyant, d'une légère faiblesse et de tiraillements d'estomac. Ce n'était pas non plus parce que les figues étaient moites et charnues ou parce que les pruneaux au goût un peu acidulé rougissaient modestement dans leurs boîtes hautes en couleur, ou parce que tout était bon à manger et paré pour Noël. Mais c'est que les clients se hâtaient, si impatients de goûter les joies promises par ce jour, qu'ils se bousculaient en franchissant la porte, écrasant l'un contre l'autre leurs paniers à provisions dans leur hâte fiévreuse, oubliaient leurs emplettes sur les comptoirs, revenaient les chercher en courant et commettaient mille erreurs de cette sorte, de la meilleure humeur du monde ; tandis que l'Épicier et ses garçons montraient tant de franche gentillesse que les cœurs de métal poli qui agrafaient leur tablier par-derrière auraient pu être leurs propres cœurs exposés aux yeux de tous et livrés aux petites corneilles de Noël s'il leur plaisait de les picorer.

Mais les cloches invitèrent bientôt toutes les bonnes gens à se rendre à l'église ou à la chapelle. Ils sortirent en troupe et se répandirent dans les rues, ayant arboré leurs plus beaux habits et leur visage le plus joyeux. En même temps, d'une quantité de rues latérales, d'impasses et de courettes sans nom, sortaient d'innombrables personnes portant leur dîner à cuire chez le boulanger. La vue de ces pauvres festins parut intéresser vivement l'Esprit, car il alla se poster, avec Scrooge à ses côtés, sur le seuil d'une boulangerie et, soulevant les couvercles à mesure que passaient leurs porteurs, il répandait sur leur dîner quelques grains de l'encens qui brûlait dans sa torche. C'était, en vérité, une torche peu commune que la sienne : une fois ou deux, quelques coltineurs de dîner qui s'étaient heurtés rudement ayant échangé des mots de colère, l'Esprit fit tomber sur eux quelques gouttelettes et la bonne humeur leur revint immédiatement ; car, disaient-ils, ce serait une honte de se quereller le jour de Noël, et rien de plus vrai, Dieu soit loué, rien de plus vrai !

Peu à peu, les cloches se turent, les boulangeries se fermèrent et l'on vit apparaître le réconfortant présage de tous ces dîners en cours de cuisson dans la tache de neige fondue qui s'élargissait près des fours de boulanger, où le trottoir fumait comme si ses pierres étaient en train de cuire, elles aussi.

« Y a-t-il une saveur spéciale dans ce que vous répandez avec votre torche ? demanda Scrooge.

— Oui, ma propre saveur.

— Peut-elle agir sur n'importe quel dîner aujourd'hui ?

— Sur tous ceux qui sont offerts de bon cœur. Les plus pauvres, spécialement.

— Pourquoi les plus pauvres ?

— Parce qu'ils en ont le plus besoin.

— Esprit, dit Scrooge après un moment de réflexion, je m'étonne que de tous les êtres habitant les divers mondes qui nous entourent, vous soyez celui qui cherche à priver ces pauvres gens des occasions de prendre un plaisir innocent.

— Moi ! s'écria l'Esprit.

— Vous voulez leur ôter la possibilité de dîner le

septième jour et c'est souvent le seul où l'on puisse dire qu'ils dînent. N'est-ce pas vrai ?

— Moi ! s'écria l'Esprit.

— N'est-ce pas vous qui entreprenez de fermer ces boutiques le jour du sabbat[1], ce qui revient au même ? dit Scrooge.

— Moi, entreprendre cela !...

— Pardonnez-moi si je me trompe ; cela s'est fait en votre nom, ou du moins au nom de votre famille.

— Il y a sur cette terre que tu habites, dit l'Esprit, des hommes qui ont la prétention de nous connaître et qui couvrent de notre nom leurs actes de passion, d'orgueil, de méchanceté, de haine, d'envie, de bigoterie et d'égoïsme : or, ils nous sont aussi étrangers, à nous et à tous les nôtres, que s'ils n'avaient jamais vécu. Rappelle-toi cela et rends-les responsables de ce qu'ils font, au lieu de nous en accuser. »

Scrooge promit qu'il le ferait et, toujours invisibles, ils continuèrent à cheminer en pénétrant dans les faubourgs de la ville. C'était une faculté remarquable de l'Esprit (Scrooge l'avait observée chez le boulanger) qu'en dépit de sa taille gigantesque, il pouvait s'adapter, sans en être gêné, à n'importe quel endroit et qu'il se tenait sous le toit le plus bas avec autant de grâce et avec la même majesté surnaturelle qu'il l'aurait fait dans la salle la plus haute.

Peut-être fut-ce le plaisir que le brave Esprit éprouvait à exhiber ce talent, peut-être fut-ce seulement son bon naturel, généreux et aimant, et sa sympathie pour les êtres pauvres qui le conduisit tout droit chez le commis de Scrooge ; car c'est là qu'il dirigea ses pas, entraînant Scrooge, cramponné à sa robe. Et sur le seuil de la porte, l'Esprit s'arrêta en souriant et bénit la demeure de Bob Cratchit en l'aspergeant de sa torche. Pensez donc ! Bob n'avait que quinze «bobs»[1] par semaine; il n'empochait, chaque samedi, que quinze exemplaires de son propre nom et cependant le Fantôme du Noël Présent bénissait sa maison de quatre pièces.

Alors se leva Mme Cratchit, la femme de Cratchit, parée de sa plus belle robe, qui n'était qu'une vieille robe retournée, mais qu'elle avait enjolivée de rubans (car ils sont bon marché et font de l'effet pour quelques sous); et elle commença à mettre la table, aidée de Belinda Cratchit, sa seconde fille, tout aussi enrubannée qu'elle; tandis que maître Peter Cratchit plongeait une fourchette dans la casserole de pommes de terre, après avoir ramené dans sa bouche les coins de son monstrueux col de chemise (propriété personnelle de Bob concédée en l'honneur de Noël à son héritier présomptif, heureux de se sentir si bien mis et brûlant d'aller faire le gandin dans les parcs à la mode). Alors deux petits Cratchit, un garçon et une fille, entrèrent en trombe, hurlant que, devant la boulangerie, ils avaient senti le fumet de l'oie et reconnu que c'était la leur; et se plongeant voluptueusement dans les délices anticipées de la sauge et de l'oignon, ces jeunes Cratchit se mirent à danser autour de la table, et portèrent aux nues maître Peter Cratchit qui soufflait sur le feu (en toute simplicité, bien que son col de chemise l'étouffât à moitié) et qui souffla si bien que les nonchalantes pommes de terre se décidèrent à bouillonner et à cogner contre le couvercle de la casserole pour dire qu'elles étaient bonnes à prendre et à peler.

«Qu'est-ce qui peut bien retenir votre chenapan de père à cette heure? dit tendrement Mme Cratchit. Et Tiny[2] Tim?... Et Marthe? Au dernier Noël, elle était là une demi-heure plus tôt pour le moins.

— Marthe est là, maman! s'écria une jeune fille en entrant.

— Voici Marthe, maman! s'écrièrent les deux jeunes Cratchit. Si tu savais comme l'oie est belle, Marthe!

— Mon Dieu, que tu es en retard, ma chérie, dit Mme Cratchit en l'embrassant une douzaine de fois et en la débarrassant de son châle et de son bonnet avec plus de zèle que de coutume.

— Nous avons eu beaucoup de travail à terminer hier soir, répondit la jeune fille, et ce matin il a fallu mettre de l'ordre, maman.

— Bon, n'y pensons plus, puisque te voilà, dit Mme Cratchit. Assieds-toi devant le feu, ma grande, et réchauffe-toi bien.

— Non, non! crièrent les deux jeunes Cratchit qui étaient partout à la fois, papa arrive: cache-toi, Marthe, cache-toi!»

Marthe se cacha, et l'on vit entrer le petit Bob, le père, avec un bon mètre de cache-nez (sans compter la frange) qui pendait devant lui, et ses vêtements râpés, reprisés et brossés pour leur donner un air de fête, et Tiny Tim juché sur ses épaules. Hélas, le pauvre Tiny Tim marchait avec une petite béquille et ses jambes étaient soutenues par une armature de fer!

«Eh! bien, où est notre Marthe? demanda Bob Cratchit en regardant autour de lui.

— Elle ne vient pas, dit Mme Cratchit.

— Elle ne vient pas! répéta Bob, perdant brusquement sa belle humeur, lui qui avait servi de pur-sang à Tiny Tim et qui était revenu de l'église au grand galop. Elle ne vient pas le jour de Noël!»

Marthe eut du chagrin de le voir si déçu, fût-ce par plaisanterie; elle sortit donc prématurément de sa cachette derrière la porte du placard et courut se jeter dans ses bras, tandis que les deux jeunes Cratchit s'emparaient de Tiny Tim et l'emportaient dans la buanderie pour lui faire écouter le pudding qui chantait dans la lessiveuse.

«Est-ce que le petit Tim a été sage? demanda Mme Cratchit après avoir taquiné Bob au sujet de sa crédulité, et quand Bob eut embrassé sa fille autant qu'il en avait envie.

— Sage comme une image, et mieux encore! dit Bob. On dirait qu'à rester si longtemps assis tout seul, il réfléchit à des tas de choses et qu'il lui vient les idées les plus étranges du monde. Il m'a dit, en revenant, qu'il espérait que les gens l'avaient bien regardé à l'église parce qu'il est infirme et que cela doit leur être agréable, surtout le jour de Noël, de penser à Celui qui fit marcher les mendiants paralysés et rendit la vue aux aveugles.»

La voix de Bob tremblait en répétant ces mots, et elle trembla bien davantage lorsqu'il ajouta que Tiny Tim prenait tous les jours plus de force et d'entrain.

On entendit résonner sur le plancher son active petite béquille et, avant qu'une autre parole eût été prononcée, Tiny Tim entra, escorté de son frère et de sa sœur qui l'installèrent sur son tabouret près du feu; et tandis que Bob, ayant remonté ses manches (comme si, le pauvre garçon, il avait risqué de les abîmer davantage!), composait dans une cruche un mélange chaud où entraient du gin et des citrons qu'il agita et tourna un bon moment et qu'il mit à mijoter au coin du feu, maître Peter, et les deux petits Cratchit, ces prodiges d'ubiquité, s'en allèrent chercher l'oie, qu'ils rapportèrent bientôt en cortège triomphal.

À entendre le tumulte causé par leur entrée, on

aurait pu croire qu'une oie était le plus rare de tous
les oiseaux : un phénomène emplumé auprès duquel
un cygne noir serait l'objet le plus banal... et c'était
en vérité plus ou moins le cas dans cette maison.
Mme Cratchit fit chauffer la sauce (préparée d'avance
dans une petite casserole) ; maître Peter écrasa les
pommes de terre avec une vigueur incroyable ; miss
Belinda sucra la compote de pommes ; Marthe
essuya les assiettes chaudes ; Bob attabla le petit Tim
près de lui dans un tout petit coin, les deux jeunes
Cratchit avancèrent des chaises pour tout le monde,
et n'eurent garde de s'oublier, puis ils se mirent en
faction chacun à son poste, une cuiller enfoncée
dans la bouche pour être sûrs de ne pas réclamer de
l'oie avant que vînt leur tour d'être servis. Enfin les
plats furent posés sur la table, et l'on dit le bénédicité. Il fut suivi d'un long silence haletant lorsque
Mme Cratchit, examinant lentement, du manche à la
pointe, le couteau à découper, se prépara à le plonger
dans la poitrine de l'oie ; mais à peine l'eut-elle fait,
à peine une bouffée de la farce longtemps attendue
s'en fut-elle échappée, qu'un ronronnement de béatitude monta du cercle des convives et que Tiny Tim
lui-même, excité par les deux jeunes Cratchit, mar-
tela la table du manche de son couteau et cria d'une
voix ténue : Hourra !

Jamais l'on ne vit pareille oie. Bob déclara qu'il ne
croyait pas qu'on en eût jamais fait cuire de telle. Sa
chair tendre, son goût exquis, sa grosseur et la modi-
cité de son prix furent les thèmes de l'admiration
universelle. En y ajoutant la compote de pommes et
la purée, ce fut un dîner suffisant pour toute la
famille ; et même, comme le fit remarquer Mme Cratchit avec beaucoup de joie, l'œil fixé sur un atome
d'os qui restait dans le plat, ils n'avaient pas tout

mangé. Pourtant, chacun en avait eu assez et les plus jeunes Cratchit en particulier étaient barbouillés de sauge et d'oignons jusqu'aux yeux! Mais lorsque les assiettes eurent été changées par miss Belinda, Mme Cratchit quitta la pièce seule — trop émue pour supporter la présence de témoins — afin de démouler le pudding et de l'apporter sur la table.

Et s'il n'était pas assez cuit! et s'il allait se casser quand elle le démoulerait! Et si quelqu'un était passé par-dessus le mur de la courette et l'avait volé pendant qu'ils se régalaient d'oie! (À cette dernière supposition, les deux jeunes Cratchit devinrent blêmes.) Toutes sortes d'horreurs furent supposées.

Ho, ho! Un grand nuage de vapeur: le pudding était sorti du baquet. Une odeur de jour de lessive: c'était la mousseline qui l'enveloppait. L'odeur d'un restaurant qui serait à côté d'une pâtisserie voisine d'une blanchisserie: c'était le pudding! Une minute après, Mme Cratchit faisait son entrée, le visage rouge mais souriant d'un air fier, portant le pudding semblable à un boulet de canon moucheté, dur et ferme à souhait, imbibé d'un quart de pinte d'eau-de-vie enflammée, et adorné d'une branche de houx plantée à son sommet en l'honneur de Noël.

Oh! le merveilleux pudding! Bob Cratchit déclara, et il parlait avec pondération, qu'il considérait ce pudding comme le plus grand succès de la carrière de Mme Cratchit depuis leur mariage. Mme Cratchit répondit que, n'ayant plus ce poids sur la conscience, elle pouvait bien avouer qu'elle avait eu quelques doutes sur la quantité de farine. Chacun eut son mot à dire, mais personne n'insinua ou ne pensa que c'était en réalité un très petit pudding pour une si nombreuse famille. Ç'aurait été pure hérésie; pas un seul Cratchit qui n'eût rougi de le suggérer.

Enfin, le dîner achevé, la table fut desservie, le foyer balayé, et le feu attisé. La mixture de la cruche ayant été goûtée et jugée parfaite, on plaça des oranges et des pommes sur la table et une pelletée de châtaignes sous les cendres. Puis toute la famille Cratchit s'installa devant le foyer, formant ce que Bob appela un cercle, voulant dire un demi-cercle. À portée de sa main, Bob avait toute la verrerie de la famille : deux gobelets et un petit pot à crème qui avait perdu son anse.

Ces récipients, toutefois, continrent la boisson chaude de la cruche, aussi bien que l'eussent fait des timbales d'or. Bob la servit, d'un air rayonnant, tandis que sur le feu les châtaignes sautaient et se fendaient à grand bruit.

Alors, Bob leva son verre.

« Joyeux Noël à tous, mes chéris. Que Dieu nous bénisse ! »

La famille entière fit écho.

« Dieu nous bénisse tous ! » dit Tiny Tim qui parla le dernier.

Il était assis sur son petit tabouret, très près de son père. Bob tenait sa menotte flétrie dans la sienne, comme s'il aimait l'enfant d'une tendresse spéciale et désirait le garder à ses côtés de peur qu'il ne lui fût ravi.

« Esprit, dit Scrooge avec un intérêt qu'il n'avait jamais ressenti auparavant, dites-moi si Tiny Tim vivra.

— Je vois une place vacante au coin du pauvre foyer, répondit l'Esprit, et une béquille sans propriétaire, conservée comme une relique. Si l'avenir ne change rien à ces ombres, cet enfant va mourir.

— Non, non, dit Scrooge. Oh ! non, bon Esprit, dites qu'il sera épargné !

— Si l'avenir ne change rien à ces ombres, répéta l'Esprit, aucun de mes successeurs ne le trouvera ici. Et puis après? S'il doit mourir, qu'il le fasse, cela diminuera l'excédent de la population. »

Scrooge inclina la tête, accablé de remords et de tristesse, en entendant l'Esprit citer ses propres paroles.

« Ô Homme, dit l'Esprit, si tu as un cœur d'homme et non un cœur de pierre, cesse d'employer cet hypocrite jargon jusqu'à ce que tu aies découvert ce qu'est ce surplus et où il est. Vas-tu décider quels êtres doivent vivre et quels êtres doivent mourir? Il se peut qu'aux yeux du Ciel tu sois moins précieux et moins digne de vivre que des millions d'êtres semblables à l'enfant de ce pauvre homme. Grand Dieu! Entendre l'insecte sur la feuille décréter qu'il y a trop peu de mortalité parmi ses frères affamés luttant dans la poussière! »

Tout tremblant, Scrooge subit la réprimande de l'Esprit les yeux baissés. Mais il les releva vivement en entendant prononcer son nom.

« À la santé de M. Scrooge, disait Bob, je propose de boire à M. Scrooge, le patron de la Fête!

— Le patron de la Fête, vraiment! s'écria Mme Cratchit en rougissant. Si je le tenais, je le régalerais de toutes les bonnes choses que je pense de lui, et il lui faudrait un fier appétit pour les digérer, je vous en réponds!

— Ma bonne, dit Bob, les enfants... le jour de Noël!...

— Il faut que ce soit le jour de Noël, en effet, dit-elle, pour que nous buvions à la santé d'un homme aussi odieux, aussi pingre, aussi dur et aussi insensible que M. Scrooge. Tu sais qu'il est tout cela,

Robert. Personne ne le sait mieux que toi, pauvre garçon !

— Ma chérie... protesta Bob avec douceur, le jour de Noël...

— Je boirai donc à sa santé, pour l'amour de toi et à cause de ce jour, dit Mme Cratchit. Mais ce n'est pas pour l'amour de lui. Je lui souhaite une longue vie, un joyeux Noël et une heureuse année. Il sera très joyeux et très heureux, je n'en doute pas. »

Les enfants burent à la santé de Scrooge après elle ; de toute la soirée ce fut la première chose qu'ils ne firent pas de bon cœur. Tiny Tim leva son verre le dernier, mais sans entrain. Scrooge était l'Ogre de la famille. Son nom seul avait jeté sur leur petite fête une ombre qui mit bien cinq minutes à se dissiper.

Lorsqu'ils eurent chassé de leur esprit l'image de Scrooge le Maléfique, le seul soulagement les rendit vingt fois plus gais qu'avant. Bob Cratchit leur apprit qu'il avait en vue pour maître Peter une situation dans laquelle il pourrait gagner (s'il l'obtenait) jusqu'à cinq shillings et demi par semaine. Les deux jeunes Cratchit rirent à gorge déployée en imaginant Peter sous les traits d'un homme d'affaires ; et Peter lui-même contempla le feu d'un air pensif entre les pointes de son col, comme s'il réfléchissait d'avance aux placements qu'il honorerait de son choix quand il serait en possession de ce revenu étourdissant. Marthe, pauvre petite apprentie chez une marchande de modes, leur parla alors des besognes qui lui étaient assignées, du nombre d'heures qu'elle passait à travailler sans s'arrêter, et leur déclara qu'elle avait l'intention de rester au lit très tard le lendemain matin pour se reposer, le lendemain étant un jour de congé qu'elle passait à la maison. Elle leur raconta aussi que peu de jours auparavant, elle avait vu un lord et une comtesse, et que le lord était « à peu près de la taille de Peter » ; sur quoi Peter tira sur sa chemise et se haussa tellement le col que, si vous aviez été là, vous auriez perdu sa tête de vue. Pendant tout ce temps, les châtaignes et la cruche circulaient à la ronde ; et puis Tiny Tim leur chanta une romance où il était question d'un enfant perdu dans la neige ; Tiny Tim, qui avait une petite voix plaintive, la chanta très joliment, en vérité.

Il n'y avait là rien de très élégant. Les gens de cette famille n'étaient pas beaux, ils n'étaient pas bien habillés, leurs chaussures avaient depuis longtemps cessé d'être imperméables, leurs vêtements étaient minables et Peter connaissait bien, j'en jurerais, la boutique du prêteur sur gages. Pourtant, ils étaient heureux de vivre et pleins de gratitude, satisfaits les uns des autres et de la fête qu'ils célébraient. Et lorsqu'ils s'effacèrent peu à peu au regard, l'air encore plus ravis à la lueur des brillantes étincelles dont l'Esprit les aspergea en partant, Scrooge tint les yeux fixés sur eux, surtout sur Tiny Tim, jusqu'à ce qu'ils eussent complètement disparu.

À ce moment, la nuit tombait et il neigeait assez fort ; et tandis que Scrooge et l'Esprit cheminaient le long des rues, les feux qui ronflaient dans les cuisines, dans les salons, dans toutes sortes de pièces, répandaient de merveilleuses lueurs. Ici, la clarté de la flamme vacillante révélait les préparatifs d'un bon petit repas, avec les assiettes chauffant à qui mieux mieux devant le foyer et les rideaux rouge foncé qu'on allait tirer bientôt pour empêcher la nuit et le froid de pénétrer dans la pièce. Là, tous les enfants de la maison s'élançaient dans la neige pour courir à la rencontre de leurs sœurs mariées, de leurs frères, de leurs cousins, oncles et tantes, et pour être les premiers à leur souhaiter un joyeux Noël. Ailleurs, l'on voyait sur le store de la fenêtre l'ombre des convives assemblés ; et plus loin, une bande de jolies filles, encapuchonnées et chaussées de bottes fourrées, trottinaient d'un pas léger, en bavardant toutes à la fois, vers quelque maison voisine ; alors, malheur au pauvre célibataire qui les verrait entrer — et les rusées magiciennes le savaient bien ! — les joues rosies par le froid.

D'ailleurs, à en juger par le nombre de gens qui se rendaient à d'amicales réunions, on aurait pu croire qu'il ne resterait personne au logis pour les accueillir quand ils y arriveraient ; or, il n'y avait pas de maison où l'on n'attendît de la compagnie et où l'on n'empilât le charbon sur les grilles jusqu'à mi-cheminée. Dieu du Ciel, comme l'Esprit exultait ! Comme il dénudait sa large poitrine et ouvrait sa vaste paume ! Comme il allait flottant, versant d'une main généreuse sa vive et innocente allégresse sur les objets qui étaient à sa portée ! Jusqu'à l'allumeur de réverbères qui courait devant eux, piquant de petits points de lumière la rue ténébreuse, déjà en grande toilette pour aller passer la soirée quelque part, et qui se mit à rire tout haut lorsque passa l'Esprit, bien qu'il se doutât peu, cet allumeur de réverbères, qu'il n'avait d'autre compagnon que Noël.

Et, tout à coup, sans un mot d'avertissement de l'Esprit, ils se trouvèrent sur une lande froide et déserte, parsemée çà et là d'énormes masses de pierre brute, comme si c'eût été un lieu de sépulture pour géants ; l'eau s'y répandait partout où elle voulait, ou du moins elle se serait répandue si la gelée ne l'avait retenue prisonnière ; rien n'y poussait que la mousse et l'ajonc, entourés d'une herbe rare et grossière. Le soleil couchant avait laissé à

l'horizon de l'ouest une traînée rouge ardent semblable à un œil menaçant et maussade dont le regard
flamba un instant sur ce paysage désolé avant de
tomber plus bas, plus bas encore, et de se perdre
enfin dans les épaisses ténèbres d'une nuit profonde.

« Quel est cet endroit ? demanda Scrooge.

— Un endroit où vivent les mineurs qui travaillent
dans les entrailles de la terre. Mais ils me connaissent,
dit l'Esprit. Regarde. »

Une lumière brillait à la fenêtre d'une hutte et c'est
vers elle qu'ils allèrent d'un pas vif. Traversant le
mur de boue et de pierre, ils trouvèrent une joyeuse
compagnie assemblée autour d'un grand feu : un
homme très, très vieux, et sa femme, avec leurs
enfants, leurs petits-enfants et encore une autre
génération, tous vêtus de leurs habits de fête. Le
vieillard, d'une voix qui parvenait rarement à
dominer les hurlements du vent sur la lande stérile,
leur chantait un chant de Noël (déjà fort ancien au
temps de sa jeunesse) et, de temps en temps, tous
reprenaient le refrain en chœur. Chaque fois qu'ils
entonnaient le chant, le vieillard retrouvait joie et
vigueur, et sitôt qu'ils se taisaient, il perdait cet élan
de vie et redevenait débile.

L'Esprit ne s'attarda pas dans cette demeure ; il
ordonna à Scrooge de bien tenir sa robe et, survolant
la lande, se dirigea rapidement vers... Pas vers la
mer ? Si, vers la mer. À sa grande terreur, Scrooge,
en tournant la tête, vit s'éloigner l'effrayant aligne-
ment de rochers du rivage ; et ses oreilles furent
assourdies par le tonnerre des vagues rugissantes,
battant et martelant les effroyables grottes que leur
fureur avait creusées dans un effort impétueux pour
miner la terre.

Bâti sur un morne récif de brisants à fleur d'eau,

se dressait à une ou deux lieues de la côte un phare solitaire sur lequel les flots venaient frapper rageusement, sans répit, tout le long de l'année. D'épaisses masses de varech s'accrochaient à sa base et les oiseaux de mer — nés du vent, sans doute, comme les algues de l'eau — volaient alentour, montant et descendant comme les vagues qu'ils rasaient de l'aile.

Mais même en ce lieu, les deux hommes qui surveillaient la lampe avaient allumé un grand feu qui, par la meurtrière aménagée dans l'épais mur de pierre, jetait un rayon brillant sur l'océan sinistre. Leurs mains calleuses jointes par-dessus la table grossière à laquelle ils étaient assis, ils se souhaitèrent un joyeux Noël en buvant leur pot de grog ; et l'un des deux, le plus âgé, dont le visage était racorni et ravagé par les intempéries autant que le peut être la figure de proue d'un vieux navire, entonna un chant rude, qui était lui-même une sorte de coup de vent tempétueux.

L'Esprit poursuivit sa course rapide au-dessus de la mer noire et houleuse, toujours plus avant, jusqu'à ce qu'ayant laissé loin derrière eux tout rivage, ainsi qu'il en informa Scrooge, ils vinssent se poser sur un navire. Ils se tinrent auprès du timonier à la barre, auprès de la vigie du bossoir, auprès des officiers de quart ; sombres silhouettes indistinctes, chacun à son poste, sans exception, fredonnait un refrain de Noël, pensait à Noël, ou rappelait à voix basse à son compagnon le souvenir de quelque Noël passé mêlé à l'espoir du retour au foyer. Et tous les hommes du bord, éveillés ou endormis, bons ou méchants, avaient échangé ce jour-là des paroles plus bienveillantes qu'en aucun autre jour de l'année ; tous avaient pris une part plus ou moins grande à sa célébration; tous avaient évoqué leurs chers absents, avec la certitude que, là-bas, ceux qu'ils aimaient pensaient à eux en ce jour.

Ce fut une grande surprise pour Scrooge, tandis qu'il prêtait l'oreille aux lamentations du vent et qu'il songeait à l'austère majesté de ce voyage à travers la nuit déserte, au-dessus d'un abîme inconnu dont les profondeurs recelaient des mystères aussi impénétrables que la mort, ce fut, dis-je, une grande surprise pour Scrooge, ainsi plongé dans ses pensées, que d'entendre soudain un jovial éclat de rire. Il fut encore bien plus surpris en reconnaissant le rire de son propre neveu et en s'apercevant qu'il se trouvait dans une pièce agréable, sèche, bien éclairée, avec l'Esprit qui souriait, debout à ses côtés, en observant ce même neveu d'un air aimable et approbateur.

« Ha, ha, ha! faisait le neveu de Scrooge, ha, ha, ha! »

Si, par un hasard peu probable, il vous arrive de rencontrer un homme qui sache rire de meilleur cœur que le neveu de Scrooge, tout ce que je puis dire, c'est que j'aimerais, moi aussi, le rencontrer. Présentez-le-moi et je cultiverai sa connaissance.

Par une juste, noble et légitime répartition des choses de ce monde, si la maladie et la tristesse sont contagieuses, il n'est rien qui se communique aussi irrésistiblement que le rire et la bonne humeur. Quand le neveu de Scrooge riait de cette façon, se tenant les côtes, roulant la tête, se contorsionnant les traits jusqu'aux plus extravagantes grimaces, la nièce par alliance de Scrooge riait d'aussi bon cœur que son mari. Et les amis réunis chez eux ce soir-là ne se laissaient pas distancer et riaient à gorge déployée.

« Ha, ha! Ha, ha, ha, ha...

— Il m'a dit que les vœux de Noël étaient des sornettes, voilà ce qu'il m'a dit! criait le neveu de
Scrooge. Parole d'honneur! Et il le croit.

— Ce n'en est que plus honteux, Fred», dit la
nièce de Scrooge, indignée.

Ah! les femmes! Elles ne font jamais les choses à
moitié. Elles prennent tout au sérieux.

Elle était très jolie, extrêmement jolie, avec son
charmant visage à l'air étonné, tout couvert de fossettes; sa petite bouche charnue, faite pour recevoir
des baisers, et qui en recevait sûrement; son menton,
où toutes sortes de gentils petits creux se fondaient
l'un dans l'autre lorsqu'elle riait; et les yeux les plus
ensoleillés que vous ayez jamais vus dans le visage
d'une jeune femme. Toute sa personne était ce que
vous auriez qualifié de provocant, vous savez; mais
en même temps vous l'auriez regardée avec plaisir,
oh! avec un plaisir sans mélange.

«C'est un cocasse vieux bonhomme en vérité, dit le
neveu de Scrooge, et il pourrait être plus aimable.
Mais ses défauts portent avec eux leur propre châtiment et je n'ai rien à dire contre lui.

— Je suis sûre qu'il est très riche, Fred, insinua la
nièce de Scrooge. Du moins, tu me l'as toujours dit.

— Et quand cela serait, ma chérie, répondit le
neveu de Scrooge, sa fortune ne lui sert à rien. Il ne
fait pas de bien autour de lui, il ne se rend pas la vie
agréable. Il n'a pas même la satisfaction de penser,
ha, ha, ha!... que c'est nous qui en profiterons un
jour!

— Je le trouve odieux», dit la nièce de Scrooge.

Les sœurs de la nièce de Scrooge et toutes les
autres dames exprimèrent la même opinion.

«Oh! pas moi! dit le neveu de Scrooge. Je le trouve
à plaindre. Je ne pourrais pas lui en vouloir, même

en m'y appliquant. Qui souffre de ses méchantes lubies ? Lui-même, toujours. Tenez, il s'est mis dans la tête de nous détester, il a refusé de venir dîner avec nous. Conséquence ? Après tout, il ne perd pas un dîner bien mirifique !...

— Vraiment ! Eh bien, je trouve qu'il perd un très bon dîner », interrompit la nièce de Scrooge.

Tout le monde fut de son avis et l'on doit reconnaître qu'ils étaient bons juges, car ils venaient de terminer le repas : les desserts étaient encore sur la table et les convives se pressaient autour du feu, sous la lampe.

« Je suis content de l'apprendre, ma foi, dit le neveu de Scrooge, parce que je n'ai pas grande confiance dans ces jeunes maîtresses de maison. Qu'en dis-tu, Topper ? »

Topper avait nettement des vues sur une des sœurs de la nièce de Scrooge, car il répondit qu'un célibataire n'était qu'un misérable paria, qui n'avait pas le droit d'exprimer une opinion sur ce sujet. Sur quoi, la sœur de Scrooge — la petite potelée au fichu de dentelle, pas celle qui porte un bouquet de roses au corsage — rougit très fort.

« Continue, Fred, dit la nièce de Scrooge en frappant des mains. Il n'achève jamais ce qu'il a commencé de dire. Quelle manie ridicule ! »

Le neveu de Scrooge s'abandonna de nouveau à son hilarité, et comme il était impossible de se préserver de la contagion (bien que la sœur potelée s'y efforçât à l'aide d'un flacon de sels), son exemple fut unanimement suivi.

« J'allais dire, reprit le neveu de Scrooge, que la conséquence du fait qu'il ne nous aime pas et qu'il refuse de venir se réjouir avec nous est qu'il perd d'agréables moments qui ne lui auraient pas fait de mal. Je suis sûr qu'il se prive d'une compagnie plus aimable que celle qu'il peut trouver auprès de ses propres pensées, soit dans son vieux bureau moisi, soit dans son logement poussiéreux. J'ai l'intention de lui offrir chaque année, qu'il le veuille ou non, la même chance d'en sortir, car j'ai pitié de lui. Libre à lui de se moquer de Noël jusqu'à sa mort, mais je le mets au défi de ne pas être ébranlé dans son opinion lorsqu'il me verra arriver, tous les ans, régulièrement et toujours d'aussi bonne humeur pour lui dire : « Comment allez-vous, oncle Scrooge ? » Si seulement cela lui donnait l'idée de léguer une cinquantaine de livres sterling à son pauvre commis, ce serait déjà quelque chose. Et je crois qu'il était assez ébranlé après ma visite d'hier. »

Ce fut à leur tour de rire à l'idée de Fred en train d'ébranler Scrooge. Mais comme il avait un très bon caractère et que l'objet de leurs rires lui importait peu pourvu qu'il les entendît rire, il les encouragea à manifester leur joie en faisant gaiement circuler la bouteille.

Après le thé, on fit un peu de musique, car c'était une famille de musiciens, et je vous assure qu'ils savaient à merveille chanter *a capella* des chœurs ou des fugues. Topper, surtout, faisait gronder sa voix de basse comme personne, sans gonfler les grosses veines de son front ni devenir rouge comme un coq. La nièce de Scrooge jouait fort joliment de la harpe ; elle joua, entre autres morceaux, un petit air tout simple (un rien ; vous auriez appris à le siffler en deux minutes) ; et c'était un des airs favoris de la petite fille qui jadis allait chercher l'enfant Scrooge à l'école, comme le lui avait rappelé le Fantôme des Noëls passés. Quand cette mélodie se fit entendre, toutes les choses que l'Esprit lui avait montrées lui

revinrent à la mémoire ; il s'attendrit de plus en plus
et songea que, s'il avait pu l'écouter souvent, des
années auparavant, il aurait sans doute cultivé les
douceurs de l'amitié en cette vie, pour son propre
bonheur et de ses propres mains, sans avoir recours
à la pelle du fossoyeur qui avait enterré Jacob Marley.

Mais la soirée ne fut pas consacrée tout entière à la
musique. Au bout d'un moment, ils jouèrent aux
gages ; car il est bon de redevenir enfant de temps en
temps, et Noël n'est-il pas la meilleure occasion de le
faire, puisque Celui que l'on fête est un Dieu enfant ?
Attendez ! Ils firent d'abord une partie de colin-maillard. Mais oui, c'est par là qu'ils commencèrent. Et
vous ne me ferez pas croire que le bandeau de Topper
l'aveuglait honnêtement, non, non, autant croire
qu'il avait des yeux dans ses bottines ! Mon opinion
est que la chose était convenue entre lui et le neveu
de Scrooge, et que l'Esprit du Noël Présent le savait.
La façon dont il poursuivait la sœur potelée au col de
dentelle est un outrage à la crédulité de la nature
humaine. Renversant la garniture de foyer, roulant
par-dessus les chaises, se cognant au piano, s'enche-
vêtrant à y étouffer dans les rideaux, partout où elle
allait, il allait ! Il savait toujours où se trouvait la
sœur potelée. Il n'essayait même pas d'attraper les
autres. Si vous vous étiez jeté sur lui volontairement
(comme certains le firent), il aurait fait, pour essayer
de vous saisir, une feinte offensante pour votre intelligence, avant de repartir aussitôt dans la direction
de la sœur potelée. Elle s'écriait souvent que ce
n'était pas du jeu, et elle avait raison. Mais lorsqu'il
réussit à l'attraper enfin, lorsqu'en dépit de tous les
froufrous de sa robe de soie, en dépit de ses fuites
papillonnantes, il l'emprisonna dans un coin où elle
ne pouvait plus lui échapper, alors, la conduite de

Topper devint vraiment abominable. Car il prétendit ne pas la reconnaître, il prétendit avec une monstrueuse hypocrisie qu'il était nécessaire de toucher sa coiffure et de s'assurer de son identité en caressant une certaine bague qu'elle portait au doigt et une certaine chaîne qui ornait son cou. Nul doute qu'elle ne lui ait dit sa façon de penser quand, le mouchoir ayant passé sur les yeux d'un autre, ils se furent retirés derrière les rideaux pour discuter tout bas d'un air confidentiel.

La nièce de Scrooge n'était pas de la partie de colin-maillard ; on l'avait installée dans un bon petit coin du salon, sur un fauteuil, avec un tabouret sous les pieds, et Scrooge ainsi que l'Esprit se tenaient debout derrière elle. Mais elle joua aux gages et elle épuisa toutes les lettres de l'alphabet à : « j'aime mon amour à la folie ». Quant aux petits papiers, elle y excellait et, à la secrète jubilation du neveu de Scrooge, elle battit ses sœurs à plate couture ; elles étaient pourtant malignes, comme Topper aurait pu vous le dire. Il y avait là peut-être une vingtaine de personnes, jeunes ou vieilles, mais toutes jouèrent et Scrooge avec eux ; car, oubliant complètement, tant il s'intéressait à cette scène, que sa voix ne produisait aucun son à leurs oreilles, il criait parfois très fort le mot qu'il avait deviné, et il lui arrivait souvent de tomber juste, car l'aiguille la plus fine, la meilleure *Whitechapel*, garantie pour ne pas couper le fil, n'était pas plus aiguë que Scrooge, malgré l'air obtus qu'il s'obstinait à se donner.

L'Esprit était très satisfait de le voir de cette humeur et il le considérait d'un air de si grande bienveillance que Scrooge lui demanda en grâce, comme un enfant, la permission de rester jusqu'au départ

des invités. Mais cela, répondit l'Esprit, était chose
impossible.

«Voici un nouveau jeu, s'écria Scrooge, une demi-
heure, Esprit, rien qu'une demi-heure!»

C'était un jeu appelé: les Portraits; le neveu de
Scrooge devait penser à un objet ou à une personne
et les autres devaient trouver ce que c'était, en lui
posant des questions; il n'y répondait que par oui ou
non, suivant le cas. Le feu nourri d'interrogations
auquel il fut soumis lui arracha qu'il pensait à un
animal, un animal vivant, un animal assez déplai-
sant, un animal sauvage, un animal qui grondait
parfois, qui parlait à l'occasion, qui habitait Londres,
qui se promenait dans les rues, qui n'était pas exhibé
en public pour de l'argent, ni mené en laisse, qui ne
vivait pas dans une ménagerie, qu'on ne tuait pas à
l'abattoir, qui n'était ni un cheval, ni un âne, ni une
vache, ni un taureau, ni un tigre, ni un chien, ni un
cochon, ni un chat, ni un ours. À chaque nouvelle
question qu'on lui posait, le neveu partait d'un
nouvel éclat de rire et se mettait dans un tel état de
jubilation qu'il était obligé de quitter le divan pour
aller trépigner sur le parquet. À la fin, la sœur
potelée, prise à son tour du fou rire, s'écria:

«J'ai trouvé! Je sais ce que c'est, Fred! Je sais ce
que c'est!

— Qu'est-ce que c'est?

— Votre oncle Scro-o-o-o-ge!»

C'était cela même. L'admiration fut le sentiment
général, bien que quelqu'un protestât qu'à la question: «Est-ce un ours?» Fred aurait dû répondre:
«Oui.» Sa réponse négative avait suffi à détourner
leurs pensées de M. Scrooge, en supposant qu'elles
eussent tendu de ce côté.

«Il nous a valu bien de l'amusement, c'est sûr, dit

Fred, et nous serions des ingrats si nous ne buvions pas à sa santé. Nous avons tous un verre de vin chaud à portée de la main, je propose donc : à l'oncle Scrooge !

— Soit, à l'oncle Scrooge ! s'écrièrent-ils.

— Joyeux Noël et Bonne Année au vieillard, malgré son mauvais caractère ! dit le neveu de Scrooge. Il n'a pas voulu de mes vœux, mais il les aura tout de même. À l'oncle Scrooge ! »

L'oncle Scrooge était devenu, insensiblement, si gai et si léger de cœur qu'il aurait répondu en buvant à son tour à la santé de ces gens qui ne le voyaient pas et prononcé un discours de remerciement que personne n'aurait entendu, si l'Esprit lui en avait laissé le temps. Mais au dernier mot prononcé par le neveu, la scène entière s'effaça et les deux voyageurs reprirent leur pèlerinage.

Ils virent beaucoup de pays, ils allèrent très loin et rendirent visite à de nombreuses demeures, toujours avec un résultat heureux : l'Esprit se tenait au chevet des malades, et ils reprenaient courage ; près des exilés en terre étrangère, et ils se croyaient dans leur patrie ; près d'hommes tourmentés, et ils retrouvaient la patience avec l'espoir suprême ; près des pauvres, qu'il enrichissait. Dans les asiles d'indigents, les hôpitaux, les prisons, dans tous les lieux où se réfugie la misère, lorsque l'homme orgueilleux n'avait pas usé de sa petite autorité éphémère pour en barricader les portes et en interdire l'entrée à l'Esprit, il laissait sa bénédiction et enseignait à Scrooge ses préceptes.

Ce fut une longue nuit, si cela ne dura qu'une nuit ; mais là-dessus Scrooge avait quelques doutes, car les vacances de Noël semblaient s'être condensées dans le temps qu'ils passèrent ensemble. Il était étrange aussi que Scrooge demeurât inchangé dans son aspect extérieur, tandis que l'Esprit vieillissait, vieillissait visiblement. Scrooge remarqua ce changement, mais n'en parla pas, jusqu'au moment où, sortant d'une réunion d'enfants le soir des Rois, et comme ils se tenaient côte à côte à l'air libre, il s'aperçut que l'Esprit avait les cheveux gris.

« La vie des Esprits est-elle si courte ? demanda Scrooge.

— Ma vie sur ce globe est très brève, répondit l'Esprit. Elle se termine ce soir.

— Ce soir ! s'écria Scrooge.

— Ce soir à minuit. Écoute ! Le moment approche. »

Aux horloges sonnaient au même instant les trois quarts de onze heures.

« Pardonnez-moi si j'outrepasse mes droits en vous posant cette question, dit Scrooge, les yeux fixés sur la tunique de l'Esprit, mais je vois quelque chose d'étrange et qui n'appartient pas à votre personne, dépasser de votre robe. Est-ce un pied ou une griffe ?

— À en juger par la chair qui le recouvre, ce pourrait être une griffe, répondit tristement l'Esprit. Regarde. »

Des plis de son vêtement, il fit sortir deux enfants : misérables, abjects, effrayants, hideux et pitoyables, qui s'agenouillèrent à ses pieds et se cramponnèrent à ses jupes.

« Regarde, ô homme ! Regarde, baisse les yeux et regarde ! » s'écria l'Esprit.

C'étaient un garçon et une fille. Jaunes, décharnés, en haillons, l'air renfrogné et féroce, mais rampants à force de bassesse. Alors que la grâce de la jeunesse aurait dû empreindre leurs traits et leur prêter ses plus fraîches couleurs, une main aussi flétrie et desséchée que celle du Temps les avait pincés, tordus,

effilochés. Là où les anges auraient dû trôner,
rôdaient les démons au regard sinistre et menaçant.
Nulle métamorphose, nulle dégradation, nulle per-
version de l'être humain, à quelque degré que ce soit,
dans les mystères les plus étonnants de la création,
n'ont produit des monstres aussi horribles et aussi
terrifiants.

Scrooge recula, épouvanté. Comme on les lui présentait ainsi, il essaya de dire que c'étaient de beaux
enfants, mais ses paroles s'étouffèrent d'elles-mêmes
plutôt que de se faire les complices d'un aussi énorme
mensonge.

« Esprit, sont-ce là vos enfants ? »

Scrooge n'en put dire davantage.

« Ce sont les enfants des hommes, dit l'Esprit,
abaissant sur eux son regard. Et ils s'accrochent à
moi pour échapper à leurs pères. Celui-ci est l'Ignorance, celle-ci la Misère. Garde-toi de l'un comme de
l'autre et de toute leur race, mais crains surtout le
garçon, car je vois écrites sur son front les paroles
qui condamnent, et qui vous condamneront à moins
que vous ne les effaciez. Que les hommes nient l'évidence, clama l'Esprit en étendant la main vers la
cité, qu'ils calomnient ceux qui les dénoncent !
Acceptez-en l'existence pour servir vos fins égoïstes,
aggravez cet état de choses, et vous verrez ce qui se
produira !

— N'ont-ils pas de refuge, sont-ils sans ressources ? demanda Scrooge.

— N'y a-t-il pas de prisons ? dit l'Esprit, l'attaquant pour la dernière fois à l'aide de ses propres
paroles. N'y a-t-il pas d'hospices, d'asiles des
pauvres ? »

Minuit sonna.

Scrooge chercha des yeux le Fantôme et ne le vit

plus. Quand le dernier des douze coups cessa de vibrer, il se rappela la prédiction du vieux Jacob Marley et, levant la tête, il aperçut un spectre à l'allure solennelle, voilé et encapuchonné, qui s'avançait vers lui comme glisse un brouillard au ras du sol.

QUATRIÈME COUPLET

LE DERNIER DES ESPRITS

Le Fantôme approchait d'un pas lent, grave et silencieux. Quand il arriva près de Scrooge, celui-ci fléchit le genou, car cet Esprit semblait répandre dans l'air même où il se mouvait une ombre triste et mystérieuse.

Un vêtement d'un noir profond l'enveloppait tout entier, dissimulant sa tête, son visage, la forme de son corps et ne laissant apercevoir qu'une de ses mains tendue en avant. N'eût été cette main, l'on aurait eu grand-peine à distinguer sa silhouette dans la nuit et à la détacher des ténèbres qui l'entouraient.

Scrooge sut que l'Esprit était d'une taille haute et majestueuse lorsqu'ils furent côte à côte, et il sentit que sa présence mystérieuse l'emplissait d'une crainte solennelle. Il n'en apprit pas plus, car l'Esprit ne prononça pas une parole et ne fit pas un geste.

« Je suis en présence de l'Esprit des Noëls à venir », dit Scrooge.

L'Esprit ne répondit pas. Il désignait de la main le chemin à prendre.

« Vous allez me montrer les ombres des choses qui ne sont pas encore arrivées, mais arriveront dans la suite des temps, poursuivit Scrooge. N'est-il pas vrai, Esprit ? »

La partie supérieure de la draperie se contracta un instant, car ses plis se rapprochèrent comme si l'Esprit avait incliné la tête. Ce fut la seule réponse qu'obtint Scrooge.

Bien qu'il fût maintenant accoutumé à la fréquentation des Esprits, Scrooge avait si peur de la forme silencieuse que ses jambes tremblantes se dérobaient sous lui et qu'il eut beaucoup de peine à se tenir debout lorsqu'il se prépara à le suivre. L'Esprit s'arrêta un moment, comme s'il avait remarqué dans quel état il se trouvait et qu'il voulût lui donner le temps de se remettre.

Mais Scrooge n'en fut que plus bouleversé. Il frissonnait, traversé d'une horreur vague, indéfinissable, en songeant que, derrière ce sombre linceul, deux yeux de fantôme le fixaient attentivement, tandis que, malgré tous ses efforts pour observer l'Esprit, ses propres yeux ne distinguaient qu'une main spectrale et une grande masse noire.

« Fantôme de l'Avenir, s'écria-t-il, je vous redoute plus qu'aucun des Esprits que j'ai vus. Mais, comme je sais que vous êtes venu pour mon bien, et comme j'espère vivre pour devenir un homme différent de ce que j'étais, je suis prêt à vous accompagner, avec reconnaissance, là où vous me conduirez. Ne voulez-vous pas me parler ? »

Pas de réponse. La main tendue désignait un point, droit devant eux.

« Conduisez-moi, dit Scrooge, conduisez-moi. La nuit est avancée, elle s'écoule vite et ces heures, je le sais, sont précieuses pour moi. Esprit, soyez mon guide. »

Le Fantôme s'éloigna de la même manière silen-

cieuse dont il était venu. Scrooge le suivit dans
l'ombre de sa robe, et il lui sembla que cette robe le
soulevait et l'emportait.

On ne pourrait dire qu'ils entrèrent dans la Cité :
ce fut plutôt la Cité qui sembla surgir autour d'eux et
les entourer, d'elle-même. Quoi qu'il en soit, ils se
trouvaient là, au cœur de la ville, à la Bourse, parmi
les marchands ; ceux-ci allaient et venaient précipitamment, faisaient sonner l'argent dans leurs poches,
s'arrêtaient pour causer par groupes, regardaient
leurs montres ou jouaient d'un air pensif avec leurs
grands cachets d'or, et ainsi de suite… comme
Scrooge les avait souvent vus faire.

L'Esprit se tint immobile à côté d'un petit rassem-
blement d'hommes d'affaires. Voyant que la main
était tendue dans leur direction, Scrooge s'approcha
pour écouter leur conversation.

« Non, disait un grand et gros homme au menton
monstrueux, je n'ai guère de renseignements. Je sais
seulement qu'il est mort.

— Quand est-il mort ? s'enquit un autre.

— Hier soir, je crois.

— Tiens ! et quelle était sa maladie ? demanda un
troisième en prenant une énorme prise de tabac dans
une très grande tabatière. J'avais cru qu'il ne mour-
rait jamais.

— Dieu sait, dit le premier en bâillant.

— Qu'a-t-il fait de son argent ? dit un individu au
visage rubicond dont le nez portait à son extrémité
une excroissance de chair qui pendait et tremblotait
comme les caroncules d'un dindon.

— Je n'ai rien entendu dire, répondit l'homme au
vaste menton, avec un nouveau bâillement. Il l'a
peut-être légué à sa société commerciale. Tout ce
que je sais, c'est que je ne suis pas son héritier ! »

Cette plaisanterie fut accueillie par un éclat de rire général.

« Ce seront probablement de piètres funérailles, reprit le même monsieur, car sur ma vie, je ne connais personne qui songerait à y aller. Si nous organisions un groupe de volontaires ?

— Je veux bien y aller si l'on donne à déjeuner, déclara le monsieur à l'excroissance au bout du nez, mais si je me joins à la délégation, il faudra me nourrir. »

Nouveaux éclats de rire.

« Je vois que c'est moi qui suis le plus désintéressé, après tout, dit celui qui avait parlé le premier, car je ne porte jamais de gants noirs et je ne mange jamais dans la journée. Mais je m'offre à y aller si quelqu'un vient avec moi. Quand j'y réfléchis bien, je ne suis pas du tout sûr de n'avoir pas été son ami le plus intime, car nous échangions quelques mots chaque fois que nous nous rencontrions. Messieurs, au revoir ! »

Les hommes qui avaient tenu ces propos se dispersèrent et se dirigèrent à pas lents vers d'autres groupes. Scrooge les connaissait tous : il regarda l'Esprit comme pour lui demander une explication.

Le Fantôme glissait le long d'une rue. Il montra du doigt deux personnes qui s'abordaient. Scrooge écouta de nouveau, dans l'espoir de trouver là le mot de l'énigme.

Il connaissait très bien ces deux hommes-là aussi. C'étaient de très riches et très influents négociants. Il s'était toujours appliqué à s'attirer leur considération, en ce qui concernait les affaires, bien entendu, strictement du point de vue des affaires.

« Bonjour, dit l'un.

— Bonjour, répondit l'autre.

— Alors, il paraît que le Diable est rentré en possession de son bien!

— C'est ce que je viens d'apprendre. Quel froid il fait!

— C'est le temps de la saison, à Noël! Vous ne patinez pas, par hasard?

— Non, non! D'autres soucis en tête. Au revoir!»

Pas un mot de plus. Telles furent leur rencontre, leur conversation, leur séparation.

Au début, Scrooge était enclin à s'étonner que l'Esprit attachât tant d'importance à des entretiens d'apparence si banale; mais, convaincu qu'il poursuivait quelque dessein secret, il se mit à réfléchir à ce que cela pouvait être. Ces conversations ne se rapportaient sûrement pas à la mort de Jacob, son ex-associé, car cette mort appartenait au Passé et le domaine de l'Esprit était l'Avenir. Et Scrooge n'arrivait pas à trouver, dans son entourage immédiat, quelqu'un à qui les appliquer. Pourtant, quel que fût l'objet de ces entretiens, il ne doutait pas qu'ils ne continssent une morale cachée, dont le but était de le rendre meilleur; aussi résolut-il de recueillir précieusement dans sa mémoire tous les mots qu'il entendait, toutes les scènes qu'il voyait, et d'observer avec une attention spéciale son propre personnage quand l'ombre lui en apparaîtrait. Il s'attendait en effet que la conduite de son futur lui-même lui fournît l'indice qui lui manquait et lui rendît plus facile la solution de toutes ces énigmes.

Il chercha du regard, en cet endroit, sa propre image; mais quelqu'un d'autre se tenait dans son coin habituel, et bien que l'horloge marquât l'heure où il venait d'ordinaire, il ne vit pas sa propre apparence dans la multitude qui entrait sous le porche. Il en fut, toutefois, peu surpris; car il avait déjà médité un changement de vie et il crut voir, il espéra voir, dans cette absence, le fruit de ses résolutions nouvelles.

Sombre et calme à ses côtés, se dressait l'Esprit, la main tendue. Quand Scrooge s'arracha à sa méditative recherche, il crut distinguer, au mouvement de cette main et à sa position par rapport à lui-même, que les yeux invisibles le fixaient d'un regard perçant : il frissonna et se sentit transi.

Quittant ce lieu affairé, ils pénétrèrent dans un quartier obscur de la ville où Scrooge n'était jamais allé, bien qu'il en connût l'emplacement et la mauvaise renommée. Les rues y étaient étroites et sales, les boutiques et les maisons misérables, les gens à demi nus, laids, ivres et traînant la savate. Les impasses et les voûtes, comme autant d'égouts, dégorgeaient leurs immondices, leurs odeurs, leurs créatures répugnantes dans les rues tortueuses. Et de tout ce quartier montaient les relents du crime, de l'ordure et de la misère.

Au fond de ce repaire d'infamie, se trouvait une boutique basse, avancée en saillie sous l'auvent de son toit, où l'on pouvait acheter de la ferraille, des vieux chiffons, des bouteilles vides, des os et des déchets graisseux. À l'intérieur, s'entassaient sur le sol clefs, clous, chaînes, gonds, limes, plateaux de balance, poids et débris de métaux de toutes sortes, couverts de rouille. Des secrets que peu de gens auraient aimé pénétrer naissaient et se cachaient sous ces montagnes de guenilles affreuses, ces masses de graisse corrompue, ces sépulcres d'ossements. Assis parmi les marchandises dont il trafiquait, près d'un poêle à charbon de bois fait de vieilles briques, était un individu aux cheveux gris, de près de soixante-dix ans ; il s'était fait un écran contre le froid de la rue en suspendant à une corde un rideau crasseux de loques hétéroclites, et il fumait sa pipe dans la béatitude d'une calme retraite.

Scrooge et le Fantôme se trouvèrent en présence de cet homme au moment où une femme portant un lourd ballot se glissait furtivement dans la boutique. Mais à peine y eut-elle pénétré qu'une autre femme, pareillement chargée, entra aussi. Cette dernière fut suivie de près par un homme aux vêtements noirs fanés, qui ne fut pas moins surpris de les voir qu'elles ne l'avaient été de se reconnaître l'une l'autre. Après quelques minutes de stupéfaction muette au cours desquelles le vieil homme à la pipe les avait rejoints, ils éclatèrent de rire tous les trois.

«Fiez-vous à la femme de charge pour arriver la première! s'écria celle qui était entrée avant les autres, fiez-vous à la blanchisseuse pour venir en second et fiez-vous au croque-mort pour arriver le troisième! Hein, vieux Joe, en voilà un hasard : on se rencontre ici tous les trois sans s'être donné le mot!

— Vous ne pouviez pas mieux choisir comme lieu de rendez-vous, dit le vieux Joe en ôtant sa pipe de sa bouche. Entrez au salon. Vous le connaissez depuis longtemps et les deux autres ne sont pas non plus des étrangers. Attendez que je ferme la porte de mon magasin. Ah! comme elle grince! Il n'y a pas dans toute ma boutique de vieille ferraille plus rouillée que ses gonds, comme il n'y a pas, bien sûr, de vieux os plus vieux que les miens. Ha, ha! Nous sommes tous bien à notre place et parfaitement assortis. Venez dans le salon. Venez dans le salon.»

Ce qu'il appelait le salon était l'espace protégé par le rideau de chiffons. Le vieil homme tisonna le feu avec un barreau de rampe d'escalier et moucha sa lampe fumeuse (car il faisait nuit) en écrasant la mèche à l'aide du tuyau de sa pipe qu'il remit ensuite dans sa bouche.

Pendant ce temps, la femme qui avait parlé jeta son baluchon à terre, s'assit résolument sur un tabouret, les bras croisés sur les genoux et regarda les deux autres avec un air insolent, comme pour les braver.

« Et puis après ? Et puis après, madame Dilber, dit-elle. Tout le monde a le droit de penser à soi. C'est ce qu'il a toujours fait, *lui*.

— Ah ! pour sûr que c'est vrai, dit la blanchisseuse. Personne mieux que lui.

— Eh bien, alors, ne restez pas là plantée les yeux fixes comme si vous aviez peur. Qui le saura ? Nous n'allons pas nous chercher la petite bête les uns aux autres, je suppose ?

— Oh, non ! s'écrièrent en même temps Mme Dilber et l'homme. Il ne manquerait que ça !

— Très bien, alors, cria la femme. C'est réglé. D'ailleurs à qui ça va-t-i manquer, quelques babioles comme celles-là ? Pas à un mort, sûrement !

— Ça non ! dit Mme Dilber en riant.

— S'il voulait les garder après sa mort, ce méchant vieux grigou, pourquoi ne s'est-il pas conduit humainement pendant sa vie ? Il aurait eu quelqu'un auprès de lui pour le soigner quand la Mort l'a frappé, au lieu de rendre son dernier soupir tout seul, sans personne.

— On n'a jamais rien dit de plus vrai, dit Mme Dilber. Il a trouvé là son juste châtiment.

— Je trouve même que c'est un châtiment trop léger, répliqua la femme, et il l'aurait senti peser davantage si j'avais pu mettre la main sur autre chose, vous pouvez m'en croire. Ouvre ce baluchon, vieux Joe, et dis-moi ce que ça vaut. Parle net. J'ai pas peur de passer la première, j'ai pas peur que les autres voient ce que j'apporte. Avant de nous rencontrer ici, nous n'ignorions pas, je pense, que chacun allait se servir. Y'a pas de mal à ça. Ouvre le paquet, Joe. »

Mais, par courtoisie, ses deux amis s'y opposèrent ; et l'homme en habits noirs fanés, montant le premier sur la brèche, exhiba son butin. Il n'était pas considérable : un cachet ou deux, un porte-crayon, une paire de boutons de manchettes et une broche sans valeur, c'était tout. Chaque objet fut examiné et évalué par le vieux Joe qui inscrivit à la craie sur le mur les sommes qu'il était disposé à donner pour chacun et en fit le total quand il vit qu'il n'y avait plus rien.

« Voici votre compte, dit Joe, et je n'ajouterai pas un liard, même si je devais bouillir dans la marmite du diable. À qui le tour ? »

C'était le tour de Mme Dilber. Elle apportait des draps et des serviettes de toilette, quelques vêtements, deux vieilles cuillers à café en argent, une pince à sucre et des bottes. Son compte fut fait sur le mur, de la même manière.

« Je donne toujours trop aux dames. C'est une de mes faiblesses et c'est comme ça que je me ruine, dit le vieux Joe. Voilà ce qui vous revient. Si vous me demandez un sou de plus, si vous essayez de marchander, je me repentirai de ma générosité et je rabattrai une demi-couronne.

— Et maintenant, Joe, ouvre mon paquet », dit la première femme.

Joe se mit à genoux pour plus de commodité et, après avoir défait un grand nombre de nœuds, il ouvrit le ballot d'où il tira une grosse et lourde pièce d'étoffe sombre.

« Comment appelez-vous cela ? dit Joe. Des rideaux de lit ?

— Oui, répondit la femme en éclatant de rire, et se penchant en avant sur ses bras croisés. Des rideaux de lit !

— Vous n'allez pas nous dire que vous les avez enlevés, avec les anneaux, pendant qu'il était encore couché dessous ? dit Joe.

— Mais si, répliqua la femme, pourquoi pas ?

— Allons, dit Joe, vous êtes née pour faire fortune, et fortune vous ferez.

— J'vais sûrement pas retirer la main quand il me suffit de la tendre pour prendre quelque chose, par égard pour un homme tel que lui, Joe, je t'en réponds, rétorqua tranquillement la femme. Ne fais pas de taches d'huile sur les couvertures.

— Ses couvertures, à lui ? demanda Joe.

— D'où crois-tu qu'elles viennent ? Il n'y a guère de danger qu'il prenne froid sans couverture, va !

— J'espère qu'il n'est pas mort de maladie contagieuse, hein ? dit le vieux Joe, s'arrêtant de travailler et relevant la tête.

— Ne crains rien, répondit-elle, je n'aimais pas sa société au point de traîner près de lui, si ç'avait été le cas, pour des affaires comme celles-là. Ah ! tu peux te crever les yeux à examiner cette chemise ; tu n'y trouveras pas le moindre trou, ni même un endroit élimé. C'est la meilleure qu'il possédait et elle est belle… Elle aurait été gaspillée si je m'étais pas trouvée là.

— Qu'appelez-vous gaspillée ? demanda le vieux Joe.

— On la lui avait mise pour l'ensevelir, croyez-vous ? expliqua la femme dans un éclat de rire. Quelqu'un avait eu la bêtise de faire ça ! Mais je la lui ai ôtée. Si le calicot n'est pas assez bon pour un tel usage, je ne vois pas à quoi il servirait. C'est tout aussi seyant. Le bonhomme ne peut pas être plus laid qu'il l'était dans celle-ci ! »

Scrooge écouta ce dialogue avec horreur. Il regarda ces gens groupés autour de leur butin, sous la clarté douteuse répandue par la lampe du vieillard, avec un dégoût et une horreur qui n'auraient guère été plus grands s'ils avaient été de hideux démons occupés à vendre le cadavre lui-même.

« Ha, ha, ha ! fit la même femme, riant à gorge déployée quand le vieux Joe, sortant un sac de flanelle plein de pièces de monnaie, se mit à compter devant chacun, sur le sol, la somme qui lui revenait. Et c'est la morale de cette histoire, voyez-vous ! De son vivant, il a tenu tout le monde à l'écart, il a fait le vide autour de lui par la terreur, rien que pour nous assurer des petits profits après sa mort ! Ha, ha, ha !

— Esprit, dit Scrooge en frissonnant de la tête aux pieds, je comprends, je comprends. Le sort de ce malheureux pourrait être le mien. C'est à cela que tend une vie comme la mienne. Seigneur miséricordieux, que vois-je ? »

Il recula d'épouvante, car la scène avait changé et il se trouvait à côté d'un lit, presque à le toucher. C'était un lit nu, sans rideaux, sur lequel gisait, sous un drap déchiré, quelque chose qui par son silence même révélait sa nature en un terrible langage.

La chambre était obscure, trop obscure pour que Scrooge en pût distinguer les détails avec exactitude, bien que, poussé par une impulsion secrète, il promenât ses regards de tous côtés, cherchant à savoir ce qu'était cette pièce. Une lumière pâle, venue du dehors, tombait droit sur le lit ; et là, pillé, dépouillé, sans un être pour le veiller, le pleurer, lui rendre les derniers devoirs, était allongé le corps d'un homme.

Scrooge lança un regard vers le Fantôme dont la main immobile lui montrait la tête du mort. Elle avait été recouverte avec tant de négligence qu'en soulevant à peine le linceul (il eût suffi que Scrooge le touchât du doigt) on aurait mis à nu le visage. Scrooge y songea, sentit qu'il serait très facile de le faire et en éprouva le désir ; mais il n'avait pas plus le pouvoir d'écarter ce voile qu'il n'aurait pu congédier le spectre qui se tenait à son côté.

Ô, Mort glacée, glacée, inflexible et terrifiante, dresse ici ton autel et entoure-le de toutes les horreurs dont tu disposes, car en vérité ceci est ton domaine ! Mais d'une tête aimée, respectée, honorée, tu ne peux plier un seul cheveu à tes fins redoutables, tu ne peux rendre un seul trait repoussant. La main alourdie peut bien retomber si nous l'abandonnons, le cœur et le pouls ont pu cesser de battre, mais la main fut ouverte, loyale et généreuse, le cœur brave, chaud et tendre, et dans le pouls palpitait le sang d'un homme. Frappe, Ombre, frappe ! Et tu verras jaillir de ses blessures ses bonnes actions qui répandront dans le monde une semence de vie immortelle !

Aucune voix ne prononça ces paroles aux oreilles de Scrooge ; il les entendit, toutefois, tandis qu'il regardait le lit. Si cet homme pouvait revivre, pensait-il, où iraient ses premières pensées ? À la quête de l'or, à l'âpre combat des affaires, aux soucis mercantiles. Ils l'ont conduit à une riche fin, vraiment !

Il gisait là, dans cette maison déserte et sombre, sans qu'un seul être, homme, femme ou enfant, pût dire : « Il fut bon pour moi, dans telle ou telle circonstance, et en souvenir d'une parole bienveillante, à mon tour je vais l'entourer de bonté. » Un chat grattait à la porte et l'on entendait des rats ronger quelque chose sous la pierre du foyer. Que venaient-ils chercher dans cette chambre mortuaire, pourquoi étaient-ils inquiets et turbulents ? Scrooge n'osait y songer.

« Esprit, dit-il, ceci est un lieu d'épouvante. En le quittant, j'emporterai la leçon qu'il me donne, soyez-en sûr. Partons ! »

De son doigt immobile, le spectre lui montrait toujours la tête du mort.

« Je vous comprends, lui dit Scrooge, et je le ferais si je pouvais. Mais je n'en ai pas le pouvoir, Esprit, je n'en ai pas le pouvoir. »

De nouveau, le Fantôme sembla l'examiner avec attention.

« S'il est un seul être en cette ville qui ressente de l'émotion à la mort de cet homme, montrez-le-moi, Esprit, dit Scrooge au comble du désespoir, montrez-le-moi, je vous en conjure. »

Le Fantôme étendit un instant sa sombre robe devant lui, comme une aile ; lorsqu'il la retira, la lumière du jour éclaira une pièce où se trouvaient une mère et ses enfants.

Elle attendait quelqu'un avec une impatience inquiète, car elle allait et venait dans la chambre, tressaillant au moindre bruit ; regardait par la fenêtre ; guettait la pendule ; essayait, mais en vain, de reprendre son ouvrage de couture, et pouvait à peine supporter le bavardage de ses enfants qui jouaient.

Enfin retentit à la porte le coup si fiévreusement attendu. Elle se précipita à la rencontre de son mari. Bien qu'il fût jeune, il avait le visage triste et ravagé par les soucis. Une étonnante expression était à ce moment répandue sur ce visage : une sorte de joie grave dont il avait honte et qu'il tentait de refréner.

Il s'installa pour prendre le repas que sa femme avait tenu au chaud pour lui, et, lorsqu'elle lui demanda d'une voix hésitante (ce qu'elle ne fit qu'après un long silence) quelles étaient les nouvelles, il parut embarrassé de lui répondre.

«Sont-elles bonnes, ou mauvaises? dit-elle pour l'aider.

— Mauvaises, répondit-il.

— Sommes-nous tout à fait ruinés?

— Non, Caroline. Il y a encore de l'espoir.

— S'il se laisse toucher, dit-elle avec stupeur, il en reste. Qu'un tel miracle se produise, et rien ne sera désespéré.

— Il ne peut plus se laisser toucher, dit son mari. Il est mort.»

Si l'on pouvait en croire son visage, cette femme était douce et patiente; mais, du fond de l'âme, elle remercia le Ciel pour ce qu'elle venait d'apprendre et, les mains jointes, elle ne put s'empêcher de le dire. Elle en demanda pardon l'instant d'après, et le regretta, mais son premier mouvement était parti du cœur.

«Ce que la femme à moitié ivre dont je t'ai parlé hier soir m'avait dit, quand j'ai essayé de le voir pour lui demander une semaine de délai, ce que je croyais être une simple excuse pour refuser de me voir se trouve avoir été la vérité. Il était à ce moment-là non seulement fort malade, mais mourant.

— À qui notre dette sera-t-elle transférée?

— Je l'ignore. Mais avant qu'il en soit décidé, nous aurons la somme toute prête. Et même si nous ne l'avions pas, ce serait jouer de malheur en vérité que de trouver en son successeur un créancier aussi implacable que lui. Nous pouvons dormir ce soir le cœur léger, Caroline.»

Oui, malgré les scrupules qu'ils éprouvaient, leur cœur était plus léger. Les visages de leurs enfants silencieux groupés autour d'eux pour entendre des paroles qu'ils ne comprenaient guère, s'étaient éclairés. La mort de l'homme avait apporté du bonheur dans la maison! La seule émotion causée par l'événement, dont le Spectre pût le rendre témoin, était une joie!

«Faites-moi voir, Esprit, dit Scrooge, une scène où quelque tendresse soit liée à l'idée de mort, afin que la sinistre chambre que nous venons de quitter ne reste pas toujours présente à mon esprit.»

L'Esprit lui fit suivre plusieurs rues qui lui étaient familières, et où Scrooge, chemin faisant, regarda de côté et d'autre pour trouver sa propre image, mais il ne la vit nulle part. Ils entrèrent dans la demeure du pauvre Bob Cratchit, qu'ils connaissaient déjà; ils y trouvèrent la mère et les enfants assis autour du feu.

Calmes. Très calmes. Les bruyants petits Cratchit étaient assis dans un coin, immobiles comme des statues, les yeux levés vers Peter qui tenait un livre ouvert devant lui. La mère et les filles cousaient. Mais comme ils étaient calmes, tous!

Et il prit un enfant et le plaça au milieu d'eux.

Où Scrooge avait-il entendu ces paroles? Il ne les avait pas rêvées. Sans doute le jeune garçon était-il en train de les lire au moment où Scrooge et l'Esprit franchirent le seuil. Pourquoi ne poursuivait-il pas sa lecture?

La mère posa son ouvrage sur la table et se couvrit le visage de ses mains.

«Cette couleur me fait mal aux yeux», dit-elle.

La couleur? Ah, pauvre Tiny Tim!

«Cela va mieux à présent, dit la femme de Bob. Mes yeux se fatiguent à force de travailler à la bougie. Et pour rien au monde je ne voudrais montrer des yeux fatigués à votre père lorsqu'il rentrera. Il ne va pas tarder, je crois.

— Il est même un peu en retard, répondit Peter en fermant le livre. Mais je trouve, Mère, que depuis quelques soirs, il marche un peu moins vite.»

Ils retombèrent dans leur silence. Enfin la mère reprit d'une voix ferme, courageuse, qui ne se brisa qu'une fois :

«J'ai connu un temps où il marchait vite, très vite, en portant... en portant Tiny Tim sur ses épaules.

— Et moi aussi, s'écria Peter, souvent !

— Et moi aussi», cria un autre.

Ils s'en souvenaient tous.

«Mais Tiny Tim était très léger, ajouta la mère, attentivement penchée sur son ouvrage. Et son père l'aimait tellement, tellement, qu'il ne le sentait pas peser. Ah, le voici, mes enfants, je l'entends à la porte !»

Elle courut au-devant de lui ; et le petit Bob, avec son cache-nez au vent, entra dans la chambre. Son thé l'attendait au chaud sur le coin de la grille, et ce fut à qui s'empresserait pour le lui servir. Ensuite, les deux jeunes Cratchit grimpèrent sur ses genoux, et chaque enfant posa sa petite joue contre celle de leur père comme pour dire : «N'y pense plus, papa ; n'aie pas trop de peine.»

Bob se montra très gai avec eux, et eut pour tous une parole gentille. Il regarda l'ouvrage de couture qui était sur la table et loua l'habileté et la rapidité de Mme Cratchit et des jeunes filles. Elles auraient terminé bien avant dimanche, ajouta-t-il.

«Dimanche! Tu y es donc allé aujourd'hui, Robert! dit sa femme.

— Oui, ma bonne amie, dit Bob, et je regrette que tu n'aies pas été avec moi. Cela t'aurait fait du bien de voir comme l'endroit est vert. Mais tu le verras souvent. Je lui ai promis que j'irais en promenade tous les dimanches. Oh, mon petit, mon petit enfant! Mon tout petit!»

Il éclata en sanglots brusquement. Il ne put se retenir. S'il avait pu se retenir, lui et son enfant auraient été moins près l'un de l'autre, peut-être, qu'ils ne l'étaient.

Il quitta la pièce et monta dans la chambre du premier qui était joyeusement éclairée et parée de guirlandes pour Noël. Une chaise était placée à côté de l'enfant, et l'on voyait que quelqu'un était venu s'y asseoir récemment. Le pauvre Bob s'y assit et lorsqu'il eut réfléchi un peu et qu'il se sentit plus calme, il baisa le petit visage. Il avait accepté ce qui était arrivé, et il redescendit plein de sérénité.

Toute la famille se rapprocha du feu et se mit à bavarder, tandis que les jeunes filles et leur mère continuaient à coudre. Bob leur parla de l'extraordinaire bonté du neveu de M. Scrooge, qu'il avait vu une fois à peine et qui, le rencontrant ce jour-là dans la rue, et remarquant qu'il avait l'air un peu... mon Dieu, un peu abattu, vous savez, expliqua Bob, lui avait demandé ce qui lui était arrivé de fâcheux.

«Sur quoi, poursuivit Bob Cratchit, car c'est bien le monsieur le plus aimable avec qui j'aie jamais causé, je lui ai tout raconté. "Je suis sincèrement désolé pour vous, monsieur Cratchit, m'a-t-il dit, et sincèrement désolé pour votre excellente femme." Au fait comment a-t-il pu savoir cela, je me le demande.

— Savoir quoi, mon ami ?

— Eh bien, que tu étais une excellente femme, répliqua Bob.

— Tout le monde le sait ! s'écria Peter.

— Très bien répondu, mon garçon, cria Bob. J'espère que tout le monde le sait. "Sincèrement désolé, a-t-il dit, pour votre excellente femme. Si je puis vous être utile en quoi que ce soit, a-t-il ajouté en me donnant sa carte, voici mon adresse. Venez me trouver, je vous en prie." Eh bien, cela m'a fait un très grand plaisir, non pas à cause de ce qu'il pourrait faire pour nous, mais parce que ses façons témoignaient de tant de bonté !… On aurait vraiment dit qu'il avait connu notre Tiny Tim et qu'il souffrait avec nous.

— Je suis sûre que c'est un brave cœur, dit Mme Cratchit.

— Tu en serais encore plus sûre, mon amie, si tu avais pu le voir et lui parler. Je ne serais pas du tout surpris, rappelez-vous ce que je vous dis, s'il trouvait une meilleure place pour Peter.

— Entends-tu, Peter ? dit Mme Cratchit.

— Et alors, s'écria une des jeunes filles, Peter se mettra à fréquenter, et il se mariera.

— Ne dis pas de bêtises, protesta Peter.

— Ça finira bien par arriver un jour ou l'autre, dit Bob. Mais tu as tout le temps, mon fils. Cependant, de quelque façon et à quelque moment que nous nous séparions les uns des autres, je suis sûr que pas un de nous n'oubliera jamais le pauvre Tiny Tim, n'est-ce pas ? Nous nous rappellerons toujours cette première séparation.

— Toujours, père, s'écrièrent-ils tous.

— Et je sais, continua Bob, je sais, mes chéris, que le souvenir de la patience et de la douceur de cet

enfant, qui était pourtant très, très petit, nous retiendra toujours si nous sommes tentés de nous quereller, car ce serait oublier Tiny Tim.

— Nous ne nous querellerons jamais, père,
crièrent-ils tous.

— Je suis très heureux, dit le petit Bob, je suis très
heureux ! »

Mme Cratchit l'embrassa, ses filles l'embrassèrent,
les deux jeunes Cratchit l'embrassèrent et Peter et lui
se serrèrent la main. Esprit de Tiny Tim, ton essence
enfantine émanait de Dieu !

« Spectre, dit Scrooge, quelque chose m'avertit que
notre séparation approche. Je le sais sans savoir
comment. Dites-moi qui était l'homme que nous
avons vu sur son lit de mort ? »

L'Esprit des Noëls à venir le transporta comme il
l'avait déjà fait — bien que l'heure fût différente,
pensa Scrooge ; à la vérité il ne semblait pas y avoir
d'ordre dans ses dernières visions, si ce n'est que
toutes appartenaient à l'avenir — jusqu'aux lieux
que hantent les hommes d'affaires, mais il ne s'y vit
point. En fait, l'Esprit ne s'arrêta nulle part : comme
pressé d'arriver à son but, il poursuivit sa course et
ne l'interrompit que lorsque Scrooge le supplia de
faire une courte halte.

« Cette ruelle, dit Scrooge, que nous franchissons
si rapidement, est celle où se trouve, et depuis longtemps, la maison où je travaille. Je la vois d'ici. Laissez-moi jeter un coup d'œil sur ce que je serai dans
les jours à venir ! »

L'Esprit s'arrêta : la main se tendait dans une
autre direction.

« La maison est là, protesta Scrooge, pourquoi me
faites-vous signe d'aller ailleurs ? »

L'inexorable doigt ne changea pas de position.

Scrooge courut à la fenêtre de son bureau et regarda à l'intérieur. C'était toujours un bureau d'affaires, mais ce n'était plus le sien. Les meubles étaient différents et l'homme assis dans le fauteuil n'était pas lui. Le Spectre montrait toujours du doigt le même point.

Scrooge retourna vers lui et, sans savoir pourquoi il était absent de son bureau et où il était allé, se remit à marcher à côté de lui; ils arrivèrent ainsi devant une grille de fer. Avant d'entrer, Scrooge s'arrêta pour regarder à la ronde.

Un cimetière! Ainsi donc le malheureux dont il ignorait le nom reposait là dans la terre. C'était un digne endroit; les maisons environnantes lui tenaient lieu de murs, il était envahi par les herbes sauvages, cette intense végétation qui est un indice de mort, non une manifestation de vie, jaillie d'une terre saturée de corps ensevelis, engraissée à satiété. Ah! c'était un digne endroit.

Debout parmi les tombes, l'Esprit en désignait une. Scrooge s'en approcha en tremblant. L'Esprit était resté exactement le même, mais Scrooge, saisi de terreur, crut distinguer une nouvelle intention dans sa forme solennelle.

«Avant que je m'approche de la pierre que vous me désignez, dit Scrooge, répondez à cette seule question: ces ombres sont-elles l'image de ce qui doit arriver sans rémission ou de ce qui arrivera peut-être?»

Pour toute réponse l'Esprit abaissa son doigt vers la tombe près de laquelle il se tenait.

«Les actions des hommes font prévoir certaine fin, et, s'ils persévèrent dans leur conduite, ils ne peuvent éviter cette fin. Mais s'ils changent de conduite, dit

Scrooge, la fin change. Dites-moi qu'il en est ainsi pour les scènes que vous me montrez!»

L'Esprit demeurait immuable.

Scrooge se glissa jusqu'à lui en tremblant et, suivant la direction du doigt, lut sur la pierre de la tombe abandonnée son propre nom: EBENEZER SCROOGE.

«Suis-je l'homme qui gisait sur le lit?» s'écria-t-il, en tombant à genoux.

Le doigt du Fantôme qui désignait la tombe se dirigea vers lui puis, de nouveau, vers la tombe.

«Non, Esprit! Oh, non, non!»

Le doigt ne changea pas de place.

«Esprit! s'écria-t-il en s'accrochant à sa robe, écoutez-moi! Je ne suis plus l'homme que j'étais. Je ne serai jamais l'homme que, sans mes rencontres avec les Esprits, je serais devenu. Pourquoi me montrer ces choses, s'il ne me reste plus d'espoir de salut?»

Pour la première fois, il lui sembla que la main tremblait.

«Bon Esprit, poursuivit-il en se prosternant à ses pieds, au fond de vous-même vous me plaignez, vous intercéderez pour moi. Assurez-moi qu'en changeant de vie je puis encore changer les images que vous m'avez montrées.»

La main trembla, avec bienveillance.

«J'honorerai Noël du fond de mon cœur et je m'appliquerai à en entretenir le culte toute l'année. Je vivrai dans le Passé, le Présent et l'Avenir. Leurs trois Esprits soutiendront mes efforts. Je ne me déroberai pas à leurs enseignements. Oh! dites-moi qu'il m'est encore possible d'effacer l'inscription gravée sur cette pierre!»

Dans son affreuse angoisse, il se saisit de la main

du spectre. Celui-ci essaya de la dégager, mais Scrooge puisait une grande force dans l'ardeur de sa prière. Il ne lâcha pas la main. Il ne put toutefois lutter longtemps avec l'Esprit, qui le repoussa.

Les mains levées pour le supplier une fois encore de changer sa destinée, il vit une métamorphose se produire dans le capuchon et la robe du Fantôme qui diminua de taille, s'affaissa, s'amenuisa jusqu'à n'être plus qu'une colonne de lit.

CINQUIÈME COUPLET

LA FIN DE L'HISTOIRE

Oui ! Et c'était la colonne du lit de Scrooge. Le lit était son lit. La chambre était sa chambre. Mieux encore et comble de joie, le temps à venir était à lui : il allait l'employer à s'amender.

« Je vais vivre dans le Passé, le Présent et l'Avenir, répéta-t-il en dégringolant de son lit. Les trois Esprits soutiendront mes efforts. Oh, Jacob Marley ! Que le Ciel et Noël soient bénis pour ce qui m'arrive ! Je te le dis à genoux, mon vieux Jacob, à genoux ! »

Il était tellement agité, tellement débordant de bonnes intentions que sa voix brisée pouvait à peine lui obéir. Il avait sangloté violemment au cours de sa lutte avec l'Esprit et son visage était encore mouillé de larmes.

« Ils ne sont pas arrachés, cria-t-il en étreignant les rideaux de son lit. Ils ne sont pas arrachés avec leurs anneaux ! Ils sont ici… je suis ici… les ombres de ce qui aurait pu être seront chassées. Elles seront chassées à jamais, je le sais ! »

Tout en parlant ainsi, Scrooge manipulait ses vêtements, les tournait et les retournait, les mettait sur
lui à l'envers, les déchirait, les égarait, les rendait
complices de toutes sortes d'extravagances.

«Je ne sais pas ce que je fais! s'écria Scrooge,
pleurant et riant à la fois, et se transformant en un
véritable Laocoon avec ses bas pour serpents. Je suis
léger comme une plume, je suis heureux comme un
ange, je suis joyeux comme un écolier. Je titube
comme un homme ivre. Joyeux Noël à tous! Bonne
Année au monde entier! Holà! Hé! Ho! Holà!»

Il avait gambadé jusque dans le salon et s'y tenait
maintenant, complètement hors d'haleine.

«Voilà la casserole où était le gruau! s'écria-t-il en
repartant et en faisant le tour de la cheminée. Voilà
la porte par laquelle est entré le Fantôme de Jacob
Marley! Voilà le coin où s'est assis l'Esprit du Noël
Présent! Voilà la fenêtre par laquelle j'ai vu les
esprits errants. Tout est bien, tout est vrai, tout est
arrivé. Ha, ha, ha!»

Vraiment, pour un homme qui ne s'y était pas
exercé depuis tant d'années, il avait un rire splendide, un rire absolument magnifique. Le père d'une
longue lignée de rires éclatants!

«Je ne sais pas quel jour du mois nous sommes,
poursuivit Scrooge. Je ne sais pas combien de temps
je suis resté avec les Esprits. Je ne sais rien. Je n'en
sais pas plus qu'un bébé. Peu importe. Ça m'est égal.
Je préfère être un bébé. Holà! Hop! Holà!»

Il fut interrompu dans ses transports par les
cloches des églises qui se mirent à sonner les carillons les plus vigoureux qu'il eût jamais entendus.
Digue, dingue, don! Digue, dingue, don! Drelin,
drelin, drelin… Oh, merveille, merveille!

Courant à la fenêtre, il l'ouvrit et sortit la tête: ni

brouillard, ni brume ; un froid sec, clair, joyeux, vivifiant, un de ces froids qui jouent du pipeau pour faire
danser le sang dans les veines ; un soleil doré ; un ciel
divin ; un air frais et doux ; des cloches pleines
d'allégresse ! Merveille, merveille !

« Quel jour sommes-nous ? cria Scrooge de sa
fenêtre à un petit garçon en habits du dimanche qui
était sans doute entré en flânant dans la cour pour
voir de quoi elle avait l'air.

— Quoi ? répondit l'enfant aussi ébahi qu'on peut
l'être.

— Quel jour sommes-nous, mon beau petit gars ?

— Aujourd'hui ? répliqua l'enfant, mais c'est Noël !

— Le jour de Noël ! se dit Scrooge. Je ne l'ai donc
pas manqué. Les Esprits ont tout fait en une seule
nuit. Ils peuvent faire tout ce qu'ils veulent, bien sûr,
ils sont tout-puissants. Tout-puissants ! Hé, là ! Mon
beau petit garçon !

— Monsieur ?

— Connais-tu la boutique du marchand de volailles,
à deux rues d'ici, au coin ? demanda Scrooge.

— Naturellement que je la connais !

— Très intelligent ce petit, dit Scrooge. D'une
intelligence remarquable. Sais-tu s'ils ont vendu la
dinde primée qui était suspendue à la devanture ?
Pas la petite dinde primée, la grosse ?

— Celle qui est grosse comme moi ? demanda
l'enfant.

— Quel charmant petit garçon, dit Scrooge, c'est
un plaisir de bavarder avec lui. Oui, mon petit.

— Elle y est encore.

— Vrai ? Eh bien, tu vas l'acheter.

— Vous me faites marcher ! s'écria l'enfant.

— Non, non, dit Scrooge, je parle sérieusement.
Va l'acheter et dis-leur de me l'apporter ici pour que

je leur explique où ils devront la livrer. Reviens avec le vendeur et je te donne un shilling. Reviens avec lui en moins de cinq minutes et je t'en donne trois.»

L'enfant partit comme une flèche. En vérité, il eût fallu que l'archer lançât son trait d'une main ferme pour le faire voler aussi vite.

«Je vais envoyer cette dinde chez Bob Cratchit, chuchota Scrooge, en se frottant les mains et en riant aux larmes. Il ne saura pas d'où elle vient. Elle est deux fois plus grosse que Tiny Tim. Joe Miller n'a jamais imaginé de plaisanterie plus cocasse[1].»

Lorsqu'il écrivit l'adresse, sa main n'était pas très ferme, mais il y parvint néanmoins et descendit ensuite ouvrir la porte de la rue pour recevoir le commis du marchand de volailles. Comme il l'attendait là, debout sur le seuil, son regard fut attiré par le marteau de la porte.

«Je l'aimerai toute ma vie, déclara Scrooge en le caressant de la main. Je l'avais à peine regardé jusqu'à présent. Quelle honnête expression sur ce visage! C'est un merveilleux marteau. Ah! voici la dinde. Hé là! Ho! comment allez-vous? Joyeux Noël!»

Quelle dinde! Jamais cet oiseau n'avait dû pouvoir tenir sur ses pattes. Son poids les aurait cassées net en une minute, comme de petits bâtons de cire à cacheter.

«Mais c'est impossible de porter cet animal jusqu'à Camden Town! Il vous faut un fiacre.»

Le petit rire avec lequel il prononça ces mots, le petit rire avec lequel il paya la dinde, le petit rire avec lequel il régla le fiacre, et le petit rire avec lequel il récompensa le gamin ne furent éclipsés que par le grand rire avec lequel il se laissa tomber à bout de souffle dans son fauteuil, les yeux pleins de larmes à force de rire.

Ce ne lui fut pas chose facile que de se raser, car sa main continuait de trembler très fort ; et cette opération exige une certaine application même quand on ne danse pas en s'y livrant. Mais se fût-il tranché le bout du nez qu'il aurait collé sur la blessure un morceau de taffetas d'Angleterre et n'aurait pas perdu pour cela un atome de sa bonne humeur.

Il se mit « sur son trente et un » et s'en alla enfin dans la rue. Les gens sortaient de leurs maisons en grand nombre comme il les avait vus sortir, en compagnie de l'Esprit du Noël Présent ; tout en marchant les mains derrière le dos, Scrooge les examinait tous avec un sourire ravi. En un mot, il avait un air si aimable que trois ou quatre gaillards bien disposés lui lancèrent en passant :

« Bonjour, monsieur ! Joyeux Noël, monsieur ! »

Et Scrooge déclara souvent plus tard que de tous les sons joyeux qu'il eût jamais entendus, c'étaient ces paroles qui avaient résonné le plus joyeusement à ses oreilles.

Il n'était pas allé bien loin quand il vit venir vers lui le monsieur imposant qui la veille était entré dans son bureau en disant : « Scrooge et Marley, je crois ? » Scrooge eut un coup au cœur en imaginant le regard qu'allait lui lancer cet homme lorsqu'ils se rencontreraient ; mais il savait quel parti prendre, et il le prit sans hésiter.

« Mon cher monsieur, dit Scrooge en pressant le pas pour saisir les deux mains du monsieur dans les siennes, comment allez-vous ? J'espère que votre journée d'hier a été fructueuse. Vous faites une bonne œuvre. Joyeux Noël, monsieur, joyeux Noël !

— Monsieur Scrooge ?

— Oui, dit Scrooge, c'est mon nom et je crains qu'il ne vous soit pas très agréable. Permettez que je vous fasse mes excuses, et voulez-vous avoir la complaisance… »

Scrooge lui murmura quelque chose à l'oreille.

« Dieu me bénisse ! s'écria le monsieur d'un air suffoqué. Mon cher monsieur Scrooge, parlez-vous sérieusement ?

— Je vous en prie, répliqua Scrooge, pas un liard de moins. Cette somme couvre bien des paiements en retard, je vous assure. Voulez-vous me faire cette grâce ?

— Mon cher monsieur, dit l'autre en lui serrant la main, je ne sais comment répondre à tant de munifi…

— Ne dites rien, vous m'obligerez, interrompit Scrooge. Venez me voir un de ces jours. Voulez-vous venir me voir ?

— Bien volontiers », s'écria le vieux monsieur.

Et il était clair qu'il parlait sincèrement.

« Merci, dit Scrooge, je vous suis très reconnaissant. Je vous remercie cent fois. Dieu vous bénisse ! »

Il alla à l'église, il se promena dans les rues, il regarda les gens qui allaient et venaient d'un pas pressé, il caressa la tête de quelques enfants, interrogea des mendiants, plongea des regards dans la cuisine des maisons, leva les yeux vers les fenêtres et s'aperçut que tout ce qu'il voyait lui faisait plaisir. Il n'avait jamais imaginé qu'une promenade, que rien au monde, pût le rendre aussi heureux. L'après-midi, il dirigea ses pas vers la maison de son neveu.

Il passa et repassa devant la porte une douzaine de fois avant d'avoir le courage de monter les marches du perron et de frapper. Enfin, il s'élança et le fit.

« Votre maître est-il chez lui, mon enfant ? demanda

Scrooge à la jeune servante. Charmante petite, ma foi !

— Oui, monsieur.

— Où est-il, ma mignonne ?

— Il est dans la salle à manger, avec not' maîtresse. Je vais vous conduire au salon, monsieur, si vous voulez bien.

— Merci. Il me connaît, dit Scrooge qui avait déjà posé la main sur le bouton de la porte. J'entre dans la salle à manger, ma chère enfant. »

Il ouvrit doucement, et passa la tête par l'entre-bâillement de la porte. Le mari et la femme examinaient la table (qui était dressée avec beaucoup d'élégance) car les jeunes maîtresses de maison sont toujours inquiètes en ce qui concerne le couvert et tiennent à ce que tout soit parfait.

« Fred ! » appela Scrooge.

Bonté divine, quel sursaut fit sa nièce par mariage ! Scrooge avait momentanément oublié pourquoi elle était restée assise dans le coin, avec un tabouret sous les pieds, sinon il ne lui aurait pas causé cette émotion, jamais de la vie.

« Mon Dieu, cria Fred, qui est là ?

— C'est moi. Ton oncle Scrooge. Je suis venu dîner avec vous, puis-je entrer, Fred ? »

Pouvait-il entrer ! Peu s'en fallut qu'il ne lui arrachât le bras en lui serrant la main. Scrooge se sentit chez lui au bout de cinq minutes. Nul accueil ne pouvait être plus cordial. Sa nièce était exactement telle qu'il l'avait vue. Topper aussi, lorsqu'il arriva. La sœur potelée de même, lorsqu'elle arriva. Tous les autres convives, lorsqu'ils furent là. Merveilleuse réception, merveilleux petits jeux, merveilleuse unanimité, contentement mer-veil-leux !

Mais le lendemain matin, Scrooge arriva de bonne

heure à son bureau. Il y arriva de très bonne heure.
S'il pouvait seulement y être le premier et surprendre
Bob Cratchit en flagrant délit de retard! C'était son
plus cher désir.

Et il réussit. Oui, ses vœux furent comblés. Neuf
heures sonnèrent: pas de Bob. Neuf heures et quart:
toujours pas de Bob. Il avait bien dix-huit minutes et
demie de retard. Scrooge avait laissé sa porte grande
ouverte pour le voir entrer dans la Citerne.

Bob n'avait pas franchi le seuil qu'il avait déjà ôté
son chapeau et son cache-nez. Il fut juché sur son
tabouret en un clin d'œil et sa plume se mit à voler
comme s'il essayait de rattraper neuf heures.

«Ho, ho! grogna Scrooge en prenant sa voix habituelle qu'il imita du mieux qu'il put. Qu'est-ce que
cela signifie d'arriver à cette heure-ci?

— Je suis tout à fait désolé, monsieur, dit Bob.
C'est vrai que je suis en retard.

— En retard? répéta Scrooge. Oui, c'est ce qu'il
me semble. Venez un peu par ici, monsieur, s'il vous
plaît.

— Ce n'est qu'une fois par an, fit Bob d'une voix
suppliante en émergeant de la Citerne. Cela ne se
reproduira pas. Je me suis un peu amusé hier.

— Fort bien. Mais laissez-moi vous dire, mon ami,
lui répondit Scrooge, que cela ne peut plus durer
ainsi, je ne le souffrirai plus. Par conséquent, ajouta-
t-il en sautant de son tabouret et en donnant à Bob
une telle bourrade dans l'estomac que le pauvre
garçon recula en chancelant jusqu'à l'entrée de la
Citerne, par conséquent, je vais augmenter vos
appointements.»

Bob se mit à trembler et se rapprocha de la règle
du bureau. Il eut un moment la pensée de s'en servir
pour assommer Scrooge, puis de le maîtriser et d'ap-

peler quelques passants de la ruelle pour qu'ils allassent chercher de l'aide et une camisole de force.

« Joyeux Noël, Bob ! s'écria Scrooge avec une sincérité grave à laquelle on ne pouvait pas se tromper, en lui donnant des tapes amicales sur le dos. Un plus joyeux Noël, Bob, mon brave garçon, que je ne vous l'ai souhaité depuis de trop nombreuses années ! Je vous augmente et je vais m'efforcer d'aider votre laborieuse famille. Nous discuterons de vos affaires cet après-midi même, tout en buvant un bol de bishop[1] fumant, en l'honneur de Noël. Remplissez les grilles, Bob, et courez acheter un deuxième seau à charbon avant de mettre un autre point sur un i ! »

Scrooge tint parole et fit plus encore qu'il n'avait promis. Il fit tout cela, dis-je, et davantage. Pour Tiny Tim, qui ne mourut pas, il fut un second père. Il devint un aussi bon ami, un aussi bon maître, un aussi bon homme qu'il serait possible d'en trouver un dans la bonne vieille cité de Londres, ou dans n'importe quelle autre bonne vieille cité, n'importe quelle ville ou bourgade de ce bon vieux monde. Certaines gens rirent de voir le changement qui était survenu en lui, mais il les laissa rire et ne s'en soucia guère ; car il était assez sage pour savoir que rien de bon ne se produit jamais sur ce globe dont certaines gens n'aient pas ri au début tout leur soûl ; et sachant que ces gens seraient aveugles quoi qu'il arrive, il trouvait qu'il valait mieux que leurs yeux fussent plissés à force de rire plutôt que du fait d'une maladie moins attrayante. Lui-même riait jusqu'au fond de son cœur : il n'en demandait pas davantage.

Il n'eut plus de commerce avec les Esprits, s'abste-

nant même, dorénavant, de tout spiritueux[1], mais
l'on disait toujours de lui que si un homme au monde
savait célébrer Noël, c'était Scrooge. Puisse-t-on en
dire autant de nous, de nous tous ! Et pour reprendre
la prière de Tiny Tim : « Que Dieu nous bénisse, tous
tant que nous sommes ! »

Le Carillon

Conte de gobelins
sur certaines cloches
qui sonnèrent le départ
d'une année passée
et l'arrivée d'une année nouvelle

Traduction de Francis Ledoux.

Il y a peu de gens — mais puisqu'il est souhaitable que conteur et lecteur établissent entre eux aussitôt que possible une mutuelle compréhension, je vous prierai de noter que je ne borne cette observation ni aux jeunes gens ni aux enfants, et que je l'étends à tous, quels qu'ils soient : petits et grands, jeunes et vieux, ceux qui grandissent encore comme ceux qui déclinent déjà — il y a peu de gens, dis-je, qui aimeraient dormir dans une église. Je ne veux pas dire au moment du sermon par temps de chaleur (comme c'est effectivement arrivé une ou deux fois), mais la nuit et seuls. Nombreux sont ceux, je le sais, que cette prise de position étonnera violemment dans la lumière crue du grand jour. Mais il s'agit de la nuit. C'est la nuit qu'il faudrait discuter la question ; et je prétends pouvoir soutenir mon assertion avec succès, par la première nuit venteuse d'hiver que l'on voudra bien fixer, contre n'importe quel contradicteur, choisi entre tous, qui voudra bien me retrouver seul dans un vieux cimetière devant la porte d'une vieille église, après m'avoir autorisé à l'enfermer, si c'est nécessaire pour le convaincre, jusqu'au matin.

Car le vent nocturne vous a une façon lugubre

d'erreur et de tourner sans cesse autour de pareil
édifice en gémissant lamentablement tout au long de
son parcours; de s'attaquer de son invisible main
aux fenêtres et aux portes; et de chercher partout
les crevasses par où pénétrer. Puis, quand il y est
parvenu, tel quelqu'un qui ne trouve pas l'objet de sa
quête (quel qu'il puisse être), il gémit et hurle pour
ressortir, et non content de balayer les bas-côtés, de
se glisser tout autour des piliers et d'essayer des
orgues profondes, il s'élève jusqu'aux combles et
s'efforce d'arracher la charpente; puis il se jette en
désespéré sur les dalles d'en dessous et passe, grommelant, dans les caveaux. Bientôt, il remonte furtivement, rampe le long des murs, semblant lire en
un murmure les inscriptions consacrées aux morts.
À certaines, il éclate comme d'un rire strident; à
d'autres, il gémit et pleure comme en lamentation. Il
a une résonance fantomatique aussi en s'attardant
autour de l'autel, où il semble psalmodier à sa façon
sauvage sur le Péché et les Meurtres commis, les
faux dieux adorés au mépris des Tables de la Loi, ces
tables qui paraissent si belles et si unies, mais qui
sont en réalité si écornées et si fissurées. Brrr! Dieu
nous garde, nous qui sommes confortablement assis
autour du feu! Il a une voix terrifiante, ce vent qui
chante à minuit dans une église!

Mais tout en haut du clocher! L'affreuse rafale y
siffle et rugit! Tout en haut du clocher, où le vent est
libre d'aller et venir par maints jours, maintes arches
aériennes, de s'enrouler, de serpenter au long de
l'escalier vertigineux, de faire tournoyer la plaintive
girouette, de secouer et faire frémir la tour même!
Tout en haut du clocher, là où se trouve le beffroi; où
les rampes de fer sont rongées par la rouille; où les
feuilles de plomb et de cuivre, qu'ont recroquevillées

les variations du temps, craquent et se soulèvent
sous les pas inaccoutumés; où les oiseaux coincent
de pauvres nids au creux des vieilles poutres et
solives de chêne; où la poussière devient vieille et
grise; où les araignées mouchetées, qu'une longue
sécurité a rendues grasses et indolentes, se balancent
paresseusement à la vibration des cloches, sans jamais
lâcher leur château tissé dans les airs, et, brusquement alertées, remontent comme des matelots aux
cordages ou se laissent tomber à terre pour jouer de
vingt pattes agiles et trouver leur salut dans la fuite!
Tout en haut du clocher d'une vieille église, bien au-
dessus des lumières et des murmures de la ville, bien
au-dessous des nuages flottants qui le couvrent de
leur ombre, se trouve le lieu le plus lugubre et le plus
sauvage que l'on puisse trouver la nuit; et c'est tout
en haut du clocher d'une vieille église que demeuraient les cloches dont je vais parler.

C'était de vieilles cloches, croyez-m'en. Elles
avaient été baptisées des siècles auparavant par des
évêques; tant de siècles auparavant que le registre
de leur baptême était déjà perdu de temps immémo-
rial et que nul ne savait leurs noms. Elles avaient eu
parrain et marraine, ces cloches (pour ma part, soit
dit en passant, je préférerais le parrainage d'une
cloche à celui d'un garçon pour ce qui est des responsabilités) et elles avaient reçu aussi, sans doute,
leurs timbales d'argent. Mais le Temps avait moissonné leurs parrains et Henri VIII fondu leurs timbales[1], et elles étaient suspendues maintenant, privées
de noms et de timbales, dans le clocher.

Non privées de voix, cependant. Loin de là. Elles
avaient la voix claire, puissante, sonore, retentissante, ces cloches; et de tous côtés on pouvait l'entendre, portée par le vent. Aussi bien étaient-elles

beaucoup trop vigoureuses pour s'en remettre au bon plaisir de celui-ci ; car, luttant courageusement contre lui quand il lui prenait fantaisie d'être contraire, elles déversaient magnifiquement leurs notes réconfortantes dans toute oreille attentive ; et, résolues à se faire entendre par une nuit d'orage de telle pauvre mère veillant au chevet d'un enfant malade ou de telle épouse solitaire dont le mari était en mer, on avait pu constater qu'elles étaient alors capables de battre le plus violent des vents de noroît ; oui, «à plates coutures», comme disait Tobie Veck — car, bien qu'on l'appelât de préférence Veck le Trotteux, son nom était Tobie et nul ne pouvait rien y changer sans un acte spécial du Parlement, puisqu'il avait été aussi légalement baptisé en son temps que les cloches en le leur, encore qu'avec un peu moins de solennité et de réjouissances publiques.

Je me rallie pour ma part à l'opinion de Tobie Veck, car je suis sûr qu'il avait eu suffisamment d'occasions de s'en former une correcte ; quoi qu'ait dit Tobie Veck, je le dis aussi. Et je prends position aux côtés de Tobie Veck, encore que la sienne fût de se tenir debout toute la journée (ce qui était une besogne bien lassante) à la porte de l'église. En fait, il était commissionnaire, Tobie Veck, et c'est là qu'il attendait les ordres.

C'était un endroit venteux, où l'attente en hiver vous donnait la chair de poule, vous bleuissait le nez, vous rougissait les yeux, vous pétrifiait les pieds, vous faisait claquer des dents, comme Tobie Veck le savait assez. Le vent, le vent d'est surtout, tournait le coin par rafales comme s'il s'était élancé des confins de la terre expressément pour venir souffleter Tobie. Et souvent il semblait l'avoir rencontré plus tôt qu'il n'avait compté, car, ayant tourné le coin en trombe et dépassé Tobie, il faisait une volte soudaine, comme s'il s'était écrié : — «Mais le voilà!» Et incontinent, le petit tablier du commissionnaire se trouvait relevé sur sa tête comme les vêtements d'un méchant petit garçon, et l'on pouvait voir sa pauvre petite canne se débattre et lutter vainement entre ses mains, ses jambes se livrer à une gesticulation fantastique; et Tobie lui-même tout penché, tourné un moment dans une direction et le suivant dans une autre, était bousculé, secoué, houspillé, harcelé, pressé et soulevé de terre de telle sorte qu'il était bien près de falloir un miracle positif pour qu'il ne fût pas emporté dans les airs comme les colonies de grenouilles, d'escargots ou d'autres créatures transportables le sont parfois pour retomber ensuite en pluie, au grand étonnement des indigènes, en quelque lieu étrange du monde où les commissionnaires sont chose inconnue.

Mais les jours de vent, en dépit du rude traitement qu'ils lui faisaient subir, représentaient après tout pour Tobie une sorte de jours fastes. C'est un fait. Dans le vent, il ne lui semblait pas attendre aussi longtemps une pièce de six pence que par d'autres temps; l'obligation où il était de lutter contre cet élément turbulent accaparait toute son attention et le ragaillardissait quand il commençait à ressentir la faim et l'abattement. Une forte gelée ou une chute de neige étaient un événement; et elles paraissaient lui faire du bien, d'une façon ou d'une autre — quoiqu'il eût été bien en peine de dire comment, Tobie! Mais le vent, la gelée et la neige, peut-être aussi un bon orage de grêle drue, étaient jours fastes pour Tobie Veck.

Le pire, c'étaient les jours d'humidité : l'humidité froide, moite, collante, qui l'enveloppait comme un

manteau mouillé — seul genre de manteau que possédât Tobie ou dont le rejet eût pu apporter quelque
chose à son réconfort. Ces jours d'humidité où la
pluie tombait lente, épaisse, opiniâtre ; où le brouillard prenait la rue, comme lui-même, à la gorge ;
où les parapluies fumants passaient et repassaient,
tournoyant comme autant de totons chaque fois
qu'ils se heurtaient l'un contre l'autre sur le trottoir
encombré et rejetant un petit maelström de désagréables éclaboussures ; où les ruisseaux coulaient
en bruissant, où les gouttières engorgées hoque-
taient, où des pierres en saillie et des surplombs de
l'église l'eau gouttait, flac, flac, flac, sur Tobie, transformant en un rien de temps le bouchon de paille sur
lequel il se tenait en simple boue ; c'étaient là les
jours qui l'éprouvaient durement. Alors, en vérité, on
pouvait voir Tobie, la figure morne et allongée,
regarder au-dehors avec inquiétude de son abri situé
dans un angle du mur de l'église — abri si maigre
qu'en été il ne répandait pas plus d'ombre qu'une
canne de bonne dimension sur le pavé ensoleillé.
Mais, étant sorti une minute après pour se réchauffer
par un peu d'exercice et ayant effectué une douzaine
d'allées et venues au petit trot, il se rassérénait et
rentrait plus gaillard dans sa niche.

On l'appelait le Trotteux à cause de son allure,
dont l'intention était la vitesse, si elle n'y atteignait
pas. Il aurait pu aller plus vite peut-être, fort probablement même, en marchant ; mais, si on lui eût ôté
son trot, Tobie se fût mis au lit pour mourir. Ce trot
le couvrait de boue par mauvais temps ; il lui coûtait
un monde d'efforts et Tobie eût pu marcher avec infiniment plus d'aise ; mais ce n'était qu'une raison de
plus pour lui de s'y raccrocher avec ténacité. Faible,
petit, maigre vieillard, c'était un véritable Hercule

que ce Tobie quand les bonnes intentions étaient en
cause. Il aimait à gagner son argent. Il se régalait de
l'idée — Tobie était fort pauvre et ne pouvait guère se
remettre de sacrifier un régal — qu'il valait large-
ment le pain qu'il mangeait. Quand il avait en main
un message à un shilling ou à huit pence ou quelque
paquet, son courage, toujours grand, grandissait
encore. Tout en trottant, il criait aux rapides facteurs
qui marchaient devant lui de se garer de son chemin,
sincèrement persuadé que, selon le cours naturel des
choses, il devait inévitablement les rattraper et les
heurter; il avait en outre la croyance absolue, rarement mise à l'épreuve, qu'il était capable de porter
quoi que ce fût qu'un homme pouvait soulever.

Ainsi, lors même qu'il sortait de son coin pour se
réchauffer un jour de pluie, Tobie trottait. Traçant de
ses souliers qui prenaient l'eau un zigzag d'empreintes bourbeuses dans la crotte; soufflant dans
ses mains glacées ou les frottant l'une contre l'autre,
pauvrement défendues qu'elles étaient contre le froid
pénétrant par des moufles de laine grise élimées présentant un appartement privé pour le pouce et une
salle commune pour le reste des doigts; Tobie,
genoux pliés et canne sous le bras, trottait toujours.
Même quand il s'avançait au milieu de la rue pour
lever la tête vers le beffroi au moment où sonnaient
les cloches, Tobie trottait encore.

Il faisait ladite excursion plusieurs fois par jour,
car les cloches étaient pour lui des compagnes; et
lorsqu'il entendait leur voix, il prenait intérêt à
observer leur logis, à penser à la façon dont on les
mettait en branle, aux marteaux qui les frappaient.
Peut-être était-il d'autant plus curieux de ces cloches
qu'il existait entre elles et lui certains points de res-
semblance. Elles étaient suspendues là par tous les

temps, exposées aux vents et à la pluie, sans jamais
rien voir d'autre que l'extérieur de toutes ces maisons ; ne s'approchant jamais des feux flambants qui
luisaient et rayonnaient sur les fenêtres ou sortaient
par bouffées des cheminées ; dans l'incapacité de
participer à toutes les bonnes choses constamment
livrées par les portes de la rue ou les grilles des
courettes en sous-sol à d'expertes cuisinières. Des
visages apparaissaient et disparaissaient derrière
bien des fenêtres, parfois jolis, jeunes, charmants,
parfois le contraire ; mais Tobie (encore qu'il fît
souvent des conjectures sur ces futilités tandis qu'il
se tenait inoccupé dans les rues) ne savait pas plus
que les cloches elles-mêmes d'où ils venaient, où ils
allaient, ou si, quand les lèvres remuaient, un seul
mot de bienveillance était prononcé à son sujet de
toute l'année.

Tobie n'était pas un casuiste — pour autant qu'il
le sût, tout au moins — et je ne prétends pas que,
lorsqu'il commença de s'attacher aux cloches et de
transformer les premières relations qu'il avait entre-
tenues avec elles en quelque chose d'une texture plus
serrée et plus délicate, il passa successivement par
toutes ces considérations ou les déploya en ordre de
parade solennelle dans son esprit. Mais ce que j'entends dire et dis, c'est que, de même que les fonctions physiques de Tobie (ses organes digestifs, par
exemple) parvenaient à une certaine fin par leurs
propres artifices et de très nombreuses opérations
dont il était entièrement ignorant et dont la connaissance l'eût considérablement étonné, ses facultés
mentales, à son insu et sans son concours, mirent en
mouvement tous ces rouages et tous ces ressorts en
même temps que beaucoup d'autres quand ils tra-
vaillèrent à susciter son attachement pour les cloches.

Et quand bien même j'aurais dit son «amour», je ne retirerais pas ce mot, encore qu'il n'exprime que bien imparfaitement un sentiment aussi complexe. Car, étant un homme simple, il leur attribuait un caractère étrange et solennel. Elles étaient tellement mystérieuses, si souvent entendues sans être jamais vues, placées si haut, dans un tel lointain, répandant un chant si profond et si puissant, qu'il les considérait avec une sorte de crainte respectueuse; et parfois, quand il levait les yeux vers les sombres fenêtres en ogive du clocher, il s'attendait presque à un appel à lui adressé par quelque chose qui ne fût pas une cloche tout en étant cependant ce qu'il avait si souvent entendu résonner dans les carillons. Pour toutes ces raisons, Tobie repoussait avec mépris certaine rumeur qui avait cours, selon laquelle les cloches étaient hantées, une telle rumeur impliquant la possibilité de relations avec un être maléfique. Bref, elles étaient fort souvent présentes à ses oreilles, fort souvent dans ses pensées, mais toujours au plus haut de son estime; et il arrivait bien fréquemment qu'il se donnât un tel torticolis à force de contempler bouche bée le clocher où elles étaient suspendues qu'il lui fallait ensuite piquer un ou deux petits trots supplémentaires pour s'en débarrasser.

C'était précisément ce qu'il était en train de faire par une journée très froide tandis que le dernier coup somnolent de midi, qui venait de sonner, bourdonnait comme une mélodieuse et monstrueuse abeille (une abeille nullement affairée) par tout le clocher!

«L'heure du dîner, hein? dit Tobie, qui trottait de long en large devant l'église. Ah!»

Le nez de Tobie était très rouge, ses paupières aussi; il clignotait beaucoup des yeux, ses épaules remontaient presque jusqu'à ses oreilles, ses jambes étaient très raides et, somme toute, il s'était visiblement engagé fort avant sur la voie du gel.

« L'heure du dîner, hein ? répéta Tobie, tout en se servant de la mitaine de sa main droite comme d'un enfantin gant de boxe pour punir sa poitrine de ce qu'elle avait froid. Ah...h...h...h...! »

Après quoi, il prit un trot silencieux durant une minute ou deux.

« Il n'y a rien », reprit Tobie derechef...

Mais ici, il s'arrêta court dans son trot et, avec une expression de grand intérêt et de quelque inquiétude, se tâta soigneusement le nez tout le long de l'arête. Cela ne représentait pas une grande étendue (son nez n'étant pas des plus importants) et il en eut bien vite fini.

« Je le croyais disparu, dit Tobie, repartant de son petit trot. Tout va bien, cependant. Il est certain que je ne saurais le blâmer de me quitter. Il doit faire face à un service bien dur par ces temps rigoureux et il a bien peu de récompense à attendre pour sa peine, puisque personnellement je ne prise pas. Il a passablement d'épreuves à supporter, le pauvre, fût-ce aux meilleurs moments ; car lors même qu'il parvient à saisir quelque bonne bouffée (ce qui n'arrive pas trop souvent), c'est généralement le fumet du dîner d'autrui, qui s'échappe de chez le boulanger. »

Cette réflexion lui en rappela une autre qu'il avait laissée en suspens.

« Il n'y a rien qui reparaisse avec autant de régularité que l'heure du dîner, dit Tobie, ni rien avec aussi peu de régularité que le dîner lui-même. C'est la grande différence qu'il y a entre les deux. J'ai mis assez longtemps à découvrir la chose. Or çà, je me demande si quelqu'un n'aurait pas intérêt à m'acheter cette observation pour les journaux, ou pour le Parlement ! »

Ce n'était là qu'une plaisanterie, car Tobie hochait gravement la tête en signe d'auto-dénigrement.

« Mais, pardieu ! s'écria-t-il, les journaux sont déjà bien assez remplis d'observations comme ça ; et le Parlement aussi. Voici le journal de la semaine dernière, par exemple (ce disant, il tira de sa poche une feuille fort sale, qu'il tint à bout de bras devant lui) ; eh bien, il est plein d'observations ! J'aime tout autant que quiconque être au courant des nouvelles, dit lentement Tobie tout en le repliant encore plus menu pour le remettre dans sa poche ; n'empêche que c'est à contrecœur que je lis le journal à présent. Cela me fait presque peur. Je me demande où nous allons, nous autres pauvres gens. Dieu nous accorde quelque chose de meilleur au cours de la Nouvelle Année qui va poindre !

— Hé, papa, papa ! » dit une voix douce, toute proche.

Mais Tobie, sans l'entendre, continua d'aller et venir au petit trot, poursuivant ses réflexions et se parlant à lui-même.

« Il semble qu'on ne puisse aller droit, agir droit ni obtenir aucun droit, dit Tobie. Je n'ai pas reçu beaucoup d'éducation pour ma part dans mon jeune temps ; et je ne puis démêler si nous avons une raison d'être sur cette terre ou non. Parfois, je trouve que oui... dans une certaine mesure ; et parfois je me dis que nous devons être de trop. Je suis tellement déconcerté par moments que je n'arrive même plus à déterminer s'il y a rien de bon en nous ou si nous naissons tout à fait mauvais. Il semble que nous soyons des êtres affreux ; que nous ne fassions que du grabuge ; qu'on passe son temps à se plaindre de nous et à prendre des précautions à notre encontre. D'une façon ou d'une autre, nous emplissons les colonnes des journaux. Parlez-moi du Nouvel An! dit Tobie d'un air mélancolique. Je suis aussi courageux que quiconque et même plus que bien des gens, car je suis fort comme un lion, alors que ce n'est pas le cas de tout le monde; mais s'il était vraiment exact que nous n'ayons pas droit à un Nouvel An, s'il était vrai que nous soyons de trop...

— Hé, papa, papa!» répéta la douce voix.

Cette fois, Tobie l'entendit; il tressaillit, s'arrêta et, ramenant son regard jusqu'alors dirigé vers le lointain comme s'il cherchait des éclaircissements au cœur même de l'année prochaine, se trouva face à face avec sa propre fille et les yeux plongés dans les siens.

Qu'ils étaient lumineux, ces yeux! Il eût fallu y plonger bien longtemps pour en sonder la profondeur. C'étaient des yeux sombres, qui réfléchissaient ceux qui les scrutaient; non dans un miroitement rapide ni selon le caprice de celle à qui ils appartenaient, mais bien en un rayonnement limpide, calme, honnête, patient, apparenté à cette lumière que Dieu créa le premier jour. Des yeux splendides et loyaux, radieux d'espérance, d'une espérance si juvénile et si fraîche, d'une espérance si optimiste, si vigoureuse, si ardente en dépit des vingt années de labeur et de pauvreté qu'ils avaient contemplées qu'ils devinrent pour Veck le Trotteux une voix, une voix qui lui murmurait: «Je crois que nous avons une raison d'être ici-bas... une petite raison d'être!»

Le Trotteux baisa les lèvres correspondant à ces yeux et pressa entre ses mains le beau et clair visage.

«Eh bien, ma chérie, dit-il. Qu'y a-t-il donc? Je ne t'attendais pas aujourd'hui, Margot.

— Je ne pensais pas non plus venir, papa, s'écria la jeune fille avec un hochement de tête et un sourire. Mais me voici! Et je ne suis pas seule; non, non!

— Comment! tu ne veux pas dire que..., dit le Trotteux, jetant un regard curieux sur le panier couvert qu'elle tenait à la main.

— Hume cela, papa chéri, dit Margot. Hume-le seulement!»

Le Trotteux allait lever tout aussitôt le couvercle, en grande hâte, quand elle interposa gaiement la main.

«Non, non, non, dit Margot avec une joie d'enfant. Il faut faire durer un peu le plaisir. Je vais lever juste un coin... un tout petit coin, tu sais, ajouta-t-elle, joignant avec la plus grande douceur le geste à la parole et parlant presque à voix basse comme si elle avait peur d'être entendue d'un objet placé dans le panier. Voilà. Eh! bien? Qu'est-ce que c'est?»

Tobie huma aussi brièvement que possible au bord du panier et s'écria avec ravissement:

«Mais, c'est chaud!

— C'est bouillant! s'écria Margot. Ha, ha, ha! C'est brûlant! Mais qu'est-ce que c'est, papa? demanda-t-elle. Allons. Tu n'as pas encore deviné ce que c'est. Je ne saurais le sortir avant que tu n'aies deviné! Ne sois pas si pressé! Attends une minute! Je soulève un peu plus le couvercle. Alors? Devine.»

Margot, qui avait très peur qu'il ne devinât trop vite, reculait en lui tendant le panier, relevait ses jolies épaules, se bouchait l'oreille avec la main comme si elle pouvait ainsi arrêter le mot juste sur les lèvres de son père, sans cesser de rire doucement durant tout ce temps.

Cependant, Tobie, les deux mains sur ses genoux, pencha le nez jusqu'au panier afin de prendre une profonde inspiration près du couvercle, tandis que le sourire qui s'élargissait sur son visage flétri faisait croire qu'il respirait quelque gaz hilarant.

«Ah! ça a l'air bien bon, dit Tobie. Ce n'est pas... ce n'est pas du cervelas, je suppose?

— Non, non! s'écria Margot, ravie. Rien de pareil.

— Non, répéta Tobie après avoir reniflé de nouveau. C'est... c'est plus onctueux que du cervelas. Ça sent bien bon. De plus en plus. C'est un parfum trop prononcé pour des pieds de mouton, n'est-ce pas?»

Margot se pâmait de joie. Il n'aurait pas pu être plus loin du but qu'en citant les pieds de mouton, sinon le cervelas.

«Du foie? demanda Tobie, après un moment de recueillement. Non. Il y a là une douceur qui ne correspond pas au foie. Des pieds de porc? Non. Ce n'est pas assez fade. Il y manque l'aspect fibreux pour des crêtes de coq. Et je sais que ce ne sont pas des saucisses. Je vais te dire ce que c'est: c'est de l'andouille!

— Non, ce n'est pas ça, s'écria Margot dans un éclat de joie. Non, ce n'est pas ça!

— Mais à quoi donc est-ce que je pense? dit Tobie, reprenant soudain une position aussi proche de la verticale qu'il lui était possible d'assumer. J'oublierai bientôt mon propre nom. Ce sont des tripes!»

C'étaient bien des tripes; et Margot, au comble du ravissement, déclara que, dans une demi-minute, il dirait que c'étaient les meilleures tripes qu'on eût jamais mises en ragoût.

«Alors, papa, dit Margot, fourrageant avec exultation dans le panier, je vais mettre le couvert tout de suite, car j'ai apporté les tripes dans un bol, que j'ai noué dans un mouchoir; et si je veux faire la fière

pour une fois en l'étendant en guise de nappe et en
lui donnant ce nom, il n'est pas de loi pour m'en
empêcher, n'est-ce pas, papa ?

— Pas que je sache, ma chérie, dit Tobie. Mais on
est tout le temps en train d'en fabriquer de nouvelles.

— Et d'après ce que je lisais l'autre jour dans le
journal, papa, tu sais ce que disait le juge : nous
autres, pauvres gens, sommes censés les connaître
toutes. Ha, ha ! Quelle erreur ! Mon Dieu, qu'ils nous
croient donc intelligents !

— Oui, ma chérie, dit le Trotteux ; et ils apprécie-
raient fort celui d'entre nous qui les connaîtrait vraiment toutes. Il s'engraisserait du travail qu'il aurait,
celui-là, et il serait rudement bien vu de tous les messieurs du voisinage ! Pour ça, oui !

— En tout cas, cet homme, quel qu'il soit, ne
manquerait pas d'appétit pour manger son dîner si
celui-ci avait ce fumet, dit Margot avec entrain.
Dépêche-toi, car il y a aussi une pomme de terre
chaude et une demi-pinte de bière fraîchement tirée,
dans une bouteille. Où veux-tu dîner, papa ? Sur la
borne ou sur les marches ? Mon Dieu, mon Dieu,
quelle splendeur : nous avons le choix entre deux
endroits !

— Les marches aujourd'hui, mon chou, dit le
Trotteux. Toujours les marches par beau temps. La
borne quand il pleut. Les marches sont toujours plus
confortables parce qu'on peut s'asseoir ; mais quand
il fait humide, elles portent aux rhumatismes.

— Eh bien, ici, dit Margot en battant des mains,
après un instant d'affairement. Voilà, tout est prêt !
Et que cela a bon air ! Viens, papa, viens ! »

Depuis le moment où il avait découvert le contenu
du panier, le Trotteux était resté à la contempler ; il
avait parlé aussi d'un air distrait qui laissait voir que,

bien qu'elle fût l'objet de ses pensées et de ses
regards, à l'exclusion même des tripes, il ne la voyait
ni ne pensait à elle telle qu'elle était à ce moment,
mais il avait devant lui quelque esquisse ou quelque
scène de la vie future de son enfant. Tiré alors de sa
rêverie par la joyeuse invite de Margot, il se secoua
pour écarter le mélancolique hochement de tête qu'il
allait laisser paraître, et trotta jusqu'à ses côtés.
Comme il se baissait pour s'asseoir, les cloches se
mirent à sonner.

«Amen! dit le Trotteux, retirant son chapeau et
levant la tête vers elles.

— Amen aux cloches, papa? s'écria Margot.

— Elles sont intervenues comme pour dire le
bénédicité, ma chérie, dit le Trotteux tout en prenant
place. Elles en diraient un bon, j'en suis sûr, si elles
le pouvaient. Nombreuses sont les choses bienveillantes qu'elles me disent, à moi.

— Les cloches, papa? dit Margot, qui rit en posant
devant lui le bol ainsi qu'un couteau et une fourchette. Eh bien!

— Elles semblent me les dire en tout cas, mon
chou, dit le Trotteux, s'attaquant avec énergie au
repas. Et quelle différence cela fait-il? Si je les
entends, qu'importe qu'elles parlent ou non? Mais
enfin, ma chérie, poursuivit Tobie qui, de plus en
plus animé sous l'influence du repas, désigna de sa
fourchette le clocher, combien de fois ai-je entendu
ces cloches me dire: "Tobie Veck, Tobie Veck! Garde
bon courage, Tobie. Tobie Veck, Tobie Veck, garde
bon courage, Tobie!" Des milliers de fois? Bien
plus!

— Moi jamais!» s'écria Margot.

Mais si, pourtant — et bien souvent. Car c'était le
thème constant de son père.

«Quand les choses vont très mal, dit Tobie, vraiment très mal, je veux dire, quand elles sont presque au pire, c'est : "Tobie Veck, Tobie Veck, la besogne va bientôt venir, Tobie! Tobie Veck, Tobie Veck, la besogne va bientôt venir, Tobie!" Comme ça.

— Et elle finit par venir, papa, dit Margot avec dans sa douce voix une note de tristesse.

— Toujours, répondit Tobie sans percevoir celle-ci. Cela ne manque jamais.»

Tandis que se déroulait cet entretien, le Trotteux n'interrompait aucunement son assaut contre le plat savoureux qu'il avait devant lui : il coupait et mangeait, coupait et buvait, coupait et mâchait, passant des tripes à la pomme de terre chaude et de la pomme de terre chaude aux tripes avec une délectation aussi voluptueuse qu'inlassable. Mais ayant alors jeté un regard circulaire sur la rue (pour le cas où quelqu'un chercherait à héler un commissionnaire d'une fenêtre ou d'une porte), ses yeux, au retour, tombèrent sur Margot, assise en face de lui, les bras croisés et occupée uniquement à l'observer avec un sourire heureux.

«Dieu me pardonne! dit le Trotteux, laissant tomber couteau et fourchette. Margot, ma colombe! Pourquoi ne m'as-tu pas dit quelle brute je fais?

— Comment, papa?

— Je reste assis à me bourrer, à m'empiffrer, à me gaver, dit le Trotteux tout contrit, et toi, tu es là devant moi sans rompre ton jeûne, sans même le vouloir, alors que...

— Mais je l'ai rompu, papa, dit sa fille en riant, et même bien rompu. J'ai dîné, moi aussi.

— Allons donc! dit le Trotteux. Deux dîners le même jour! Ce n'est pas possible! Tu pourrais tout aussi bien m'annoncer la venue de deux Jours de

l'An à la fois ou que j'ai eu toute ma vie une pièce
d'or sans jamais la changer.

— N'empêche que j'ai eu, moi aussi, mon dîner,
papa, dit Margot, se rapprochant de lui. Et si tu veux
bien poursuivre le tien, je te raconterai où et comment ; et aussi comment est venu le tien ; et... et
quelque chose d'autre par-dessus le marché. »

Tobie semblait toujours incrédule ; mais elle le
regarda bien en face de ses yeux limpides et, lui
posant la main sur l'épaule, l'engagea à continuer
tandis que le plat était chaud. Le Trotteux reprit
donc sa fourchette et son couteau et se remit à l'ouvrage. Mais beaucoup plus lentement qu'auparavant
et en hochant la tête comme s'il n'était aucunement
satisfait de lui-même.

« J'ai dîné, papa, dit Margot après un instant d'hésitation, avec... avec Richard. Il mange de bonne
heure, et comme il avait apporté son repas quand il
est venu me voir, nous... nous l'avons pris ensemble,
papa. »

Le Trotteux but une gorgée de bière et fit claquer
ses lèvres. Puis il fit : « Oh ! » parce que sa fille attendait.

« Et Richard dit, papa... » reprit Margot.

Mais elle s'arrêta.

« Qu'est-ce qu'il dit, Richard, Margot ? demanda
Tobie.

— Richard dit, papa... »

Nouvel arrêt.

« Il lui faut bien longtemps pour le dire, répliqua
Tobie.

— Eh bien, voici ce que dit Richard, papa, poursuivit Margot, levant enfin les yeux et parlant d'une
voix tremblante, mais parfaitement claire : "Une
année encore tire à sa fin ; à quoi bon attendre

d'année en année, alors qu'il est si improbable que nous soyons jamais plus à l'aise que maintenant?" Il dit que nous sommes pauvres aujourd'hui, papa, et que nous le serons encore plus tard; mais maintenant nous sommes jeunes et les années feront de nous des vieux avant même que nous ne nous en rendions compte. Il dit que, pour des gens de notre condition, si nous attendons de voir bien clairement notre route, le chemin sera certes étroit; ce sera celui de tous: le tombeau, papa.»

Tout homme, même plus hardi que Veck le Trotteux, eût dû faire appel à toute sa hardiesse pour le nier. Le Trotteux garda le silence.

«Et comme ce serait dur, papa, de vieillir et de mourir en pensant à toute l'aide et à tout le réconfort que nous aurions pu nous apporter mutuellement! Comme ce serait dur de nous aimer toute notre vie, et de nous affliger chacun de son côté de voir l'autre travailler, changer, vieillir et blanchir. Dussé-je même prendre le dessus et l'oublier (ce qui me serait impossible), oh, papa chéri, comme ce serait dur d'avoir un cœur aussi plein que le mien pour le voir s'assécher lentement, goutte à goutte, sans que demeure le souvenir d'aucun de ces moments heureux de la vie d'une femme pour me réconforter et m'aider!»

Le Trotteux restait silencieux. Margot s'essuya les yeux et dit un peu plus gaiement, c'est-à-dire avec des rires et des sanglots alternés ou même les deux à la fois:

«Ainsi donc Richard dit, papa, qu'étant donné qu'il a du travail assuré depuis hier pour quelque temps, que je l'aime, que je l'ai aimé ces trois dernières années — ah! et même depuis plus longtemps que cela, mais il n'en sait rien! — il me demande de l'épouser le Jour de l'An ; le meilleur et le plus heureux jour de toute l'année, dit-il, un de ces jours qui portent chance presque à coup sûr. Le délai est un peu court, papa, n'est-ce pas ? mais je n'ai pas de contrat à établir, ni de trousseau à préparer comme les grandes dames, n'est-ce pas, papa ? Et il m'en a tant dit, il l'a dit à sa façon si forte et si sincère, et en même temps si bonne et si douce, que j'ai répondu que je viendrais t'en parler, papa. Or, on m'a donné l'argent de mon petit travail ce matin (je ne m'y attendais pas du tout, pour sûr !) et comme ça a bien mal marché pour toi toute cette semaine et que je voulais absolument que quelque chose vînt faire de cette journée une sorte de fête pour toi, tout comme c'est un cher et heureux jour pour moi, j'ai préparé ce petit régal pour t'en faire la surprise.

— Et voyez donc comme il le laisse refroidir sur la marche », dit une autre voix.

C'était celle de ce même Richard, qui, s'étant approché d'eux sans être vu, se tenait devant le père et la fille et les regardait d'en dessus avec un visage aussi vermeil que le fer sur lequel résonnait chaque jour son lourd marteau de forgeron. Un beau gaillard, robuste et bien découplé, avec des yeux qui brillaient comme les rouges étincelles d'un feu de forge, des cheveux noirs qui frisaient merveilleusement sur ses tempes basanées, et un sourire… un sourire qui justifiait le panégyrique de Margot quant au style de sa conversation.

« Voyez comme il le laisse refroidir sur la marche ! répéta Richard. Margot ne sait pas ce qu'il aime. Ça non ! »

Le Trotteux, toute vivacité et enthousiasme, tendit aussitôt la main à Richard, et il était sur le point de lui parler avec beaucoup d'empressement, quand la porte de la maison s'ouvrit à l'improviste et un valet de pied faillit mettre le pied dans les tripes.

« Débarrassez le chemin, hein ! Il faut toujours que vous vous installiez sur notre perron, alors ! Vous ne pouvez donc jamais donner leur tour aux voisins, non ? Allez-vous vider les lieux, oui ou non ? »

À dire vrai, la dernière question manquait d'à-propos, car ils avaient déjà fui.

« Qu'est-ce qu'il y a ? Qu'est-ce qu'il y a ? demanda le monsieur devant lequel on avait ouvert la porte et qui sortait de la maison de ce pas à la fois léger et lourd — compromis particulier entre la promenade et le petit trot — dont un monsieur sur le déclin à l'existence tout unie, portant bottes craquantes, chaîne de montre et linge propre, *peut* sortir de chez lui, non seulement sans diminuer en rien sa dignité, mais encore en laissant supposer d'importants rendez-vous avec les puissants de ce monde. — Qu'est-ce qu'il y a ? Qu'est-ce qu'il y a ?

— Faut toujours vous prier, faut vous supplier à deux genoux de laisser nos marches tranquilles, dit le valet de pied avec insistance à Veck le Trotteux. Pourquoi que vous les laissez pas tranquilles ? Vous pouvez pas les laisser tranquilles ?

— Allons ! Ça va bien, ça va bien ! dit le monsieur. Hep là ! Commissionnaire ! fit-il avec un signe de tête au Trotteux. Venez ici. Qu'est-ce que cela ? Votre dîner ?

— Oui, monsieur, dit le Trotteux, laissant le plat derrière lui dans un coin.

— Ne le laissez pas là, s'écria le monsieur. Apportez-le, apportez-le. Ainsi, c'est là votre dîner, hein ?

— Oui, monsieur », répéta le Trotteux, regardant, l'œil fixe et la salive aux lèvres, le morceau de tripe qu'il avait réservé pour la bonne bouche et que le

monsieur tournait et retournait à la pointe de la fourchette.

Deux autres personnages étaient sortis en même
temps. L'un était un monsieur triste, entre deux âges,
de maigre constitution et de visage maussade, qui
tenait ses mains constamment enfouies dans les
poches d'un pantalon étriqué couleur poivre et sel
(poches élargies à force en oreilles de chien) et qui
n'était ni particulièrement bien brossé, ni particulièrement bien lavé. L'autre, un monsieur de forte
taille, bien poli, cossu, en habit bleu à boutons brillants et cravate blanche. Le visage fort rubicond de
ce monsieur laissait supposer qu'une part indue de
tout le sang qu'il avait dans le corps se pressait dans
sa tête, ce qui expliquait peut-être qu'une certaine
froidure semblât régner en même temps du côté de
son cœur.

Celui qui tenait le repas de Tobie au bout de la
fourchette s'adressa au premier sous le nom de
Filer[1], et ils se rapprochèrent tous deux. M. Filer, qui
avait la vue extrêmement courte, dut regarder de si
près le restant du dîner de Tobie avant de pouvoir
découvrir ce que c'était, que celui-ci en eut le gosier
serré. Mais M. Filer ne le mangea point.

« Ceci, dit Filer tout en lardant le morceau de petits
coups de son porte-crayon, ceci, alderman[2], est une
sorte de nourriture animale généralement connue de
la classe ouvrière de ce pays sous le nom de tripes. »

L'alderman rit et cligna de l'œil, car c'était un
joyeux drille que l'alderman Cute[3]. Oh, un malin
aussi ! Un homme à la page. Il avait réponse à tout.
On ne pouvait lui en faire accroire. Il lisait au fond
des cœurs ! Il connaissait les gens, Cute. Je vous
crois !

« Mais qui mange des tripes ? demanda M. Filer en

jetant un regard circulaire. Les tripes sont indubitablement l'article de consommation le moins économique, le gaspillage le plus évident que puissent
offrir les marchés de ce pays. On a constaté qu'une
livre de tripes subissait au cours de la cuisson une
perte supérieure des sept huitièmes d'un cinquième
à celle que subit une livre de toute autre substance
animale[1]. Les tripes reviennent plus cher, à tout
prendre, que l'ananas de serre chaude. Si l'on considère dans les seuls relevés de mortalité le nombre
des animaux abattus chaque année et que l'on estime
au plus bas la quantité de tripes que fourniraient ces
carcasses convenablement traitées, on voit que la
perte sur cet amas de tripes bouillies, suffirait à
approvisionner cinq cents hommes durant cinq mois
de trente et un jours et un mois de février par-dessus
le marché. Quel gaspillage, quel gaspillage!»

Le Trotteux restait médusé, et il sentait ses jambes
se dérober sous lui. Il lui semblait avoir affamé de sa
propre main une garnison de cinq cents hommes.

«Qui mange des tripes? poursuivit avec chaleur
M. Filer. Qui mange des tripes?»

Le Trotteux s'inclina piteusement.

«Ah, c'est vous? dit M. Filer. Eh bien, je vais vous
dire une chose: c'est de la bouche de la veuve et de
l'orphelin que vous arrachez ces tripes, mon ami.

— J'espère bien que non, monsieur, dit le Trotteux
d'une voix faible. J'aimerais mieux mourir d'inani-
tion.

— Diviser la somme des tripes déjà mentionnée,
alderman, dit M. Filer, par le nombre estimatif des
veuves et des orphelins existants, et le résultat
donnera un gramme et demi de tripes par personne.
Il n'en reste pas un grain[2] pour cet homme. Par
conséquent, c'est un voleur.»

Tobie était si atterré qu'il lui importa peu de voir l'alderman finir lui-même les tripes. C'était un soulagement que d'en être débarrassé, de toute façon.

« Et qu'en dites-vous ? demanda jovialement l'alderman au monsieur rubicond vêtu de l'habit bleu. Vous avez entendu l'ami Filer. Qu'en dites-vous, vous ?

— Que peut-on en dire ? répondit ce monsieur. Qu'y a-t-il à en dire ? Qui pourrait s'intéresser à un individu comme celui-ci (signifiant le Trotteux) en des temps aussi dégénérés que ceux que nous vivons ? Regardez-le. Quelle horreur ! Parlez-moi du bon vieux temps, du magnifique vieux temps, du merveilleux vieux temps ! Voilà l'époque pour une fière paysannerie et tout ce qui s'ensuit. C'était l'époque où il y avait tout, en fait. Il n'y a plus rien de nos jours. Ah ! s'écria en soupirant le monsieur rubicond, le bon vieux temps, le bon vieux temps ! »

Le vieux monsieur ne précisa pas à quel temps en particulier il faisait allusion ; il ne dit pas non plus si sa désapprobation du temps présent provenait du sentiment désintéressé que celui-ci n'avait rien fait de remarquable en le produisant lui-même.

« Le bon vieux temps, le bon vieux temps, répéta le monsieur. Quel temps c'était ! Le seul, le vrai. Il ne sert à rien de parler d'autres temps ni de discuter des gens qui vivent en ce temps-*ci*. Vous n'appelez pas ceci un temps, je pense ? Moi pas, en tout cas. Regardez donc dans le Recueil de Costumes de Strutt, et vous verrez ce qu'était un commissionnaire sous n'importe quel bon vieux règne de notre vieille Angleterre !

« Il n'avait pas même, dans ses meilleurs jours, une chemise à se mettre sur le dos ou une paire de bas aux pieds ; et il n'y avait guère dans toute l'Angle-

terre un seul légume qu'il pût consommer, dit
M. Filer. Je puis vous le prouver, avec documents à
l'appui.»

Mais le monsieur à la face rubiconde n'en continua pas moins de prôner le bon vieux temps, le
magnifique vieux temps, le merveilleux vieux temps.
Quoi qu'on pût dire, il ne cessait de tourner en rond
dans la même formule établie une fois pour toutes,
comme un pauvre écureuil tourne dans sa cage rota-
tive, du mécanisme trompeur de laquelle il a sans
doute une perception aussi nette que celle qu'avait
de son cher millenium défunt le monsieur rubicond.

Peut-être la foi du pauvre Trotteux en ce très
indécis Vieux Temps n'était-elle pas encore entièrement détruite, car il se sentait lui-même, à ce moment,
fort indécis. Une chose, cependant, restait claire au
milieu de sa détresse, à savoir qu'en dépit des différences que l'on pouvait constater dans les détails, ses
inquiétudes du matin, comme celles de bien d'autres
matins, étaient fondées.

«Non, non, nous ne pouvons aller droit ni agir
droit, songea le Trotteux, désespéré. Il n'y a rien de
bon en nous. Nous sommes nés mauvais!»

Mais le Trotteux avait en lui un cœur de père, qui
s'était introduit dans sa poitrine en dépit de ce
décret, et il ne pouvait supporter que Margot, encore
toute rose de sa brève joie, vît son sort prédit par ces
sagaces messieurs.

«Dieu lui soit en aide, songea le pauvre Trotteux.
Elle le connaîtra bien assez tôt.»

Il fit donc anxieusement signe au jeune forgeron
de l'emmener. Mais celui-ci était si fort occupé à
tenir de doux propos à la jeune fille un peu à l'écart
qu'il ne se rendit compte de ce désir qu'en même
temps que l'alderman Cute. Or l'alderman n'avait

pas encore dit son mot, et lui aussi était philosophe
— encore que pratique! oh, très pratique — et
comme il n'avait aucune intention de perdre la
moindre part de son auditoire, il cria : «Attendez!

— Comme vous le savez, dit l'alderman, s'adressant à ses deux amis avec le sourire satisfait qui lui
était habituel, je suis un homme simple en même
temps qu'un homme pratique ; je m'y prends donc de
façon simple et pratique. C'est ma manière. Il n'y a
pas le moindre mystère, pas la moindre difficulté à
savoir comment en user avec ces gens-là ; il suffit de
les comprendre et de savoir leur parler à leur propre
façon. Alors, commissionnaire! Ne venez pas me
dire, à moi ou à quiconque, que vous n'avez pas toujours assez à manger, mon ami, et du meilleur
encore : je sais à quoi m'en tenir. J'ai goûté vos tripes,
vous savez, et vous ne pouvez pas "me la faire".
Vous comprenez ce que signifie cette expression,
hein? C'est bien celle qui convient, n'est-ce pas? Ha,
ha, ha! Ma foi, dit l'alderman, se tournant de nouveau
vers ses amis, c'est la chose la plus facile au monde
que d'en user avec ces gens-là, quand on les comprend.»

Un fameux homme en ce qui concerne les gens du
commun, cet alderman Cute! Jamais de mauvaise
humeur avec eux! Facile, affable, blagueur, et
entendu, bien sûr!

«Voyez-vous, mon ami, poursuivit l'alderman, on
dit bien des bêtises sur le besoin — les "nécessiteux",
vous savez, c'est l'expression, n'est-ce pas? Ha, ha,
ha! — eh bien, moi, je suis décidé à Venir à Bout de
cet abus. C'est tout! Ma foi, dit l'alderman, on peut
Venir à Bout de tout avec cette sorte de gens, si seulement on sait s'y prendre.»

Le Trotteux prit la main de Margot et la passa sous

son bras. Il ne semblait pas se rendre compte de ce qu'il faisait, cependant.

«Ainsi donc, c'est votre fille?» dit l'alderman, tout en relevant familièrement le menton de celle-ci.

Toujours affable avec les travailleurs, l'alderman Cute! Il savait ce qui leur plaisait! Pas pour un sou de fierté!

«Où est sa mère? demanda ce digne monsieur.

— Morte, dit Tobie. Elle était lingère, et elle a été rappelée au Ciel à la naissance de sa fille.

— Pas pour coudre du linge là-haut, je suppose», fit plaisamment observer l'alderman.

Peut-être Tobie n'était-il pas capable de séparer sa femme au Ciel de ses anciennes occupations. Mais une question reste posée: si Madame l'épouse de l'alderman Cute était montée au Ciel, l'honorable édile se la fût-il représentée tenant là-haut son rang et sa dignité officiels?

«Et vous lui faites la cour, hein? demanda Cute au jeune forgeron.

— Oui, répondit celui-ci avec brusquerie, car la question l'avait piqué au vif. Et nous allons nous marier le Jour de l'An prochain.

— Comment! s'écria vivement Filer. Vous marier?

— Eh oui, patron, nous y pensons, dit Richard. Nous sommes plutôt pressés, voyez-vous, de peur qu'on ne Vienne d'abord à Bout du mariage.

— Ah! s'écria Filer dans un grognement. Si vous venez à bout de cela, certes, alderman, vous aurez accompli quelque chose. Se marier! Se marier! L'ignorance des premiers principes de l'économie politique que l'on constate chez ces gens-là; leur imprévoyance; leur perversité; c'en est assez, ma parole! pour... Regardez-moi donc ce couple, je vous prie!»

Eh bien ? Ils valaient la peine qu'on les regardât. Et le mariage semblait l'acte le meilleur et le plus raisonnable qu'ils pussent envisager.

« Quand un homme vivrait aussi vieux que Mathusalem, dit M. Filer, quand il travaillerait toute sa vie dans l'intérêt de ces gens-là, il aurait beau entasser les faits sur les chiffres et les chiffres sur les faits jusqu'à en élever des montagnes, qu'il ne pourrait pas avoir plus d'espoir de leur faire comprendre qu'ils n'ont aucun droit ni aucune raison de se marier que de les persuader qu'ils n'ont aucun droit ou aucune raison d'être sur cette terre. Et *cela*, nous le savons bien. Il y a longtemps qu'on l'a ramené à une certitude mathématique ! »

L'alderman Cute s'amusait beaucoup ; il posa l'index de sa main droite sur l'aile de son nez, comme pour dire à ses deux amis : « Observez-moi bien ! Ne perdez pas de vue l'homme pratique », et il appela Margot auprès de lui.

« Venez ici, ma fille ! » dit l'alderman Cute.

Depuis quelques minutes, le fiancé de Margot sentait tout son jeune sang bouillir de colère, et il n'était pas disposé à la laisser aller. Mais, se dominant, il s'avança d'une enjambée tandis que Margot approchait, et il se tint à ses côtés. Le Trotteux continuait de presser la main de sa fille sous son bras, mais il jetait sur tous les visages présents le regard effaré d'un dormeur en proie au rêve.

« Eh bien, ma fille, je vais vous donner un ou deux bons conseils, dit l'alderman de son air affable et dégagé. C'est mon rôle de donner des conseils, voyez-vous, en tant que juge. Vous le savez, que je suis juge, n'est-ce pas ? »

Margot répondit timidement : « Oui. » Nul n'ignorait, en effet, que l'alderman Cute était juge. Et quel

allant il avait toujours, ce juge, mon Dieu! Qui donc
pouvait rivaliser d'éclat avec Cute aux yeux du
public?

«Vous allez vous marier, dites-vous, poursuivit
l'alderman. Voilà qui est bien malséant et bien incon-
venant chez quelqu'un de votre sexe! Mais peu
importe. Quand vous serez mariée, vous vous dispu-
terez avec votre mari et vous en viendrez à être une
épouse misérable. Vous pouvez vous imaginer le
contraire; mais ce sera ainsi, puisque je vous le dis.
Eh bien, je vous en avertis honnêtement, je suis
décidé à Venir à Bout des épouses misérables. Alors,
ne comparaissez pas devant moi! Vous aurez des
enfants, des garçons. Ces garçons, en grandissant,
deviendront de mauvais sujets, naturellement, et ils
courront les rues nu-pieds. Attention, ma petite! Je
les condamnerai sommairement, tous tant qu'ils
seront, car je suis décidé à Venir à Bout de tous les
va-nu-pieds. Peut-être votre mari mourra-t-il jeune,
c'est même probable, et vous laissera-t-il avec un
bébé sur les bras. Vous serez alors chassée de votre
logement, et vous errerez au hasard des rues. Eh
bien, ma petite, il ne faudra pas vous trouver sur
mon chemin, car je suis décidé à Venir à Bout de
toutes les mères errantes. Toutes les jeunes mères, de
toutes sortes, je suis décidé à en Venir à Bout. Et
n'espérez pas plaider auprès de moi la maladie ou
alléguer les enfants en guise d'excuse, car de tous les
malades et de tous les jeunes enfants (j'espère que
vous connaissez l'office divin, mais je crains que
non) je suis décidé à Venir à Bout. Et si, dans votre
désespoir, vous avez l'ingratitude, l'impiété, la perversité d'aller vous noyer ou vous pendre, je n'aurai
pour vous aucune pitié, car je suis décidé à Venir à
Bout de tous les suicides! S'il est une chose, dit l'al-

derman avec son sourire satisfait, à laquelle on peut
dire que je sois décidé par-dessus tout, c'est bien à
Venir à Bout du suicide. Alors n'essayez pas de me
"faire le coup". C'est bien l'expression, n'est-ce pas?
Ha! ha! maintenant, nous nous comprenons tous les
deux.»

Tobie ne savait s'il y avait lieu d'être à la torture ou
de se réjouir de voir que Margot, devenue mortellement pâle, avait lâché la main de son fiancé.

«Quant à vous, coquin de lourdaud, dit l'alderman, se tournant avec une jovialité et une urbanité
encore accrues vers le jeune forgeron, pourquoi
donc penser à vous marier? Pourquoi donc voulez-
vous vous marier, pauvre sot? Si j'étais un beau gaillard, bien découplé, comme vous, j'aurais honte de
me montrer assez poule mouillée pour me pendre
aux jupes d'une femme! Mais voyons, ce sera une
vieille femme avant que vous ayez atteint la quarantaine! Vous aurez l'air malin à ce moment-là, avec
une souillon et une ribambelle d'enfants braillards
qui crieront à vos trousses partout où vous irez!»

Oh! il savait persifler les gens du commun, l'alderman Cute!

«Allons! filez, dit l'alderman, et repentez-vous. Ne
faites pas l'ânerie de vous marier au Jour de l'An.
Vous aurez entièrement changé d'idée bien avant le
Jour de l'An suivant; pensez: un jeune gars de si
belle tournure, avec toutes les filles qui le lorgnent…
Allons, filez!»

Ils filèrent. Non bras dessus, bras dessous, ni la
main dans la main ou en échangeant de brillantes
œillades; mais elle en larmes, et lui morne et la tête
basse. Étaient-ce donc là les cœurs qui avaient si récemment tiré celui de Tobie de sa faiblesse? Non, non.
L'alderman (béni soit-il!) était Venu à Bout d'eux.

« Puisque vous êtes là, dit l'alderman à Tobie, vous allez me porter une lettre. Pouvez-vous aller assez vite ? Vous êtes vieux. »

Tobie, qui observait Margot d'un air tout à fait hébété, trouva moyen de murmurer qu'il était très alerte et très fort.

« Quel âge avez-vous ? demanda l'alderman.

— J'ai plus de soixante ans, monsieur, répondit Tobie.

— Oh ! cet homme a dépassé de beaucoup l'âge moyen, vous savez, s'écria M. Filer, intervenant comme si sa patience pouvait en supporter beaucoup, mais que ceci fût réellement au-delà des limites permises.

— Je sens que je suis de trop, monsieur, dit Tobie. Je... je m'en doutais ce matin. Ah, mon Dieu, mon Dieu ! »

L'alderman coupa court en lui donnant la lettre qu'il avait dans sa poche. Tobie eût bien pris un shilling aussi ; mais M. Filer lui ayant clairement montré que dans ce cas il volerait un certain nombre de personnes de neuf pence et demi par tête, il ne reçut que six pence et s'estima bien heureux d'en toucher autant.

Après quoi, l'alderman donna un bras à chacun de ses deux amis et s'en fut tout dispos ; mais il revint presque aussitôt seul, en hâte comme s'il avait oublié quelque chose.

« Commissionnaire !

— Oui, monsieur, dit Tobie.

— Veillez sur cette fille que vous avez. Elle est bien trop jolie.

— Même ses jolis traits, elle les aura volés à quelqu'un, je suppose, pensa Tobie, regardant la pièce de six pence qu'il avait dans la main et pensant

à son plat de tripes. Elle aurait été voler cinq cents
dames d'une once d'incarnat par tête, que ça ne
m'étonnerait pas. C'est affreux !

— Elle est bien trop jolie, mon ami, répéta l'alderman. Il y a toutes les chances qu'elle ne donne rien
de bon, je le vois clairement. Notez ce que je dis.
Veillez sur elle ! »

Sur quoi, il repartit d'un pas alerte.

« Le mal de tous les côtés. Le mal de tous les côtés !
dit le Trotteux, serrant ses mains l'une dans l'autre.
Nous sommes nés mauvais. Il n'y a rien à faire ici-
bas ! »

Le carillon vint résonner à ses oreilles au moment
où il prononçait ces mots. Le son en était plein, fort,
retentissant — mais il ne lui apportait aucun encouragement. Non, pas une once.

« L'air a changé, s'écria le vieillard, l'oreille tendue.
Il n'y a plus un mot de fantaisie dedans. Pourquoi y
en aurait-il, d'ailleurs ? Je n'ai pas plus à voir avec le
Nouvel An qu'avec l'année passée. Je n'ai plus qu'à
mourir ! »

Les cloches, cependant, continuaient de faire tourbillonner les airs de leurs variations carillonnantes.
« En venir à bout, en venir à bout ! Le bon vieux
temps, le bon vieux temps ! Les faits et les chiffres,
les chiffres et les faits ! En venir à bout, en venir à
bout ! » Si elles disaient quelque chose, c'était bien
cela, jusqu'à ce que Tobie en eût le vertige.

Il pressa dans ses mains sa tête égarée, comme
pour l'empêcher d'éclater. Acte heureux en l'occurrence, car, ce faisant, il trouva la lettre qu'il avait
entre les doigts ; ainsi rappelé au souvenir de sa commission, il retomba machinalement dans son petit
trot habituel, et il s'en fut toujours trottant.

DEUXIÈME QUART

La lettre que Tobie avait reçue de l'alderman Cute était adressée à un grand personnage du grand quartier de la ville. Du plus grand quartier de la ville. Ce devait bien être le plus grand, puisque ses habitants l'appelaient ordinairement « le monde ».

Tobie avait l'impression que cette lettre pesait plus lourd dans sa main que toute autre missive. Non du fait que l'alderman l'avait cachetée de très vastes armoiries imprimées dans une profusion de cire, mais à cause du poids du nom figurant sur l'adresse et de la lourde quantité d'or et d'argent à laquelle s'associait ce nom.

« Quelle différence avec nous ! pensait Tobie en toute candeur, tandis qu'il regardait l'adresse. Qu'on divise le nombre de tortues vives[1] figurant aux tables de mortalité par le nombre de personnes de la société propres à les acheter, il ne prendra jamais que sa propre part ! Mais pour ce qui est d'arracher un plat de tripes de la bouche d'autrui — ah, il n'en ferait rien ! »

En involontaire hommage à un personnage aussi éminent, Tobie interposa un coin de tablier entre la lettre et ses doigts.

« Ses enfants, poursuivit le Trotteux (et une buée s'éleva durant ses yeux), ses filles… des messieurs peuvent gagner leur cœur et les épouser ; elles peuvent faire d'heureuses épouses, d'heureuses mères ; elles peuvent être jolies comme ma chère M…a…r… »

Il ne put achever ce nom ; la dernière syllabe s'enfla dans son gosier jusqu'aux dimensions de l'alphabet tout entier.

« N'importe, pensa le Trotteux. Je sais ce que je veux dire, et cela me suffit amplement. »

Et sur cette consolante méditation, il repartit de plus belle.

Il gelait dur, ce jour-là. L'atmosphère était claire, vive, tonifiante. Le soleil hivernal, s'il était impuissant à répandre la chaleur, contemplait radieux la glace qu'il n'avait pas la force de fondre et y projetait sa rayonnante splendeur. En d'autres temps, le Trotteux aurait pu tirer du soleil d'hiver une leçon pour un pauvre homme ; mais il n'en était plus là, à présent.

L'année était bien vieille ce jour-là. Patiente, elle avait poursuivi sa carrière en dépit de tous les reproches et de toutes les avanies de ses diffamateurs, et elle avait fidèlement accompli sa tâche. Printemps, été, automne, hiver. Elle avait laborieusement parcouru la révolution qui lui était assignée, et elle posait enfin sa tête lasse pour mourir. Exclue pour son compte de toute espérance, privée de tout élan, de tout bonheur actif, mais active messagère de bien des joies pour autrui, elle suppliait en son déclin que l'on se souvînt de ses jours de labeur, de ses heures d'endurance, et qu'on la laissât mourir en paix. Le Trotteux aurait pu découvrir dans l'année expirante une allégorie pour un pauvre homme ; mais il n'en était plus là à présent.

Était-il le seul, d'ailleurs ? Ou bien, cette même supplication, les soixante-dix années qui pesaient d'un coup sur la tête d'un homme de peine anglais ne l'ont-elles jamais lancée ensemble, et ce en vain ?

Les rues étaient pleines de mouvement et les boutiques gaiement ornées. On attendait le Nouvel An, tel un héritier du monde entier, avec des vœux, des présents et des réjouissances. Il y avait des livres et

des jouets pour le Nouvel An, d'étincelants colifichets pour le Nouvel An, des toilettes pour le Nouvel
An, des plans de fortune pour le Nouvel An, de nouvelles inventions pour charmer le Nouvel An. Sa vie
était débitée dans les almanachs et les agendas ; la
venue de ses lunes, de ses astres, de ses marées était
connue d'avance à une minute près ; toute la marche
diurne et nocturne de ses saisons était calculée avec
autant de précision qu'en pouvait apporter M. Filer
à ses statistiques sur les hommes et les femmes.

Le Nouvel An, le Nouvel An. Partout le Nouvel An !
La vieille année était déjà considérée comme morte ;
et ses effets se vendaient à bon compte, tels ceux
d'un marin noyé parmi ses camarades. Ses modèles
étaient de l'an passé, et on les liquidait à perte avant
même qu'elle eût rendu le dernier soupir. Ses trésors
n'étaient plus que simple boue auprès des richesses
de son successeur encore à naître !

Le Trotteux n'avait, dans sa pensée, pas plus de
part à cette nouvelle année qu'à l'ancienne.

« En Venir à Bout, en Venir à Bout ! Les faits et les
chiffres, les chiffres et les faits ! Le bon vieux temps,
le bon vieux temps ! En Venir à Bout, en Venir à
Bout ! » Son trot allait à ce rythme et n'en voulait
suivre aucun autre.

Mais même celui-là, tout mélancolique qu'il fût, le
mena en temps voulu au terme de son voyage : à la
demeure de Sir Joseph Bowley[1], membre du Parlement.

La porte fut ouverte par un portier. Et quel
portier[2] ! Il n'était pas de la catégorie de Tobie. Loin
de là. C'est lui qui avait la bonne place ; pas Tobie.

Ce portier, tout haletant, dut reprendre haleine
avant de pouvoir parler, car il s'était essoufflé à
sortir inconsidérément de son fauteuil sans avoir

pris le temps de la réflexion pour se remettre. Quand il eut retrouvé sa voix (ce qui prit assez longtemps, car elle était partie très loin et s'était cachée derrière une bonne épaisseur de viande), il demanda dans un murmure gras :

« De la part de qui ? »

Tobie le lui dit.

« Il faut l'apporter vous-même », dit le portier, désignant une pièce située au bout d'un long corridor ouvrant sur le vestibule. « N'importe qui entre tout droit en ce jour de l'année. Il était temps d'arriver, car la voiture est déjà devant la porte et ils sont venus en ville tout exprès, pour une couple d'heures seulement. »

Tobie s'essuya avec grand soin les pieds (ils étaient déjà parfaitement secs) et suivit le chemin indiqué, non sans remarquer au passage que la maison était formidablement grandiose, mais silencieuse, et que des housses recouvraient les meubles comme si la famille était à la campagne. Il frappa à la porte, et on lui répondit d'entrer ; ce que faisant, il se trouva dans une vaste bibliothèque où, devant une table jonchée de dossiers et de papiers, étaient assis une imposante dame en chapeau et un monsieur pas très imposant, vêtu de noir, qui écrivait sous sa dictée, tandis qu'un autre, plus âgé et beaucoup plus imposant, dont le chapeau et la canne se trouvaient sur la table, arpentait la pièce, une main passée dans le gilet, et regardait de temps à autre avec complaisance son propre portrait en pied, presque plus grand que nature, suspendu au-dessus de la cheminée.

« Qu'est-ce que c'est ? dit ce dernier monsieur. Monsieur Fish[1], voudriez-vous avoir l'obligeance de voir ? »

M. Fish s'excusa et, ayant pris la lettre des mains de Tobie, la tendit avec grand respect.

« C'est de l'alderman Cute, Sir Joseph.

— Est-ce tout ? Vous n'avez rien d'autre, commissionnaire ? » demanda Sir Joseph.

Tobie répondit par la négative.

« Vous n'avez ni billet, ni effets d'aucune sorte à me réclamer ? Mon nom est Bowley, Sir Joseph Bowley, dit Sir Joseph. Si vous en avez, présentez-les. Il y a un carnet de chèques près de M. Fish. Je n'admets aucun report sur la nouvelle année. Dans cette maison, les comptes de quelque sorte que ce soit sont réglés en fin d'année. De façon que, si la mort devait...

— Couper..., suggéra M. Fish.

— Rompre, monsieur, répliqua Sir Joseph d'un ton fort âpre, le fil de mon existence — on trouverait, j'espère, mes affaires en bon ordre.

— Mon cher Sir Joseph ! s'écria la dame, qui était beaucoup plus jeune que le monsieur. Quelle horreur !

— Milady Bowley, répondit Sir Joseph, se perdant de temps à autre comme dans la profondeur de ses observations, en cette époque de l'année, nous devons penser à... à... nous-mêmes. Nous devons examiner nos... nos comptes. Nous devons sentir que chaque retour d'une période si mémorable dans le cours des transactions humaines éveille des questions de la plus haute importance entre un homme et son... son banquier. »

Sir Joseph prononça ces mots comme s'il avait pleine conscience de la moralité de ce qu'il disait et désirait que même le Trotteux trouvât sujet de s'améliorer dans pareil discours. Peut-être avait-il cette fin en vue en différant de briser le cachet de la lettre et en disant au Trotteux d'attendre là une minute.

«Vous désiriez donc, Milady, que M. Fish dise…?
fit remarquer Sir Joseph.

— M. Fish l'a déjà dit, il me semble, répondit la
dame en jetant un regard sur la lettre. Mais, ma foi,
Sir Joseph, je ne crois pas pouvoir la laisser partir,
après tout. C'est si cher!

— Qu'est-ce qui est cher? demanda Sir Joseph.

— Cette œuvre de charité, mon cher ami. On n'accorde que deux votes pour une souscription de cinq
livres. C'est vraiment monstrueux!

— Milady Bowley, répondit Sir Joseph, vous me
surprenez. Le luxe du sentiment est-il donc proportionnel au nombre des votes? Pour un esprit bien
constitué, n'est-il pas plutôt proportionnel au nombre
des souscripteurs et au salutaire état d'esprit auquel
les réduit leur campagne? N'est-ce pas une émotion
des plus pures que de pouvoir disposer de deux votes
sur un effectif de cinquante personnes?

— Pas pour moi, je l'avoue, répliqua la dame. Cela
ne me procure que de l'ennui. Et puis, on ne peut
obliger ses relations. Mais vous, vous êtes l'Ami du
Pauvre, vous savez, Sir Joseph: vous pensez autrement.

— Je suis l'Ami du Pauvre, c'est vrai, dit Sir Joseph
en jetant un regard vers le pauvre homme présent.
On peut se gausser de moi à ce sujet, et on ne s'en est
pas fait faute. Mais je ne revendique pas d'autre titre.

— Dieu bénisse ce généreux monsieur! pensa
Tobie.

— Je ne suis pas de l'avis de ce Cute, par exemple,
dit Sir Joseph, tendant la lettre. Je ne suis pas d'accord avec le clan Filer. Je ne suis d'accord avec
aucun clan. Mon ami le Pauvre n'a rien à voir avec
quoi que ce soit de ce genre, et rien de ce genre n'a
quoi que ce soit à voir avec lui. Dans ma circonscrip-

tion, mon ami le Pauvre est mon affaire. Aucun homme, aucun groupe n'a le droit de s'interposer entre mon ami et moi. Voilà le terrain sur lequel je me place... J'assume envers mon ami un rôle... un rôle paternel. Je lui dis: "Mon bon ami, je veux vous traiter paternellement". »

Tobie écoutait avec grand sérieux, et commençait à se sentir beaucoup plus à l'aise.

«Votre unique affaire, mon bon ami, poursuivit Sir Joseph en regardant distraitement Tobie, votre unique affaire dans l'existence, c'est moi. Vous n'avez pas besoin de penser à quoi que ce soit. Je penserai pour vous; je suis votre père à perpétuité. Tels sont les décrets d'une sage Providence! Or, le dessein de votre création, c'est — non que vous deviez riboter, vous empiffrer, lier vos plaisirs enfin, comme une brute, à la seule nourriture (Tobie pensa avec remords au plat de tripes) — mais bien que vous sentiez toute la dignité du Travail. Allez donc la tête haute dans l'air vivifiant du matin et... et restez-y. Menez une vie dure et frugale, soyez respectueux, pratiquez l'abnégation, élevez votre famille avec presque rien, payez votre loyer avec la régularité d'une pendule, soyez ponctuel dans vos affaires (je vous donne le bon exemple: vous trouverez toujours M. Fish, mon secrétaire privé, avec une cassette devant lui); et vous pourrez compter que je serai votre Ami et votre Père.

— De charmants enfants, en vérité, Sir Joseph! dit la dame avec un frisson. Des rhumatismes, des fièvres, des jambes torses, des asthmes et toutes sortes d'horreurs!

— Milady, répliqua Sir Joseph d'un ton solennel, je n'en suis pas moins l'Ami et le Père du Pauvre. Il n'en recevra pas moins tous les encouragements de ma part. À chaque terme, il sera mis en communication avec M. Fish. À chaque Nouvel An, moi-même et mes amis boirons à sa santé. Une fois par an, moi-même et mes amis lui adresserons un discours chargé de la plus profonde sympathie. Il peut même espérer recevoir, une fois dans sa vie — en public, devant le beau monde assemblé —, un petit cadeau de la part d'un ami. Et quand, ces stimulants et la dignité du Travail ne suffisant plus à le soutenir, il descendra dans une tombe accueillante, alors, Milady (à ce point, Sir Joseph se moucha), je serai un Ami et un Père... toujours sur les mêmes bases... pour ses enfants. »

Tobie était profondément ému.

« Oh ! vous avez une famille reconnaissante, Sir Joseph ! s'écria son épouse.

— Milady, dit fort majestueusement Sir Joseph, chacun sait que l'ingratitude est le défaut de cette classe. Je n'attends pas d'autre récompense.

— Ah ! nous sommes nés mauvais ! pensa Tobie. Rien ne nous attendrit.

— Ce qu'un homme peut faire, je le fais, poursuivit Sir Joseph. Je fais mon devoir comme Ami et Père du Pauvre ; et je m'efforce de lui éduquer l'esprit en lui inculquant en toute occasion l'unique grande leçon de morale dont cette classe ait besoin — c'est-à-dire une entière sujétion à ma personne. Les pauvres n'ont que faire de... de s'occuper d'eux-mêmes. Si de pervers intrigants leur disent le contraire et qu'ils fassent montre d'impatience et de mécontentement, s'ils se rendent coupables d'insubordination et de noire ingratitude — ce qui est indubitablement le cas — eh bien, je demeure toujours leur Ami et leur Père. Il en a été ainsi ordonné Là-Haut ; c'est dans la nature des choses. »

Sur cette expression de beaux sentiments, il ouvrit la lettre de l'alderman et la lut.

« Très poli et très prévenant, ma foi! s'exclama Sir Joseph. Milady, l'alderman a l'obligeance de me rappeler qu'il a eu "l'insigne honneur" — il est bien aimable — de me rencontrer chez notre commun ami, le banquier Deadles; et il me fait la faveur de me demander s'il me serait agréable qu'il Vînt à Bout de Will Fern.

— Des plus agréables! répondit Lady Bowley. C'est le pire de tous! Il aura commis un vol, j'espère?

— Oh! non! dit Sir Joseph, se reportant à la lettre. Ce n'est pas tout à fait cela. Presque, cependant; mais pas tout à fait. Il est venu à Londres, semble-t-il, pour chercher du travail (pour essayer d'améliorer sa situation, selon lui) et comme on l'a trouvé dormant la nuit sous un hangar, il a été arrêté et mené le lendemain devant l'alderman. Celui-ci fait observer (à juste titre) qu'il est déterminé à Venir à Bout de ce genre de choses; ainsi donc, s'il m'est agréable que l'on Vienne à Bout de Will Fern, il sera heureux de commencer par lui.

— Qu'on en fasse un exemple, bien certainement, répondit la dame. L'hiver dernier, lorsque j'ai voulu lancer le découpage d'œillets et de festons parmi les hommes et les garçons du village pour employer agréablement leurs veillées et que j'ai fait mettre en musique selon le nouveau système les vers suivants pour qu'ils les chantent ce faisant :

Chérissons nos occupations,
Bénissons le squire et son habitation,
Subsistons sur nos quotidiennes rations
Estimons-nous contents de notre situation,

ce même Fern — je le vois encore — porta la main à
son chapeau et me dit : "Que Milady m'excuse, mais
n'y a-t-il pas quelque différence entre moi et une
grande jeune fille ?" Je m'y attendais, bien sûr ; qu'espérer d'autre de cette classe de gens qu'insolence et
ingratitude ? Mais ce n'est pas là l'affaire. Sir Joseph !
Faites un exemple de cet individu !

— Hum ! fit Sir Joseph. Monsieur Fish, si vous
voulez avoir la bonté de prendre note… »

M. Fish saisit aussitôt sa plume et écrivit sous la
dictée de Sir Joseph :

*Personnelle. Cher monsieur, je vous suis très recon-
naissant de votre aimable attention dans l'affaire de ce
William Fern, dont, j'ai le regret de l'ajouter, je ne
saurais rien dire de favorable. Je me suis toujours considéré comme étant un ami et un père pour lui, mais je
n'en ai été récompensé (cas assez habituel, j'ai le regret
de le constater) que par l'ingratitude et une constante
opposition à mes desseins. C'est un esprit turbulent et
rebelle. Son caractère ne supporte pas l'examen. Rien
ne saurait le persuader d'être heureux quand il le pourrait. Dans ces conditions, il me semble, je l'avoue, que
lorsqu'il se représentera devant vous (comme vous me
dites qu'il a promis de le faire demain, après complément de votre enquête, et je crois que l'on peut lui faire
confiance pour cela tout au moins) une détention de
quelque courte durée pour vagabondage rendrait service
à la société et serait un exemple salutaire dans un pays
où les exemples sont grandement nécessaires, dans
l'intérêt de ceux qui demeurent, en dépit de toutes les
attaques, les Amis et les Pères des Pauvres, aussi bien
qu'en considération de cette classe elle-même, généralement égarée. Je suis, Monsieur, etc.*

— On dirait, fit remarquer Sir Joseph, lorsqu'il eut signé cette lettre et que M. Fish fut en train de la cacheter, on dirait que ceci a été ordonné. Là-Haut ; vraiment. En fin d'année, je clos mes comptes et j'établis ma balance, même avec William Fern ! »

Le Trotteux, qui était depuis longtemps retombé dans son profond découragement, s'avança avec un visage lugubre pour prendre la lettre.

« Avec mes compliments et mes remerciements, dit Sir Joseph. Attendez !

— Attendez ! répéta en écho M. Fish.

— Vous avez peut-être entendu, dit Sir Joseph d'un ton d'oracle, certaines observations que j'ai été amené à faire sur la période solennelle à laquelle nous sommes arrivés et le devoir qui s'impose à nous de régler nos affaires et d'être prêts. Vous aurez observé que je ne m'abrite pas derrière la position supérieure que j'occupe dans la société, mais que M. Fish — ce monsieur que voici — a un carnet de chèques à portée de la main et qu'il est là, en fait, pour me permettre de tourner une page parfaitement blanche et d'entrer avec des comptes bien nets dans l'époque que nous avons devant nous. Eh bien, mon ami, pouvez-vous, la main sur le cœur, dire que vous aussi vous avez fait vos préparatifs pour cette Nouvelle Année ?

— Je crains, monsieur, balbutia Tobie, le regardant d'un air humble, d'avoir un peu… un peu d'arriéré dans mes rapports avec le monde.

— De l'arriéré ! répéta Sir Joseph Bowley d'une voix terriblement distincte.

— Je crains, monsieur, dit le Trotteux avec hésitation, qu'il me reste une petite dette de dix ou douze shillings chez Mme Chickenstalker.

— Chez Mme Chickenstalker[1]! répéta Sir Joseph, toujours de la même voix.

— C'est une boutique, monsieur, s'écria Tobie, où l'on vend de tout. Et puis, je... je dois aussi un peu d'argent pour le loyer. Oh, presque rien, monsieur. Cela ne devrait pas être, je le sais bien, mais nous avons été très gênés, en vérité!»

Sir Joseph regarda Milady, puis M. Fish, puis le Trotteux, à tour de rôle et même deux fois de suite. Après quoi, il fit des deux mains un geste de découragement, comme s'il renonçait entièrement à s'occuper de cette affaire.

«Comment un homme, même de cette race si imprévoyante et si incorrigible, un homme âgé, un homme à cheveux gris peut-il regarder la Nouvelle Année en face, avec ses affaires dans un tel état; comment peut-il se coucher le soir et se lever le matin et... Allons! dit-il, tournant le dos au Trotteux. Prenez la lettre. Prenez la lettre!

— Je voudrais de tout mon cœur qu'il en soit autrement, monsieur, dit le Trotteux, soucieux de s'excuser. Nous avons été très, très éprouvés.»

Sir Joseph répétant toujours «Prenez la lettre, prenez la lettre!» et M. Fish ne se contentant pas de dire la même chose, mais donnant plus de force encore à cet ordre en montrant la porte au commissionnaire, celui-ci n'eut d'autre ressource que de tirer sa révérence et de quitter la maison. Et, dans la rue, le pauvre Trotteux enfonça son vieux chapeau usé sur sa tête de façon à dissimuler le chagrin qu'il ressentait de n'avoir aucune prise sur la Nouvelle Année, nulle part.

Il ne leva même pas son chapeau pour regarder le clocher quand, au retour, il arriva à la vieille église. Il s'arrêta là un moment, par habitude; il savait qu'il commençait à faire sombre et que la flèche s'élevait au-dessus de lui, confuse et indistincte dans l'atmosphère obscurcie. Il savait aussi que les cloches étaient sur le point de sonner, et qu'à cette heure leur chant semblait parler à son imagination comme des voix dans les nuages. Mais il ne s'en hâta que plus d'aller remettre la missive à l'alderman et de faire place nette avant que ces voix ne commençassent; car il redoutait de les entendre enchaîner «les Amis et les Pères, les Amis et les Pères» au refrain qu'elles avaient sonné la dernière fois.

Tobie s'acquitta donc de sa mission avec toute la diligence possible et se mit à trotter vers son logis. Mais tant à cause de ce pas, dont le moins qu'on puisse dire est qu'il était assez incommode en pleine rue, qu'à cause de son chapeau qui ne facilitait pas les choses, il ne tarda pas à trotter contre un passant, ce qui l'envoya tout chancelant au beau milieu de la chaussée.

«Je vous demande bien pardon! dit le Trotteux, relevant son chapeau avec grande confusion et glissant sa tête entre le couvre-chef et la coiffe déchirée comme dans une sorte de ruche. J'espère que je ne vous ai pas fait mal?»

Pour ce qui était de faire du mal à quiconque, Tobie n'était pas un tel Samson qu'il ne se fût fait, plus vraisemblablement, mal à lui-même; et, en fait, il était allé virevolter sur la chaussée comme un volant. Il avait cependant une si haute opinion de sa propre force qu'il éprouvait une réelle inquiétude pour l'autre partie, et il répéta:

«J'espère que je ne vous ai pas fait mal?»

Le personnage auquel il s'était heurté, un homme vigoureux, au teint hâlé, à l'air de paysan, avec des cheveux grisonnants et un menton rugueux, le dévisagea un moment comme s'il le soupçonnait de facétie. Mais, s'étant convaincu de sa bonne foi, il répondit :

« Non, l'ami. Vous ne m'avez pas fait mal.

— Ni à l'enfant, j'espère ? ajouta le Trotteux.

— Ni à l'enfant, répondit l'homme. Je vous remercie bien. »

Ce disant, il jeta un regard à la fillette qu'il portait, endormie, dans ses bras ; et, lui couvrant le visage du pan du méchant foulard qu'il portait autour du cou, il poursuivit lentement son chemin.

Le ton sur lequel il avait dit « Je vous remercie bien » était allé au cœur du Trotteux. Cet homme était si fatigué, il avait les pieds si endoloris, il était couvert de telle sorte de la poussière du voyage, toute sa personne enfin avait un air si désespéré et si étrange, que ce devait être pour lui un réconfort de pouvoir remercier quelqu'un, ne fût-ce que pour un rien. Tobie resta à le contempler tandis qu'il s'éloignait d'un pas pesant et las, le bras de l'enfant accroché à son cou.

Aveugle à tout le reste de la rue, le Trotteux restait à contempler cette forme aux souliers usés — ce n'étaient plus que l'ombre et le fantôme de souliers —, aux rudes guêtres de cuir, à la blouse commune, au chapeau à larges bords, et son regard ne pouvait se détacher du bras de l'enfant accroché à ce cou.

Avant de se perdre dans l'obscurité, le voyageur s'arrêta ; s'étant retourné et voyant le Trotteux toujours planté là, il parut hésiter à revenir ou à poursuivre son chemin. Après quelques pas dans l'un et l'autre sens, il finit par adopter le premier parti, et le Trotteux fit la moitié du chemin pour aller à sa rencontre.

«Peut-être pourriez-vous me donner une indication, dit l'homme avec un faible sourire ; si vous le
pouvez, vous le ferez, j'en suis sûr, et j'aime mieux
vous le demander à vous qu'à tout autre : peut-être
pourrez-vous me dire où demeure l'alderman Cute.

— Tout près d'ici, répondit Tobie. Je vous montre-
rai sa maison avec plaisir.

— J'étais censé aller le voir ailleurs demain, dit
l'homme tout en marchant aux côtés de Tobie ; mais
je ne suis pas à l'aise sous le coup du soupçon, et je
veux me disculper pour être libre d'aller gagner mon
pain — je ne sais où. Aussi, peut-être me pardon-
nera-t-il d'aller le voir chez lui ce soir.

— Ce n'est pas possible ! s'écria Tobie, sursautant.
Vous ne vous appelez pas Fern tout de même !

— Hein ? s'écria l'autre, se tournant ébahi vers
lui.

— Fern ! Will Fern ! dit le Trotteux.

— C'est bien mon nom, répondit l'autre.

— Eh bien alors, s'écria le Trotteux, lui saisissant
le bras tout en jetant alentour un regard prudent, au
nom du Ciel, n'allez pas chez lui ! N'y allez pas ! Il
Viendra à Bout de vous, aussi sûr que vous êtes sur
terre. Tenez, suivez-moi dans cette ruelle, et je vous
expliquerai ce que je veux dire. N'allez surtout pas
chez *lui* ! »

Sa nouvelle connaissance le regarda comme s'il le
croyait fou, mais resta cependant en sa compagnie.
Lorsqu'ils furent à l'abri des regards indiscrets, le
Trotteux expliqua ce qu'il savait, dit quelle réputation on lui avait faite, raconta tout enfin.

L'objet de son récit l'écouta avec un calme qui le
surprit, sans le contredire ni l'interrompre une seule
fois. Il hochait la tête de temps à autre — plutôt pour
confirmer une vieille histoire rebattue, semblait-il,

que pour la réfuter; et à une ou deux reprises, il rejeta son chapeau en arrière et passa sa main couverte de taches de rousseur sur un front où chacun des sillons qu'il avait tracés dans la terre paraissait avoir imprimé en petit son image. Mais il s'en tint là.

«Tout cela est assez vrai en gros, dit-il. Je pourrais bien éplucher quelques points par-ci par-là, mais passons. À quoi bon? Je me suis mis en travers de ses plans, pour mon malheur. Je ne puis pas m'en empêcher; je recommencerais aussi bien demain. Pour ce qui est de notre réputation, ces beaux messieurs feront enquête sur enquête, ils fouilleront partout et exigeront qu'elle soit pure de la moindre tache avant de nous servir une bonne parole bien sèche! Enfin! J'espère qu'ils ne perdent pas l'estime des gens aussi facilement que nous, ou alors ils mènent une existence bien rigide et qui ne doit guère valoir d'être vécue. Pour ma part, l'ami, cette main (il l'étendit devant lui) n'a jamais pris quoi que ce soit qui ne m'appartînt; et elle n'a jamais été en retard au travail, quelque pénible, quelque mal rétribué qu'il fût. Si quelqu'un peut s'inscrire en faux là-contre, je veux bien qu'il me la tranche tout de suite. Mais quand le travail ne peut plus m'assurer une vie d'être humain, quand ma subsistance est si misérable que j'ai faim aussi bien au-dehors que chez moi; quand je vois une existence entière de labeur commencer ainsi, continuer ainsi et finir ainsi sans aucune chance de changement, alors je dis à ces messieurs: "Ne m'approchez pas! Ne vous occupez pas de ma chaumière. Ma porte est déjà assez obscure sans que vous veniez l'obscurcir encore. Ne comptez pas sur moi pour venir dans le parc contribuer au spectacle les jours d'anniversaire, de beaux discours et autres festivités. Jouez vos comédies et vos jeux sans moi,

tant que vous voudrez et amusez-vous bien. Nous
n'avons rien à faire ensemble. Je me trouve bien
mieux de rester dans mon coin!".»

Voyant que la fillette qu'il portait dans ses bras
avait ouvert les yeux et regardait autour d'elle avec
étonnement, il se contint pour lui murmurer à
l'oreille quelques mots de babillage et la poser à
terre près de lui. Puis, roulant une des longues
tresses de l'enfant autour de son rude index comme
un anneau, tandis qu'elle s'accrochait à sa jambe
poussiéreuse, il dit au Trotteux:

«Je n'ai pas, par nature, l'esprit mal tourné, je
pense; et je me contente de peu, pour sûr. Je n'en
veux à aucun d'entre eux. Tout ce que je désire, c'est
de vivre comme une créature du Bon Dieu. Je ne le
peux pas — je ne le fais pas — et ainsi il y a un fossé
creusé entre moi et ceux qui le peuvent et le front. Il
y en a d'autres comme moi. On peut les compter par
centaines, par milliers, plutôt que par unités.»

Le Trotteux savait qu'en cela Fern disait vrai, et il
hocha la tête en signe d'assentiment.

«C'est ainsi que je me suis fait un mauvais renom,
dit Fern, et il y a peu de chances pour qu'il s'amé-
liore, j'en ai peur. Il n'est pas permis d'être mécontent, et je *suis* mécontent, bien que, Dieu le sait!
j'aimerais bien mieux être de bonne humeur si je le
pouvais. Enfin! Je ne crois guère que cet alderman
pourrait me faire beaucoup de mal à *moi* en m'envoyant en prison; mais, sans un ami pour dire un
mot en ma faveur, il se pourrait bien qu'il le fasse; et,
vous voyez…! ajouta-t-il en montrant l'enfant du
doigt.

— Elle a un bien joli visage, dit le Trotteux.

— Eh, oui! répondit l'autre à mi-voix, tandis que
des deux mains il tournait la petite tête vers lui avec

douceur pour la regarder longuement. Je me le suis dit bien des fois. J'y ai pensé quand mon foyer était glacial et mon buffet vide. J'y ai pensé l'autre soir quand on nous a arrêtés comme des voleurs. Mais eux…, il ne faudrait pas qu'ils affligent trop souvent ce petit visage, n'est-ce pas, Liliane ? C'est par trop injuste pour un homme ! »

Il baissa la voix de telle sorte, il contemplait la fillette d'un air si grave et si étrange que Tobie, pour détourner le cours de ses pensées, lui demanda si sa femme vivait toujours.

« Je n'en ai jamais eu, répondit-il avec un hochement de tête. C'est la fille de mon frère, une orpheline. Elle a neuf ans, bien qu'il n'y paraisse guère ; mais elle est fatiguée, épuisée maintenant. Ils s'en seraient occupés, à l'Asile — à vingt-huit milles de là où nous habitons —, entre quatre murs (comme on a pris soin de mon vieux père quand il n'a plus pu travailler, encore qu'il ne les ait pas embarrassés bien longtemps) ; mais j'ai préféré la prendre, et elle a vécu avec moi depuis lors. Sa mère avait autrefois une amie ici, à Londres. Nous essayons de la découvrir et de trouver du travail aussi ; mais la ville est vaste. Ça ne fait rien. Nous aurons plus de place pour nous promener, n'est-ce pas, Lili ? »

Répondant au regard de l'enfant par un sourire qui émut Tobie plus encore que les larmes, il serra la main de celui-ci.

« Je ne connais même pas votre nom, dit-il, mais je vous ai ouvert tout grand mon cœur, car je vous suis reconnaissant, et non sans raison. Je vais suivre votre conseil et me garer de ce…

— Juge, suggéra Tobie.

— Ah ! dit-il. Si c'est comme ça qu'on l'appelle. De ce juge[1]. Et demain j'essaierai des environs de

Londres pour voir si j'y aurai plus de chance. Bonsoir, et bonne et heureuse année!

— Attendez! s'écria le Trotteux, lui ressaisissant la main comme il la retirait. Attendez! La nouvelle année ne saurait être heureuse pour moi si nous nous séparons ainsi. Elle ne saurait être heureuse si je vois cette enfant et vous-même vous en aller à l'aventure sans même savoir où, sans toit pour votre tête. Venez chez moi! Je suis pauvre et j'ai un pauvre logement; mais je peux bien vous abriter pour une nuit sans que cela me gêne aucunement. Venez chez moi! Là! je vais la porter! s'écria le Trotteux en soulevant l'enfant. Elle est bien jolie! Je pourrais porter vingt fois son poids sans même m'en apercevoir. Dites-moi si je vais trop vite pour vous. J'ai l'allure très rapide. Je l'ai toujours eue!»

En prononçant ces mots, le Trotteux faisait environ six de ses pas de trot pour une seule enjambée de son compagnon fatigué, et ses jambes grêles tremblaient sous le poids de son fardeau.

«Hé, elle est aussi légère qu'une plume, dit le Trotteux, trottant aussi bien dans son discours que dans son allure, car il ne pouvait supporter d'être remercié et il craignait un moment de pause. Plus légère qu'une plume de paon — bien plus légère. Nous y voici: nous y sommes! La première à droite, oncle Will; juste après la pompe, vous enfilez le passage à gauche, exactement en face du cabaret. Nous y voici, nous y sommes! Traversez, oncle Will, et attention au marchand de pâtés de rognons. Nous y voici, nous y sommes! Longez les écuries, et arrêtez-vous à la porte noire sur laquelle il y a un écriteau portant: "T. Veck, commissionnaire"; nous y voici, nous y sommes — nous y sommes vraiment, pour te faire une surprise, Margot chérie!»

Sur ces mots, le Trotteux, tout essoufflé, déposa l'enfant devant sa fille au beau milieu de la pièce. La petite visiteuse jeta un seul regard sur Margot et, ne voyant rien à redouter sur ce visage mais faisant entière confiance à tout ce qu'elle y vit, se précipita dans ses bras.

« Nous y voici, nous y sommes ! s'écria le Trotteux, courant autour de la pièce et suffoquant distinctement. Par ici, oncle Will ; il y a du feu, vous savez ! Pourquoi ne venez-vous pas près du feu ? Nous y voici ! Margot, mon chou, où est la bouilloire ? La voici ; elle va bouillir en moins de rien ! »

Le Trotteux avait réellement ramassé la bouilloire dans quelque coin au cours de sa carrière vagabonde, et il la mit sur le feu ; tandis que Margot, après avoir assis l'enfant au chaud, s'agenouillait devant elle pour la déchausser et essuyer ses petits pieds mouillés. Mais oui, et elle souriait aussi au Trotteux si agréablement, si gaiement que Tobie aurait eu envie de lui donner sa bénédiction là où elle s'était agenouillée ; car il avait bien vu, en entrant, qu'elle était assise près du feu tout en larmes.

« Mais, papa ! dit Margot. Tu es fou ce soir, il me semble. Je me demande ce que diraient les cloches. Ces pauvres petits petons. Comme ils sont froids !

— Oh ! ils ont plus chaud maintenant ! s'exclama la fillette. Ils sont tout réchauffés, à présent !

— Non, non, non, dit Margot. Nous ne les avons pas encore à moitié assez frottés. Nous sommes si affairés. Si affairés ! Et quand nous en aurons terminé avec eux, nous brosserons ces cheveux mouillés ; et quand cela sera fait, de l'eau fraîche amènera un peu de couleur sur ce pauvre petit visage pâle ; et puis après, nous serons toute gaie, vive et heureuse… ! »

L'enfant, éclatant en sanglots, lui passa les bras autour du cou, caressa de la main sa belle joue et dit :
« Oh, Margot ! Margot chérie ! »

La bénédiction de Tobie n'aurait pu mieux faire. Qu'est-ce qui l'aurait pu, d'ailleurs ?

« Mais, papa ! s'écria Margot, après un moment de silence.

— Me voici, je suis là, ma chérie ! dit le Trotteux.

— Bonté divine ! s'écria Margot. Il est fou ! Il a mis le bonnet de la petite sur la bouilloire et suspendu le couvercle derrière la porte !

— Je ne l'ai pas fait exprès, mon amour, dit le Trotteux, réparant vivement son erreur. Margot, ma chérie ? »

Margot, levant les yeux vers lui, vit qu'il s'était soigneusement placé derrière le siège de leur visiteur, d'où, avec forces gestes, il brandissait la pièce de six pence qu'il avait gagnée.

« J'ai vu en entrant, ma chérie, qu'il y avait une demi-once de thé qui traînait quelque part dans l'escalier ; et je croirais assez qu'il y avait aussi un peu de lard. Mais je ne me rappelle pas où exactement, et je vais aller moi-même essayer de les trouver. »

Grâce à cet impénétrable artifice, Tobie se retira pour aller acheter comptant chez Mme Chickenstalker les articles mentionnés ; et il revint bientôt en prétendant ne pas avoir pu les trouver tout de suite dans l'obscurité.

« Mais les voilà enfin, dit le Trotteux, disposant ce qu'il fallait pour le thé. Tout y est ! J'étais bien sûr d'avoir vu du thé et une tranche de lard. C'était exact. Margot, mon chou, si tu veux bien faire le thé pendant que ton indigne père fera griller le lard, ce sera tout de suite prêt. C'est un fait curieux, dit le Trotteux tout en procédant à sa petite cuisine au moyen de la fourchette à rôtir, un fait curieux mais bien connu de mes amis, que personnellement je n'ai jamais eu beaucoup de goût pour le lard ni pour le thé. J'adore voir les autres s'en régaler, ajouta le Trotteux, parlant très fort pour bien convaincre son hôte, mais quant à moi, comme aliments, je les ai en horreur.»

Cependant, le Trotteux humait l'odeur du lard qui chuintait devant la flamme... ah! tout comme s'il l'aimait; et quand il versa l'eau bouillante dans la théière, il regarda avec amour dans les profondeurs de cet aimable récipient, et laissa la vapeur odorante venir caresser son nez et tourbillonner en un épais nuage autour de sa tête et de son visage. Quoi qu'il en soit, il ne mangea ni ne but, si ce n'est, tout à fait au début et pour la forme, une simple bouchée qu'il parut savourer avec délectation, tout en déclarant qu'il ne s'en souciait aucunement.

Non. Ce qui intéressait le Trotteux, c'était de voir Will Fern et Liliane manger et boire; de même pour Margot. Et jamais spectateurs d'un banquet du Lord-Maire ou de la Cour n'éprouvèrent plus de délices à voir festoyer autrui, fût-il monarque ou pape, que l'un et l'autre ce soir-là. Margot souriait au Trotteux, le Trotteux riait en retour. Margot secouait la tête et faisait semblant de battre des mains pour applaudir Tobie; Tobie faisait à Margot, en pantomime, un récit incompréhensible de la façon et de l'endroit où il avait rencontré leurs visiteurs; et ils étaient heureux. Très heureux.

«Bien que, pensait tristement Tobie en observant le visage de Margot, cette union soit rompue, à ce que je vois!»

«Et maintenant, écoute, dit Tobie, quand le thé fut fini. La petite va coucher avec Margot, bien sûr.

— Avec la bonne Margot! s'écria la fillette en la caressant. Avec Margot.

— C'est cela, dit le Trotteux. Et je ne serais pas étonné qu'elle vienne embrasser le papa de Margot, n'est-ce pas? C'est moi, le papa de Margot.»

Quel ne fut pas le ravissement de Tobie quand l'enfant s'approcha timidement de lui et, après l'avoir embrassé, se réfugia derechef dans les bras de Margot.

«Elle est aussi sage que Salomon, dit le Trotteux. Nous y voici, nous y... non... ce n'est pas ce que je voulais dire... je... que disais-je donc, Margot, ma chérie?»

Margot regardait leur hôte qui, penché sur la chaise où elle était assise et la tête détournée, caressait la tête de l'enfant à demi cachée dans le giron de la jeune fille.

«Bien sûr, dit Tobie. Bien sûr! Je ne sais plus ce que je raconte, ce soir. Je suis complètement dans la lune, on dirait. Will Fern, venez donc avec moi. Vous êtes fatigué à en mourir, et vous tombez de sommeil. Venez donc avec moi.»

L'homme continuait de jouer avec les boucles de sa fille, continuait de se pencher sur la chaise de Margot et continuait de détourner la tête. Il ne prononçait pas un mot, mais dans ses doigts rudes et grossiers, qui se crispaient et s'étendaient tour à tour parmi les blonds cheveux de l'enfant, il y avait une éloquence qui en disait assez.

«Oui, oui, dit le Trotteux, répondant inconsciemment à la question qu'il lisait sur le visage de sa fille. Prends-la avec toi, Margot. Mets-la au lit. Là! Et maintenant, Will, je vais vous montrer où vous coucherez. Ce n'est pas très luxueux; un simple grenier; mais avoir un grenier, c'est, comme je le dis toujours, un des grands avantages qu'il y a à loger dans une écurie ; et jusqu'à ce que cette remise et cette écurie trouvent un meilleur locataire, nous vivons ici à bon compte. Il y a plein de foin frais là-haut, qui appartient à un voisin ; et c'est aussi propre que des mains humaines, en particulier celles de Margot, peuvent le rendre. Remontez-vous ! Ne vous laissez pas aller. Il faut toujours aborder la nouvelle année d'un cœur neuf ! »

La main, libérée des cheveux de la fillette, était retombée, tremblante, dans celle du Trotteux. Aussi Tobie, sans cesser de parler une seconde, l'emmena-t-il avec autant de tendresse et de facilité que si c'eût été un enfant de plus.

Revenu avant Margot, il écouta un instant à la porte de sa petite chambre, qui était adjacente. La fillette murmurait une naïve prière avant de se coucher pour dormir et, quand elle eut cité le nom de Margot — sa Margot chérie, comme elle disait —, le Trotteux l'entendit s'interrompre pour demander quel était le sien.

Il fallut un moment à cette bête de petit vieux pour reprendre ses esprits, arranger le feu et tirer sa chaise à la chaleur de l'âtre. Mais quand ce fut fait et qu'il eut mouché la chandelle, il tira le journal de sa poche et se mit à lire. Négligemment tout d'abord, en parcourant les colonnes d'un œil distrait ; mais bientôt avec une attention sérieuse et triste.

Car ce journal redouté ramenait la pensée du Trotteux vers le cours qu'elle avait suivi depuis le matin et que les événements de la journée avaient si bien délimité et dirigé. Son intérêt pour les deux voyageurs avait, sur le moment, entraîné ses réflexions dans une autre voie, moins pénible ; mais, resté de nouveau seul et lisant le récit des crimes et des violences, il reprit le train de ses méditations premières.

C'est dans cet état d'esprit qu'il tomba sur le compte rendu (et ce n'était pas le premier de ce genre qu'il eût lu) du crime d'une femme qui, dans son désespoir, n'avait pas seulement attenté à ses jours, mais encore, de ses propres mains, à ceux de son jeune enfant. Forfait si horrible, si révoltant pour son esprit tout rempli de son amour pour Margot qu'il laissa tomber le journal et se rejeta en arrière sur sa chaise, épouvanté.

« Un crime contre nature et atroce ! s'écria Tobie. Contre nature et atroce ! Seuls des gens mauvais jusqu'au plus profond d'eux-mêmes, nés mauvais, des gens qui n'ont rien à faire sur cette terre, sont capables de pareils forfaits. Tout ce que j'ai entendu aujourd'hui n'est que trop vrai, trop juste, trop bien prouvé. Nous sommes mauvais. »

Le carillon répondit à ces mots avec une telle soudaineté, il éclata en accents si puissants, si clairs, si sonores, que les cloches semblèrent venir le frapper jusque sur sa chaise.

Et que disaient-elles donc ?

« Tobie Veck, Tobie Veck, nous t'attendons, Tobie ! Tobie Veck, Tobie Veck, nous t'attendons, Tobie ! Viens nous voir, viens nous voir. Amenez-le, amenez-le. Obsédez-le, pourchassez-le ; obsédez-le, pourchassez-le. Troublez son sommeil, troublez son sommeil ! Tobie Veck, Tobie Veck, la porte est grande ouverte. Tobie, Tobie Veck, Tobie Veck, la porte est grande ouverte, Tobie… »

Puis elles reprirent furieusement leurs impétueux accents, qui retentissaient au sein même des briques et du plâtre des murs.

Tobie écoutait. Imagination, pure imagination ! C'était simplement le remords qu'il éprouvait de les avoir fuies l'après-midi ! Non, non. Ce n'était rien de la sorte. Encore, encore ; une douzaine de fois, encore : « Obsédez-le, pourchassez-le ; obsédez-le, pourchassez-le. Amenez-le, amenez-le ! » à assourdir la ville entière !

« Margot, dit doucement le Trotteux, frappant à sa porte. Entends-tu quelque chose ?

— J'entends les cloches, papa. Elles sonnent très fort, ce soir, c'est certain.

— L'enfant dort-elle ? demanda Tobie comme prétexte à jeter un coup d'œil dans la chambre.

— Oui, si paisiblement, si heureusement ! Mais je ne peux pas la laisser encore, papa. Regarde comme elle me tient la main !

— Margot, murmura le Trotteux. Écoute les cloches ! »

Elle prêta l'oreille, le visage tourné vers lui, mais ne trahissant aucun changement : elle ne les comprenait pas.

Le Trotteux se retira, reprit sa place devant le feu et de nouveau écouta, seul. Il resta là un petit moment.

Il était impossible d'en supporter davantage ; leur puissance était terrible.

« Si la porte de la tour est vraiment ouverte, dit Tobie, retirant en hâte son tablier, mais sans penser un instant à prendre son chapeau, qu'est-ce qui m'empêche de monter au clocher et d'éclaircir la question ? Si la porte est fermée, je n'aurai besoin d'aucun autre éclaircissement. Cela me suffira. »

Il était assez sûr, comme il se glissait doucement dans la rue, de trouver la porte fermée à clef, car il la connaissait bien et il l'avait rarement vue ouverte : trois fois au plus, à sa connaissance. C'était un petit portail bas, en ogive, ouvrant à l'extérieur de l'église dans un coin sombre, derrière une colonne ; et elle était munie de tels gonds de fer et d'une serrure si monstrueuse qu'il y avait plus de gonds et de serrure que de porte.

Mais quel ne fut pas son étonnement, lorsque, arrivé tête nue à la porte, il avança la main dans le recoin obscur avec une certaine crainte de la sentir saisie à l'improviste et une tendance frémissante à la retirer, quel ne fut pas son étonnement de constater que cette porte, qui s'ouvrait vers l'extérieur, était réellement entrouverte.

Dans son premier mouvement de surprise, il pensa à s'en retourner et à aller chercher une lumière ou un compagnon, mais son courage vint aussitôt à son secours, et il décida de monter seul.

« Qu'ai-je donc à craindre ? dit le Trotteux. C'est une église ! Et d'ailleurs les sonneurs sont peut-être là, et ils auront oublié de fermer la porte. »

Il entra donc, tâtonnant comme un aveugle au fur et à mesure qu'il avançait, tant tout était très sombre. Et très silencieux, car les cloches s'étaient tues.

Le vent avait soufflé la poussière de la rue dans le recoin ; elle s'était accumulée en une épaisseur si moelleuse qu'on eût dit d'un tapis de velours sous les pieds, et il y avait à cela même quelque chose d'effrayant. L'étroit escalier était si proche de la porte, aussi, que le Trotteux trébucha dès l'abord ; son pied ayant donné contre le battant et l'ayant fait rebondir lourdement, elle se referma derrière lui et il fut dans l'incapacité de la rouvrir.

C'était une raison de plus, cependant, de poursuivre. Le Trotteux chercha son chemin à tâtons et continua d'avancer. Il monta, monta, monta en tournant, monta toujours, plus haut, plus haut, toujours plus haut !

C'était un escalier assez incommode pour pareille

ascension à l'aveuglette, un escalier si bas et si étroit
que la main tâtonnante de Tobie touchait sans cesse
quelque chose ; et souvent ce quelque chose donnait
si bien le sentiment d'être un homme ou une forme
fantomatique qui se tenait tout droit pour le laisser
monter sans être découvert qu'il passait la main sur
le mur lisse, tâtonnant soit vers le haut en quête de la
figure, soit vers le bas en quête des pieds, tandis
qu'un frémissement glacial lui parcourait tout le
corps. Deux ou trois fois, une porte ou une niche vint
rompre la monotone surface ; il lui semblait alors
que ce fût une trouée aussi vaste que l'église entière,
et il avait l'impression de se trouver au bord d'un
abîme, prêt à y tomber la tête la première, jusqu'au
moment où il retrouvait le mur.

Il montait et tournait, montait et tournait toujours.
Plus haut, encore plus haut !

Enfin, l'atmosphère lourde et étouffante commença
de fraîchir ; bientôt même le vent se fit sentir et, peu
après, il souffla si fort que Tobie eut peine à se tenir
sur ses jambes. Mais il atteignit une fenêtre en ogive
de la tour, à hauteur d'appui, et, se cramponnant, il
contempla de là-haut les toits, les cheminées d'où
s'échappait la fumée, les lumières diffuses ou mouchetées (du côté de l'endroit où Margot devait se
demander où il se trouvait, l'appelait peut-être), tout
cela amalgamé en un levain de brume et de ténèbres.

C'était le beffroi dans lequel venaient les sonneurs.
Il avait saisi une des cordes éraillées qui pendaient à
travers les ouvertures du plafond de chêne. D'abord
il sursauta, croyant que c'était une chevelure ; puis il
se mit à trembler à la seule pensée de réveiller le gros
bourdon. Les cloches elles-mêmes étaient plus haut.
Et, dans sa fascination ou sous l'effet de l'envoûte-
ment dont il était la proie, le Trotteux continua de

monter à tâtons. Plus haut! Par une échelle à présent, et péniblement, car elle était raide et n'offrait pas au pied un appui bien sûr.

Plus haut, plus haut, toujours plus haut! Et grimpe, et grimpe encore! Plus haut, toujours plus haut!

Jusqu'au moment où, passant à travers l'ouverture du plancher et s'arrêtant, la tête au ras des poutres, il se trouva parmi les cloches. On pouvait à peine discerner dans l'obscurité leurs formes volumineuses; mais elles étaient là. Vagues, sombres et muettes.

Un sentiment de crainte et de solitude s'appesantit instantanément sur lui, comme il grimpait dans ce nid aérien de pierre et de métal. La tête lui tournait. Il écouta, puis lança un sauvage «Ohé!».

«Ohé!» répondirent les échos en un prolongement lugubre.

Pris de vertige, interdit, hors d'haleine, épouvanté, Tobie promena autour de lui des yeux égarés, et tomba évanoui.

TROISIÈME QUART

Noirs sont les nuages qui planent et troubles les eaux profondes, quand l'Océan de la Pensée, sortant de son calme, se soulève et rend ses morts. Des monstres étranges et farouches surgissent en une résurrection prématurée, imparfaite; les diverses parties et les formes de choses multiples se rejoignent et se mêlent au hasard; quand, comment et par quels étonnants degrés chacune se sépare des autres, chaque sensation, chaque objet de la pensée reprend sa forme habituelle et revit, nul ne saurait le dire — bien que chaque homme soit quotidiennement le réceptacle de cet arcane du Grand Mystère.

Aussi, quand et comment les ténèbres du clocher couleur de nuit se changèrent en brillante lumière ; quand et comment la tour solitaire se trouva peuplée de myriades de formes ; quand et comment le murmure monotone de «Obsédez-le, pourchassez-le», qui flottait dans le sommeil ou l'évanouissement de Tobie, devint une voix qui s'écriait à ses oreilles sortant de leur torpeur «Tirez-le de son sommeil» ; quand et comment il cessa d'avoir l'idée engourdie et confuse que certaines choses existaient, de pair avec une foule d'autres qui n'existaient pas ; aucun élément, aucun moyen ne permet de le dire. Toujours est-il qu'éveillé et debout sur ces planches où il était récemment étendu, il vit le spectacle fantasmagorique que voici.

Il vit la tour, où ses pas l'avaient amené sous l'influence d'un charme, fourmiller de fantômes nains, d'esprits, de lutins, créatures des cloches. Il les vit par terre autour de lui ; dans l'air au-dessus de lui ; s'éloigner de lui le long des cordes, le contempler du haut des poutres massives cerclées de fer ; l'épier par les fentes et les crevasses du mur ; s'étendre autour de lui en cercles grandissants comme les ondulations d'un miroir d'eau s'écartent devant une énorme pierre qui plonge soudain parmi elles. Il les vit sous tous les aspects, sous toutes les formes. Il en vit de laids, de beaux, d'estropiés, d'admirablement faits. Il en vit de jeunes, il en vit de vieux ; il en vit de bons, il en vit de cruels ; il en vit de gais, il en vit de maussades. Il les vit danser, il les entendit chanter ; il les vit s'arracher les cheveux, il les entendit hurler. Il en vit l'air obscurci. Il les vit aller et venir, incessamment. Il les vit descendre en chevauchant, prendre leur essor vers le plafond, cingler vers le lointain, se percher à portée de sa main, tous agités, tous folle-

ment actifs. Pierres, briques, ardoises et tuiles
devinrent transparentes pour lui comme pour eux. Il
les vit à l'intérieur des maisons, s'activer autour du
lit des dormeurs. Il les vit calmer ceux-ci dans leurs
rêves; il les vit flageller ceux-là avec des fouets à
nœuds; il les vit hurler à leurs oreilles; il les vit faire
sur les oreillers la plus suave musique; il les vit
réjouir les uns du chant des oiseaux et du parfum des
fleurs; il les vit projeter au moyen de miroirs enchantés qu'ils portaient à la main d'horribles visages dans
le sommeil agité des autres[1].

Il vit ces créatures non seulement parmi les
hommes endormis, mais aussi parmi ceux qui étaient
éveillés, occupées à des tâches incompatibles les
unes avec les autres, et possédant ou assumant les
natures les plus contraires. Il en vit une se harnacher
d'innombrables ailes pour accélérer son allure, une
autre se charger de chaînes et de poids pour ralentir
la sienne. Il en vit avancer les aiguilles des pendules,
d'autres les retarder, tandis que d'autres encore
s'efforçaient de les arrêter complètement. Il les vit
représenter ici une cérémonie de mariage, là celle
d'un enterrement, dans telle salle une élection, dans
telle autre un bal; il vit en tous lieux un mouvement
inlassable et sans trêve.

Ahuri par la multitude de ces formes mobiles et
extraordinaires, aussi bien que par le vacarme des
cloches qui sonnaient pendant tout ce temps, le Trotteux se cramponnait à un pilier de bois pour y trouver
un soutien et tournait de-ci de-là son visage livide, en
proie à une muette stupéfaction.

Tandis qu'il jetait ces regards éperdus, les cloches
s'arrêtèrent. Changement immédiat! Tout ce pullulement d'êtres s'évanouit. Leurs formes s'affaissèrent,
leur vitesse les abandonna; elles essayèrent de voler,

mais, tombant, elles mouraient et se résolvaient en air. Nulle troupe fraîche ne vint les relever. Un traînard sauta assez vivement du bourdon et atterrit bien sur ses pieds, mais il était mort et disparu avant d'avoir eu le temps de se retourner. Une petite partie de la troupe qui récemment gambadait dans le clocher resta à y tournoyer encore un peu; mais à chaque tour, ils devenaient plus faibles, moins nombreux et plus diaphanes, et bientôt ils disparurent comme les autres. Le dernier de tous fut un petit bossu, qui s'était blotti dans un angle où résonnait l'écho et où il tourbillonna et flotta tout seul un long moment, faisant preuve d'une telle persévérance qu'il se réduisit peu à peu à une jambe et même à un pied avant de se retirer définitivement; mais il finit par s'évanouir lui aussi, et le clocher retrouva le silence.

Alors, et pas avant, le Trotteux vit dans chaque cloche une figure barbue de la taille et de la stature de la cloche — c'était, incompréhensiblement, une figure et la cloche elle-même. Gigantesque, grave, et l'observant d'un œil sombre, tandis qu'il restait cloué au sol.

Mystérieuses et terribles figures! Ne reposant sur rien, en équilibre dans l'atmosphère nocturne du clocher, leurs têtes drapées et encapuchonnées perdues dans les hauteurs obscures; immobiles et indistinctes. Indistinctes et ténébreuses, encore qu'il les vît à quelque lumière qui leur était propre (il n'y avait là personne d'autre), chacune tenant sa main voilée devant sa bouche de gobelin.

Il ne pouvait plonger éperdument par l'ouverture du plancher, car toute faculté de mouvement l'avait déserté; autrement, il l'aurait fait — oui, il se serait jeté, la tête la première, du haut du clocher plutôt

que de les voir l'épier avec des yeux qui voulaient
veiller et guetter, bien qu'ils eussent perdu leurs pru-
nelles.

De plus en plus, la crainte, la terreur que lui inspi-
raient ce lieu solitaire et la nuit farouche et redoutable qui y régnait le touchaient comme une main de
spectre. L'éloignement de tout secours ; le long
chemin obscur, enroulé sur lui-même, investi de fantômes, qui s'étendait entre lui et la terre où vivaient
les hommes ; le fait d'être si haut, si haut, tout là-haut,
alors que, dans la journée, il avait le vertige rien que
d'y voir voler les oiseaux ; la séparation d'avec toutes
les bonnes gens, qui à pareille heure étaient bien à
l'abri chez eux et dormaient dans leur lit ; tout cela le
glaçait, le transperçait non comme une simple
réflexion, mais bien comme une sensation physique.
Cependant, ses yeux, ses pensées et ses craintes
étaient rivés sur les figures épieuses que l'obscurité
profonde et l'ombre dans lesquelles elles étaient
ensevelies, autant que leur aspect ou leur forme et la
façon surnaturelle dont elles planaient au-dessus du
plancher, rendaient différentes de toutes les autres
figures de ce monde, mais qui n'étaient pas moins
aussi clairement visibles que les robustes poutres,
traverses, barreaux et madriers de chêne assemblés
là pour supporter les cloches. Toute cette charpente
les entourait d'une véritable forêt de bois équarri, de
l'enchevêtrement, de la complexité et de la profondeur de laquelle elles maintenaient sans ciller leur
sombre guet comme du milieu des branches de
quelque forêt morte, flétrie pour leur fantomatique
usage.

Une bouffée d'air — combien froide et perçante —
vint gémir à travers la tour. Tandis qu'elle s'éva-

nouissait, le gros bourdon, ou son gobelin, éleva la voix.

« Quel est donc ce visiteur ? » disait-il.

La voix était basse et profonde, et le Trotteux eut l'impression qu'elle résonnait aussi parmi les autres figures.

« J'avais cru entendre mon nom prononcé par les cloches ! dit le Trotteux, les mains levées en un geste de supplication. Je ne sais pas trop pourquoi je me trouve ici ou comment j'y suis venu. J'ai écouté les cloches toutes ces dernières années. Elles m'ont souvent réconforté.

— Et vous les avez remerciées ? dit la cloche.

— Mille et mille fois ! dit le Trotteux.

— Comment cela ?

— Je suis pauvre, balbutia le Trotteux, et je ne pouvais les remercier qu'en paroles.

— Mais en a-t-il toujours été ainsi ? demanda le gobelin de la cloche. Ne nous as-tu jamais fait tort en paroles ?

— Non, s'écria le Trotteux avec ardeur.

— Ne nous as-tu jamais fait tort par des paroles perfides, fausses et méchantes ? » poursuivit le gobelin de la cloche.

Le Trotteux allait répondre « Jamais ! », quand il s'arrêta, confus.

« La voix du Temps, dit le fantôme, crie à l'homme "Avance !". Le Temps est destiné à son avancement, à son progrès ; il doit lui servir à accroître sa valeur, à acquérir plus de bonheur, une vie meilleure ; il est fait pour la marche en avant de l'homme vers ce but dont il a connaissance, qu'il a en vue, et qui fut établi dès le commencement du Temps et de l'homme. Des époques de ténèbres, de méchanceté et de violence sont venues et ont passé, des millions d'hommes ont souffert, ont vécu et sont morts à seule fin de lui montrer le chemin qui s'ouvre devant lui. Quiconque chercher à le faire retourner en arrière ou à le retenir dans sa course, arrête une puissante machine qui frappera de mort l'indiscret et n'en sera à jamais que plus violente et plus furieuse pour s'être vu opposer ce frein momentané !

— Je n'ai jamais rien fait de pareil, que je sache, monsieur, dit Tobie. Si je l'ai fait, ce fut tout à fait fortuitement. Je m'en garderais bien, certes.

— Quiconque, dit le gobelin de la cloche, met dans la bouche du Temps ou de ses serviteurs un cri de lamentation sur des jours qui ont comporté leur épreuve et leur échec et en ont laissé des traces profondes que l'aveugle même peut voir — un cri qui ne sert au temps présent qu'en montrant aux hommes combien il a besoin de leur aide, alors que la première oreille venue peut entendre les regrets inspirés par un tel passé — quiconque fait cela, nuit. Et, de cette façon-là, tu nous as nui, à nous, les cloches. »

Le Trotteux était revenu de son premier excès de peur. Mais il avait éprouvé des sentiments de tendresse et de reconnaissance envers les cloches, comme on l'a vu ; et quand il s'entendit accuser de les avoir si gravement offensées, son cœur fut pénétré d'une douloureuse contrition.

« Si vous saviez, dit-il, joignant les mains avec ardeur — ou peut-être le savez-vous —, si donc vous savez combien souvent vous m'avez tenu compagnie ; combien souvent vous m'avez réconforté alors que j'étais découragé ; comment vous avez été le jouet de ma petite Margot (le seul presque qu'elle ait jamais eu) depuis le jour où, à la mort de sa mère, nous sommes restés seuls, elle et moi, si vous savez cela, vous ne pouvez me tenir rigueur d'une parole irréfléchie !

— Quiconque entend chez nous, les cloches, une note exprimant l'insouciance ou la sévérité à l'égard de n'importe quelle espérance, joie, douleur ou tristesse de la multitude tant éprouvée ; quiconque nous entend faire répons à n'importe quelle croyance qui jauge les passions et les affections humaines de la même façon qu'elle jauge la quantité de misérable nourriture sur laquelle peut languir et se dessécher l'humanité — celui-là nous fait tort. Et ce tort, tu nous l'as fait ! dit la cloche.

— Oui, oui, dit le Trotteux. Ah ! pardonnez-moi !

— Quiconque nous entend faire écho à la triste vermine de la terre : à ceux qui "Viennent à Bout" des créatures écrasées et brisées, faites pour être élevées plus haut que pareils vers du temps ne peuvent ramper ou même en avoir idée, poursuivit le gobelin de la cloche, quiconque fait cela, nous fait tort. Et tu nous as fait tort !

— Sans le vouloir, dit le Trotteux. Dans mon ignorance. Sans le vouloir !

— Enfin, et c'est le pire de tout, poursuivit la cloche, quiconque tourne le dos à ceux de ses semblables qui sont tombés et déshonorés, les abandonne comme abjects et ne recherche pas, ne retrouve pas avec des yeux compatissants le précipice sans barrière dans lequel ces malheureux sont tombés loin du bien — arrachant au cours de leur chute quelques touffes et quelques lambeaux de ce sol perdu et s'y accrochant encore, meurtris et mourants, au fond du gouffre — fait tort au Ciel et à l'homme, au temps et à l'éternité. Et tu leur as fait ce tort !

— Épargnez-moi, cria le Trotteux, tombant à genoux ; par miséricorde !

— Écoute ! dit l'ombre.

— Écoute ! dirent les autres fantômes.

— Écoute !» dit une claire voix d'enfant, que le Trotteux crut reconnaître pour l'avoir déjà entendue.

L'orgue résonna faiblement dans l'église au-dessous. Enflant graduellement, la mélodie monta jusqu'à la voûte et emplit le chœur et la nef. S'étendant de plus en plus, elle monta, monta ; plus haut, plus haut, toujours plus haut, portant l'agitation au cœur des solides piliers de chêne, des cloches creuses, des portes aux grosses ferrures, des escaliers de pierre massive, jusqu'à ce que, les murs du clocher ne pouvant plus la contenir, elle prît son essor dans le ciel.

Il n'est pas étonnant que la poitrine d'un vieillard ne pût contenir un son si vaste et si puissant. Il échappa de cette faible prison en un torrent de larmes, et le Trotteux se couvrit le visage de ses mains.

« Écoute ! dit le gobelin.

— Écoute ! dirent les autres ombres.

— Écoute !» dit la voix d'enfant.

Les accents solennels de voix réunies s'élevèrent dans le clocher.

C'était un chant grave et triste — un chœur funèbre — et, en écoutant, le Trotteux discerna parmi les voix celle de son enfant.

« Elle est morte ! s'écria le vieillard. Margot est morte ! Son esprit m'appelle. Je l'entends !

— L'esprit de ton enfant pleure les morts et se mêle aux morts — aux espérances, aux chimères, aux rêves de jeunesse morts, répondit la cloche ; mais elle est vivante. Apprends de l'être le plus cher à ton cœur combien méchants sont nés les méchants. Vois chaque bouton, chaque feuille, arrachés un à un de la plus belle tige, et sache à quel point elle peut être nue et misérable. Suis ton enfant! Jusqu'au désespoir!»

Chacune des formes spectrales tendit le bras droit et montra du doigt les régions inférieures.

«L'esprit des cloches est ton compagnon, dit l'ombre. Va! Il se tient derrière toi!»

Le Trotteux se retourna et vit… l'enfant! L'enfant que Will Fern portait dans la rue, l'enfant que Margot avait veillé, mais qui, à présent, dormait!

«Je l'ai portée moi-même, ce soir, dit le Trotteux. Dans les bras que voici!

— Montrez-lui ce qu'il appelle lui-même», dirent les sombres formes, d'une seule voix.

Le clocher s'ouvrit à ses pieds. Il regarda en bas et vit sa propre forme couchée sur le sol, à l'extérieur, écrasée, inerte.

«Je ne compte plus parmi les vivants! s'écria le Trotteux. Je suis mort!

— Mort, dirent les ombres, toutes ensemble.

— Miséricorde! Et le Nouvel An…

— Il est passé, dirent les fantômes.

— Quoi! s'écria-t-il en frissonnant. Je me serais fourvoyé et, parvenu à l'extérieur de ce clocher dans les ténèbres, je serais tombé… il y a un an?

— Il y a neuf ans!» répondirent les fantômes.

En donnant cette réponse, ils retirèrent leurs mains tendues; et là où avaient été les ombres se trouvèrent les cloches.

Et elles sonnaient, leur heure étant de nouveau venue. Et derechef de vastes multitudes de gobelins revinrent soudain à l'existence; une fois encore ils se trouvèrent, comme auparavant, engagés dans des

occupations incohérentes ; une fois encore, ils s'évanouirent quand le carillon s'arrêta, et se résorbèrent
en néant.

« Quels sont ces personnages, demanda-t-il à son
guide. Si je ne suis pas fou, quels sont-ils ?

— Ce sont les esprits des cloches. Leur résonance
dans l'air, répondit l'enfant. Ils assument les formes
et les occupations que leur confèrent les espérances
et les pensées des mortels, ainsi que les souvenirs
qu'ils ont amassés.

— Et vous ? dit le Trotteux. Qu'êtes-vous donc ?

— Chut, chut ! répondit l'enfant. Regarde ! »

Dans une pauvre et misérable chambre, travaillant
au même genre de broderie qu'il avait si souvent vue
devant elle, Margot, sa fille chérie, se présentait à ses
yeux. Il ne fit aucun effort pour imprimer ses baisers
sur ce visage ; il ne tenta pas de la serrer contre son
cœur aimant ; il savait que, pour lui, pareilles
caresses n'étaient plus. Mais il retint son souffle frémissant et écarta les larmes qui l'aveuglaient, afin de
la pouvoir mieux regarder, afin d'au moins la voir.

Ah ! Qu'elle était changée ! Combien changée ! La
lumière de cet œil clair, comme elle était ternie. La
fraîcheur, comme elle s'était évanouie de ces joues.
Belle, elle l'était encore comme toujours, mais l'espérance, l'espérance, l'espérance, ah ! où était la
fraîche espérance qui lui avait parlé, à lui, comme
une voix ?

Elle leva les yeux de son ouvrage pour regarder
une compagne. Suivant la direction de ce regard, le
père eut un mouvement de recul.

Dans la femme faite, il la reconnut du premier
coup. Dans les longs cheveux soyeux, il voyait les
mêmes boucles ; autour de la bouche la même
expression enfantine s'attardait encore. Voyez ! Dans

les yeux, maintenant tournés d'un air interrogateur vers Margot, brillait le regard même qui avait sondé ces traits lorsqu'il l'avait ramenée chez lui!

Mais alors, qui était-ce donc, là, près de lui?

Regardant avec crainte son visage, il y vit régner une certaine expression; une expression altière, quelque chose de vague, d'indéfini, qui n'évoquait guère plus qu'un souvenir de l'enfant — que cette figure là-bas pouvait être — et pourtant c'était bien la même; la même, et vêtue de façon identique.

Écoutez! Elles parlent.

«Margot, dit Liliane avec hésitation. Comme tu lèves souvent la tête de sur ton ouvrage pour me regarder!

— Mes traits ont-ils donc tellement changé qu'ils te fassent peur? demanda Margot.

— Non, non, ma chérie! Mais tu en souris toi-même! Pourquoi ne souris-tu pas aussi quand tu me regardes, Margot?

— C'est bien ce que je fais, non? répondit-elle en lui souriant.

— En ce moment, oui, dit Liliane, mais pas d'ordinaire. Quand tu crois que je suis occupée et que je ne te vois pas, tu as l'air si inquiet, si indécis que j'hésite à levers les yeux. Il n'y a guère de quoi sourire dans notre dure et laborieuse existence, bien sûr, mais tu étais si gaie autrefois!

— Ne le suis-je donc plus? s'écria Margot sur un ton de singulière alarme, tout en se levant pour l'embrasser. Serait-il vrai que je te rends plus fastidieuse encore notre fastidieuse vie, Liliane?

— Tu as été la seule chose qui en ait fait une vie, dit Liliane, l'embrassant avec ferveur; tu as même été parfois la seule chose qui m'ait rendu possible de vivre ainsi, Margot. Tant de labeur, tant de labeur!

Tant d'heures, tant de jours, tant de longues, longues nuits de labeur sans espoir, sans joie, sans fin — non pour amasser des richesses, non pour vivre sur un grand pied ou dans le plaisir, non même pour vivre dans l'aisance, fût-ce la plus commune ; mais pour gagner du pain sec, pour racler tout juste de quoi continuer à peiner, à manquer de tout, à maintenir en nous la conscience de notre dur sort ! Oh, Margot, Margot ! (elle élevait la voix et se tordait les bras en parlant, comme quelqu'un qui souffre). Comment ce monde cruel peut-il supporter de voir de telles existences et continuer à tourner ?

— Lily ! dit Margot, tentant de la calmer et relevant les cheveux de la jeune fille qui voilaient son visage mouillé de pleurs. Lily, voyons ! Toi ! Si jeune et si jolie !

— Oh ! Margot ! s'écria-t-elle, l'interrompant et la maintenant à distance pour regarder son visage d'un air implorant. C'est le pire de tout, le pire de tout ! Frappe-moi de vieillesse, Margot ! Flétris-moi, racornis-moi et libère-moi des affreuses pensées qui assaillent ma jeunesse ! »

Le Trotteux se retourna pour regarder son guide. Mais l'esprit de l'enfant avait pris son vol et disparu.

Mais lui-même ne resta pas au même endroit ; car Sir Joseph Bowley, le Frère et l'Ami du Pauvre, donnait une grande fête à Bowley Hall, pour célébrer l'anniversaire de Lady Bowley. Et comme cette dame était née le Jour de l'an (ce que les journaux locaux considéraient comme une disposition toute spéciale de la Providence pour désigner le chiffre un comme la place prédestinée de Lady Bowley dans la Création), c'était le Jour de l'An que cette grande fête avait lieu.

Bowley Hall était plein de visiteurs. Le monsieur à

la figure rubiconde était là ; M. Filer était là ; le grand
alderman Cute était là (l'alderman Cute éprouvait de
la sympathie pour les grands, et grâce à sa préve-
nante lettre, il avait considérablement amélioré ses
relations avec Sir Joseph Bowley ; en fait, depuis
lors, il était devenu tout à fait l'ami de la famille) ;
une foule d'invités enfin étaient là. Le spectre du
Trotteux était là, qui errait tristement de-ci de-là, le
pauvre fantôme, à la recherche de son guide.

Il devait y avoir un grand dîner dans la grande
salle, au cours duquel Sir Joseph Bowley devait prononcer son grand discours en sa qualité bien connue
d'Ami et de Père du Pauvre. Ses Amis et Enfants
devaient d'abord manger certain pudding aux prunes
dans une autre salle ; puis, à un signal donné, les
Amis et Enfants viendraient tous parmi leurs Amis et
pères pour former une belle assemblée de famille
que nul œil humain ne pourrait contempler sans être
mouillé d'émotion.

Mais il devait se passer encore autre chose ; quelque
chose d'encore plus important que cela. Sir Joseph
Bowley, baronnet et membre du Parlement, devait
faire une partie de quilles — de véritables quilles —
avec ses fermiers.

« Ce qui me rappelle tout à fait, dit l'alderman
Cute, l'époque du vieux roi Hal[1], du vigoureux roi
Hal, de ce roi Hal si rond ! Ah, quel beau caractère !

— Très beau, dit sèchement M. Filer. Pour ce qui
est d'épouser des femmes et de les assassiner ensuite.
Le nombre de ses épouses dépassait considérablement la moyenne, soit dit en passant.

— Vous, vous épouserez les belle dames sans les
assassiner, hein ? dit l'alderman Cute à l'héritier des
Bowley, âgé de douze ans. Gentil garçon ! Nous
verrons ce petit monsieur au Parlement avant même

de nous en rendre compte, dit l'alderman, le saisissant par les épaules et prenant un air aussi réfléchi que possible. On entendra parler de ses succès aux élections, de ses discours à la Chambre, des ouvertures que lui feront les gouvernements, de ses brillants exploits de tous genres; ah! nous ferons nos petites allocutions à son sujet au Conseil Municipal avant même d'avoir eu le temps de nous retourner, croyez-m'en!

— Ah! quelle différence font les bas et les souliers!» pensa le Trotteux.

Mais son cœur était plein de compassion envers cet enfant, pour l'amour de ces mêmes va-nu-pieds, prédestinés (par l'alderman) à mal tourner, qui auraient pu être les fils de la pauvre Margot.

«Richard, disait le Trotteux en gémissant tandis qu'il errait parmi la compagnie, où est-il? Je ne puis trouver Richard! Où est Richard?»

Sa présence en un tel lieu était bien improbable, s'il vivait toujours! Mais le chagrin et la solitude du Trotteux lui troublaient l'esprit, et il continuait d'errer au milieu de cette belle société, cherchant son guide et répétant:

«Où est Richard? Montrez-moi Richard!»

Il allait et venait ainsi, lorsqu'il rencontra M. Fish, le secrétaire particulier, en proie à une violente agitation.

«Mon Dieu, mon Dieu! s'écria M. Fish. Où est l'alderman Cute? Personne n'a-t-il vu l'alderman?»

Vu l'alderman? Ma parole, qui aurait jamais pu éviter de le voir? Il était si prévenant, si affable, il tenait toujours tellement compte du désir bien naturel qu'éprouvaient les gens de le voir que, s'il avait un défaut, c'était d'être toujours exposé aux regards. Et où que se trouvassent les grands, on pouvait être sûr de voir Cute, attiré par la sympathie qui lie les grandes âmes.

Plusieurs voix répondirent qu'il se tenait dans le cercle formé autour de Sir Joseph. M. Fish se dirigea de ce côté, trouva son homme et l'attira en secret dans l'embrasure d'une fenêtre voisine. Le Trotteux les rejoignit. Non de son propre chef : il sentit ses pas entraînés dans cette direction.

« Mon cher alderman Cute, dit M. Fish. Venez un peu par ici. Il vient de se passer la chose la plus affreuse. J'ai reçu à l'instant la nouvelle. Mieux vaut, je crois, ne pas en informer Sir Joseph avant la fin de cette journée. Vous le connaissez : donnez-moi votre avis. L'événement le plus affreux et le plus déplorable !

— Fish ! répondit l'alderman. Fish, mon bon, qu'y a-t-il donc ? Rien de révolutionnaire, j'espère ! Non... aucune tentative d'ingérence dans les affaires des magistrats ?

— Le banquier Deadles, dit le secrétaire, haletant. Deadles Frères... qui aurait dû être ici aujourd'hui... qui occupait des fonctions éminentes dans la Compagnie des Orfèvres...

— Il n'a pas été arrêté ! s'écria l'alderman. Ce n'est pas possible !

— Il s'est suicidé !

— Grand Dieu !

— Il s'est mis un pistolet à deux coups dans la bouche, dans ses propres bureaux, dit M. Fish, et il s'est brûlé la cervelle. Sans aucun motif. Une situation princière !

— Sa situation ! s'écria l'alderman. C'était un homme qui jouissait d'une fortune magnifique, un homme des plus respectables. Un suicide, monsieur Fish ! De sa propre main !

— Ce matin même, répliqua M. Fish.

— Ah! le cerveau, le cerveau! s'écria le pieux alderman, levant les mains au ciel. Ah! les nerfs, les nerfs; les mystères de cette machine appelée l'Homme! Ah! qu'il faut peu de chose pour la détraquer, pauvres créatures que nous sommes! Un dîner, peut-être. Ou peut-être la conduite de son fils, qui, à ce que j'ai entendu dire, mène une vie déréglée et qui a pris l'habitude de tirer des traites sur son père sans la moindre autorisation. Un homme très respectable — un des plus respectables que j'aie jamais connus. Un bien triste cas, monsieur Fish. Une calamité publique! Je me ferai un devoir de porter le deuil le plus sévère. Un homme très respectable! Mais il y a Quelqu'un là-haut. Nous devons nous soumettre, monsieur Fish. Nous devons nous soumettre!»

«Comment, alderman! Pas un mot sur "en Venir à Bout"? Rappelez-vous, monsieur le Juge, cette haute valeur morale dont vous vous vantiez et qui faisait votre orgueil. Allons, alderman? Ajustez cette balance. Jetez-moi dans ce plateau vide l'absence de dîner et les fontaines de la Nature taries chez quelque pauvre femme par une misère famélique et inexorablement refusées aux revendications de son rejeton, pourtant accréditées par notre sainte mère Ève. Pesez-moi ces deux cas, nouveau Daniel, en allant au jugement quand votre jour sera venu! Pesez-les, sous les yeux de milliers d'êtres souffrants, auditoire (attentif) de la sinistre farce que vous jouez. Ou bien supposez que vous-même, perdant vos esprits (il n'y aurait pas tant de chemin à faire pour que ce soit possible), portiez les mains à votre gorge, avertissant vos pareils (si vous avez votre pareil) qu'ils croassent leur confortable perversité à des têtes en délire et à des cœurs accablés. Qu'en dites-vous alors?»

Les mots s'élevaient dans la poitrine de Tobie comme si quelque autre voix les prononçait en lui. L'alderman Cute s'engagea à aider M. Fish à annoncer le triste drame à Sir Joseph lorsque la journée serait terminée. Puis, dans toute l'amertume de son âme, étreignant, avant qu'ils ne se séparassent, la main de M. Fish, il s'écria : « Le plus respectable des hommes ! » et ajouta qu'il ne comprenait pas (même lui) pourquoi pareilles afflictions étaient permises sur terre.

« C'en serait presque assez pour faire croire, si l'on n'avait quelque expérience, dit l'alderman Cute, qu'à certains moments s'élève au sein des choses une sorte de vague de fond qui menace l'économie générale de l'édifice social. Deadles Frères ! »

La partie de quilles se déroula avec un immense succès. Sir Joseph abattit les pièces avec beaucoup d'adresse ; M. Bowley fils y prit part aussi, mais à une distance moindre ; et tout le monde déclara que maintenant qu'un baronnet et un fils de baronnet jouaient aux quilles, le pays revenait à lui, et rapidement.

Le banquet fut servi à l'heure dite. Le Trotteux gagna involontairement la grande salle avec les autres, car il s'y sentait conduit par quelque impulsion plus forte que son libre arbitre. Le spectacle était d'une extrême gaieté ; les dames, fort élégantes ; les convives enchantés, joyeux, d'excellente humeur. Lorsqu'on ouvrit les petites portes et que la foule se pressa à l'intérieur en vêtements rustiques, la beauté du spectacle fut à son apogée ; mais le Trotteux ne fit que murmurer de plus en plus : « Où est Richard ? Il devrait l'aider et la réconforter ! Je ne vois pas Richard ! »

Quelques discours avaient été prononcés ; on avait

porté un toast en l'honneur de Lady Bowley ; Sir
Joseph Bowley avait remercié, il avait fait son grand
discours, dans lequel il avait démontré avec diverses
preuves à l'appui qu'il était l'Ami et le Père né, etc. ;
et il venait de donner comme objet à son toast ses
Amis et Enfants et la Dignité du Travail, quand une
légère perturbation au fond de la salle attira l'attention de Tobie. Après un moment de confusion, de
bruit et de résistance, un homme se fraya un chemin
parmi les autres et se tint seul en avant de la foule.

Ce n'était pas Richard. Non. Mais quelqu'un à qui
Tobie avait pensé, qu'il avait cherché bien des fois.
La lumière eût-elle été moins abondante, il aurait pu
douter de l'identité de cet homme usé, si vieux, si
gris, si courbé ; mais avec le flamboiement des
lampes sur la tête noueuse et rêche, il reconnut Will
Fern aussitôt que celui-ci se fut avancé.

« Qu'est-ce que c'est ? s'écria Sir Joseph, se levant.
Qui a permis à cet homme d'entrer ? C'est un criminel échappé de la prison ! Monsieur Fish, voulez-
vous avoir l'obligeance…

— Une minute ! dit Will Fern. Une minute ! Milady,
vous êtes née ce jour, en même temps qu'une nouvelle année. Obtenez-moi une minute pour parler. »

La dame intercéda donc en sa faveur, et Sir Joseph
se rassit avec toute la dignité qui lui était naturelle.

Le loqueteux (il était misérablement vêtu) jeta
un regard circulaire sur la compagnie et lui rendit
l'hommage d'une humble révérence.

« Messieurs et dames ! dit-il. Vous avez bu à la
santé du Travailleur. Regardez-moi.

— Juste sorti de prison, dit M. Fish.

— Juste sorti de prison, répéta Will. Et ce n'est
pas la première, ni la deuxième, ni la troisième, ni
même la quatrième fois. »

On entendit M. Filer observer avec humeur que quatre fois, cela dépassait la moyenne, et que l'homme devrait avoir honte.

«Messieurs et dames! répéta Will Fern. Regardez-moi! Vous le voyez, je suis au plus bas. J'ai dépassé le point où l'on peut me blesser ou me faire du mal; vous ne pouvez plus rien pour moi; car le temps où des paroles ou des actes de bienveillance auraient pu me faire du bien (il se frappa la poitrine en hochant la tête) est passé avec l'odeur des fèves et des trèfles de l'an dernier. Laissez-moi vous dire un mot pour ceux-ci (il montrait les travailleurs assemblés dans la salle) et puisque vous êtes réunis, entendez la Vérité vraie, pour une fois qu'on vous la dit.

— Il n'est personne ici, dit l'hôte, qui voudrait de lui pour porte-parole.

— C'est bien probable, Sir Joseph. Je le crois. Cela n'enlève rien, peut-être, à la vérité de ce que je dis. C'en est même peut-être une preuve. Messieurs et dames, j'ai vécu bien des années dans ces lieux. Vous pouvez voir ma chaumière du Saut de Loup, là-bas. J'ai vu cent fois les dames la dessiner dans leur album. Elle fait bien dans un tableau, ai-je entendu dire; mais il n'y a pas de mauvais temps dans les tableaux, et peut-être est-elle mieux faite pour cela que pour abriter des humains. Enfin! C'est là que je vivais. De quelle dure, de quelle amère vie, je ne le dirai pas. Vous pourrez en juger par vous-mêmes n'importe quel jour de l'année et chaque jour, si vous le jugez bon.»

Il parlait comme il avait parlé le soir où le Trotteux l'avait rencontré dans la rue. Sa voix était plus profonde, plus rauque et secouée de temps à autre d'un tremblement; mais à aucun moment la passion ne la lui fit élever, et il ne dépassa que rarement le ton

ferme et sévère qui convenait aux simples faits qu'il
énonçait.

« Il est plus dur que vous ne le pensez, messieurs et
dames, de rester honnête, tout simplement honnête,
en un pareil endroit. Que je fusse devenu un homme
— comme je l'étais alors — et non une brute, en dit
long en ma faveur. Quant à ce que je suis devenu
depuis, il n'y a rien à dire, rien à faire pour moi. Je
suis au-delà de toute aide.

— Je suis heureux que cet homme soit entré, fit
observer Sir Joseph, jetant alentour un regard serein.
Ne l'inquiétez pas. Il semble que cela soit ordonné
d'En Haut. C'est un exemple : un exemple vivant.
J'espère, je pense, j'ai confiance qu'il ne sera pas
perdu pour mes Amis ici présents.

— J'ai continué à traîner, dit Fern après un
moment de silence, d'une façon ou d'une autre. Je ne
sais, nul ne sait comment ; mais cette existence était
si pesante qu'il m'était impossible de faire bon visage
ou de prétendre être autre chose que ce que j'étais
réellement. Eh bien, messieurs — vous autres messieurs qui siégez aux Sessions —, quand vous voyez
un homme sur le visage duquel s'inscrit le mécontent-
tement, vous vous dites les uns aux autres : "Il est
suspect. J'ai mes doutes, (que vous dites), sur ce Will
Fern. Prenez garde à ce gaillard !" Je ne dis pas, messieurs, que c'est pas tout naturel, mais je dis que c'est
comme ça ; et à partir de ce moment-là, quoi que
fasse Will Fern — ou qu'il s'abstienne de faire, c'est
tout un — ça se tourne contre lui. »

L'alderman Cute se planta les pouces dans les
goussets, se rejeta en arrière sur son siège et, souriant, adressa un clin d'œil à un lustre voisin. Comme
pour dire : — « Naturellement. Je vous l'avais bien
dit. La lamentation habituelle. Ma parole, nous

savons à quoi nous en tenir sur ce genre de choses,
moi-même et la nature humaine».

«Eh bien, messieurs, dit Will Fern, les mains
tendues en avant et son visage hâve un instant
empourpré, voyez comme vos lois sont faites pour
nous traquer et nous piéger quand nous avons été
amenés là. J'essaie d'aller vivre ailleurs. Et je ne suis
qu'un vagabond. Ouste, en prison! Je reviens ici. Je
vais cueillir des noix dans vos bois et, ce faisant — à
qui cela n'arrive-t-il pas? —, je casse une ou deux
branches. Ouste, en prison! Un de vos gardes-chasse
me voit, en plein jour, près de mon propre petit lopin
de terre avec un fusil. Ouste, en prison! Je lui dis
naturellement son fait, un peu vivement, quand je
suis de nouveau libre. Ouste, en prison! Je coupe un
bâton. Ouste, en prison! Je mange une pomme
pourrie ou un navet. Ouste, en prison! Elle se trouve
à vingt milles d'ici, et, en revenant, je mendie un
brin sur la route. Ouste, en prison! À la fin, le garde
champêtre, le gardien, n'importe qui, me trouve
n'importe où, faisant n'importe quoi. Ouste, en
prison! ce n'est qu'un vagabond, un gibier de prison
bien connu et son seul domicile, c'est la prison!»

L'alderman eut un hochement de tête sagace,
comme pour dire: «Et quel excellent domicile!»

«Est-ce que je dis tout cela pour servir ma cause
personnelle? s'écria Fern. Qui pourrait me rendre
ma liberté, qui pourrait me rendre ma bonne renommée, qui pourrait me rendre l'innocence de ma
nièce? Pas même tous les seigneurs et toutes les
dames de la vaste Angleterre. Mais, messieurs, quand
vous aurez affaire à d'autres hommes comme moi,
commencez par le bon bout. Donnez-nous, par pitié,
de meilleurs logements quand nous sommes encore
au berceau; donnez-nous de meilleure nourriture

quand nous travaillons pour vivre ; donnez-nous
des lois plus bienveillantes quand nous prenons un
mauvais chemin ; et ne placez pas toujours la Prison,
la Prison, la Prison devant nous, de quelque côté que
nous nous tournions. Alors, vous n'aurez pas un seul
geste de condescendance pour le travailleur qu'il
n'accepte avec tout l'empressement, toute la reconnaissance possibles, car il a le cœur patient, paisible,
rempli de bonne volonté. Mais il vous faut d'abord
implanter en lui l'esprit qui doit être le sien ; car,
qu'il soit une épave, une ruine comme moi, ou qu'il
soit comme un de ceux qui sont ici aujourd'hui, son
esprit est séparé d'avec vous. Ramenez-le, messieurs,
ramenez-le ! Ramenez-le avant le jour où sa Bible
même changera de sens dans sa pensée modifiée et
où il croira y lire, comme je l'ai fait moi-même — en
prison : "Où que tu ailles, je ne puis aller ; où que tu
demeures, je ne demeure point ; ton peuple n'est pas
mon peuple ; ni ton Dieu, mon Dieu !" »

Un certain émoi, un remue-ménage se produisit
dans la salle. Le Trotteux crut tout d'abord que
plusieurs personnes s'étaient levées pour expulser
l'homme et que telle était la cause du changement
qui se produisait. Le moment suivant lui montra
cependant que la salle et toute la compagnie avaient
disparu et que sa fille était de nouveau devant lui,
assise à son ouvrage. Mais c'était un galetas encore
plus misérable, et Liliane n'était plus auprès d'elle.

Le métier auquel sa compagne avait travaillé était
mis de côté sur une étagère et recouvert. La chaise
sur laquelle elle était naguère assise se trouvait
tournée contre le mur. Une histoire s'inscrivait dans
ces petits faits et dans le visage de Margot, usé par le
chagrin. Ah ! qui eût pu manquer de la lire !

Margot écarquilla les yeux sur son ouvrage jusqu'à

ce qu'il fît trop sombre pour distinguer les fils ; et, quand la nuit fut tout à fait tombée, elle alluma une chandelle pour continuer à travailler. Son vieux père était toujours invisible près d'elle, la contemplant, l'aimant — ô combien chèrement ! — et lui parlant d'une voix tendre du vieux temps et des cloches, quoiqu'il sût, le pauvre Trotteux, qu'il sût bien qu'elle ne pouvait l'entendre. Une grande partie de la soirée s'était ainsi lentement écoulée, quand un coup résonna à la porte. Elle l'ouvrit. Un homme était là sur le seuil. Un ivrogne débraillé à l'allure molle et à l'air atrabilaire, ravagé par l'intempérance et le vice, les cheveux emmêlés et la barbe inculte, mais qui portait encore sur sa personne quelques traces indiquant que ç'avait été dans sa jeunesse un homme bien taillé et de belle mine.

Il s'arrêta jusqu'à ce que Margot lui permît d'entrer, et elle, s'éloignant d'un ou deux pas de la porte ouverte, le contempla en silence et d'un air attristé. Les vœux du Trotteux se réalisaient : il voyait Richard.

« Je peux entrer, Marguerite ?

— Oui. Entrez. Entrez ! »

Il était heureux que le Trotteux l'eût reconnu avant que le nouveau venu ouvrît la bouche, car, s'il lui était resté le moindre doute, la voix rauque et criarde l'eût persuadé que ce n'était pas Richard, mais bien quelqu'un d'autre.

Il n'y avait que deux chaises dans la pièce. Elle lui donna la sienne et se tint à quelque distance, prête à entendre ce qu'il avait à dire.

Mais il resta à considérer le plancher d'un regard perdu, accompagné d'un sourire terne et stupide. Il offrait le spectacle d'une telle dégradation, d'un état si abjectement désespéré, d'un effondrement si misérable qu'elle se couvrit le visage de ses mains et se détourna, de peur qu'il ne vît à quel point elle en était émue.

Tiré de sa torpeur par le bruissement de la robe ou quelque autre son insignifiant, il leva la tête et se mit à parler comme s'il n'y avait eu aucune pause depuis son entrée.

«Encore à l'ouvrage, Marguerite? Vous travaillez tard.

— C'est en effet mon habitude.

— Et tôt?

— Et tôt.

— C'est ce qu'elle m'a dit. Elle m'a dit que vous ne vous fatiguiez jamais ou que vous ne reconnaissiez jamais que vous étiez fatiguée. Non, pas de tout le temps que vous avez vécu ensemble. Pas même quand vous vous évanouissiez sous l'effet combiné du travail et du jeûne. Mais je vous ai déjà dit cela la dernière fois que je suis venu.

— Oui, répondit-elle. Et je vous ai supplié de ne rien ajouter; et vous m'avez solennellement promis, Richard, de ne le point faire.

— Solennellement promis, répéta-t-il avec un ricanement imbécile et un regard hébété. Solennellement promis. Bien sûr. Solennellement promis!»

Mais après un moment, s'éveillant, eût-on dit, de la même façon qu'auparavant, il dit avec une animation soudaine :

«Comment pourrais-je m'en empêcher, Marguerite? Que dois-je donc faire? Elle est encore venue me voir!

— Encore! s'écria Margot, joignant les mains. Ah, pense-t-elle donc si souvent à moi? Elle est revenue?

— Vingt fois, dit Richard. Elle m'obsède, Marguerite. Elle s'approche de moi par-derrière dans la rue, et me glisse la chose dans la main. J'entends son pas sur les cendres quand je suis à mon travail (ha! ha! ce n'est pas souvent, ça!) et, avant que j'aie eu le temps de tourner la tête, sa voix résonne à mon oreille et me dit: "Ne vous retournez pas, Richard. Pour l'amour du Ciel, donnez-lui ceci!" Elle me l'apporte chez moi; elle l'envoie dans des lettres; elle frappe au carreau et la pose sur le rebord de la fenêtre. Que puis-je faire? Regardez cela!»

Il tendit, dans sa paume ouverte, une petite bourse et fit tinter les pièces qu'elle contenait.

«Cachez-la, dit Margot. Cachez-la! Quand elle reviendra, dites-lui, Richard, que je l'aime de toute mon âme. Que je ne me couche jamais sans la bénir et prier pour elle. Que, dans mon travail solitaire, sa pensée ne me quitte pas un instant. Que, si je devais mourir demain, je me souviendrais d'elle dans mon dernier soupir. Mais que je ne puis regarder cette bourse!»

Il ramena lentement sa main et, serrant la bourse à l'écraser, dit d'un air de somnolente réflexion:

«Je le lui ai bien dit. Je le lui ai dit tout net. J'ai rapporté ce cadeau et l'ai déposé à sa porte une douzaine de fois depuis. Mais quand elle est venue enfin, quand elle se tenait devant moi, face à face, que pouvais-je faire?

— Vous l'avez vue! s'écria Margot. Vous l'avez vue! Oh, Liliane, ma chère petite! Oh, Liliane, Liliane!

— Je l'ai vue, poursuivit-il, non en réponse, mais simplement parce qu'il suivait le cours lent de ses propres réflexions. Elle se tenait là, tremblante: "Comment va-t-elle, Richard? Parle-t-elle quelquefois de moi? A-t-elle maigri? Mon ancienne place à la table, qu'y a-t-il à mon ancienne place? Et le métier sur lequel elle m'a enseigné à travailler, l'a-t-elle brûlé, Richard?" Voilà. Je l'ai entendue me dire cela.»

Margot étouffait ses sanglots et, les yeux inondés de larmes, elle se penchait sur lui pour l'écouter sans rien perdre de son récit.

Les bras appuyés sur ses genoux, assis le buste en avant comme si ses paroles étaient inscrites sur le sol en caractères lisibles qu'il s'occupait à déchiffrer et à épeler, il poursuivit:

«Je suis tombée bien bas, Richard; et vous pouvez aisément deviner combien j'ai souffert de m'être vu retourner cette bourse, alors que je puis supporter de vous l'apporter de ma propre main. Mais vous l'avez aimée autrefois, tendrement, à ma propre souvenance. D'autres se sont mêlés de vous séparer; des craintes, des jalousies, des doutes, des vanités vous ont indisposé contre elle; mais vous l'avez aimée, je m'en souviens bien!» Je pense que oui, dit-il, s'interrompant un instant. Oui, mais ça, c'est une autre histoire. «Oh! Richard, si jamais vous l'avez aimée, si vous avez la moindre mémoire de ce qui fut et qui a été perdu, rapportez-la-lui encore une fois. Une seule fois! Dites-lui comment j'ai posé ma tête sur votre épaule, là où la sienne aurait pu se poser, et combien j'ai été humble devant vous, Richard. Dites-lui que vous avez scruté mon visage et que vous avez vu évanouie, entièrement évanouie, cette beauté tant prisée d'elle autrefois et, à sa place, de pauvres joues creuses et blêmes, dont la vue lui ferait monter les larmes aux yeux. Dites-lui tout, et si vous lui rapportez la bourse, elle ne la refusera pas à nouveau. Elle n'en aura pas le cœur!»

Il demeura ainsi, répétant ces derniers mots d'un air rêveur, jusqu'au moment où, s'étant de nouveau éveillé, il se leva.

«Vous ne voulez décidément pas la prendre, Marguerite?»

Elle hocha négativement la tête et fit un geste pour le prier de la laisser.

«Bonsoir, Marguerite.

— Bonsoir!»

Il se retourna pour la regarder, frappé par le chagrin et peut-être aussi la pitié qui tremblaient dans sa voix. Ce fut un mouvement rapide et, l'espace d'un instant, son ancienne façon d'être revint en lui comme un éclair. La minute d'après, il partit comme il était venu. Et cette faible lueur d'un feu maintenant éteint ne sembla pas l'éveiller au sentiment plus vif de son avilissement.

Quelle que fût l'humeur de Margot, quel que fût son chagrin, quelles que fussent ses tortures physiques ou morales, il fallait bien que sa tâche se fît. Elle reprit donc son ouvrage et s'y appliqua avec ardeur. La nuit. Minuit. Elle travaillait toujours.

Elle avait un maigre feu, car la nuit était glaciale, et elle se levait par moments pour l'attiser. Les cloches sonnèrent la demie de minuit tandis qu'elle était ainsi occupée; et quand elles se turent, elle entendit frapper doucement à la porte. Avant qu'elle eût eu seulement le temps de se demander qui ce pouvait être à une heure aussi avancée, la porte s'ouvrit.

Ô jeunesse, ô beauté, tout heureuses comme vous devez l'être, regardez ceci! Ô jeunesse, ô beauté, bienheureuse bénédiction de tout ce qui vous approche, vous qui accomplissez les desseins de votre bienfaisant Créateur, regardez ceci!

Elle vit la forme qui entrait et cria son nom: «Liliane!»

La seconde d'après, la forme tombait à genoux devant elle, s'agrippant à sa robe.

«Debout, ma chérie! Debout! Liliane! Mon adorée!

— Jamais plus, Margot; jamais plus! Ici! Ici! Tout près de toi, je veux m'accrocher à toi, je veux sentir ton cher souffle sur ma figure!

— Ma douce Liliane! Ma Liliane chérie! Enfant de mon cœur — nul amour de mère ne saurait être plus tendre —, pose ta tête sur mon sein!

— Jamais plus, Margot. Jamais plus! La première fois que j'ai regardé ton visage, tu étais agenouillée devant moi. C'est à genoux devant toi que je veux mourir. Que ce soit ici!

— Tu es revenue. Mon trésor! Nous vivrons ensemble, nous travaillerons ensemble, nous espérerons ensemble, nous mourrons ensemble!

— Ah! baise mes lèvres, Margot; enveloppe-moi dans tes bras; presse-moi contre ton sein; abaisse sur moi un regard bienveillant; mais ne me relève pas. Que ce soit ici! Laisse-moi voir ton visage pour la dernière fois, à genoux.»

Ô jeunesse, ô beauté, tout heureuses comme vous devez l'être, regardez ceci! Ô jeunesse, ô beauté, vous qui accomplissez les desseins de votre bienfaisant Créateur, regardez ceci!

«Pardonne-moi, Margot! Tant, tant chérie! Pardonne-moi! Tu me pardonnes, je le vois; mais dis-le-moi, Margot!»

Elle le dit en posant les lèvres sur la joue de Liliane et en enlaçant dans ses bras ce cœur qu'à présent elle savait brisé.

«Que Dieu te bénisse, mon amour adoré. Embrasse-moi une fois encore! Le Christ a souffert qu'elle s'assît à ses pieds, qu'elle les essuyât avec ses

cheveux. Ô Margot, quelle miséricorde, quelle compassion ! »

Comme elle se mourait, l'esprit de l'enfant revenant, innocent et radieux, effleura de la main le vieillard et lui fit signe de le suivre.

QUATRIÈME QUART

Quelque nouveau souvenir des fantomatiques
figures issues des cloches ; quelque vague impression
de la sonnerie du carillon, quelque sentiment vertigineux d'avoir vu se reproduire et se reproduire encore
ce pullulement de fantômes jusqu'à ce que leur souvenir se perdît dans la confusion née de leur nombre
même ; quelque connaissance précipitée, à lui trans-
mise il ne savait comment, que plusieurs années
s'étaient encore écoulées ; et le Trotteux, escorté de
l'esprit de l'enfant, se trouva en train d'observer une
compagnie humaine.

Compagnie grasse, compagnie aux joues vermeilles,
compagnie à l'aise. Ces humains n'étaient que deux,
mais rubiconds pour dix. Ils étaient assis devant un
feu vif et séparés par une petite table basse ; et, à
moins que le parfum du thé chaud et des muffins ne
s'attardât plus longuement dans cette pièce que dans
la plupart des autres, cette table avait servi encore
très récemment. Mais toutes les tasses et toutes les
soucoupes étaient propres et rangées à leur place
dans l'encoignure, la fourchette à rôtir en cuivre,
suspendue à son coin habituel, étendait ses quatre
doigts inoccupés comme pour prendre la mesure
d'un gant ; il ne restait donc aucun autre signe du
repas qui venait de se terminer que ceux qui se mani-
festaient dans le ronron et le léchage de moustaches

du chat à la chaleur du feu ou dans l'étincellement des faces gracieuses, pour ne pas dire grasses, de ses maîtres.

Ce couple douillettement installé (évidemment mari et femme) se partageait équitablement le feu et contemplait les étincelles rougeoyantes qui retombaient dans la grille, tantôt dodelinant de la tête dans son assoupissement et tantôt se réveillant en sursaut quand quelque braise plus grosse tombait en crépitant comme si tout le feu la suivait.

Il n'y avait aucun danger que celui-ci s'éteignît soudain, en tout cas ; car le reflet ne s'en étendait pas seulement à la petite pièce, aux panneaux vitrés de la porte et au rideau à demi tiré devant celle-ci, mais encore à la petite boutique qui s'étendait au-delà. Une petite boutique bourrée jusqu'à l'étouffement de toute une abondance de marchandises ; une petite boutique parfaitement vorace avec une panse aussi accommodante, aussi pleine que celle d'un requin. Fromage, beurre, bois de chauffage, savon, marinades, allumettes, lard, bière de table, toupies, bonbons, cerfs-volants, millet, jambon, balais de bouleau, blanc d'Espagne, sel, vinaigre, cirage, harengs saurs, papeterie, saindoux, sauce piquante aux champignons, lacets de corset, miches de pain, volants, œufs et crayons d'ardoise, tout était poisson pour le filet de cette petite boutique goulue et tous les articles s'y trouvaient pris. Combien d'autres sortes de menues marchandises il y avait là, il serait bien difficile de le dire ; mais des pelotes de ficelle, des chapelets d'oignons, des livres de chandelle, des filets à provisions et des brosses pendaient en grappes du plafond comme autant de fruits extraordinaires ; tandis que de curieuses boîtes, d'où s'exhalaient des senteurs aromatiques, justifiaient l'inscription placée au-dessus de la porte extérieure et informant le public que le propriétaire de cette petite boutique était un marchand patenté de thé, de café, de poivre et de tabac à priser et à fumer.

Jetant un coup d'œil sur ceux de ces articles qui étaient visibles à la lueur de la flamme et au rayonnement moins vif de deux lampes fumeuses dont la mèche ne brûlait que faiblement dans la boutique, comme si la pléthore qui y régnait pesait de tout son poids sur leurs poumons étouffés, puis, ramenant ses regards sur l'une des deux figures placées à côté du feu, le Trotteux n'eut pas de peine à reconnaître en la grosse vieille dame Mme Chickenstalker, qui avait toujours eu une propension à l'embonpoint, même à l'époque où il l'avait connue tenant une boutique d'approvisionnements en tous genres dans laquelle il avait un compte légèrement débiteur.

Les traits de son compagnon lui étaient moins familiers. Le large et lourd menton aux plis assez vastes pour y cacher le doigt; les yeux étonnés, qui semblaient se reprocher de sombrer de plus en plus profondément dans la complaisante graisse de cette face molle; le nez affligé de ce désordre fonctionnel communément appelé enchifrènement; le cou épais et court et la poitrine haletante, ainsi que d'autres beautés du même ordre; bien que tous ces traits fussent bien faits pour s'imprimer dans la mémoire, le Trotteux ne put tout d'abord les attribuer à personne de sa connaissance; et pourtant il en avait en même temps un certain souvenir. Finalement, en l'associé de Mme Chickenstalker aussi bien dans la voie du commerce général que dans celle, plus tortueuse et plus excentrique, de la vie, il reconnut l'ancien portier de Sir Joseph Bowley, un apoplectique innocent qui, voici des années, s'était associé dans l'esprit du Trotteux à Mme Chickenstalker pour l'avoir introduit dans la maison où il avait confessé ses dettes envers cette dame, attirant ainsi sur sa malheureuse tête de si graves reproches.

Le Trotteux s'intéressa peu à un changement comme celui-ci, après ceux qu'il avait vus ; mais les associations d'idées ont parfois une grande force, et il regarda involontairement derrière la porte de l'arrière-boutique, où se trouvaient généralement inscrits à la craie les comptes en retard. Il n'y avait rien qui le concernât. On y lisait bien quelques noms, mais inconnus de lui et beaucoup moins nombreux que par le passé ; d'où il conclut que le portier était partisan des transactions au comptant et qu'en entrant dans l'affaire il avait surveillé de très près les payeurs défaillants de Mme Chickenstalker.

Le Trotteux était si affligé, il pleurait tant la jeunesse et les promesses de son enfant flétrie qu'il ressentit encore comme une peine de n'avoir plus place au registre de Mme Chickenstalker.

« Quel temps fait-il, ce soir, Anne ? demanda l'ex-portier de Sir Joseph Bowley, étendant ses jambes devant le feu tout en en frottant ce que pouvaient attendre ses bras courts ; avec une expression qui semblait ajouter : "S'il fait mauvais, je suis bien ici, et s'il fait beau, je n'ai aucune envie de sortir".

— Il vente et il pleut très fort, répondit sa femme ; et la pluie tourne à la neige. Il fait noir. Et très froid.

— Je suis content qu'il y ait eu des muffins, dit l'ex-portier du ton de quelqu'un qui a mis sa conscience en repos. C'est un genre de soirée exactement fait pour les muffins. Et pour les crumpets[1], ou encore pour les pains au lait. »

L'ex-portier mentionnait chaque espèce successive de gâteaux comme s'il récapitulait pensivement ses bonnes actions. Après quoi, il recommença à frotter ses grosses jambes et, tournant les genoux pour présenter au feu les parties encore à rôtir, il se mit à rire comme sous l'effet d'un chatouillement.

«Tu es en pleine forme, Tugby[1], mon cher», fit observer son épouse.

La raison sociale du magasin était Tugby, anciennement Chickenstalker.

«Non, dit Tugby. Non. Pas particulièrement. Je suis simplement un peu émoustillé. Ces muffins sont venus si à propos!»

Sur quoi, il gloussa au point que son visage en devint tout noir; et il eut si fort à faire pour reprendre une autre couleur que ses grosses jambes décrivirent dans l'air les plus étranges mouvements. Elles ne retrouvèrent un semblant de décorum qu'après que Mme Tugby lui eut assené une violente bourrade dans le dos et l'eut ensuite secoué comme un énorme flacon.

«Bonté divine, mon Dieu, miséricorde, que le Seigneur vienne en aide à ce bon homme! s'écria Mme Tugby, terrifiée. Que fait-il donc?»

M. Tugby s'essuya les yeux et répéta d'une voix faible qu'il se sentait assez en train.

«Eh bien, ne recommence pas, tu seras bien gentil, dit Mme Tugby, si tu ne veux pas me faire mourir de peur à te voir gigoter et te débattre comme ça!»

M. Tugby promit qu'il ne le ferait plus; mais son existence entière était un combat dans lequel, à en juger par son manque croissant de souffle et le cramoisi de plus en plus accentué de sa figure, il avait toujours le dessous.

«Ainsi donc il vente, il pleut et il menace de neiger; et il fait noir et très froid, n'est-ce pas, ma chérie? dit

M. Tugby, les yeux fixés sur le feu, et revenant au plus friand de sa jubilation temporaire.

— C'est un bien vilain temps, certes, répondit sa femme avec un hochement de tête.

— Oui, oui, dit M. Tugby. Les années sont comme les chrétiens sous ce rapport : certaines ont une mort difficile, les autres douce. Celle-ci n'a plus beaucoup de jours à vivre et elle lutte pour son existence. Je ne l'en aime que davantage. Voilà un client, mon amour ! »

Attentive au bruit de la porte, Mme Tugby s'était déjà levée.

« Allons ! dit la dame, passant dans la petite boutique. Que désirez-vous ? Oh ! je vous demande pardon. Je ne croyais pas que c'était vous. »

Elle s'excusait ainsi auprès d'un monsieur vêtu de noir, qui, les manchettes relevées, le chapeau négligemment incliné sur l'oreille et les mains dans les poches, s'assit à califourchon sur le tonneau de bière et répondit par un signe de tête.

« Cela va mal là-haut, madame Tugby, dit le personnage. L'homme ne vivra pas.

— Ce n'est pas de la mansarde de derrière qu'il s'agit ! s'écria Tugby, venant dans la boutique pour prendre part à l'entretien.

— La mansarde de derrière, monsieur Tugby, dit le monsieur, dégringole l'escalier à toute vitesse et ne tardera pas à être plus bas que le rez-de-chaussée. »

Tout en regardant tour à tour Tugby et sa femme, il donnait de petits coups au tonneau avec l'articulation du doigt pour voir où en était le niveau de la bière et, quand il l'eut trouvé, il se mit à jouer un petit air sur la partie vide.

« La mansarde de derrière, monsieur Tugby, s'en

va, dit le monsieur, voyant que le boutiquier était resté planté là dans une muette consternation.

— Eh bien, dit Tugby, se tournant vers sa femme, il faut qu'il s'en aille avant de s'en être allé tout à fait, tu sais.

— Je ne crois pas qu'il soit transportable, dit le monsieur avec un hochement de tête. Je ne prendrais pas, personnellement, la responsabilité de dire que ce soit faisable. Vous feriez mieux de le laisser où il est. Il ne peut vivre longtemps.

— C'est le seul sujet, dit Tugby, amenant brutalement le plateau de la balance à beurre contre le comptoir sous le poids de son poing, le seul sujet sur lequel nous ayons jamais eu une discussion, elle et moi, et voyez où l'on en arrive ! Il va mourir ici, après tout. Mourir sur les lieux. Mourir chez nous !

— Et où donc aurait-il dû mourir, Tugby ? s'écria sa femme.

— À l'hospice, répliqua-t-il. À quoi donc servent les hospices ?

— Pas à cela, dit Mme Tugby avec la plus grande énergie. Pas à cela ! Et ce n'est pas non plus pour cela que je t'ai épousé. Ne te l'imagine pas, Tugby. Je ne veux pas de cela. Je ne le tolérerai pas. Je préférerais nous séparer d'abord et ne jamais revoir ta figure. Quand mon nom de veuve se lisait au-dessus de cette porte, comme il en a été pendant bien des années, cette maison était connue partout sous le nom de Chickenstalker et connue pour son honnête crédit et sa bonne réputation ; quand mon nom se lisait au-dessus de cette porte, Tugby, je l'ai connu, lui, sous l'aspect d'un beau et sage jeune homme, viril et indépendant ; je l'ai connue, elle, sous l'aspect de la jeune fille la plus douce de traits et la plus aimable de caractère qu'on ait jamais vue ; j'ai connu son père (le pauvre vieux, il est tombé du haut du clocher en marchant dans son sommeil, et il s'est tué) pour l'homme le plus simple, le plus travailleur, le plus innocent de cœur qui ait jamais respiré sur cette terre ; et si jamais je les mettais à la porte de ma maison et de mon foyer, que les anges me ferment celles du Ciel ! C'est ce qu'ils feraient ! Et je n'aurais que ce que je mériterais ! »

Tandis qu'elle prononçait ces paroles, la lumière semblait irradier de son vieux visage, qui, avant que les changements ne fussent survenus, avait été gras- souillet et s'était orné de fossettes ; et quand elle se sécha les yeux et secoua en même temps la tête et son mouchoir à l'adresse de Tugby avec une expres- sion de fermeté dont il était bien visible qu'on ne lui résisterait pas aisément, le Trotteux dit : « Bénie soit- elle ! Bénie soit-elle ! »

Puis il écouta, le cœur battant, pour connaître la suite. Car il ne savait rien encore, sinon qu'ils par- laient de Margot.

Si Tugby avait été assez exalté dans l'arrière-bou- tique, il fit mieux qu'équilibrer ce compte en étant plus qu'à demi déprimé dans la boutique, où il se tenait pour lors les yeux écarquillés sur sa femme sans oser la moindre réplique ; tout en faisant secrè- tement passer — soit dans un moment de distrac- tion, soit par mesure de précaution — tout l'argent du tiroir-caisse dans une de ses poches.

Le monsieur assis sur le tonneau de bière, qui paraissait être quelque autorité médicale chargée de soigner les pauvres, était de toute évidence bien trop habitué à ces petits différends entre mari et femme pour avancer la moindre remarque dans le cas présent. Il demeura donc où il était, sifflant douce- ment et faisant couler quelques gouttes de bière du robinet sur le sol, jusqu'au moment où s'établit de nouveau un calme parfait ; il leva alors la tête et dit à Mme Tugby, ex-Chickenstalker :

« Il y a quelque chose d'intéressant chez cette femme, même encore maintenant. Comment se fait-il qu'elle l'ait épousé ?

— Oh ! dit Mme Tugby, s'asseyant près de lui, ce n'est pas la partie la moins cruelle de son histoire, monsieur. Vous comprenez, ils se fréquentaient, elle et Richard, il y a bien des années. À l'époque où ils formaient un jeune et beau couple, tout avait été réglé, et ils devaient se marier au Jour de l'An. Mais, pour une raison ou une autre, Richard se mit dans la tête, d'après ce que lui dirent certains messieurs, qu'il avait mieux à faire, qu'il ne tarderait pas à s'en repentir, qu'elle n'était pas assez bonne pour lui et qu'un jeune homme de caractère n'avait que faire de se marier. Et ces mêmes messieurs l'effrayèrent, elle, la rendirent mélancolique en lui faisant craindre l'abandon de Richard et la potence pour ses enfants, en lui faisant imaginer qu'ils seraient coupables s'ils devenaient mari et femme, et que sais-je encore ? Bref, ils traînèrent, traînèrent ; leur confiance mutuelle fut rompue, et finalement aussi leurs fiançailles. Mais la faute en incomba à Richard. Elle, monsieur, l'aurait épousé avec joie. J'ai vu son cœur se gonfler bien souvent, par la suite, en le voyant passer fier et insouciant ; et jamais femme ne s'affligea plus sincèrement pour un homme qu'elle ne le fit pour Richard quand il commença de mal tourner.

— Ah ! il tourna mal, vraiment ? dit le monsieur, tirant le fausset du tonneau et essayant de voir par le trou.

— Eh bien, monsieur, je ne sais trop s'il se comprenait bien lui-même, voyez-vous. Je crois que leur rupture lui avait troublé l'esprit, et que, n'eût été la honte qu'il éprouvait devant les messieurs et peut-être aussi une certaine incertitude sur la façon dont elle prendrait la chose, il aurait supporté n'importe quelle épreuve pour obtenir de nouveau la promesse de Margot et la main de Margot. C'est là mon opinion. Il ne l'a jamais dit ; ce n'en est que plus dommage ! Il donna dans la boisson, dans la fainéantise, dans les mauvaises fréquentations ; dans toutes ces belles distractions qui devaient remplacer si avantageusement pour lui le foyer qu'il aurait pu avoir. Il perdit sa bonne mine, sa bonne réputation, ses forces, ses amis, son travail, tout !

— Il ne perdit pas tout, madame Tugby, répliqua le monsieur, puisqu'il gagna une épouse ; et je voudrais bien savoir comment.

— J'y viendrai, monsieur, dans un instant. Cela dura des années et des années, lui se dégradant de plus en plus, elle, la pauvre, endurant assez de misères pour consumer sa vie. À la fin, il fut si bas, si honni, que personne ne voulut plus lui octroyer ni emploi ni attention, et toutes les portes lui furent fermées où qu'il voulût aller. S'adressant en tous lieux, frappant de porte en porte, il arriva pour la centième fois chez un certain monsieur qui lui avait souvent fourni du travail (il était resté habile ouvrier jusqu'à la fin), et celui-ci, qui connaissait son histoire, lui dit : — "Je pense que vous êtes incorrigible ; il n'y a qu'une seule personne au monde qui aurait des chances de vous amender ; ne me demandez pas de vous faire encore confiance avant qu'elle ne s'y soit essayée", ou quelque chose comme cela, tant il était fâché et irrité.

— Ah ! dit le médecin des pauvres. Et alors ?

— Eh bien, monsieur, il alla la trouver, se jeta à

ses pieds, dit que c'était vrai, que ce l'avait toujours été, et la supplia de le sauver.

— Et elle ?... Ne vous affligez pas, madame Tugby.

— Elle vint me trouver ce soir-là pour me demander s'il lui serait possible d'habiter ici. "Ce qu'il fut autrefois pour moi, dit-elle, est maintenant enterré, côte à côte avec ce que je fus pour lui. Mais j'y ai réfléchi, et je vais tenter l'essai. Dans l'espoir de le sauver, pour l'amour de la jeune fille enjouée (vous vous souvenez d'elle) qui devait se marier un Jour de l'An ; et pour l'amour de son Richard." Et elle ajouta qu'il était venu la voir de la part de Liliane, que celle-ci avait mis sa confiance en lui et qu'elle ne pourrait jamais oublier cela. Ils se marièrent donc ; et lorsqu'ils vinrent habiter ici, j'ai souhaité en les voyant que les prophéties du genre de celle qui les avait séparés dans leur jeunesse ne se réalisent pas souvent comme elles l'ont fait dans ce cas, sans quoi je ne voudrais pas, pour tout l'or du monde, avoir été de ces prophètes. »

Le monsieur descendit du tonneau et, s'étirant, fit remarquer :

« Et il la maltraita aussitôt qu'ils furent mariés, je suppose ?

— Je ne crois pas qu'il soit jamais allé jusque-là, dit Mme Tugby, s'essuyant les yeux avec un hochement de tête. Il se comporta mieux durant un court laps de temps ; mais ses habitudes étaient trop anciennes et trop bien ancrées pour qu'il pût s'en défaire ; il ne tarda pas à retomber un peu, et il était en train de retomber rapidement quand son mal le prit si rudement... Je crois qu'il a toujours eu un grand sentiment pour elle. J'en suis sûre. Je l'ai vu, dans ses crises de larmes et de tremblements, essayer de lui baiser la main ; et je l'ai entendu l'appeler

"Margot" et dire que c'était son dix-neuvième anniversaire. Voilà des semaines et des mois qu'il est couché. Partagée entre lui et son bébé, elle n'a plus pu faire son ancien travail, et, désormais incapable de régularité, elle l'aurait perdu quand bien même elle aurait pu le faire. Comment ils ont vécu, je me le demande !

— Moi, je le sais, marmonna M. Tugby, jetant successivement un regard au tiroir-caisse, à la boutique et à sa femme, tout en roulant la tête d'un air fort sagace. Comme des coqs en pâte ! »

Il fut interrompu par un cri, un son de lamentation, qui venait du dernier étage de la maison. Le monsieur se précipita vers la porte.

« Inutile de discuter s'il doit être transporté ailleurs ou non, mon ami, dit-il en se retournant. Il a dû vous épargner cette peine, je pense. »

Sur ce, il courut en haut, suivi de Mme Tugby, tandis que M. Tugby haletait et grommelait tout à loisir derrière eux, le souffle rendu plus court encore qu'à l'ordinaire par le poids des pièces de cuivre qui avaient garni en quantité incommode le tiroir-caisse. Le Trotteux, accompagné de l'enfant, monta l'escalier en flottant comme une simple brise.

« Suis-la ! Suis-la ! Suis-la ! lui répétaient les voix fantomatiques des cloches à mesure qu'il s'élevait. Apprends-le de la bouche de l'être le plus cher à ton cœur ! »

C'en était fini. C'en était fini. Et la voici, elle, la joie et l'orgueil de son père ! Cette femme hâve et pitoyable, qui pleurait près du lit (si l'on pouvait appeler cela ainsi) et serrait contre son cœur un petit enfant en laissant retomber sur lui sa tête. Qui pourrait dire à quel point il était fluet, malingre, misérable, cet enfant! Qui pourrait dire à quel point il était aimé!

«Dieu soit loué! s'écria le Trotteux, élevant ses mains jointes. Ah! Dieu merci! Elle aime son enfant!»

Le monsieur, qui n'était pas plus insensible ou indifférent que quiconque à pareilles scènes, sinon qu'il en voyait chaque jour de semblables et qu'elles ne représentaient que des chiffres insignifiants dans les totaux de M. Filer, de simples grincements de plume dans l'établissement de ses comptes, posa la main sur le cœur qui avait cessé de battre, constata que le souffle faisait défaut et dit:

«Ses souffrances sont terminées! C'est mieux ainsi!»

Mme Tugby tenta de réconforter la femme avec douceur. M. Tugby essaya de la philosophie.

«Voyons, voyons! dit-il, les mains dans les poches. Il ne faut pas vous laisser aller, vous savez. Cela ne ferait pas l'affaire. Il faut réagir. Que serait-il advenu de moi si je m'étais laissé aller, moi, quand j'étais portier et que nous avons eu à notre porte jusqu'à six chevaux attelés en couple qui avaient pris le mors aux dents le même soir! Mais j'ai eu recours à toute ma force d'âme et je n'ai pas ouvert!»

De nouveau, le Trotteux entendit les voix lui dire: «Suis-la!» Il se tourna vers son guide et le vit s'élever et s'éloigner dans les airs. «Suis-la!» dit-il encore. Et il disparut.

Tobie plana autour d'elle, s'assit à ses pieds, guetta sur son visage une trace de son ancien moi, prêta l'oreille dans l'espoir d'entendre une note de son ancienne voix si douce. Il voleta autour de l'enfant, si pâlot, si prématurément vieux, si effrayant dans sa gravité, si plaintif dans son faible, triste et pitoyable

gémissement. Il éprouvait pour lui presque de l'adoration. Il s'accrochait à lui comme à la seule sauve-
garde de sa fille, au seul lien intact qui la contraignît
à supporter ses épreuves. Il mit sur cette frêle tête
tout son espoir, toute sa confiance de père, observant
chacun des regards que la mère posait sur le bébé
qu'elle avait dans les bras et s'écriant à mille reprises :
« Elle l'aime ! Dieu soit loué, elle l'aime ! »

Il vit la femme s'occuper d'elle la nuit ; retourner
vers elle quand le mari rechigneur dormait et que
tout était silencieux ; l'encourager, pleurer avec elle,
placer de la nourriture devant elle. Il vit venir le jour
et de nouveau la nuit ; le jour, la nuit ; il vit le temps
passer ; la maison funèbre délivrée de la mort ; la
pièce laissée entièrement à elle et à l'enfant ; il entendit celui-ci gémir et pleurer ; il le vit la harceler, la
harasser — et quand, épuisée, elle sombrait dans le
sommeil, l'en arracher derechef et, de ses petites
menottes, la maintenir sur le chevalet ; mais elle lui
demeurait fidèle, conservant toute sa douceur, toute
sa patience à son égard. Patiente ! Comme elle l'était,
cette mère aimante ; elle l'était jusqu'au tréfonds de
son cœur et de son âme, et l'existence de l'enfant
était aussi fortement rivée à la sienne que lorsqu'elle
le portait en elle.

Durant tout ce temps, elle était dans le besoin ; elle
dépérissait dans un implacable et lancinant besoin.
Le bébé dans les bras, elle errait de-ci de-là en quête
d'ouvrage ; et, le pauvre petit visage maigre enfoui
dans son sein ou levé vers le sien, elle accomplissait
n'importe quelle tâche pour un salaire de famine : un
jour et une nuit de labeur pour autant de farthings[1]
qu'il y a de chiffres sur le cadran. Si elle l'avait que-
rellé, si elle l'avait négligé, si elle l'avait considéré
avec une haine d'un moment seulement, si, dans la

fureur de cet instant, elle l'avait frappé! Mais non. Le réconfort du Trotteux, ce fut qu'elle l'aimait toujours.

Elle ne parlait à personne de l'extrémité où elle était et elle errait au-dehors dans la journée par crainte des questions de sa seule amie, car tout secours qu'elle recevait de ses mains provoquait de nouvelles disputes entre la digne femme et son mari; et c'était une amertume supplémentaire que d'être chaque jour cause de conflits et de discorde là où elle avait tant d'obligations.

Elle l'aimait toujours. Elle l'aimait de plus en plus. Mais un changement intervint dans l'aspect de son amour. Une nuit.

Elle chantait doucement à l'oreille de l'enfant endormi et se promenait dans la chambre pour l'apaiser, quand la porte s'ouvrit sans bruit et un homme passa sa tête dans l'entrebâillement.

«Pour la dernière fois, dit-il.

— William Fern!

— Pour la dernière fois.»

Il écouta comme un homme traqué, puis il dit à voix basse:

«Ma carrière est presque finie, Marguerite. Je ne pouvais l'achever sans vous dire adieu. Sans une parole de reconnaissance.

— Qu'avez-vous fait?» demanda-t-elle, l'observant avec terreur.

Il la regarda, mais sans répondre.

Après un court silence, il fit un geste de la main, comme pour écarter, pour balayer sa question, et dit:

«Il y a bien longtemps maintenant, Marguerite; mais ce soir-là est aussi présent que jamais à ma mémoire. Nous ne pensions guère, alors, nous retrouver dans des circonstances pareilles, ajouta-t-il, jetant un regard circulaire. C'est votre enfant, Marguerite ? Laissez-moi le prendre dans mes bras. Laissez-moi tenir votre enfant. »

Il posa son chapeau à terre et prit le bébé. Et, ce faisant, il tremblait de la tête aux pieds.

« C'est une fille ?

— Oui. »

Il mit la main devant le petit visage.

« Voyez combien je suis devenu faible, Marguerite : je n'ai même pas le courage de la regarder. Laissez-la-moi un moment. Je ne lui ferai pas de mal. Il y a bien longtemps, mais... Comment s'appelle-t-elle ?

— Marguerite, répondit-elle vivement.

— J'en suis heureux, dit-il. Bien heureux ! »

Il parut respirer plus librement ; et après un moment de silence, il retira sa main et regarda le visage du bébé. Mais il le recouvrit tout aussitôt.

« Marguerite ! dit-il, lui rendant l'enfant. Elle ressemble à Liliane.

— À Liliane !

— J'ai tenu la même tête dans mes bras quand la mère de Liliane est morte, me la laissant.

— Quand la mère de Liliane est morte, la laissant ! répéta-t-elle d'un air égaré.

— Comme vous parlez de façon perçante ! Pourquoi me regardez-vous ainsi fixement ? Marguerite ! »

Elle se laissa tomber sur une chaise, serrant l'enfant contre son sein, et pleura sur elle. Elle relâchait parfois son étreinte pour regarder anxieusement le petit visage ; puis la pressait de nouveau contre son cœur. Tandis qu'elle la contemplait ainsi, quelque chose de farouche et de terrible commença de se mêler à son amour. Et ce fut alors que son vieux père défaillit.

«Suis-la! (L'ordre résonna de nouveau dans la maison.) Apprends-le de l'être le plus cher à ton cœur!

— Marguerite, dit Fern, se penchant sur elle et l'embrassant sur le front. Je vous remercie pour la dernière fois. Bonsoir. Adieu! Mettez votre main dans la mienne et dites-moi que vous m'oublierez à partir de ce moment, que vous tâcherez de penser que ma fin s'est produite ici.

— Qu'avez-vous fait? demanda-t-elle encore.

— Il y aura un incendie cette nuit, dit-il, s'éloignant d'elle. Il y aura des incendies cet hiver, pour éclairer les nuits sombres, à l'Est, à l'Ouest, au Nord et au Sud. Quand vous verrez au loin le ciel tout rouge, ne pensez plus à moi; ou si vous le faites, rappelez-vous quel enfer fut allumé en moi et pensez que vous voyez ses flammes réfléchies sur les nuages. Bonsoir. Adieu!»

Elle l'appela; mais il était parti. Elle s'assit, pétrifiée de stupeur, jusqu'à ce que son enfant éveillât en elle la conscience de la faim, du froid et de l'obscurité. Elle se promena dans la pièce toute la nuit, la tenant dans ses bras pour la calmer et la faire taire. Elle disait par intervalles: «Comme Liliane, quand sa mère mourut et la laissa seule!» Pourquoi son pas se faisait-il si rapide, son regard si égaré, son amour si violent et si terrible, chaque fois qu'elle répétait ces mots?

«Mais c'est l'amour, dit le Trotteux. C'est l'amour. Elle ne cessera jamais de l'aimer. Ma pauvre Margot!»

Le lendemain matin, elle habilla l'enfant avec un soin inhabituel — ah! quelle vaine dépense de soins pour de si misérables vêtements! — et elle tenta une fois de plus de trouver des moyens d'existence. C'était le dernier jour de la vieille année. Elle essaya jusqu'au soir, sans jamais manger une miette. Elle essaya en vain.

Elle se mêla à une foule abjecte, qui s'attardait dans la neige jusqu'à ce qu'il plût à quelque préposé de dispenser la charité publique (la charité légale ; non celle qui fut un jour prêchée sur le Mont des Oliviers), de les appeler à l'intérieur, de les questionner, de dire à celui-ci « Allez à tel endroit », à celui-là « Revenez la semaine prochaine », de jouer à la balle avec tel autre en le faisant passer de-ci de-là, de main en main, de maison en maison, jusqu'à ce que, lassé, il se couchât pour mourir ou bien qu'il se levât brusquement pour aller voler et devenir ainsi un criminel d'un genre plus élevé, dont les demandes ne supportent aucun délai. Là aussi, elle échoua.

Elle aimait son enfant et voulait l'avoir sur son sein. Cela lui suffisait.

Il faisait nuit, une nuit froide, aigre, obscure, lorsque, serrant l'enfant contre elle pour lui donner un peu de chaleur, elle arriva à la porte de ce qu'elle appelait son foyer. Elle était si faible et si étourdie qu'elle ne vit personne devant cette porte avant d'en être tout près et sur le point même d'entrer. Elle reconnut alors le maître de maison, qui s'était posté, de telle sorte qu'il en bouchât toute l'ouverture — ce qui n'était pas difficile, vu sa corpulence.

« Ah ! dit-il doucement. Vous voilà donc revenue ? »

Elle regarda l'enfant et hocha la tête.

« Ne croyez-vous pas avoir logé ici assez longtemps sans payer de loyer ? Ne trouvez-vous pas que, sans avoir un sou, vous avez été une assez fidèle cliente de ce magasin ? » dit M. Tugby.

Elle répéta le même appel muet.

« Si vous essayiez de vous accommoder ailleurs ? dit-il. Si vous vous procuriez un autre logement ?

Vous ne pourriez pas vous arranger pour cela, vous croyez? Allons!»

Elle répondit d'une voix étouffée qu'il était bien tard. Demain.

«Oui, je vois ce que vous voulez, dit Tugby; je comprends vos intentions. Vous savez qu'il y a deux partis à votre sujet dans cette maison et vous vous complaisez à les mettre en opposition. Je ne veux pas de querelles; je vous parle doucement pour en éviter une; mais si vous ne partez pas, je parlerai haut et vous vous attirerez un concert aussi bruyant que vous pourrez le souhaiter. Mais vous n'entrerez pas. J'y suis bien décidé.»

De la main, elle rejeta ses cheveux en arrière et regarda brusquement le ciel et l'espace sombre et menaçant.

«C'est la dernière nuit d'une année finissante, et je ne vais pas reporter les querelles et les rancunes et les tracas dans la nouvelle pour vous faire plaisir, à vous ou à quiconque, dit Tugby, véritable Ami et Père au petit pied. Je m'étonne que vous n'ayez pas honte de reporter de telles pratiques dans une année nouvelle. Si vous n'avez rien d'autre à faire sur terre que d'être toujours à vous laisser aller et à créer le trouble entre mari et femme, vous feriez mieux de ne pas y être. Allez-vous-en.

— Suis-la! Jusqu'au désespoir!»

De nouveau le vieillard entendit les voix. Il leva les yeux et vit les formes planer dans l'air, montrant le chemin qu'elle suivait le long de la rue noire.

«Elle l'aime! s'écria-t-il dans une supplication angoissée pour sa fille. Ô mes cloches! Elle l'aime toujours!

— Suis-la!»

L'ombre avançait rapidement, comme un nuage,

dans le sillage de Marguerite. Le Trotteux se joignit à la poursuite ; il resta tout près d'elle ; il observa son visage. Il vit la même expression farouche et terrible se mêler à son amour et s'allumer dans ses yeux. Il l'entendit dire :

— «Comme Liliane ! Être changée comme Liliane ! » et elle redoubla de vitesse.

Ah ! que quelque chose l'éveille ! Que quelque objet aperçu, quelque son entendu, quelque odeur perçue vienne ramener de doux souvenirs dans ce cerveau embrasé ! Que quelque douce image du passé s'élève devant elle !

«J'étais son père ! J'étais son père ! s'écria le vieillard, tendant les mains aux sombres formes qui continuaient de flotter au-dessus de lui. Ayez pitié d'elle, et de moi ! Où va-t-elle ? Ramenez-la ! J'étais son père ! »

Mais elles se contentèrent de la montrer du doigt dans sa course précipitée et dirent :

«Jusqu'au désespoir ! Apprends-le de l'être le plus cher à ton cœur ! »

Cent voix le répétèrent en écho. L'atmosphère était faite du souffle exhalé dans ces mots. Tobie semblait les aspirer à chaque halètement. Elles étaient partout, il ne pouvait les éviter. Et elle se hâtait toujours, le même éclat dans les yeux, les mêmes mots à la bouche : — «Comme Liliane ! Être changée comme Liliane ! »

Tout à coup, elle s'arrêta.

«Ah ! maintenant, ramenez-la ! s'écria le vieillard, arrachant ses cheveux blancs. Mon enfant ! Margot ! Ramenez-la ! Père Tout-Puissant, ramène-la ! »

Elle enveloppa le bébé dans son châle misérable pour lui donner un peu de chaleur. De ses mains fiévreuses, elle caressa les petits membres, composa le visage, arrangea la pauvre mise. Elle l'enlaça de ses bras décharnés, comme si elle ne consentirait jamais à s'en séparer davantage. Et de ses lèvres desséchées, elle l'embrassa avec une angoisse finale, dans une ultime et longue agonie d'amour.

Puis, ayant placé la minuscule menotte autour de son cou et la tenant là à l'intérieur de sa robe près de son cœur déchiré, elle pressa contre elle, tout contre elle et bien fermement, la petite tête endormie, et s'élança vers le fleuve.

Vers le fleuve, roulant ses eaux rapides et sombres, sur lesquelles semblait ruminer la nuit d'hiver ainsi que les dernières et noires pensées des nombreux égarés qui, avant Marguerite, avaient cherché là un refuge. Vers le fleuve, sur les rives duquel les lumières éparpillées luisaient maussades, rouges et ternes, telles des torches brûlant là pour indiquer le chemin de la Mort. Vers le fleuve où nulle demeure de vivants ne projetait son ombre dans l'obscurité profonde, impénétrable, lugubre.

Vers le fleuve! Ses pas désespérés l'emmenaient vers ce portail de l'Éternité aussi vite que les eaux rapides couraient vers la mer. Tobie essaya de la toucher comme elle passait près de lui en descendant à son noir niveau; mais la forme égarée, impétueuse, avec son amour farouche et terrible, son désespoir sur lequel ne pouvait plus agir nul frein, nulle prise humaine, passa près de lui comme le vent.

Il la suivit. Elle s'arrêta un moment sur le bord avant l'affreux plongeon. Il tomba à genoux et, dans un cri, s'adressa aux figures des cloches qui planaient pour lors au-dessus d'eux.

«Je l'ai appris! cria le vieillard. De l'être le plus cher à mon cœur! Ah! sauvez-la, sauvez-la!»

Il put glisser ses doigts dans les plis de la robe; il put la saisir! Comme ces mots s'échappaient de sa bouche, il sentit revenir la sensation du toucher, et il sut qu'il la retenait.

D'en haut, les figures le contemplaient fixement.

«Je l'ai appris! cria le vieillard. Ah! ayez pitié de moi en cette heure, si, entraîné par mon amour pour elle, si jeune et si bonne, j'ai calomnié la Nature dans le cœur des mères livrées au désespoir! Ayez pitié de ma présomption, de ma méchanceté, de mon ignorance; et sauvez-la.»

Il sentit que sa prise se relâchait. Elles restaient silencieuses encore.

«Ayez pitié d'elle! s'écria-t-il. Comme de quelqu'un chez qui ce crime horrible a été suscité par l'amour perverti, par l'amour le plus fort, le plus profond que nous autres créatures déchues, puissions connaître! Pensez à ce qu'a dû être sa misère, pour que pareille semence porte pareil fruit! Le Ciel la voulait bonne. Il n'est pas au monde de mère aimante qui ne puisse en arriver là après une telle existence. Ah! miséricorde pour mon enfant, qui, même en cette passe, cherche la miséricorde pour la sienne et meurt elle-même au péril de son âme immortelle, pour la sauver.»

Elle était dans ses bras. Il la tenait maintenant. Sa force était celle d'un géant.

«Je vois parmi vous l'esprit des cloches! cria le vieillard, reconnaissant l'enfant et parlant sous quelque influence inspirée par leurs regards. Je sais que c'est le Temps qui tient en réserve pour nous notre héritage. Je sais qu'il est une mer du Temps qui se soulèvera un jour et devant laquelle seront balayés comme des feuilles tous ceux qui nous font du mal ou nous oppriment. Je la vois, elle monte! Je sais que nous devons avoir confiance et espoir et ne douter ni de nous-mêmes, ni du bien chez notre semblable. Je l'ai appris de l'être le plus cher à mon cœur. Je la serre de nouveau dans mes bras. Ô esprits miséricordieux et bons, je serre votre vérité sur ma poitrine en même temps qu'elle! Ô esprits miséricordieux et bons, je vous suis reconnaissant!»

Il aurait pu en dire davantage; mais les cloches, les vieilles cloches familières, ses chères, fidèles et fermes amies du carillon, se mirent à sonner leur chant d'allégresse en l'honneur de la Nouvelle Année; avec tant d'exubérance, tant de gaieté, tant de joie et tant de félicité qu'il bondit sur ses pieds et rompit le charme qui l'enchaînait.

«Et, quoi que tu fasses, papa, dit Margot, ne mange plus de tripes sans demander avant au médecin si elles te conviennent: ce que tu as pu t'agiter, bonté divine!»

Elle travaillait à l'aiguille, assise à la petite table près du feu, et garnissait sa simple robe de rubans pour son mariage. Elle était si tranquillement heureuse, si fraîche et juvénile, si pleine de beauté et de promesses, qu'il poussa un grand cri, comme s'il eût vu un ange dans sa maison; puis il s'élança pour la serrer dans ses bras.

Mais il se prit les pieds dans le journal qui était tombé devant l'âtre, et quelqu'un s'interposa précipitamment entre eux.

«Non! cria la voix de ce quelqu'un-là (et quelle riche voix enjouée c'était!). Pas même vous. Pas même vous. Le premier baiser de Margot en cette nouvelle année me revient! À moi! J'ai attendu devant la maison durant toute l'heure écoulée pour entendre les cloches et revendiquer mon dû. Margot,

mon précieux trésor, bonne année! Une vie entière
de bonnes années, mon épouse adorée!»

Et Richard l'étouffait de baisers.

De votre vie vous n'avez rien vu de pareil au Trotteux après cela. Peu me chaut où vous avez vécu ou
ce que vous avez vu; jamais de votre vie vous n'avez
vu quoi que ce soit d'approchant! Il s'asseyait sur sa
chaise, se frappait les genoux et pleurait; il s'asseyait
sur sa chaise, se frappait les genoux et riait; il s'asseyait sur sa chaise, se frappait les genoux et riait et
pleurait en même temps; il se levait de sa chaise et
étreignait Margot; il se levait de sa chaise et étreignait Richard; il se levait de sa chaise et les étreignait tous deux à la fois; il courait sans cesse vers
Margot pour serrer le frais visage entre ses mains et
l'embrasser, il s'en retournait à reculons pour ne pas
la perdre de vue, et il accourait de nouveau telle une
figure de lanterne magique; et, quoi qu'il fît, il s'asseyait constamment sur sa chaise sans jamais y
demeurer tranquille une minute; tant il était littéralement fou de joie.

«Et c'est demain que tu te maries, mon cœur!
s'écria le Trotteux. Ce sera le vrai, l'heureux jour de
tes noces!

— C'est aujourd'hui! cria Richard, lui serrant les
mains. Aujourd'hui même. Les cloches sonnent la
Nouvelle Année. Entendez-les!»

Elles sonnaient, en effet! Béni soit leur cœur vigoureux, elles sonnaient! En fameuses cloches qu'elles
étaient, ces mélodieuses, ces sonores, ces nobles
cloches; fondues d'un métal peu commun; faites par
un fondeur peu commun; quand donc jusqu'alors
avaient-elles carillonné ainsi?

«Mais... aujourd'hui, mon cœur! dit le Trotteux.
Vous vous êtes querellés aujourd'hui, Richard et toi.

— C'est parce qu'il est si mauvais garçon, papa, dit Margot. Ce n'est pas vrai, Richard? C'est un homme si têtu, si violent! Il aurait aussi bien dit son fait à ce grand alderman, il en serait aussi bien "Venu à Bout" qu'...

— Qu'il aurait embrassé Margot, suggéra Richard, non sans joindre, ma foi, le geste à la parole!

— Non... Assez, dit Margot. Mais je n'ai pas voulu le laisser faire, papa. À quoi cela aurait-il servi?

— Richard, mon garçon! s'écria le Trotteux. Vous êtes né brave cœur; eh bien, il faudra rester un brave cœur jusqu'à la mort! Mais tu pleurais près du feu, ce soir, ma chérie, quand je suis rentré! Pourquoi pleurais-tu au coin du feu?

— Je pensais à toutes les années que nous avons passées ensemble, papa. C'est tout. Et je pensais que je pourrais te manquer et que tu te sentirais bien seul.»

Le Trotteux regagnait de nouveau à reculons cette extraordinaire chaise, quand l'enfant, éveillée par le bruit, entra en courant, à demi vêtue.

«Mais la voilà! s'écria le Trotteux, la saisissant au passage et l'élevant dans ses bras. Voilà la petite Liliane! Ha, ha, ha! Nous y voici, nous y sommes! Ah! nous y voici, nous y sommes encore! Et nous y voici, nous y sommes! Et Oncle Will aussi! (Il interrompit son trot pour l'accueillir cordialement.) Ah! Oncle Will, cette vision que j'ai eue ce soir pour vous avoir logé! Ah! Oncle Will, les obligations que je vous ai pour votre venue, mon bon ami!»

Avant que Will Fern eût eu le temps de répondre un seul mot, une troupe de musiciens fit irruption dans la pièce, accompagnée de quantité de voisins, qui criaient: «Bonne Année, Margot!» «Heureuses noces!» «Beaucoup d'autres années!» et autres souhaits fragmentaires du même ordre. La grosse caisse (qui était un ami particulier du Trotteux) s'avança alors et dit :

« Veck le Trotteux, mon gars ! On a appris que ta fille allait se marier demain. Y a personne qui te connaisse qui ne te veuille pas du bien ou qui la connaisse et ne lui veuille pas du bien. Ou qui vous connaisse tous les deux et qui ne vous souhaite à tous deux tout le bonheur que puisse apporter la Nouvelle Année. Et nous voici venus en conséquence pour vous jouer un air et vous faire danser. »

Discours qui fut accueilli par une acclamation générale. La grosse caisse était assez ivre, soit dit en passant, mais qu'importe ?

« Quelle joie, croyez-moi, dit le Trotteux, que d'être ainsi estimé ! Comme vous êtes d'aimables et bons voisins ! Tout cela, c'est à cause de ma chère fille. Elle le mérite bien ! »

En un clin d'œil tous furent prêts pour la danse (Margot et Richard en tête) ; et la grosse caisse était sur le point de tanner sa peau d'âne de toutes ses forces, quand on entendit au-dehors un concours de sons prodigieux, et une accorte matrone, âgée de cinquante ans environ et respirant la bonne humeur, entra en courant, accompagnée d'un homme qui portait une cruche de grès de dimensions terrifiantes, et suivie de près par l'orphéon et les clochettes ; pas les cloches, bien sûr ! mais une collection portative assemblée sur un cadre.

Le Trotteux dit : « Voilà Mme Chickenstalker ! » et s'assit en se tapant à nouveau sur les genoux.

« On se marie donc sans me le dire, Margot ! s'écria la bonne dame. Jamais de la vie ! Je n'aurais pas pu dormir en cette dernière nuit de l'année sans venir vous souhaiter toutes les joies. Je n'aurais tout sim-

plement pas pu, Margot. Fussé-je clouée au lit. Me
voici donc ; et comme c'est la veille du Nouvel An, et
la veille de votre mariage aussi, ma chère, j'ai fait
faire un petit flip[1], que j'ai apporté avec moi. »

L'idée que se faisait Mme Chickenstalker d'un
petit flip faisait honneur à sa réputation. La cruche
exhalait autant de vapeurs et de fumées qu'un volcan,
et l'homme qui l'avait portée défaillait.

« Madame Tugby ! dit le Trotteux, qui, dans son
ravissement, avait tourné tout autour de la brave
dame — je veux dire madame Chickenstalker. Bénie
soit toute votre personne ! Je vous souhaite une
bonne année, et beaucoup d'autres après ! Madame
Tugby, poursuivit le Trotteux, quand il l'eut embras-
sée — je veux dire madame Chickenstalker. Je vous
présente William Fern et Liliane. »

La bonne dame, à sa grande surprise, devint tour à
tour très pâle et très rouge.

« Ce n'est pas la Liliane Fern dont la mère est
morte dans le Dorsetshire ? » dit-elle.

L'oncle répondit que si et, s'étant vivement rap-
prochés, ils échangèrent un rapide dialogue, dont le
résultat fut que Mme Chickenstalker lui saisit les
deux mains, rendit de son plein gré un baiser à Tobie
et attira l'enfant contre sa vaste poitrine.

« Will Fern ! dit le Trotteux, enfilant la moufle de sa
main droite. Ce n'est pas l'amie que vous espériez
trouver ?

— Mais si ! répondit Will, posant ses mains sur les
épaules du Trotteux. Et qui semble devoir être une
amie presque aussi bonne, si c'est possible, que l'ami
que j'avais déjà trouvé.

— Oh ! s'écria le Trotteux. Jouez, s'il vous plaît,
là-haut. Voulez-vous avoir la bonté de jouer ? »

Aux sons de la musique de l'orchestre, des clochettes, de l'orphéon tout ensemble, et tandis que les cloches poursuivaient leur puissant concert au-dehors, le Trotteux, ayant institué Margot et Richard second couple, entraîna Mme Chickenstalker dans la danse — dont il s'acquitta sur un pas inconnu avant et depuis et fondé sur le trot particulier qui lui était propre.

Le Trotteux avait-il rêvé ? Ou ses joies et ses peines, et les acteurs qui y ont eu part, ne sont-ils qu'un rêve ? Lui-même est-il un rêve ? Et l'auteur de ce conte, un rêveur qui ne s'éveille qu'à présent ? S'il en est ainsi, ô auditeur, toi qui lui étais si cher dans toutes ses visions, essaie de te rappeler les dures réalités d'où sont nées ces ombres ; et dans ta sphère — nulle n'est trop étendue, nulle trop limitée pour pareille fin — efforce-toi de les corriger, de les améliorer, de les adoucir. Et que la Nouvelle Année soit pour toi heureuse, heureuse aussi pour bien d'autres dont le bonheur dépend de toi ! Que chaque année soit plus heureuse que la précédente, et que le plus humble de nos frères, la plus pauvre de nos sœurs ne se voient pas refuser leur part légitime du lot pour la jouissance duquel le Créateur les a faits.

Le Grillon du foyer

Conte de fées domestique

Traduction de Francis Ledoux.

À Lord JEFFREY [1] *est dédié ce petit*
conte avec tout l'affectueux attachement
de son ami

L'AUTEUR.
Décembre 1845.

PREMIER GRÉSILLEMENT

C'est la bouilloire qui commença! Ne venez pas
me répéter ce que dit Mme Peerybingle : moi, je sais.
Mme Peerybingle peut bien affirmer pour la fin des
temps qu'elle ne saurait dire qui commença, je
déclare, moi, que ce fut la bouilloire. Je devrais le
savoir, tout de même! La bouilloire commença cinq
bonnes minutes, au petit coucou à la face cireuse
suspendu dans le coin, avant que le grillon n'émît un
seul grésillement.

Comme si la pendule n'avait pas fini de sonner et
comme si le petit faneur convulsif qui la surmontait
n'avait pas abattu, à force de saccades de droite et de
gauche devant un palais mauresque, un demi-arpent
d'herbe imaginaire avant que le grillon se manifestât
le moins du monde!

Ma foi, je ne suis pas péremptoire de nature,

chacun le sait. Pour rien au monde je n'opposerais
mon avis personnel à celui de Mme Peerybingle si je
n'en étais absolument sûr. Rien ne saurait m'y
induire. Mais il s'agit d'un fait ; et le fait est que c'est
la bouilloire qui commença, cinq minutes au moins
avant que le grillon ne donnât aucun signe de vie. Si
vous voulez chicaner, je dirai même dix.

Permettez que je raconte exactement comment les
choses se passèrent. Je l'aurais fait dès le premier
mot, n'eût été cette simple considération : pour
raconter une histoire, il faut bien commencer par le
début, et comment serait-il possible de commencer
par le début sans commencer par la bouilloire ?

Entendez qu'il y eut, semble-t-il, une sorte de compétition ou d'assaut de talent entre la bouilloire et le
grillon. Or, voici ce qui l'amena et comment la chose
arriva.

Mme Peerybingle qui, sortie dans l'âpre crépuscule avec une paire de patins, les avait fait cliqueter
sur les pavés humides en imprimant par toute la
cour des empreintes vaguement figuratives de la
première proposition d'Euclide, Mme Peerybingle
remplit la bouilloire au tonneau d'eau de pluie.
Bientôt rentrée, patins en moins (et cela faisait sen-
siblement moins, car ils étaient hauts et elle assez
courte), elle installa la bouilloire sur le feu. Ce
faisant, elle perdit patience ou tout au moins l'égara
un instant, car l'eau désagréablement froide, qui
affectait pour lors cet état glissant et fangeux de la
neige détrempée où elle semble pouvoir pénétrer
toute substance, fût-ce des fers de patins, avait saisi
les orteils de Mme Peerybingle et même éclaboussé
ses jambes. Or lorsque, tirant (à juste titre) une certaine vanité de ses jambes, on met sa coquetterie à
avoir toujours des bas particulièrement nets, pareille

atteinte vous semble sur le moment assez pénible à supporter.

Sans compter que la bouilloire faisait preuve d'un entêtement exaspérant : elle refusait de se laisser ajuster sur la barre supérieure ; elle ne voulait rien entendre pour s'adapter docilement aux morceaux de charbon ; elle tenait à pencher en avant d'un air d'ébriété et à baver, comme une idiote de bouilloire, sur le devant de l'âtre. Elle se montrait d'humeur batailleuse, elle sifflait et crachait d'un air chagrin sur le feu. Et pour conclure le tout, le couvercle, résistant aux doigts de Mme Peerybingle, commença par se renverser sens dessus dessous, puis, avec une ingénieuse obstination digne d'une meilleure cause, plongea de côté, jusqu'au fin fond de la bouilloire. Et la coque du *Royal George* n'offrit certes jamais la moitié de la monstrueuse résistance à sortir de l'eau que déploya le couvercle de cette bouilloire avant que Mme Peerybingle ne parvînt à le repêcher.

Même alors, la bouilloire garda un aspect passablement rétif et obstiné, portant haut son anse d'un air de défi et dressant vers Mme Peerybingle un bec effronté et moqueur, comme pour dire : « Je ne bouillirai pas. Rien ne m'y contraindra ! »

Mais Mme Peerybingle, qui avait recouvré sa bonne humeur, frotta l'une contre l'autre ses petites mains potelées pour en retirer la poussière et s'assit en riant devant la bouilloire. Cependant, la joyeuse flambée s'avivait et retombait tour à tour, jetant éclat ou lueurs sur le petit faneur qui surmontait le coucou de Hollande, au point que l'on eût pu le croire rigoureusement immobile devant le palais mauresque, rien d'autre ne bougeant que la flamme.

Il était en mouvement, pourtant, et il avait bien ses spasmes, réguliers à souhait, à la cadence de deux par seconde. Mais ses souffrances, au moment où la pendule allait sonner, étaient affreuses à voir ; et quand un coucou passa la tête par un abat-foin du palais pour chanter six fois, chaque note le secoua comme une voix fantomatique — ou comme quelque fil de fer accroché à la jambe.

Ce ne fut pas avant qu'un violent ébranlement et un ronronnement parmi les poids et les chaînes qui pendaient en dessous se fussent entièrement apaisés que ce faneur terrifié redevint lui-même. Ses alarmes n'étaient d'ailleurs pas sans motif ; car les squelettes osseux et cliquetants des pendules, quand ils fonctionnent, sont fort déconcertants, et je me demande bien comment un groupe d'hommes quelconque et en particulier les Hollandais ont jamais pu prendre goût à les inventer. Les Hollandais ont la réputation d'aimer faire bénéficier la partie inférieure de leur propre personne d'amples gaines et de beaucoup de vêtements ; ils pourraient donc mieux faire, sans nul doute, que de laisser leurs pendules aussi nues et aussi décharnées.

C'est alors, notez-le, que la bouilloire commença sa soirée. C'est alors que, se faisant musicale et tendre, elle commença d'avoir dans la gorge des gargouillements irrépressibles et de se livrer à de brefs et sonores ronflements, qu'elle réprimait dans l'œuf, comme si elle ne s'était pas encore tout à fait déterminée à être de bonne compagnie. C'est alors qu'après deux ou trois de ces vaines tentatives pour étouffer ses joviaux sentiments, elle rejeta toute réserve morose et se lança dans un chant si douillet, si joyeux que jamais rossignol en transe n'en eut la moindre idée.

Un chant si simple aussi ! Mon Dieu, il se comprenait comme un livre ouvert — mieux, peut-être, que certains livres que vous et moi pourrions citer. De sa chaude haleine jaillissant en un léger nuage qui s'élevait avec grâce et gaieté à quelques pieds pour ensuite se suspendre au coin de la cheminée comme à son propre empyrée domestique, elle poussait sa chanson avec la puissante énergie de belle humeur que son corps de fer dégageait en fredonnant sur le feu ; et le couvercle lui-même, ce couvercle naguère rebelle — tel est l'effet d'un exemple entraînant —, se mit à exécuter une sorte de gigue et à tintinnabuler comme une jeune cymbale sourde-muette qui n'aurait jamais connu l'usage de sa sœur jumelle.

Que ce chant de la bouilloire fût un chant d'invitation et de bienvenue adressé à quelqu'un de l'extérieur, à quelqu'un qui approchait à ce moment de la douillette petite maison et de son feu vif, ne fait aucun doute. Mme Peerybingle le savait bien, tandis qu'elle restait assise à rêvasser devant l'âtre. « Il fait nuit noire, chantait la bouilloire ; les feuilles mortes s'entassent, pourrissantes, au bord de la route ; au-dessus, tout est brouillard et ténèbres, au-dessous argile et boue ; un seul allégement à toute cette triste et fuligineuse atmosphère et je ne suis pas sûre que c'en soit un, car ce n'est qu'un éclat de pourpre sombre et violente où le soleil et le vent se sont entendus pour bouter le feu aux nuages coupables d'un pareil temps ; la plus grande étendue perceptible n'est qu'une longue bande noire ; le poteau indicateur est tout engivré, le verglas recouvre le chemin, la glace n'est point de l'eau et l'eau n'est plus courante ; on ne peut dire que rien soit dans l'ordre ; mais il approche, il approche, il approche… ! »

C'est alors, si vous y tenez, que le grillon fit chorus, d'un cri-cri, cri-cri, cri-cri de telle ampleur, d'une voix si étonnamment disproportionnée à sa taille en comparaison de celle de la bouilloire (sa taille, on ne pouvait même l'apercevoir !), que s'il eût éclaté dans l'instant comme un canon trop chargé, s'il fût tombé sur la place en holocauste, si son chant eût éparpillé son petit corps en cinquante morceaux, ce n'eût paru être qu'une conséquence naturelle et inévitable en vue de laquelle il eût expressément œuvré.

La bouilloire avait vu la fin de son solo. Elle persévéra d'une ardeur non diminuée ; mais le grillon joua les premiers violons et s'y tint. Mon Dieu, comme il grésilla ! Sa voix aiguë, crissante, stridente, résonna par toute la maison, et l'on eût dit qu'elle allait scintiller au travers des ténèbres extérieures comme une étoile. Il y avait, à son plus fort, un petit trille, une vibration indicible qui laissait supposer que l'insecte était emporté, qu'il bondissait à nouveau dans l'élan de son enthousiasme intense. Ils s'entendaient cependant fort bien, le grillon et la bouilloire ! Le refrain de la chanson était toujours le même ; et plus fort, plus fort, plus fort encore le chantaient-ils à l'envi.

La jolie petite auditrice — car jolie elle l'était, et jeune, encore que quelque peu boulotte ; quant à moi, d'ailleurs, je ne déteste pas cela —, la jolie petite auditrice alluma une bougie, jeta un coup d'œil au faneur de la pendule qui rentrait une assez belle moisson de minutes, et regarda par la fenêtre, où, étant donné l'obscurité, elle ne vit rien d'autre que sa propre image reflétée dans la vitre. À mon avis (et sans doute eût-ce été aussi le vôtre), elle eût pu regarder fort loin sans rien voir qui fût moitié aussi agréable. Quand elle revint s'asseoir dans le même fauteuil que devant, le grillon et la bouilloire maintenaient toujours leur duo, avec une parfaite fureur dans la compétition. Le point faible de la bouilloire étant nettement qu'elle ne voyait pas le moment où elle était battue.

Il y avait là-dedans toute l'excitation d'une course. Cri-cri-cri! Le grillon a un mille d'avance. Hum-hum-hum-m-m! La bouilloire s'escrime au loin, comme une grosse toupie ronflante. Cri-cri-cri! Le grillon a passé le tournant. Hum-hum-hum-m-m! La bouilloire le serre à sa façon; pas question d'abandonner. Cri-cri-cri! Le grillon est plus frais que jamais. Hum-hum-hum-m-m! La bouilloire prend son temps. Cri-cri-cri! Le grillon s'élance pour en venir à bout. Hum-hum-hum-m-m! La bouilloire ne se laisse pas battre comme cela. Tant qu'à la fin tous deux se trouvèrent si bien entraînés dans le pêle-mêle et le tohu-bohu de la compétition qu'il eût fallu une tête plus solide que la vôtre ou la mienne pour décider à coup sûr si la bouilloire grésillait ou si le grillon ronronnait, si le grillon grésillait ou si la bouilloire ronronnait ou encore si tous deux grésillaient et tous deux ronronnaient. Quoi qu'il en soit, une chose est certaine : c'est que bouilloire et grillon, au même instant et par quelque pouvoir de fusion d'eux seuls connu, lancèrent l'un et l'autre leur chant de coin du feu tout au long d'un rayon de la chandelle qui se répandait au travers de la fenêtre assez loin sur la route. Et cette lumière, allant frapper une certaine personne qui s'avançait vers elle à ce moment dans l'obscurité, lui révéla tout, littéralement dans un éclair, et lui cria :

« Bienvenue à la maison, mon vieux! Bienvenue à la maison, mon gars! »

Cette fin atteinte, la bouilloire, exténuée, déborda et fut retirée du feu. Mme Peerybingle s'élança alors vers la porte, où les roues d'une voiture, le piétinement d'un cheval, une voix d'homme, l'entrée et la sortie en coup de vent d'un chien surexcité et l'apparition mystérieuse et surprenante d'un bébé firent bientôt un diable de brouhaha.

D'où provenait le bébé ou comment Mme Peerybingle put le saisir ainsi en un tournemain, pour ma part, je ne le sais. Toujours est-il qu'un bébé bien vivant se trouvait dans les bras de Mme Peerybingle ; et elle semblait en tirer une certaine dose de fierté quand l'entraîna vers le feu un homme de robuste carrure, beaucoup plus grand et plus âgé qu'elle-même, qui dut se baisser de moitié pour l'embrasser. Mais elle valait l'effort : un mortel de six pieds six pouces, même avec un lumbago, l'eût accompli.

«Ah, mon Dieu, Jean ! s'écria Mme Peerybingle. Comme te voilà fait, avec ce temps ! »

Le temps, en effet, n'avait pas amélioré son apparence, on ne pouvait le nier. L'épais crachin s'était caillé sur ses cils comme du verglas cristallisé ; et, sous l'action combinée du brouillard et du feu, des arcs-en-ciel luisaient jusque dans ses favoris.

« Hé, tu vois, Dot, répondit Jean lentement tout en déroulant le châle qui lui enveloppait le cou et en se chauffant les mains ; ce… ce n'est pas précisément un temps d'été. Alors, quoi d'étonnant ?

— J'aimerais bien que tu ne m'appelles pas Dot[1], Jean. Je n'aime pas cela, dit Mme Peerybingle, dont la moue charmante montrait clairement qu'elle l'aimait au contraire, et beaucoup.

— Mais qu'es-tu donc d'autre ? répliqua Jean, abaissant sur elle un regard souriant et lui serrant la taille d'une étreinte aussi légère que le permettaient une main et un bras énormes. Une mioche et (à ce moment, il regarda le bébé)… une mioche et sa pou…[2] non, je ne le dirai pas, de peur de gâter le

tableau ; mais j'étais bien près de faire une plaisanterie ; je n'en ai jamais été si près, je crois. »

Il était souvent près de dire quelque chose de très
spirituel, à l'en croire, ce lourd, ce lent, cet honnête
Jean ; ce Jean si pesant, mais d'esprit si léger ; si rude
en surface, mais si doux de cœur ; si épais au-dehors,
et si vif au-dedans ; ce Jean si flegmatique, mais si
bon ! Ah, Mère Nature, accorde à tes enfants la véritable poésie du cœur qui se cachait dans la poitrine
de ce pauvre commissionnaire de roulage, (car ce
n'était qu'un commissionnaire, soit dit en passant),
et nous pourrons supporter de les entendre s'exprimer en prose et de les voir mener une vie prosaïque ;
nous te serons même reconnaissants de leur compagnie !

Il était plaisant de voir Dot, avec sa petite tournure
et dans les bras son bébé, une véritable poupée de
bébé, regarder le feu d'un air de coquette méditation
et incliner de côté sa délicate petite tête juste assez
pour la laisser reposer d'une curieuse façon, mi-
naturelle et mi-affectée, dans l'agréable nid offert
par la grande et rude forme du commissionnaire. Il
était plaisant de le voir, lui, avec sa tendre gaucherie,
s'efforcer d'adapter son robuste appui à la légère exi-
gence et de faire de sa solide quarantaine un étai qui
ne fût pas inapproprié à cette jeunesse en fleur. Il
était plaisant d'observer comment Tilly Slowboy[1],
attendant à l'arrière-plan qu'on lui remît le bébé,
contemplait (encore qu'âgée seulement de quatorze
ans) le groupe ainsi formé et restait, la bouche et les
yeux grands ouverts et la tête en avant, à inhaler ce
spectacle comme une bouffée d'air pur. Non moins
agréable était-il d'observer la façon dont Jean le
Commissionnaire, sur une remarque de Dot au sujet
dudit bébé, retint sa main au moment de toucher

l'enfant, comme s'il eût craint de le briser, et dont, penché en avant, il le regarda d'une distance sûre avec une sorte de fierté embarrassée, telle qu'en pourrait montrer un aimable mâtin qui se trouverait un beau jour le père d'un jeune canari.

«Est-il pas beau, Jean? Comme il est joli quand il dort!

— Très joli, dit Jean. Pour ça, oui. Et il dort presque tout le temps, n'est-ce pas?

— Oh! Dieu non, Jean!

— Ah! dit Jean d'un ton méditatif. Il me semblait qu'il avait généralement les yeux fermés. Holà!

— Ciel, Jean, comme tu fais sursauter les gens!

— C'est pas mauvais pour lui de les lever comme ça, dis? s'écria le commissionnaire, étonné. Vois comme il cligne des deux yeux à la fois! Et regarde sa bouche! Mais il bée comme un poisson rouge!

— Tu ne mérites pas d'être père, pour ça non, dit Dot avec toute la dignité d'une femme d'expérience. Mais comment saurais-tu de quels petits malaises sont indisposés les enfants, Jean? Tu n'en connais même pas le nom, grand balourd.»

Et, après avoir retourné le bébé sur son bras gauche et lui avoir tapoté le dos en guise de cordial, elle pinça en riant l'oreille de son mari.

«Non, dit Jean en se débarrassant de sa houppelande. C'est bien vrai, Dot. Je n'y connais pas grand-chose. Tout ce que je sais, c'est que j'ai dû lutter assez rudement contre le vent, ce soir. Il soufflait du nord-est en plein dans la charrette, tout le long du retour.

— Mon pauvre vieux, c'est bien vrai! s'écria Mme Peerybingle, qui se fit instantanément très active. Voyons, Tilly, prends ce doux trésor, pendant que je me rends utile. Mon Dieu, je serais capable de l'étouffer de baisers, vrai! Holà, bon chien! Holà, Boxeur, mon gros! Laisse-moi d'abord te faire ton thé, Jean; et après, je t'aiderai aux colis — comme la diligente abeille: "Comment fait la petite, etc." tu connais la suite, Jean. As-tu jamais appris "Comment fait la petite abeille" quand tu allais à l'école, Jean?

— Pas tout à fait assez pour le savoir par cœur, répondit Jean. J'y suis presque arrivé à un moment. Mais je n'aurais fait que l'écorcher, il me semble.

— Ha, ha, fit Dot, riant (elle avait le rire le plus joyeux que l'on ait jamais entendu). Quel vieil âne chéri tu fais, Jean, pour sûr!»

Sans contester aucunement cette assertion, Jean sortit afin de s'assurer que le garçon à la lanterne, qui avait passé ce temps à danser de-ci de-là devant la porte et la fenêtre tel un feu follet, s'occupait comme il convenait du cheval, beaucoup plus gros que vous ne voudriez le croire si je vous donnais son volume, et si âgé que la date de sa naissance se perdait dans la nuit des temps. Boxeur, sentant qu'il devait ses attentions à la famille entière et qu'il lui appartenait de les distribuer avec impartialité, se précipitait au-dehors et rentrait avec un manque ahurissant d'esprit de suite; tantôt décrivant un cercle de brefs aboiements autour du cheval que l'on pansait devant la porte de l'écurie; tantôt feignant une furieuse ruée vers sa maîtresse et s'arrêtant soudain facétieusement; tantôt arrachant un cri à Tilly Slowboy, assise devant le feu sur la petite chaise basse à bascule, par l'application inattendue d'un museau humide sur son visage; tantôt montrant un intérêt indiscret pour le bébé; tantôt tournoyant devant le foyer avant de se coucher comme s'il s'installait pour la nuit; puis se relevant et emmenant son petit bout de queue de rien du tout dans la froidure extérieure, comme s'il venait de se rappeler quelque rendez-vous et partait au grand trot pour ne pas le manquer.

«Là! Voilà la théière toute prête sur la plaque! dit Dot avec autant d'alerte affairement qu'une enfant jouant au ménage. Et voici ce fier jambonneau; et le beurre, et puis la miche croustillante, et tout! Voici le panier à linge pour les petits paquets, Jean, si tu en as... Où es-tu, Jean? Ne laisse pas ce cher bébé tomber sous la grille, Tilly, quoi que tu fasses!»

On peut noter que Mlle Slowboy, en dépit de la vivacité avec laquelle elle rejeta cet avertissement, était douée d'un rare et surprenant talent de placer le bébé dans des positions difficiles et qu'elle avait à maintes reprises mis en péril sa brève existence avec une tranquillité qui n'appartenait qu'à elle. Cette jeune personne avait une tournure à tel point raide et sèche que ses vêtements semblaient constamment en passe de glisser des patères pointues que représentaient ses épaules et auxquelles ils se trouvaient vaguement suspendus. Son costume se distinguait par le déploiement partiel, en toutes les occasions possibles, de certain vêtement de flanelle d'une structure singulière et aussi par le fait qu'il offrait de temps à autre, dans la région du dos, la vision momentanée d'un corset ou d'une brassière de couleur vert éteint. En état perpétuel de béante admiration devant toutes choses, absorbée de plus dans la contemplation constante des perfections de sa maîtresse et du bébé, on peut bien dire que les petites erreurs de jugement de Mlle Slowboy faisaient également honneur à sa tête et à son cœur; et, bien qu'elles en fissent moins à la tête du bébé, à qui elles offraient parfois l'occasion d'entrer en contact avec les portes, buffets, rampes d'escalier, quenouilles de lit et autres substances étrangères, elles étaient pourtant l'honnête résultat du constant étonnement qu'éprouvait Tilly Slowboy à se trouver traitée avec tant de bonté et installée dans une maison aussi confortable. Car les Slowboy père et mère étaient, l'un comme l'autre, inconnus de la Renommée ; Tilly, enfant trouvée, avait été élevée par la charité publique, et chacun sait qu'enfant trouvée n'a jamais été synonyme d'enfant aimée.

La vue de la petite Mme Peerybingle, qui revenait avec son mari en tirant le panier à linge et en déployant les efforts les plus énergiques pour ne rien faire du tout (car il le portait), vous aurait amusé presque autant qu'elle l'amusait lui-même. Peut-être ce spectacle réjouit-il aussi le grillon, pour autant que je sache ; en tout cas, il se remit sans nul doute à grésiller, et avec véhémence.

« Vive Dieu ! dit Jean à sa façon lente. Il est plus gai que jamais, ce soir, il me semble.

— Et il nous portera sûrement chance, Jean ! Il l'a toujours fait. Avoir un grillon dans son foyer, c'est la plus heureuse chose au monde ! »

Jean la regarda comme s'il était bien près de s'être mis en tête qu'elle était son grillon en chef et qu'il acquiesçait entièrement. Mais ce fut là sans doute encore une de ces occasions où il s'en fallut de peu qu'il ne fît une de ses bonnes plaisanteries, car il ne dit rien.

« La première fois que j'ai entendu sa petite note réjouissante, Jean, ce fut le soir où tu m'amenas à la maison… à ma nouvelle maison, ici, en tant que sa petite maîtresse. Il y a près d'un an. Tu te rappelles, Jean ? »

Oh ! oui, Jean se le rappelait ; pour sûr !

« Quelle bienvenue pour moi que son grésillement !

Il me prodiguait tant de promesses et d'encouragements! Il semblait me dire que tu serais plein de
douceur et de prévenance à mon égard, et que tu ne
t'attendrais pas (j'en avais bien peur, à ce moment-
là, Jean) à trouver une tête mûrie par les ans sur les
épaules de ta sotte de petite femme.»

Jean lui tapota gentiment l'épaule, puis la tête,
comme pour dire «Non, non», qu'il ne s'était pas
attendu à pareille chose; qu'il avait été bien content
de les prendre telles qu'elles étaient. Et il avait de
bonnes raisons pour cela, car elles étaient fort ave-
nantes.

«Il disait vrai, Jean, en me le faisant espérer: tu as
toujours été pour moi le meilleur, le plus attentionné,
le plus affectueux des maris. Ç'a été un heureux foyer
que celui-ci, Jean; et c'est pour cela que j'aime le
grillon!

— Eh bien, moi aussi alors, dit le voiturier. Moi
aussi, Dot.

— Je l'aime pour les nombreuses fois que je l'ai
entendu et les nombreuses pensées que m'a inspirées
son innocente musique. Le soir, parfois, au crépuscule, quand je me sentais un peu seule et déprimée,
Jean... quand le bébé n'était pas encore là pour me
tenir compagnie et égayer la maison... quand je
pensais à la solitude qui serait la tienne si je mourais,
au chagrin que j'éprouverais si je pouvais savoir que
tu m'avais perdue, mon chéri, son cri-cri-cri venant
du foyer semblait m'annoncer une autre petite voix, si
douce, si chère à mon cœur, au son futur de laquelle
ma peine s'évanouissait comme un mauvais rêve. Et
quand je craignais (car j'ai eu cette crainte, tant
j'étais jeune, tu sais, Jean!) que ce mariage se révélât
mal assorti entre moi, si enfant, et toi, mieux fait
pour être mon tuteur que mon mari, quand je redou-

tais que tu fusses incapable, en dépit de tous tes efforts, d'apprendre à m'aimer comme tu l'espérais et comme tu demandais dans tes prières de pouvoir le faire, son cri-cri-cri me réconfortait à nouveau et me remplissait d'un nouvel espoir, d'une nouvelle confiance. Je pensais à tout cela ce soir, mon chéri, tandis que je t'attendais ; et c'est pour tout cela que j'aime le grillon !

— Et moi aussi, répéta Jean. Mais, Dot, espérer et demander dans mes prières que je puisse, *moi*, apprendre à t'aimer ? En voilà une pensée ! Je savais déjà le faire bien avant de t'amener ici pour être la petite maîtresse du grillon, Dot ! »

Elle posa un instant la main sur son bras et leva vers lui un visage troublé, comme si elle eût désiré lui dire quelque chose. Mais, le moment d'après, elle était agenouillée devant le panier et parlait d'une voix enjouée, tout en s'affairant avec les paquets :

« Il n'y en a pas beaucoup, ce soir, Jean ; mais j'ai aperçu des marchandises derrière la voiture tout à l'heure ; et, si elles donnent peut-être plus de peine, elles rapportent tout autant ; nous n'avons donc pas lieu de nous plaindre, n'est-ce pas ? D'ailleurs, tu as dû déjà faire quelques livraisons en rentrant, je pense ?

— Oh ! oui, dit Jean. Pas mal, même.

— Mais qu'est-ce que c'est que cette boîte ronde ? Ma parole, Jean, c'est un gâteau de mariage !

— On peut se fier à une femme pour découvrir cela ! dit Jean avec admiration. Un homme n'y aurait jamais pensé. On aurait beau mettre un gâteau de mariage dans une caisse à thé, dans un lit pliant, dans un baril de saumon mariné ou dans tout autre emballage invraisemblable, une femme le découvrira tout de suite, c'est sûr et certain. Oui, c'est un

gâteau de mariage ; je suis passé le prendre chez le
pâtissier.

— Et il pèse je ne sais combien, un quintal pour le
moins ! s'écria Dot en affectant de faire de grands
efforts pour le soulever. Pour qui est-ce, Jean ? Où
va-t-il ?

— Lis ce qui est écrit de l'autre côté, dit Jean.

— Mais, Jean ! Dieu du Ciel !

— Hein ! Qui l'aurait cru ? répliqua Jean.

— Tu ne vas pas me dire, poursuivit Dot, s'asseyant par terre et secouant la tête en le regardant,
que c'est pour Gruff & Tackleton[1], le fabricant de
jouets ! »

Jean fit de la tête un signe affirmatif.

Mme Peerybingle agita aussi la tête une quinzaine
de fois au moins, en signe non d'acquiescement,
mais bien de muette et compatissante surprise,
tandis qu'elle serrait les lèvres de toute leur petite
force (elles n'avaient jamais été faites pour cela,
c'était évident) et que son regard distrait perçait son
brave mari de part en part. Pendant ce temps,
Mlle Slowboy, qui avait le talent mécanique de
reproduire de petites bribes de la conversation en
cours pour la délectation du bébé non sans en avoir
retiré toute signification et mis tous les noms au
pluriel, demandait à haute voix à ce petit être si le
paquet était bien destiné aux fabricants de jouets
Gruffs et Tackletons, s'il voulait passer chercher des
gâteaux de mariage chez les pâtissiers, si ses mamans
reconnaissaient les boîtes quand ses papas les rapportaient dans les maisons, et patati et patata.

« Et cela va vraiment se faire ! dit Dot. Mais elle et
moi, nous étions ensemble sur les bancs de l'école,
Jean ! »

Peut-être la voyait-il, ou presque, telle qu'elle était

en ce même temps de l'école. Il la regardait en tout
cas avec une expression de plaisir rêveur, mais il ne
répondit rien.

« Il est si vieux ! Si différent d'elle ! Combien d'années de plus que toi crois-tu qu'il a, Gruff & Tackleton, Jean ?

— Combien de tasses de thé boirai-je de plus ce
soir en une séance que Gruff & Tackleton n'en prit
jamais en quatre, c'est ce que je me demande, répondit Jean avec bonne humeur, tandis qu'il approchait
une chaise de la table ronde et s'attaquait au jambon
froid. Pour ce qui est de manger, je mange peu ; mais
ce peu-là, je le goûte pleinement, Dot. »

Même cette assertion, reflet du sentiment habituel
qu'il éprouvait au moment des repas et l'une de ses
innocentes illusions (car son appétit toujours tenace
le contredisait catégoriquement), n'amena nul sourire sur le visage de sa petite femme, laquelle, debout
au milieu des paquets, repoussa lentement du pied
la boîte du gâteau sans même jeter un seul regard,
malgré ses yeux baissés, sur la coquette chaussure à
laquelle elle accordait d'ordinaire tant d'attention.
Absorbée dans ses pensées, elle restait là sans se
soucier du thé ni de Jean (bien que celui-ci l'appelât
et cherchât à la tirer de sa rêverie en cognant la table
de son couteau), jusqu'à ce qu'il finît par se lever
pour lui toucher le bras ; elle le regarda alors un
moment et se hâta de gagner sa place derrière la
table à thé en riant de sa négligence. Mais son rire
n'était plus le même. La manière et la musique en
étaient toutes changées.

Le grillon lui aussi s'était tu. La pièce n'était plus
en quelque sorte aussi riante qu'auparavant. Ce
n'était plus du tout la même chose.

« Ainsi, ce sont là tous les paquets, n'est-ce pas,

Jean? demanda Dot, rompant un long silence que le brave voiturier avait consacré à l'illustration pratique d'une part de son sentiment favori, car il goûtait certainement ce qu'il mangeait, s'il était impossible d'admettre qu'il mangeât peu. Ainsi, ce sont là tous les paquets, n'est-ce pas, Jean?

— C'est tout, dit Jean. Enfin... non... je... (posant couteau et fourchette, il respira profondément). Par ma foi..., j'ai complètement oublié le vieux monsieur!

— Le vieux monsieur?

— Dans la voiture, dit Jean. Il dormait, sur la paille, la dernière fois que je l'ai vu. J'ai été bien près de penser à lui par deux fois depuis que je suis entré; mais il m'est ressorti de la tête. Holà! Hep! Levez-vous!»

Jean prononça ces derniers mots au-dehors, où il s'était précipité la chandelle à la main.

Mlle Slowboy, consciente de quelque mystérieuse allusion au Vieux Monsieur[1] et dont l'imagination déroutée appliquait à l'expression certaines associations de nature religieuse, fut si troublée que, s'étant levée en hâte de la chaise basse au coin du feu pour chercher protection près des jupes de sa maîtresse et heurtant, tandis qu'elle passait devant la porte, un vieillard inconnu, elle l'attaqua instinctivement avec le seul instrument offensif qu'elle eût à sa portée. Cet instrument se trouvant être le bébé, il s'ensuivit une grande commotion et beaucoup d'alarme, que la sagacité de Boxeur eut quelque tendance à accroître encore, car ce bon chien, plus réfléchi que son maître, était resté, semble-t-il, à surveiller le sommeil du vieux monsieur, de peur que celui-ci ne s'en fût en emportant certains jeunes peupliers liés derrière la voiture; et il le serrait encore de très près, lui taquinant en fait les guêtres, devant les boutons desquelles il faisait les plus beaux arrêts.

«Vous êtes indéniablement bon dormeur, monsieur, dit Jean, quand le calme fut revenu (dans l'entre-temps, le vieux monsieur s'était tenu, immobile et la tête découverte, au milieu de la pièce); si bon dormeur que je serais assez tenté de vous demander où sont les six autres[1]... mais cela, ce serait une plaisanterie, et je sais que je la gâterais. J'ai été bien près de la faire, pourtant, murmura le commissionnaire avec un petit rire étouffé, bien près!»

L'étranger, qui avait de longs cheveux blancs, de beaux traits singulièrement hardis et bien dessinés pour un vieillard, et des yeux sombres, brillants, pénétrants, jeta en souriant un regard circulaire et salua la femme du voiturier d'une grave inclinaison de la tête.

Sa mise était bizarre et inhabituelle, à la mode d'un temps depuis longtemps révolu. La teinte générale en était brune. À la main, il tenait un gros gourdin, une sorte de canne, brune aussi, et quand il en frappa le sol, elle s'ouvrit pour former un siège, sur lequel il s'assit très posément.

«Voilà, dit le voiturier en se tournant vers sa femme. C'est ainsi que je l'ai trouvé, assis au bord de la route! Droit comme une borne. Et presque aussi sourd.

— Assis en plein vent, Jean!

— En plein vent, répondit le commissionnaire, juste à la nuit tombante. "Port payé", qu'il m'a dit; et il m'a donné dix-huit pence. Après quoi, il est monté. Et le voilà.

— Il s'en va, Jean, je crois!»

Nullement. Il allait seulement parler.

«Excusez-moi. Je dois rester en consigne jusqu'à

ce qu'on vienne me chercher, dit doucement l'étranger. Ne faites pas attention à moi. »

Ce disant, il sortit une paire de lunettes d'une de ses vastes poches, un livre d'une autre, et il se mit à lire tranquillement. Sans plus s'occuper de Boxeur que si c'eût été un agneau domestique !

Le voiturier et sa femme échangèrent un regard perplexe. L'étranger leva la tête et, promenant ses yeux de l'un à l'autre, dit :

« C'est votre fille, mon bon ami ?

— Ma femme, répondit Jean.

— Votre nièce ? demanda l'étranger.

— Ma femme ! hurla Jean.

— Ah oui ? dit l'étranger. Vraiment ? Elle est très jeune ! »

Il se détourna et reprit sa lecture. Mais, avant d'avoir pu lire deux lignes, il s'interrompit de nouveau pour dire :

« Ce bébé, il est à vous ? »

Jean lui fit un gigantesque signe de tête, équivalant à une réponse affirmative criée dans un porte-voix.

« C'est une fille ?

— Un ga-a-arçon ! rugit Jean.

— Très jeune aussi, hein ? »

Mme Peerybingle intervint aussitôt :

« Il a deux mois et trois jou-ours ! On l'a vacciné il y a juste six semai-ai-aines ! Ça a très bien pri-i-is ! Le docteur a trouvé que c'était un remarquablement bel enfan-ant ! Aussi avancé que la plupart des enfants de cinq moi-ois ! Il observe les choses de façon tout à fait extraordinai-aire ! Vous ne me croirez peut-être pas, mais il se tient déjà sur ses jam-ambes ! »

Là-dessus, la petite maman, tout essoufflée d'avoir hurlé ces courtes phrases dans l'oreille du vieillard

au point que son joli visage en était tout cramoisi,
tint l'enfant debout devant lui en manière de témoignage triomphant et irrécusable; tandis que Tilly
Slowboy, au cri mélodieux de «Trappela! Trappela!»
(qui avait la sonorité de mots inconnus adaptés à
un éternuement populaire), effectuait autour de son
petit innocent totalement insensible certaines gambades semblables à celles d'une vache dans un pré.

«Écoutez! On vient le chercher, pour sûr, dit Jean.
Il y a quelqu'un à la porte. Va ouvrir, Tilly.»

Avant que celle-ci eût pu atteindre la porte, cependant, on l'ouvrit de l'extérieur, car c'était une espèce
de porte assez primitive dont n'importe qui pouvait
soulever le loquet s'il lui chantait — et cela chantait
à bon nombre de gens, toutes sortes de voisins
aimant à venir bavarder cordialement avec le voiturier, encore qu'il ne fût pas lui-même grand causeur.
Une fois ouverte, elle livra passage à un petit homme
maigre, pensif, au visage défraîchi, qui semblait
s'être taillé une houppelande dans une toile d'emballage ayant servi à envelopper quelque vieille caisse;
car, lorsqu'il se retourna pour fermer la porte afin de
ne pas laisser pénétrer le froid du dehors, il révéla
sur le dos de ce vêtement l'inscription G & T tracée
en grandes majuscules noires. Il y avait aussi le mot
VERRERIE en gros caractères.

«Bonsoir, Jean! dit le petit homme. Bonsoir,
madame, Bonsoir, Tilly. Bonsoir, Inconnu! Comment
va le bébé, madame? Boxeur est en bonne forme,
j'espère?

— Tout le monde prospère, Caleb, répondit Dot.
Je suis sûre qu'il vous suffira de regarder ce cher
enfant pour vous en rendre compte en ce qui le
concerne.

« — Et je suis sûr qu'il suffit de vous regarder aussi pour ce qui vous concerne », dit Caleb.

Il ne la regardait pas, cependant ; il avait un regard distrait et rêveur qu'il semblait toujours projeter en quelque autre lieu et en quelque autre temps, quoi qu'il fût en train de dire, et cette même description s'appliquait aussi bien à sa voix.

« Ou encore Jean, dit Caleb. Ou Tilly, pour autant. Et certainement Boxeur.

— Tu as du travail pour le moment, Caleb ? demanda le commissionnaire.

— Oui, pas mal, Jean, répondit-il de l'air distrait d'un homme occupé pour le moins à la recherche de la pierre philosophale. Pas mal. Les arches de Noé sont en vogue pour l'instant. J'aurais aimé améliorer la famille, mais je ne vois pas comment ce serait possible au prix qu'on demande. Ce serait pourtant une satisfaction pour l'esprit de pouvoir mieux faire voir quels sont les Sem et les Cham et leurs femmes. Et puis, les mouches ne sont pas à l'échelle, quand on les compare aux éléphants, vous savez ! Enfin... As-tu quelque chose pour moi en fait de paquets, Jean ? »

Le voiturier plongea la main dans une poche du manteau qu'il venait de retirer, et il en sortit un minuscule pot de fleurs, minutieusement protégé par de la mousse et du papier.

« Voici ! dit-il en l'arrangeant avec grand soin. Pas la moindre feuille abîmée. Il est plein de boutons ! »

L'œil terne de Caleb brilla, tandis qu'il le prenait avec des remerciements.

« C'est cher, Caleb, dit le commissionnaire. Très cher, en cette saison.

— Ça ne fait rien. Je le trouverais bon marché à

n'importe quel prix, répliqua le petit homme. Rien
d'autre, Jean ?

— Une petite boîte, répondit le commissionnaire.
La voici !

— "Pour Caleb Plummer", dit le petit homme,
épelant la suscription. "Avec sous." Avec sous, Jean ?
Ça ne doit pas être pour moi.

— Avec soin[1], répondit le voiturier, regardant par-
dessus l'épaule de l'homme. Où vois-tu "sous" ?

— Ah ! bien sûr, dit Caleb. C'est vrai. Avec soin !
Oui, c'est bien pour moi. Ç'aurait bien pu être "avec
sous" si mon cher garçon qui était parti pour l'Eldorado des Amériques avait vécu, Jean. Tu l'aimais
comme un fils, hein ? Inutile de le dire, je le sais bien.
"Pour Caleb Plummer. Avec soin." Oui, oui, c'est
bien ce qui me convient. C'est une boîte d'yeux de
poupée pour le travail de ma fille. Je voudrais bien
que ce fût sa propre vue qui se trouvât dans cette
boîte, Jean !

— Ah ! je voudrais bien que ce fût possible ! s'écria
le voiturier.

— Merci, dit le petit homme. Tes paroles viennent
du cœur. Penser qu'elle ne pourra jamais voir ces
poupées, qui, elles, la dévisagent à longueur de
journée avec tant d'effronterie ! C'est cela qui fait
mal. Combien est-ce que je te dois, Jean ?

— C'est moi qui vais devoir me fâcher si tu insistes,
répondit Jean. Dot ! Ça y était presque, non ?

— Allons, je te reconnais là, fit remarquer le petit
homme. C'est bien ta gentillesse. Voyons. Je crois
que c'est tout.

— Je ne crois pas, dit le commissionnaire. Réfléchis un peu.

— Il y a quelque chose pour notre patron, hé ? dit
Caleb après un instant de réflexion. Bien sûr. C'est

pour cela que j'étais venu ; mais j'ai la tête si farcie
de ces arches de Noé et de tout ça ! Il n'est pas venu
ici, n'est-ce pas ?

— Lui ? répliqua le voiturier. Il est bien trop occupé
à faire sa cour.

— Il va faire un tour par ici, en tout cas, dit Caleb,
car il m'a dit de me tenir sur le côté gauche de la
route en rentrant, parce qu'il y avait neuf chances
sur dix qu'il me ramasse en chemin. Je ferais bien de
partir, à propos... Auriez-vous la bonté de me laisser
pincer un instant la queue de Boxeur, madame ?

— Mais, Caleb ! Quelle drôle de question !

— Oh ! ça ne fait rien, madame, dit le petit homme.
Peut-être qu'il n'aimerait pas cela. Il y a une petite
commande qui vient de rentrer, une commande de
chiens en train d'aboyer, et je voudrais approcher de
la Nature, autant qu'il est possible pour six pence.
C'est tout. Ça ne fait rien, madame. »

Il arriva heureusement que Boxeur, sans avoir
reçu le stimulant proposé, se mit à aboyer avec beaucoup de zèle. Mais comme cela impliquait l'approche
de quelque nouveau visiteur, Caleb, remettant son
étude d'après nature à une occasion plus favorable,
chargea la boîte ronde sur son épaule et prit rapidement congé. Il eût pu s'en épargner la peine, car il
rencontra le visiteur sur le seuil.

« Ah ! vous êtes là ? Attendez un moment : je vous
ramènerai. Serviteur, Jean Peerybingle. Et plus encore
celui de votre charmante épouse. Plus charmante de
jour en jour ! Et plus en forme aussi, si c'est possible !
Et plus jeune, ajouta-t-il pensivement à mi-voix, c'est
bien là le diable !

— Je serais étonnée d'entendre de tels compliments
de votre bouche, monsieur Tackleton, dit Dot d'assez
mauvaise grâce, n'était votre position.

— Vous êtes donc au courant ?

— Il m'a bien fallu le croire, dit Dot.

— Non sans difficulté, je suppose ?

— Certes. »

Tackleton, le marchand de jouets assez généralement connu sous le nom de Gruff & Tackleton (car
c'était là le nom de la maison, encore que Gruff eût
été éliminé depuis longtemps, ne laissant dans l'affaire que son nom et, aux dires de bien des gens, le
caractère attaché à la définition que donne de ce
nom le dictionnaire), Tackleton, le marchand de
jouets, était un homme dont les parents et les tuteurs
avaient interprété la vocation à tort et à travers.
Eussent-ils fait de lui un usurier, un avoué retors, un
huissier ou un courtier, qu'il eût pu jeter sa gourme
dans sa jeunesse et, après s'être répandu à son gré en
transactions perverses, se révéler en fin de compte
aimable par simple désir de fraîcheur et de nou-
veauté. Mais, confiné dans le paisible état de fabricant de jouets, c'était un ogre domestique, qui avait
toujours vécu des enfants dont il était l'implacable
ennemi. Il méprisait tous les jouets et n'en aurait
acheté pour rien au monde ; dans sa malice, il se
complaisait à glisser une expression sardonique
dans les traits des fermiers de carton-pâte menant
leur cochon au marché, des crieurs publics annonçant la perte de quelque conscience d'avocat, des
vieilles dames mécaniques reprisant des bas ou
découpant des pâtés, et d'autres pareils articles de
son fonds. Son âme tirait une délectation parfaite
des masques épouvantables ; des diables à ressort
hideux, hirsutes, aux yeux rouges ; des cerfs-volants
vampires ; des poussahs démoniaques qui refusaient
de se coucher et s'élançaient perpétuellement en
avant pour le plus grand effroi des marmots. C'était

là son soulagement, son exutoire. Il excellait en de
pareilles inventions. Tout ce qui pouvait évoquer le
cauchemar[1] faisait ses délices. Il avait même mangé
de l'argent (joujou auquel il était pourtant fort attaché)
pour faire des verres de lanternes magiques sur lesquels les Puissances des Ténèbres étaient figurées
comme des sortes de crustacés surnaturels nantis de
visages humains. Il avait englouti tout un petit capital
en accentuant la physionomie de géants ; et, tout en
n'ayant personnellement aucun talent de peintre, il
était capable d'indiquer d'un coup de craie, pour
l'instruction de ses artistes, certain regard en dessous
dans l'expression de ces monstres, susceptible de
détruire la paix d'esprit de tout jeune garçon de six à
onze ans pour toute la durée des vacances de Noël
ou d'été.

Ce qu'il était dans les jouets, il l'était (comme la
plupart des hommes) dans les autres branches. On
imaginera donc sans aucune peine que, sous la
grande pèlerine verte qui lui descendait aux mollets,
se trouvait emmitouflé jusqu'au menton un personnage d'une amabilité peu commune ; que cet esprit
de choix, cet agréable compagnon pouvait rivaliser
avec tout ce que jamais l'on vit chaussé de solides
bottes aux revers couleur d'acajou.

Et pourtant, Tackleton, le marchand de jouets,
allait se marier. Oui, en dépit de tout cela, il allait se
marier. Et, qui plus est, avec une toute jeune femme,
une ravissante jeune femme.

Il n'avait guère l'air d'un fiancé, comme il se tenait
là dans la cuisine du commissionnaire, avec quelque
chose de tordu dans ses traits secs, le corps de
travers, le chapeau rejeté sur l'arête du nez, les
mains enfoncées dans les profondeurs de ses poches
et le coin de ses petits yeux laissant percer sa

méchante et sarcastique personnalité telle l'essence concentrée d'un nombre infini de corbeaux. C'était cependant bien un fiancé qu'il avait la prétention d'être.

« Dans trois jours. Jeudi prochain. Le dernier jour du premier mois de l'année. Ce sera le jour de mes noces », reprit Tackleton.

Ai-je dit qu'il avait toujours un œil grand ouvert et l'autre presque fermé ; et que c'était cet œil presque fermé qui était toujours le plus expressif ? Il ne me semble pas.

« Ce sera le jour de mes noces ! répéta-t-il, faisant sonner les pièces qu'il avait dans la poche.

— Hé, mais ce sera aussi l'anniversaire des nôtres, s'écria le voiturier.

— Ha, ha ! fit Tackleton, riant. Voilà qui est curieux ! Vous formez donc un autre couple pareil. Tout pareil ! »

On ne saurait décrire l'indignation de Dot devant cette présomptueuse assertion. Qu'allait-il vous sortir, après cela ? Peut-être allait-il imaginer la possibilité d'un autre bébé tout pareil ! Cet homme était fou.

« Euh, j'aurais un mot à vous dire, murmura Tackleton en donnant un coup de coude au voiturier et en l'attirant un peu à l'écart. Vous assisterez à la noce ? Nous sommes logés à la même enseigne, vous savez.

— Comment cela, à la même enseigne ? demanda le commissionnaire.

— Pour ce qui est de la petite différence d'âge, vous comprenez, dit Tackleton avec un nouveau coup de coude. Venez donc passer une soirée avec nous avant.

— Pourquoi donc ? demanda Jean, étonné de cette hospitalité pressante.

— Pourquoi ? répliqua l'autre. Voilà une façon

inattendue d'accueillir une invitation. Mais pour le plaisir, par sociabilité, quoi — vous savez bien !

— Je croyais que vous n'étiez jamais sociable, dit Jean avec la franchise qui lui était coutumière.

— Allons ! Il est inutile de tourner autour du pot avec vous, à ce que je vois, dit Tackleton. Eh bien, la vérité est que vous donnez vous deux, quand vous êtes ensemble, une... ce que les buveurs de thé appellent une impression de confort. Nous savons ce qu'en vaut l'aune, mais...

— Non, nous ne savons pas ce qu'en vaut l'aune, dit Jean, lui coupant la parole. Qu'est-ce que vous racontez là ?

— Bon ! nous ne savons pas, alors, dit Tackleton. Mettons que nous ne sachions pas. Comme vous voulez ; qu'est-ce que cela peut faire ? J'allais dire que, comme vous donnez cette impression-là, votre compagnie aura un effet des plus favorables sur la future Mme Tackleton. Et quoique je n'aie pas l'impression que votre épouse me porte des sentiments très amicaux, en l'occurrence elle ne peut éviter de répondre à mes vues, car il règne autour d'elle une atmosphère d'union et de douce chaleur qui est éloquente, même dans le cas le moins favorable. Dites-moi que vous viendrez.

— Nous avons convenu de célébrer notre anniversaire de mariage (pour ce qui est de cela) à la maison, dit Jean. Nous nous le promettons depuis six mois. Nous trouvons que la maison, vous comprenez, ...

— Bah ! Qu'est-ce que c'est que la maison ? s'écria Tackleton. Quatre murs et un plafond ! (Pourquoi ne tuez-vous donc pas ce grillon ? Je le ferais, moi ! Je le fais toujours. J'ai horreur de leur vacarme.) Il y a quatre murs et un plafond à ma maison : venez chez moi !

— Ainsi, vous tuez vos grillons ! dit Jean.

— Je les écrase, monsieur ! répliqua l'autre en appuyant lourdement le talon sur le sol. Dites que vous viendrez. Il est autant de votre intérêt que du mien, vous savez, que nos femmes se persuadent mutuellement qu'elles sont tranquilles et contentes et qu'elles ne sauraient trouver mieux. Je connais bien leurs façons. Quoi que dise une femme, une autre femme est toujours décidée à le confirmer. Il y a chez elles cet esprit d'émulation, monsieur, qui fait que si la vôtre dit à la mienne : "Je suis la plus heureuse femme du monde ; mon mari est le meilleur mari qui soit, et je l'adore", la mienne dira la même chose à la vôtre ou en rajoutera, et le croira plus qu'à moitié.

— Voulez-vous dire que ce n'est pas le cas ? demanda le voiturier.

— Le cas ! s'écria Tackleton, avec un rire bref et aigu. Quel cas ? »

Le commissionnaire avait bien envie d'ajouter : « qu'elle ne vous adore pas ». Mais, ayant par hasard rencontré l'œil à demi fermé et clignant à son adresse par-dessus le col relevé de la pèlerine qui était à deux doigts de l'énucléer, il trouva si improbable que ledit œil pût faire partie intégrante d'aucun objet d'adoration, qu'il substitua à ces mots la formule : « qu'elle ne le croit pas ? »

« Ah ! coquin ! vous plaisantez », dit Tackleton.

Mais le voiturier, bien que lent à comprendre toute la portée de ce qu'il voulait dire, le regarda avec une expression si sérieuse qu'il dut se faire un peu plus explicite.

« Il me plaît, dit Tackleton en levant les doigts de sa main gauche et en en tapotant l'index pour signifier : "Me voilà, moi, Tackleton", il me plaît, monsieur, d'épouser une jeune femme (sur quoi, il frappa son petit doigt, qui représentait la future, non pas avec retenue, mais brutalement, avec un sentiment de puissance). Je suis en état de me passer cette fantaisie, et je le fais. C'est mon bon plaisir. Mais... regardez donc par là!»

Il montrait l'endroit où Dot était assise, pensive, devant le feu, son menton à fossette appuyé au creux de la main et les yeux fixés sur la flamme brillante. Le voiturier l'observa, puis ramena son regard sur son interlocuteur, puis de nouveau sur elle et encore sur lui.

«Elle vous honore et vous obéit, sans nul doute, vous savez, dit Tackleton; et cela, comme je ne fais pas de sentiment, c'est tout ce que je demande. Mais croyez-vous qu'il y ait plus que cela, chez elle?

— Je crois, fit observer le commissionnaire, que je jetterais par la fenêtre quiconque prétendrait que non.

— Parfaitement, répondit l'autre en acquiesçant avec un empressement inhabituel. Bien sûr! Sans aucun doute. Naturellement. J'en suis bien certain. Bonsoir! Faites de beaux rêves!»

Le voiturier était perplexe et se sentait malgré lui troublé, mal assuré. Il ne put s'empêcher de le laisser paraître dans ses façons.

«Bonsoir, mon cher ami! dit Tackleton avec compassion. Je m'en vais. Je vois que nous sommes en réalité exactement semblables. Ne nous accorderez-vous pas la soirée de demain? Enfin... Demain, vous allez en visite, je le sais. Je vous rencontrerai là-bas, et j'amènerai ma future. Cela lui fera du bien. Vous êtes d'accord? Merci. Qu'est-ce que c'est?»

C'était un grand cri en provenance de la femme du voiturier: un cri violent, aigu, soudain, qui fit résonner la pièce comme un vase de verre. Elle s'était dressée et elle restait comme pétrifiée par l'effroi et la surprise. L'étranger s'était avancé vers le feu pour se réchauffer, et il se tenait debout près de sa chaise, mais tout à fait immobile.

«Dot! cria le voiturier. Marie! ma chérie! Qu'y a-t-il?»

En un instant, ils furent tous rassemblés autour d'elle. Caleb, qui s'était assoupi sur la boîte du gâteau, en commençant à reprendre conscience, saisit Mlle Slowboy par les cheveux, mais il s'en excusa aussitôt.

«Marie! s'écria le voiturier, soutenant sa femme dans ses bras. Es-tu malade? Qu'y a-t-il donc? Dis-le-moi, ma chérie!»

Elle ne répondit qu'en se frappant les mains l'une contre l'autre et en se laissant aller à un violent accès de rire. Puis, échappant à son étreinte, elle glissa à terre, se couvrit le visage de son tablier et fondit en larmes. Après quoi, elle recommença à rire, puis à pleurer; enfin elle dit qu'il faisait bien froid et se laissa mener vers le feu, devant lequel elle s'assit comme auparavant. Le vieillard restait toujours là debout, absolument immobile.

«Je vais mieux, Jean, dit-elle. Je suis tout à fait bien, maintenant... Je...»

«Jean!» Mais Jean était à son côté. Pourquoi se tourner vers le vieil étranger comme si elle s'adressait à lui? Sa tête battait-elle la campagne?

«Ce n'était que de l'imagination, Jean, mon chéri... une sorte de choc... quelque chose qui m'est venu brusquement devant les yeux... je ne sais pas ce que c'était. C'est passé, tout à fait passé.

— J'en suis heureux, murmura Tackleton, regardant alentour de son œil expressif. Je me demande

où ça a passé et ce que c'était. Hum! Venez par ici,
Caleb! Qui est cet homme à cheveux gris?

— Je ne sais pas, monsieur, répondit Caleb à voix
basse. Je ne l'ai jamais vu de ma vie. Une magnifique
tête pour casse-noisettes d'un type tout nouveau.
Avec une mâchoire à vis qui s'ouvrirait en descendant dans son gilet, il serait parfait.

— Pas assez laid, dit Tackleton.

— Pour une boîte à feu[1] aussi bien, fit observer
Caleb, perdu dans sa contemplation, quel modèle!
On dévisserait la tête pour y fourrer les allumettes;
on lui mettrait les talons en l'air pour avoir du feu; et
quelle boîte à feu pour la cheminée d'un gentleman,
tel qu'il se tient là debout!

— Pas moitié assez laid, dit Tackleton. Bonsoir,
Jean Peerybingle! Faites attention à votre façon de
porter cette boîte, Caleb. Si vous la laissez tomber, je
vous étrangle! Il fait noir comme dans un four et le
temps est pire que jamais, hein? Bonsoir!»

Et, après avoir jeté un nouveau regard aigu autour
de la pièce, il sortit, suivi de Caleb portant le gâteau
de mariage sur sa tête.

Le commissionnaire avait été si atterré par sa
petite femme, il était si occupé à la calmer et à la
soigner qu'il avait à peine eu conscience de la présence de l'étranger jusqu'au moment où il le vit de
nouveau là debout, leur seul hôte à présent.

«Il n'est pas des leurs, tu vois, dit Jean. Il faut que
je lui suggère de s'en aller.

— Je vous demande pardon, mon ami, dit le vieux
monsieur en s'avançant vers lui, et ce d'autant plus
que votre femme n'était pas très bien, je crois; mais,
le compagnon que mon infirmité rend presque indis-
pensable (il toucha son oreille et hocha la tête)
n'étant pas arrivé, je crains qu'il n'y ait eu quelque

erreur. Le vilain temps de ce soir, qui m'a rendu si agréable l'abri de votre confortable voiture (Dieu veuille que je n'en aie jamais de pire!), ne s'est amélioré en rien. Me permettriez-vous, par bonté, de coucher chez vous, moyennant dédommagement, bien entendu?

— Oui, oui, s'écria Dot. Mais bien sûr!

— Ah, dit le commissionnaire, surpris de la rapidité de cet assentiment. Eh bien, je n'y vois pas d'inconvénient; mais je ne suis pas bien certain, pourtant, que...

— Chut! dit-elle, l'interrompant. Jean, mon chéri!

— Oh, il est sourd comme un pot, fit valoir Jean.

— Je le sais bien, mais... Oui, monsieur, certainement! Oui, certainement! Je vais lui faire un lit tout de suite, Jean.»

Comme elle se précipitait hors de la chambre à cette fin, son agitation et son émoi parurent si étranges au voiturier qu'il la suivit des yeux, tout confondu.

«Ses mamans lui font-elles un lit alors? s'écria Mlle Slowboy, s'adressant au bébé; et ses cheveux sont-ils bruns et frisés quand on a ôté ses bonnets et qu'on l'a effrayé, ces trésors, assis près des feux!»

Avec cet inexplicable intérêt pour les vétilles qui résulte souvent d'un état de doute et de confusion, le voiturier, tandis qu'il arpentait la pièce à pas lents, se trouva répéter à maintes reprises ces paroles absurdes. À tant de reprises, en fait, qu'il les sut bientôt par cœur et qu'il les ressassait encore comme une leçon quand Tilly, après avoir administré de la main à la petite tête chauve autant de frictions qu'elle le jugea salutaire (selon la pratique des nourrices), eut de nouveau assujetti le bonnet du bébé.

«Et qu'on l'a effrayé, ces trésors, assis près des

feux. Qu'est-ce qui a bien pu effrayer Dot, je me demande!» dit rêveusement le voiturier, qui continuait à faire les cent pas.

Il repoussait de son cœur les insinuations du marchand de jouets, mais elles l'emplissaient néanmoins d'un malaise vague et indéfini. Car Tackleton était doué d'un esprit vif et malin, alors que lui-même avait le pénible sentiment d'être un homme de perception lente, ce qui faisait qu'une allusion à bâtons rompus le tourmentait toujours. Il n'avait aucune intention, certes, de relier quoi que ce fût des paroles de Tackleton à la conduite inhabituelle de sa femme, mais les deux sujets de réflexion se présentaient en même temps à son esprit, et il ne parvenait pas à les séparer.

Le lit fut bientôt prêt, et le visiteur, ayant refusé tout autre rafraîchissement qu'une tasse de thé, se retira. Alors Dot (complètement remise, dit-elle, complètement remise) disposa le grand fauteuil au coin de la cheminée pour son mari, bourra sa pipe et la lui tendit, avant de s'installer sur son petit tabouret accoutumé, près de lui, devant le foyer.

Elle y revenait toujours, à ce petit tabouret; elle devait avoir dans l'idée, m'est avis, que c'était un enjôleur, un embobineur de petit tabouret.

Dot était sans nul doute la meilleure bourreuse de pipes des quatre parties du globe. C'était vraiment un spectacle capital que de la voir introduire dans le fourneau son petit doigt potelé, puis souffler dans la pipe pour nettoyer le tuyau, et, cela fait, affecter de croire qu'il y avait réellement quelque chose dedans, pour recommencer une douzaine de fois l'opération avant de le placer devant son œil comme un télescope en imprimant la plus provocante des contorsions à son ravissant petit visage. Quant au tabac, elle était parfaitement maîtresse de son sujet ; et sa façon d'allumer la pipe, une fois que le voiturier l'avait à la bouche, en approchant un tortillon de papier tout près du nez de son mari sans cependant le lui griller, c'était de l'Art, du grand Art.

Le grillon et la bouilloire le reconnurent bien en se manifestant à nouveau ! Le feu flambant le reconnut bien en jetant derechef tout son éclat ! Le petit faneur de l'horloge le reconnut bien dans ses travaux auxquels nul ne prêtait attention ! Et le voiturier le reconnut plus que tous, le laissant voir à son front déridé et son visage épanoui.

Et tandis qu'il tirait d'un air grave et pensif sur sa vieille pipe, que le coucou tictaquait, que le feu rougeoyait, que le grillon grésillait, ce Génie du Foyer (car il n'était rien de moins) s'avança sous une forme enchantée dans la pièce et appela à lui maintes formes familières. Des Dot de tous âges et de toutes tailles emplirent la chambre. Des Dot enfants joyeuses, qui couraient devant lui pour cueillir les fleurs des champs ; des Dot timides, tantôt se dérobant et tantôt cédant aux instances de sa propre rude image ; des Dot nouvelles mariées descendant devant la porte pour prendre admirativement possession des clefs du ménage ; de petites Dot maternelles, servies par des Slowboy imaginaires, portant des bébés au baptême ; des Dot mûres, encore jeunes et fraîches cependant, surveillant de petits Dot qui dansaient à des bals champêtres ; des Dot opulentes, entourées et assaillies par des troupes de petits-enfants vermeils ; des Dot fanées, appuyant sur des cannes leurs pas chancelants. De vieux commissionnaires apparurent aussi, avec de vieux Boxer aveugles couchés à leurs pieds ; et des voitures plus neuves menées par des conducteurs plus jeunes (avec l'inscription « Peerybingle frères » sur la bâche) ; et de vieux commissionnaires malades, soignés par les plus douces des mains ; enfin des tombes de commissionnaires morts et enterrés, aux tertres verdoyants dans le cimetière. Et tandis que le grillon lui montrait toutes ces choses (il les voyait distinctement, encore que ses yeux fussent fixés sur le feu), le cœur du voiturier se fit léger et heureux, et il rendit grâces de toute son âme aux deux domestiques, sans plus se préoccuper de Gruff & Tackleton que vous ne le faites vous-même.

Mais quelle était donc cette jeune silhouette masculine que le même grillon enchanté plaça si près de son tabouret à elle, et qui demeura là, seule et solitaire ? Pourquoi restait-elle immobile, si près d'elle, le bras appuyé sur la cheminée, répétant sans cesse : « Mariée ! et pas avec moi ! » ?

Ô Dot ! Ô Dot défaillante ! Il n'y a pas de place pour cela dans toutes les visions de ton mari ; pourquoi cette ombre est-elle tombée sur son foyer ?

DEUXIÈME GRÉSILLEMENT

Caleb Plummer et sa fille aveugle vivaient seuls et solitaires, comme disent les livres de contes (et que toutes mes bénédictions, accompagnées des vôtres, je l'espère, aillent à ces livres de contes qui ont encore quelque chose à dire en ces temps prosaïques !), Caleb Plummer et sa fille aveugle vivaient donc seuls et solitaires dans une sorte de coquille de noix de baraque, qui ne valait guère mieux en vérité qu'une pustule sur le nez rouge brique et proéminent de Gruff & Tackleton. L'immeuble de Gruff & Tackleton était la particularité marquante de la rue ; mais on aurait pu abattre le logement de Caleb Plummer de quelques coups de marteau et en emporter les morceaux dans une charrette.

Si, après pareille incursion, quelqu'un avait fait au logement de Caleb Plummer l'honneur de s'apercevoir de sa disparition, l'eût été sans nul doute pour louer sa démolition comme un progrès important. La baraque était collée à l'immeuble de Gruff & Tackleton telle une bernicle à la quille d'un navire, tel un escargot à une porte ou tel un petit bouquet de champignons vénéneux au pied d'un arbre. Mais c'était le germe d'où était sorti le tronc vigoureux de Gruff & Tackleton ; et sous son toit délabré, l'avant-dernier Gruff avait fabriqué des jouets sur une petite échelle pour une génération passée de garçons et de filles qui s'en étaient amusés, les avaient démontés ou cassés, puis s'étaient endormis.

J'ai dit que Caleb et sa pauvre fille aveugle habitaient là. J'aurais dû dire que Caleb y habitait, mais que sa pauvre fille aveugle résidait ailleurs — dans une demeure enchantée meublée par son père, où ne régnait nulle pénurie, nul délabrement, et où les soucis n'avaient point accès. Caleb n'avait rien d'un magicien ; mais dans la seule magie qui nous reste encore, l'enchantement d'un amour fervent, d'un amour impérissable, la Nature avait été maîtresse de ses études, et c'est de son enseignement que le prodige était né.

La jeune aveugle n'avait jamais su que les plafonds étaient ternis, les murs couverts de taches et, par endroits, dépouillés de leur plâtre, que de profondes crevasses restaient ouvertes, plus béantes de jour en jour, que les poutres vermoulues s'affaissaient de plus en plus. Elle n'avait jamais su que les ferrures rouillaient, que le bois pourrissait, que le papier s'en

allait en lambeaux, que la forme et la physionomie
mêmes du logis se dégradaient. Elle n'avait jamais
su qu'une vilaine vaisselle de faïence et de terre garnissait la table; que le chagrin et le découragement
hantaient la maison; que les rares cheveux de Caleb
grisonnaient de plus en plus devant son visage sans
regard. La jeune aveugle n'avait jamais su qu'ils
avaient un maître froid, exigeant, insensible — bref,
que Tackleton était Tackleton; mais elle vivait dans
la croyance que c'était un aimable original, qui se
plaisait à badiner avec eux et qui, tout en étant l'ange
gardien de leur existence, dédaignait d'entendre un
seul mot de remerciement.

Et tout cela était l'œuvre de Caleb; tout était
l'œuvre de cet innocent père! Mais lui aussi avait un
grillon à son foyer; et, tandis qu'il écoutait tristement sa musique durant la prime enfance de la jeune
aveugle sans mère, cet esprit lui avait inspiré la
pensée que, grâce à ces petits artifices, il pourrait
presque muer en bienfait cette grande privation et
rendre la jeune fille heureuse. Car toute la gent des
grillons sont de puissants esprits, même si les personnes qui entretiennent des rapports avec eux n'en
savent rien (ce qui est fréquemment le cas); et il n'est
pas dans le monde invisible de voix plus douces et
plus fidèles, de voix auxquelles on puisse accorder
une confiance plus implicite et qui donnent plus
sûrement de tendres conseils et ceux-là seuls, que
les voix par lesquelles les Esprits du coin du feu et du
foyer s'adressent à l'espèce humaine.

Caleb et sa fille travaillaient ensemble dans leur
atelier accoutumé, qui, d'ailleurs, leur tenait aussi
bien lieu de salon; et c'était un endroit étrange. On
y voyait des maisons, terminées ou non, pour des
poupées de toutes conditions. Des habitations de
banlieue pour poupées de moyens modestes; des

appartements d'une pièce et une cuisine pour poupées de classe inférieure ; de magnifiques résidences urbaines pour poupées du grand monde. Certaines de ces maisons étaient déjà meublées à forfait pour la commodité de poupées à revenu limité ; d'autres pouvaient être aménagées à la première demande sur le pied le plus luxueux grâce à des étagères entières de chaises et de tables, de sofas, de lits et autres articles d'ameublement. Les aristocrates et les bourgeois, et le public en général à l'installation de qui ces habitations étaient destinées, gisaient çà et là dans des paniers, les yeux fixés au plafond ; mais en indiquant leur degré dans l'échelle sociale, en les cantonnant dans leurs positions respectives (ce qui, l'expérience le montre, est déplorablement difficile dans la vie réelle), les créateurs de ces poupées avaient fait infiniment mieux que la Nature, qui se montre souvent d'une perversité obstinée ; car eux, loin de s'en tenir à des signes aussi arbitraires que le satin, l'indienne et les bouts de chiffons, avaient ajouté des différences personnelles frappantes, qui ne permettaient aucune méprise. Ainsi la dame-poupée distinguée avait des membres de cire parfaitement symétriques, privilège qu'elle ne partageait qu'avec ses égales. Le degré suivant dans l'échelle sociale était fait de cuir, et celui d'après de toile grossière. Quant aux gens du commun, ils n'avaient, en guise de bras et de jambes, qu'autant d'allumettes prises à la boîte, et les voilà donc établis dès l'abord dans leur sphère, sans aucune possibilité d'en sortir.

Outre les poupées, on voyait dans la chambre de Caleb Plummer bien d'autres spécimens de son habileté manuelle. Il y avait des arches de Noé, dont les oiseaux et les animaux formaient un lot d'une finesse d'ajustement peu commune, je vous assure ; bien

qu'on pût les entasser, de toute façon, par le toit et
les réduire au volume le plus restreint à force de
secousses. Par une audacieuse licence poétique, la
plupart de ces arches avaient à leur porte un marteau,
accessoire assez illogique peut-être, puisqu'il évoquait des visiteurs matinaux ou quelque facteur, mais
agréable finissage de l'extérieur du bâtiment. Il y
avait un grand nombre de mélancoliques petites
charrettes qui, lorsque tournaient leurs roues, émet-
taient la plus plaintive musique; des petits violons,
des tambours et autres instruments de torture; des
canons, des boucliers, des épées, des lances et des
fusils, à n'en plus finir. Il y avait de petits acrobates
en culotte rouge, dont l'essaim gravissait incessamment de hauts obstacles de bolduc rouge[1] pour redescendre la tête la première de l'autre côté; et encore
d'innombrables vieux messieurs d'apparence respectable, pour ne pas dire vénérable, qui sautaient
comme des insensés par-dessus des chevilles hori-
zontales fichées à cette fin dans la propre porte de
leur maison. Il y avait des animaux de toute espèce :
en particulier des chevaux de toutes les races, du
simple cylindre pommelé monté sur quatre bouts de
bois avec pour crinière une petite bande de fourrure,
jusqu'au plus fougueux pur-sang à bascule. De même
que c'eût été tâche ardue que de faire le compte des
douzaines et des douzaines de figures grotesques
prêtes à commettre toutes sortes d'absurdités sur un
simple tour de manivelle, il aurait été bien difficile
de citer quelque folie, travers ou faiblesse humaines
qui n'eût pas son modèle, immédiat ou lointain, dans
la chambre de Caleb Plummer. Et non sous une
forme exagérée, car il suffit de bien petites mani-
velles pour mouvoir hommes et femmes et leur faire

accomplir des actions non moins étranges que toutes celles que l'on a jamais imposées à de simples jouets.

Au milieu de tous ces articles, Caleb et sa fille étaient assis à travailler. La jeune aveugle s'employait à habiller les poupées ; Caleb peignait et vernissait la façade à quatre étages d'un agréable hôtel particulier.

Les soucis empreints dans les rides du visage de Caleb, son air absorbé et songeur, qui eussent bien convenu à quelque alchimiste ou quelque chercheur abscons, contrastaient singulièrement, à première vue, avec ses occupations et la banalité de ce qui l'entourait. Mais pour triviaux que soient les objets, lorsqu'on les invente et qu'on les exécute pour gagner son pain, cela devient une affaire extrêmement sérieuse ; et, indépendamment de cette considération, je n'affirmerai aucunement pour ma part que, Lord Chambellan, membre du Parlement, homme de loi ou même grand spéculateur, Caleb aurait eu affaire à des jouets moins baroques, tandis que je doute fort qu'ils eussent été aussi innocents.

« Ainsi, papa, tu es sorti hier soir sous la pluie avec ton beau pardessus neuf, dit la fille de Caleb.

— Avec mon beau pardessus neuf, répondit Caleb en jetant un coup d'œil à une corde à linge tendue dans la pièce et sur laquelle avait été soigneusement mis à sécher le vêtement en toile de sac décrit plus haut.

— Que je suis heureuse que tu l'aies acheté, papa !

— Et chez un tel tailleur, aussi, dit Caleb. C'est un excellent faiseur, et ce vêtement est vraiment trop beau pour moi. »

La jeune aveugle s'interrompit dans son travail et eut un petit rire de joie.

«Trop beau, papa! Qu'est-ce qui serait trop beau pour toi?

— J'ai un peu honte de le porter, tout de même, dit Caleb, observant l'effet de ses paroles sur le visage épanoui de sa fille. Ma parole, quand j'entends les gamins et les gens dire dans mon dos: "Hé bien, en voilà un rupin!" je ne sais plus où me fourrer. Et, hier soir, quand le mendiant ne voulait plus me lâcher! J'avais beau lui affirmer que je n'étais qu'un homme très ordinaire, il répliquait: "Que non, Votre Honneur! Dieu bénisse Votre Honneur, mais ne me dites pas cela!" J'étais vraiment gêné, tant je sentais que je n'avais pas le droit de porter un manteau pareil.»

L'heureuse petite aveugle! Comme son exultation la rendait joyeuse!

«Je te vois d'ici, papa, dit-elle en battant des mains, aussi clairement que si j'avais les yeux dont je n'ai jamais besoin quand tu es avec moi. Un manteau bleu...

— Bleu vif, dit Caleb.

— Oui, oui! Bleu vif! s'écria la jeune fille, levant vers lui son visage radieux; de cette couleur que je me rappelle dans le beau ciel! Tu m'as déjà dit qu'il était bleu! Un manteau bleu vif...

— D'une coupe ample, suggéra Caleb.

— D'une coupe ample! s'écria l'aveugle en riant de tout cœur; et là-dedans, toi, papa chéri, avec ton œil joyeux, ton visage souriant, ton pas dégagé et tes cheveux bruns... toi, l'air si jeune et si élégant!

— Allons, allons! dit Caleb. Tu vas bientôt me rendre fat!

— Je crois que tu l'es déjà, s'écria la jeune aveugle, le montrant du doigt dans son allégresse. Je te connais, papa! Ha, ha, ha! Je lis en toi, tu vois!»

Quelle différence entre l'image qu'elle se faisait et le Caleb qui l'observait, assis devant elle ! Elle avait parlé de pas dégagé. En cela, elle n'avait pas tort : depuis des années, il n'avait pas une seule fois passé le seuil avec la lenteur qui était sienne, mais bien d'un pas feint destiné à son oreille à elle ; et jamais il n'avait oublié, alors qu'il avait le cœur le plus lourd, le pas léger qui devait donner au cœur de sa fille tant de gaieté et de courage !

Dieu le sait ! Mais je crois que le vague ahurissement dont était empreint le comportement de Caleb pouvait avoir en partie pour origine la confusion qu'il s'imposait, pour l'amour de sa fille aveugle, touchant sa propre personne et tout ce qui l'entourait. Comment le petit homme eût-il pu être autrement qu'ahuri, après s'être efforcé durant tant d'années de détruire son identité et celle de tous les objets qui s'y rattachaient !

« Voilà ! dit Caleb, reculant d'un pas ou deux pour mieux juger de son œuvre : c'est aussi près de la réalité que blanc bonnet de bonnet blanc. Quel dommage que tout le devant de la maison s'ouvre d'un coup ! Si seulement il y avait un escalier et de vraies portes pour entrer dans les chambres ! Mais c'est le mauvais côté du métier : je passe mon temps à m'illusionner, à me flouer moi-même.

— Tu parles bien bas. Tu n'es pas fatigué, papa ?

— Fatigué ! répéta Caleb, avec un grand éclat de vivacité, pourquoi serais-je fatigué, Berthe ? Je n'ai *jamais* été fatigué. Qu'est-ce que cela signifie ? »

Pour donner plus de force à ces mots, il arrêta net son imitation involontaire de deux personnages posés sur la cheminée, qui, avec leurs étirements et leurs bâillements, personnifiaient à partir de la taille un état permanent de lassitude, et se mit à fredonner une bribe de chanson. C'était un refrain bachique, dans lequel il était question d'une coupe pétillante. Il le chantait avec une affectation de j'm'en-fichisme dans la voix qui faisait paraître sa figure mille fois plus maigre et plus méditative.

«Comment! Mais vous chantez, ma parole! dit Tackleton en passant la tête par l'entrebâillement de la porte. Allez toujours! Moi, je ne sais pas.»

Personne ne l'en eût soupçonné. Il n'avait pas ce que l'on considère généralement comme une tête à chanter, loin de là.

«Je ne puis pas me permettre de chanter, dit Tackleton. Je suis heureux de voir que vous, vous le pouvez. J'espère que vous pouvez aussi travailler. On n'a guère le temps de faire les deux choses à la fois, je pense?

— Si seulement tu pouvais voir le clin d'œil qu'il me fait, Berthe! murmura Caleb. Quel pince-sans-rire! Tu pourrais croire, si tu ne le connaissais pas, qu'il parle sérieusement, non?»

La jeune aveugle sourit et acquiesça.

«Quand un oiseau sait chanter et qu'il ne le veut pas, il faut l'y contraindre, dit-on, grogna Tackleton. Mais que dire d'un hibou qui ne sait pas chanter, qui ne devrait pas chanter, et qui s'obstine à chanter; que doit-on lui faire?

— Ah! à quel point il cligne de l'œil en ce moment! murmura Caleb à l'oreille de sa fille. Ah! bonté divine!

— Toujours gai et enjoué avec nous! s'écria la souriante Berthe.

— Ah, vous êtes là, vous? répliqua Tackleton. Pauvre idiote!»

Il la croyait vraiment idiote; et il fondait cette

croyance (je ne saurais dire si c'était consciemment ou non) sur le fait qu'elle l'aimait bien.

«Eh bien, puisque vous êtes là... Comment allez-vous? dit Tackleton avec sa mauvaise grâce habituelle.

— Oh! bien, tout à fait bien. Je suis aussi heureuse que vous pourriez me le souhaiter. Aussi heureuse que vous rendriez heureux le monde entier, si vous le pouviez.

— Pauvre idiote! murmura Tackleton. Pas une lueur de raison. Pas la moindre lueur!»

La jeune aveugle lui saisit la main et la porta à ses lèvres; elle la tint un moment serrée entre les siennes et posa tendrement sa joue contre elle avant de la laisser aller. Il y avait dans ce geste une affection si indicible, une gratitude si fervente, que Tackleton lui-même fut ému au point de dire dans un grognement moins brutal que l'ordinaire:

«Allons! Qu'est-ce qui vous prend?

— Je l'ai mis tout près de mon oreiller en m'endormant hier soir, et j'y ai pensé dans mes rêves. Et quand le jour s'est levé et que le magnifique soleil rouge... il est bien rouge, papa?

— Rouge le matin et le soir, Berthe, dit le pauvre Caleb, qui jeta un regard misérable à son patron.

— Quand il s'est levé et que la brillante lumière, contre laquelle je crains presque de me heurter en marchant, a pénétré dans la chambre, j'ai tourné vers elle le petit arbre en bénissant le Ciel d'avoir créé des choses aussi précieuses, et je vous ai béni, vous, d'avoir pensé à me les envoyer pour me réjouir le cœur!

— Une vraie échappée de Bedlam[1]! dit Tackleton à mi-voix. On en sera bientôt à la camisole de force et au cabanon. Ça fait de nouveaux progrès tous les jours ! »

Caleb, les mains mollement jointes, regardait droit devant lui d'un air absent tandis que sa fille parlait, comme s'il ne savait pas au juste (je croirais assez que c'était le cas) si Tackleton avait, oui ou non, fait quelque chose pour mériter ces remerciements. Si, à ce moment, il avait eu pleine liberté d'agir à sa guise, et qu'on eût exigé de lui qu'il choisît sous peine de mort de flanquer des coups de pied au marchand de jouets ou de tomber à ses pieds en reconnaissance de ses mérites, je ne sais laquelle des solutions il aurait adoptée. Et pourtant Caleb savait bien qu'il avait apporté de ses propres mains, avec mille soins, le petit rosier à sa fille, et que c'était de sa propre bouche qu'il avait forgé l'innocente trompette destinée à l'empêcher de soupçonner à quel point, oh ! oui, à quel point ! il se privait chaque jour pour la rendre plus heureuse.

« Berthe ! dit Tackleton, montrant pour la circonstance un peu de cordialité. Venez ici.

— Oh ! je peux aller droit à vous ! Il est inutile de me guider ! répondit-elle.

— Dois-je vous révéler un secret, Berthe ?

— Si vous le voulez bien ! » répondit-elle avec empressement.

Quelle lumière sur ce visage enténébré ! Combien elle était parée de clarté, cette tête attentive !

« C'est aujourd'hui que la petite je ne sais plus quoi, cette enfant gâtée qu'est la femme de Peerybingle, vient vous faire sa visite habituelle et apporte ici son extravagant pique-nique, n'est-ce pas ? dit Tackleton avec une expression marquée d'aversion pour toute cette affaire.

— Oui, répondit Berthe. C'est aujourd'hui.

— Il me semblait bien, dit Tackleton. J'aimerais me joindre à votre petite fête.

— Tu entends cela, papa ? s'écria la jeune aveugle dans le ravissement.

— Oui, oui, j'entends, murmura Caleb, dont le regard était celui d'un somnambule ; mais je n'y crois pas. C'est encore un de mes mensonges, sans doute.

— Vous comprenez, je... je voudrais amener les Peerybingle à se rapprocher un peu plus de May Fielding, fit Tackleton. Je vais épouser May Fielding.

— L'épouser ! s'écria la jeune aveugle en s'écartant brusquement.

— Elle est tellement idiote, murmura Tackleton, que j'aurais cru ne jamais pouvoir me faire comprendre. Ah ! Berthe ! Un mariage ! L'église, le pasteur, le clerc, le bedeau, le carrosse tout en glaces, les cloches, le déjeuner, le gâteau, les cocardes, l'orphéon, et tout le reste des simagrées. Un mariage, vous savez bien ; un mariage. Ne savez-vous pas ce que c'est qu'un mariage ?

— Je sais, répondit avec douceur la jeune aveugle. Je comprends parfaitement !

— Vraiment ? murmura Tackleton. Je n'en attendais pas tant. Eh bien ! C'est pour cela que je voudrais me joindre à vous et amener ici May et sa mère. Je vous enverrai un petit quelque chose d'ici cet après-midi. Un gigot froid ou quelque autre nourrissante bagatelle de ce genre. Vous compterez sur moi ?

— Oui », répondit-elle.

Elle avait baissé la tête et s'était détournée ; et elle restait ainsi, debout, pensive, les mains croisées.

« Je ne le crois pas, murmura Tackleton en la

regardant ; car vous semblez avoir déjà tout oublié. Caleb !

— Je puis m'aventurer à dire que je suis là, je suppose, pensa Caleb. Monsieur ?

— Prenez soin qu'elle n'oublie pas ce que je viens de lui dire.

— Elle n'oublie jamais, répliqua Caleb. C'est une des rares choses qu'elle ne sache pas faire.

— Chacun prend ses propres oies pour des cygnes, fit observer le marchand de jouets, haussant les épaules. Pauvre diable ! »

Après avoir émis cette remarque avec un infini dédain, le vieux Gruff & Tackleton se retira.

Berthe restait où il l'avait laissée, perdue dans sa méditation. La gaieté s'était évanouie de son visage abattu, empreint d'une grande tristesse. Elle hocha la tête à trois ou quatre reprises, comme si elle se lamentait sur quelque souvenir ou quelque perte ; mais ses réflexions affligées ne s'exhalèrent pas en paroles.

Caleb était occupé depuis quelque temps déjà à atteler une paire de chevaux à une charrette par le procédé sommaire consistant à clouer le harnais dans les chairs vives de leur corps, quand elle approcha son tabouret de travail et, s'étant assise, lui dit :

« Papa, je suis seule dans le noir. Je voudrais mes yeux, mes yeux si pleins de patience, de bonne volonté.

— Les voici, dit Caleb. Ils sont toujours prêts. Ils t'appartiennent plus qu'à moi, Berthe, à toute heure du jour et de la nuit. Que doivent faire pour toi tes yeux, ma chérie ?

— Promène-les autour de la pièce, papa.

— Bon, dit Caleb. Aussitôt dit, aussitôt fait, Berthe.

— Raconte-moi ce que tu vois.

— Elle est tout à fait comme à l'ordinaire, dit Caleb. Simple, mais très confortable. Les couleurs gaies des murs, les fleurs vives des assiettes et des plats, le bois poli là où il y a des poutres ou des panneaux, la gaieté et la propreté générales de la maison en font quelque chose de très joli.»

Gai et propre, ce l'était bien partout où les mains de Berthe pouvaient s'affairer. Mais la gaieté et la propreté n'étaient possibles nulle part ailleurs dans la vieille baraque croulante, que l'imagination de Caleb transformait ainsi.

«Tu es en tenue de travail, et pas aussi élégant que quand tu portes ton beau manteau? dit Berthe, le touchant.

— Pas tout à fait aussi élégant, répondit Caleb. Mais assez fringant tout de même.

— Papa, dit la jeune aveugle, se serrant contre lui et lui passant un bras autour du cou, parle-moi de May. Elle est très jolie?

— Certes», dit Caleb.

Et pour une fois, c'était vrai. Il était bien rare que Caleb n'eût pas à recourir à son invention.

«Elle a les cheveux noirs, dit Berthe, plus noirs que les miens. Sa voix est douce et musicale, cela je le sais. J'ai souvent eu plaisir à l'entendre. Sa tournure…

— Il n'y a pas une poupée dans la pièce qui puisse rivaliser avec elle, dit Caleb. Et ses yeux!…»

Il s'arrêta, car Berthe lui serrait un peu plus le cou et, de ce bras qui se cramponnait à lui, venait une pression avertisseuse qu'il ne comprenait que trop bien.

Il toussota, donna quelques coups de marteau, puis entonna de nouveau la chanson de la coupe

pétillante, sa ressource infaillible en pareilles difficultés.

«Notre ami, papa, notre bienfaiteur? Je ne me
lasse jamais, tu le sais, d'entendre parler de lui... Ce
n'est pas vrai? dit-elle précipitamment.

— Bien sûr, répondit Caleb — et à juste titre.

— Ah! oui, à combien juste titre!» s'écria la jeune
aveugle.

Elle le disait avec une telle ferveur que Caleb, en
dépit de toute la pureté de ses mobiles, ne put supporter de voir son visage; il baissa les yeux comme si
elle avait pu y lire son innocente duperie.

«Alors parle-moi encore de lui, papa chéri, dit
Berthe. Encore et encore! Il a une figure bienveillante, bonne et tendre. Franche et honnête, j'en suis
sûre. Le cœur viril qui tente de cacher ses bienfaits
sous une affectation de rudesse et de mauvaise grâce
bat dans chacun de ses regards.

— Et l'ennoblit! ajouta Caleb dans son calme
désespoir.

— Et l'ennoblit, s'écria la jeune aveugle. Il est plus
âgé que May, papa.

— Ou-i, dit Caleb à contrecœur. Il est un peu plus
âgé que May. Mais ça n'a pas d'importance.

— Oh si, papa! Être sa patiente compagne dans
l'infirmité et la vieillesse; être sa douce infirmière
dans la maladie et sa fidèle amie dans la souffrance
et l'affliction; ne connaître aucune fatigue en travaillant pour lui; le veiller, le soigner, s'asseoir à son
chevet pour lui parler éveillé, prier pour lui endormi:
quels privilèges ce seraient là! Quelles occasions de
lui prouver toute sa fidélité, tout son dévouement!
Crois-tu qu'elle ferait tout cela, papa chéri?

— Sans aucun doute, dit Caleb.

— Je la chéris, papa ; je la chéris du fond du cœur ! » s'écria la jeune fille.

Ce disant, elle posa sa pauvre tête aveugle sur l'épaule de Caleb et, dans cette posture, pleura, pleura, au point qu'il regretta presque de lui avoir procuré un bonheur si plein de larmes.

Pendant ce temps-là, il avait régné chez Jean Peerybingle une agitation assez vive, car la petite Mme Peerybingle ne pouvait naturellement penser à aller où que ce fût sans le bébé ; et ce n'était pas l'affaire d'une minute que de le mettre en état. Non qu'il représentât beaucoup quant au poids et à la taille, mais il y avait un monde de choses à faire à son propos, et tout cela, il fallait l'accomplir par petites étapes. Ainsi quand on fut arrivé d'une façon ou d'une autre à un certain point de son habillement, alors que vous auriez pu supposer avec quelque raison qu'il suffirait d'un ou deux petits finissages pour en faire un bébé fin prêt à affronter le monde, il fut mis sous l'éteignoir inopiné d'un bonnet de flanelle et fourré au lit, où il mitonna, pour ainsi dire, entre les couvertures durant près d'une heure. Après quoi on le tira de cet état d'inertie, tout luisant et rugissant violemment, pour prendre... eh bien, je dirai, si vous me permettez d'employer un terme général, un léger repas. Après quoi, il se rendormit. Mme Peerybingle profita de cet intervalle pour se faire aussi élégante, à sa petite façon, que jamais vous vîtes quiconque ; et durant cette même trêve, Mlle Slowboy s'introduisit dans une camisole d'une coupe si surprenante et si ingénieuse que ce vêtement n'avait aucun rapport avec elle-même ni avec rien d'autre dans l'univers : c'était, ratatiné et hérissé de larrons[1], un fait indépendant qui poursuivait sa carrière solitaire sans aucune considération pour personne. Cependant le bébé, de nouveau rendu à la vie, fut revêtu par les efforts conjugués de Mme Peerybingle et de Mlle Slowboy d'un manteau de couleur crème quant au corps et d'une sorte de tourte de nankin quant à la tête. Et ainsi, à la longue, ils descendirent tous trois à la porte, où le vieux cheval avait déjà coûté au Trust des Routes à Péage plus que n'en valait tout son péage de la journée tant il avait défoncé la route de ses impatients autographes, et d'où l'on pouvait vaguement apercevoir Boxeur, arrêté dans le lointain, la tête retournée pour encourager l'autre à le suivre sans attendre les ordres.

Mais si vous croyez qu'une chaise ou tout autre moyen fût nécessaire pour aider Mme Peerybingle à monter dans la charrette, c'est que vous connaissez bien mal Jean! Avant même que vous ayez pu le voir la soulever de terre, elle était déjà installée, toute fraîche et rose, et elle disait:

«Jean, voyons! Comment *peux*-tu? Pense à Tilly!»

S'il m'est permis de faire aucune mention des jambes d'une jeune personne, je ferai remarquer que, pour celles de Mlle Slowboy, certaine fatalité leur donnait une singulière propension à être constamment écorchées, et qu'elle n'effectuait jamais la moindre ascension ni la moindre descente sans cocher le fait d'une entaille, tout comme Robinson Crusoë marquait les jours sur son calendrier de bois. Mais cela pouvant passer pour peu convenable, j'y réfléchirai.

«Jean! Tu as bien pris le panier qui contient le pâté de veau et de jambon et le reste, sans oublier les bouteilles de bière? dit Dot. Sinon, il faut retourner tout de suite.

— Tu es bien gentille! répliqua le commissionnaire. Venir me parler de retourner après m'avoir fait attendre assez longtemps pour me mettre en retard d'un bon quart d'heure!

— Je regrette bien, Jean, dit Dot avec beaucoup de confusion, mais je ne pourrais vraiment songer à aller chez Berthe, je ne le ferais pour rien au monde, Jean, sans le pâté de veau et de jambon, les bouteilles de bière, et tout ça. Arrière!»

Ce dernier mot s'adressait au cheval, qui ne s'en préoccupa aucunement.

«Oh! retourne, Jean! dit madame Peerybingle. Je t'en supplie.

— Il en sera temps, répliqua Jean, quand je commencerai à oublier les choses. Le panier est là, en toute sûreté.

— Quel monstre au cœur de pierre tu dois être, Jean, pour ne pas me l'avoir dit tout de suite afin de m'épargner une pareille émotion! Je protestais que pour tout l'or du monde je n'irais pas chez Berthe sans le pâté et le reste, et les bouteilles de bière. C'est régulièrement tous les quinze jours depuis que nous sommes mariés, Jean, que nous allons là-bas faire notre petit pique-nique. Je croirais presque, s'il devait souffrir de quelque anicroche, que nous ne serions plus jamais heureux par la suite.

— C'était avant tout une bonne pensée, dit le voiturier, et qui te fait honneur à mes yeux, petite bonne femme.

— Mon cher Jean, répliqua Dot, rougissant fortement, ne parle pas de me faire honneur, à moi. Bonté divine!

— À propos..., fit observer le commissionnaire. Ce vieux monsieur...»

La voilà derechef embarrassée, et combien visiblement!

«C'est un curieux personnage, dit le voiturier, les

yeux fixés droit devant lui sur la route. Je n'arrive pas à me l'expliquer. Je ne pense pas qu'il y ait chez lui de malice.

— Aucune. Je... je suis bien sûre qu'il n'y en a aucune.

— Oui, dit le voiturier, dont les yeux furent attirés sur le visage de sa femme par l'ardeur qu'elle avait mise dans sa réponse. Je suis heureux que tu t'en sentes si certaine, parce que c'est pour moi une confirmation. C'est curieux qu'il se soit mis en tête de nous demander la permission de continuer à loger chez nous, tu ne trouves pas? Les choses arrivent d'une si étrange façon!

— Oui, de bien étrange façon, répondit-elle d'une voix basse, à peine perceptible.

— Mais c'est un vieillard d'un bon naturel, dit Jean; il paie en gentleman, et je crois que l'on peut se fier à sa parole comme à celle d'un gentleman. J'ai eu avec lui toute une conversation, ce matin : il m'entend déjà beaucoup mieux, à ce qu'il dit, à mesure qu'il s'habitue à ma voix. Il m'a raconté quantité de choses sur lui-même, je lui en ai dit beaucoup sur moi, et il m'a posé bon nombre de questions. Je lui ai raconté comme quoi j'avais deux tournées, tu sais, dans mon métier : un jour en partant de chez nous vers la droite et retour, et le lendemain vers la gauche et retour (car, étant étranger, il ne connaît pas le nom des endroits de par ici), et il a eu l'air tout content. "Eh bien, alors, je rentrerai ce soir par votre itinéraire, m'a-t-il dit, alors que je croyais que vous viendriez de la direction exactement opposée. C'est magnifique. Peut-être pourrais-je vous demander de m'emmener encore une fois; mais je m'engage à ne pas sombrer dans le même profond sommeil!" Pour ça, il avait le sommeil profond, il n'y a pas de doute!... Dot, à quoi penses-tu?

— À quoi je pense, Jean?... Je... je t'écoutais.

— Ah! Bon! dit le brave commissionnaire. J'avais peur, à voir ton visage, d'avoir divagué si longtemps que je t'avais amenée à penser à autre chose. J'en ai été bien près, je parie. »

Dot ne répondit point, et ils continuèrent quelque temps leur petit bonhomme de chemin en silence. Mais il n'était pas commode de rester longtemps silencieux dans la charrette de Jean Peerybingle, car chacun sur la route avait quelque chose à lui dire. Ce pouvait n'être que «Bonjour», et en fait ce n'était souvent rien d'autre; mais retourner ce compliment avec toute la cordialité requise n'exigeait pas seulement un simple signe de tête et un sourire: il y fallait encore un effort de poumons aussi soutenu qu'un discours parlementaire en trois points. Parfois, des voyageurs à pied ou à cheval cheminaient à côté de la voiture dans l'intention expresse de bavarder un peu, et il y avait alors beaucoup à dire d'un côté comme de l'autre.

Et puis, Boxeur donnait lieu à plus d'amicales salutations à l'adresse ou de la part du voiturier que ne l'eussent fait une demi-douzaine de chrétiens! Tout le monde le connaissait, tout au long de la route, et surtout les volailles et les cochons, qui, le voyant approcher, le corps tout d'un côté, les oreilles dressées d'un air inquisiteur et son bout de queue s'agitant dans l'air pour se donner le plus d'importance possible, se retiraient immédiatement dans les plus lointaines arrière-cours, sans attendre l'honneur d'un commerce plus intime. Il avait affaire partout, s'engageait dans tous les détours, regardait dans tous les puits, faisait une apparition dans toutes les chau-

mières, se jetait dans toutes les écoles enfantines,
effarouchait tous les pigeons, hérissait les queues de
tous les chats et entrait en habitué dans tous les
cabarets. Partout où il allait, on était sûr d'entendre
quelqu'un s'écrier : « Ohé ! Voilà Boxeur ! » et ce
quelqu'un sortait aussitôt, en compagnie de deux ou
trois autres, donner le bonjour à Jean Peerybingle et
à sa jolie épouse.

Les colis et paquets à confier au commissionnaire
étaient nombreux, il y avait des arrêts fréquents pour
les charger ou les distribuer, et ce n'était certes pas
la partie la moins agréable du voyage. Certaines gens
attendaient leurs paquets avec tant d'impatience,
d'autres les recevaient avec tant de surprise, d'autres
avaient tant d'interminables recommandations à
faire sur les leurs, et Jean prenait un intérêt si vif à
tous que tout cela valait bien la meilleure des comédies. Et puis il y avait des articles dont le transport
nécessitait réflexion et discussion et pour l'ajustement et la disposition desquels un conseil devait se
tenir entre le commissionnaire et les expéditeurs,
conseil auquel assistait généralement Boxeur, tantôt
plongé dans la plus profonde attention et tantôt en
proie à des accès de tournoiement autour des sages
assemblées et d'aboiements poussés jusqu'à l'en-
rouement. De tous ces petits incidents, Dot, assise
sur sa chaise dans la voiture, était la spectatrice
éveillée et amusée ; et devant le charmant petit portrait qu'elle formait, admirablement encadrée par
la bâche, les coups de coude, les œillades, les murmures d'envie ne manquaient pas parmi les jeunes
gens assemblés. Et cela enchantait par-dessus tout
Jean le commissionnaire, car il était fier que sa petite
femme fût admirée, sachant qu'elle n'y voyait pas

d'inconvénient, qu'elle y prenait peut-être même plutôt plaisir.

Le voyage n'était pas exempt de brouillard, bien sûr, par ce temps de janvier âpre et froid. Mais qui se préoccupait de telles vétilles? Pas Dot, incontestablement. Pas Tilly Slowboy, car elle estimait qu'être assise dans une charrette, en n'importe quelles circonstances, était le fin du fin des joies humaines, le couronnement de toutes les espérances en ce bas monde. Pas le bébé, j'en jurerais; car nul bébé ne saurait avoir plus chaud ni dormir d'un sommeil plus profond, quelles que puissent être sous ce rapport les capacités infantiles, que le petit Peerybingle tout le long du chemin.

On ne pouvait pas voir bien loin dans ce brouillard, naturellement; mais on pouvait voir bien des choses! C'est étonnant combien on peut voir de choses par un brouillard même plus épais que celui-là, si l'on veut seulement s'en donner la peine. Par exemple, rester simplement à chercher des yeux les ronds des fées[1] dans les champs ou les plaques de gelée blanche qui demeuraient encore dans l'ombre des haies et des arbres, constituait une agréable occupation; sans parler des formes inattendues sous lesquelles les arbres eux-mêmes sortaient de la brume avant de s'y perdre à nouveau. Les haies enchevêtrées et dénudées agitaient au vent une multitude de guirlandes flétries; mais il n'y avait rien d'attristant en cela. C'était un spectacle agréable, car il faisait ressortir la chaleur du coin de feu dont on jouissait et la verdeur future du printemps que l'on espérait. La rivière avait l'air glaciale, mais elle était en mouvement et même elle allait à bonne allure, ce qui était un grand point. Le canal était plutôt lent et engourdi, il fallait l'admettre. Mais peu importait. Il prendrait

d'autant plus vite quand le gel s'établirait franchement, après quoi on pourrait patiner et faire des glissades ; et les lourdes vieilles péniches, immobilisées
par la glace près de quelque appontement et fumant
de tous les vieux tuyaux rouillés de leurs cheminées,
en profiteraient pour tirer leur flamme.

En un certain endroit brûlait un grand tas d'herbes
ou de chaume, et ils contemplèrent le feu, si blanc à
la lumière du jour, qui flamboyait à travers le brouillard avec seulement par-ci par-là un trait de rouge,
jusqu'au moment où Mlle Slowboy, à cause, comme
elle le remarqua, que la fumée «lui montait au nez»,
se mit à suffoquer (ce à quoi elle était sujette, à la
moindre provocation) et réveilla le bébé, qui ne
voulut plus se rendormir. Mais Boxeur, qui courait
un quart de mille au moins en avant, avait déjà
franchi les avant-postes de la ville et gagné le coin de
la rue où habitaient Caleb et sa fille ; et bien avant
que la voiture eût atteint la porte, ceux-ci se tenaient
sur le trottoir, prêts à les accueillir.

Boxeur, soit dit en passant, faisait, dans ses rapports avec Berthe, certaines distinctions délicates,
qui me convainquent pleinement qu'il la savait
aveugle. Il ne cherchait jamais à attirer son attention
en la regardant comme il le faisait souvent pour les
autres gens, mais il ne manquait jamais de la toucher.
Quelle expérience pouvait-il avoir eue de personnes
ou de chiens aveugles, je l'ignore. Il n'avait jamais
vécu avec aucun maître aveugle, et ni M. Boxeur
père, ni Mme Boxeur, ni aucun des membres de son
honorable famille de l'un ou l'autre côté n'avaient
jamais été affligés de cécité, que je sache. Peut-être
l'avait-il découvert par lui-même, en tout cas il l'avait
saisi ; et en conséquence il avait également saisi
Berthe par la jupe, qu'il ne lâcha pas avant que

Mme Peerybingle et le bébé, Mlle Slowboy et le
panier fussent tous bel et bien entrés dans la maison.

May Fielding était déjà arrivée, ainsi que sa mère,
un petit bout de vieille dame chagrine, au visage
atrabilaire, qui, du fait qu'elle avait conservé un tour
de taille du genre quenouille de lit, passait pour une
personne transcendante, et qui, parce qu'elle avait
connu des jours meilleurs ou se persuadait qu'elle en
eût pu connaître s'il était arrivé quelque chose qui
n'était jamais arrivé et ne semblait d'ailleurs jamais
avoir eu beaucoup de chances de se produire (mais
peu importe), prenait des airs très distingués et pro-
tecteurs. Gruff & Tackleton était là également,
faisant l'aimable avec le sentiment évident d'être
aussi parfaitement à l'aise, aussi parfaitement dans
son élément qu'un jeune saumon fraîchement éclos
au sommet de la Grande Pyramide.

« May ! Ma chère vieille amie ! s'écria Dot, courant
à sa rencontre. Quel bonheur de te voir. »

Sa vieille amie était non moins chaleureuse, non
moins contente qu'elle-même ; et ce fut vraiment, si
vous voulez m'en croire, un bien aimable spectacle
que leur embrassade. Tackleton était homme de goût,
incontestablement. May était très jolie.

Il arrive parfois, vous ne l'ignorez pas, que, lorsqu'on est habitué à un joli visage et que celui-ci se
trouve placé auprès d'un visage aussi joli, il paraît
pour un moment ordinaire, il semble avoir perdu
tout éclat et ne plus mériter la haute idée que l'on
s'en faisait. Eh bien, ce n'était nullement le cas ni
pour Dot, ni pour May ; car le visage de l'une mettait
si naturellement et si plaisamment en valeur celui de
l'autre et vice versa que (comme Jean Peerybingle
fut bien près de le dire en pénétrant dans la pièce)

elles auraient dû naître sœurs — seul surcroît d'agrément que l'on aurait pu suggérer.

Tackleton avait apporté son gigot et, fait digne de remarque, une tarte en plus ; mais on ne regarde pas à un peu de prodigalité quand il s'agit de fiancées ; on ne se marie pas tous les jours ; et en plus de ces gourmandises, il y avait le pâté de veau et de jambon et «le reste», comme disait Mme Peerybingle, qui se composait principalement de noix, d'oranges, de gâteaux et autres bagatelles. Quand le repas fut disposé sur la table, flanqué de la contribution de Caleb, laquelle était une grande jatte de bois remplie de pommes de terre fumantes (une convention solennelle lui interdisait de fournir aucune autre victuaille), Tackleton mena sa future belle-mère à la place d'honneur. Afin de mieux orner celle-ci en ce grand festin, la majestueuse vieille personne s'était parée d'un bonnet fait pour inspirer aux étourdis des sentiments de religieux respect. Elle portait aussi des gants : plutôt mourir que de ne pas se montrer distinguée !

Caleb s'assit auprès de sa fille ; Dot et sa compagne d'école étaient l'une à côté de l'autre ; et l'honnête commissionnaire tenait le bas bout de la table. Mlle Slowboy resta isolée, pour le moment, de tout autre article mobilier que la chaise sur laquelle elle était assise, afin de n'avoir rien d'autre contre quoi cogner la tête du bébé.

Tandis que Tilly ouvrait des yeux ronds sur les poupées et les jouets, ceux-ci le lui rendaient bien, comme à toute la compagnie d'ailleurs. Les vieux messieurs vénérables, tous en pleine action aux portes de leurs maisons, montraient un intérêt particulier pour les invités : s'arrêtant à l'occasion, comme attentifs à la conversation, avant de bondir, puis sautant et ressautant je ne sais combien de fois avec extravagance, sans même s'arrêter pour reprendre haleine, comme plongés dans une joie délirante à la vue de tout ce qui se passait.

Il n'y a pas de doute que si ces vieux messieurs se montraient enclins à éprouver une joie diabolique devant la déconfiture de Tackleton, ils avaient de bonnes raisons d'être satisfaits. Le marchand n'arrivait pas à se dérider : plus sa future épouse s'animait dans la compagnie de Dot, moins il y prenait plaisir, bien qu'il les eût réunies justement à cette fin. Car c'était un vrai chien du jardinier[1] que Tackleton ! Et quand elles riaient sans qu'il pût faire comme elles, il se mettait aussitôt dans la tête qu'il faisait l'objet de leur gaieté.

«Ah ! May ! dit Dot. Mon Dieu, mon Dieu, que de changements ! Comme cela nous rajeunit de reparler de ces heureux jours de l'école !

— Mais vous n'êtes pas particulièrement âgées de toute façon, si ? dit Tackleton.

— Regardez donc mon mari, là, pesant et rassis ! répliqua Dot. Il ajoute au moins vingt ans à mon âge. Ce n'est pas vrai, Jean ?

— Quarante, répondit Jean.

— Combien vous en ajouterez quant à vous à celui de May, je ne saurais le dire ! ajouta Dot, en riant. Mais elle ne saurait avoir moins de cent ans à son prochain anniversaire.

— Ha, ha, ha ! fit Tackleton (mais ce rire-là avait le son creux du tambour ; et, à le voir, on sentait que le marchand de jouets eût volontiers tordu le cou à Dot).

— Mon Dieu, mon Dieu ! dit Dot. Quand on se rappelle comment nous parlions, à l'école, des maris que nous choisirions ! Combien le mien devait être

jeune, élégant, gai, vivant! Quant à celui de May!...
Ah, mon Dieu! je ne sais plus s'il faut rire ou pleurer
en pensant aux filles stupides que nous étions!»

May semblait le savoir, elle; car le rouge lui monta
aux joues et les larmes aux yeux.

«Nous fixions même parfois notre choix sur les
personnes... sur des jeunes gens qui existaient réellement! dit Dot. Nous nous doutions peu du tour que
prendraient les choses. Pour moi, je n'avais certes
pas fixé mon choix sur Jean; je n'avais même pas
pensé à lui. Et si jamais je t'avais dit que tu devais
épouser un jour M. Tackleton, tu m'aurais tout simplement giflée. N'est-ce pas, May?»

Si May ne dit pas oui, en tout cas elle ne dit pas
non, ni ne fit aucun signe de dénégation.

Tackleton rit, il éclata même d'un rire particulièrement bruyant. Jean Peerybingle rit aussi, à la façon
bon enfant, contente, qui lui était coutumière, mais
ce n'était qu'un rire léger à côté de celui de Tackleton.

«Vous n'y pouviez pourtant rien. Impossible de
nous résister, vous voyez, dit Tackleton. Nous voici
là! Nous voici là! Et où sont vos galants jeunes futurs
maintenant?

— D'aucuns sont morts, dit Dot, et d'aucuns
oubliés. Certains, s'ils pouvaient se tenir parmi nous
en ce moment, ne croiraient pas que nous sommes
les mêmes créatures, ne croiraient pas que ce qu'ils
verraient et entendraient fût vrai et que nous ayons
pu les oublier ainsi. Non! Ils n'en croiraient pas un
mot!

— Mais Dot! s'écria le voiturier. Ma petite!»

Elle s'était exprimée avec une telle ardeur, une
telle fougue qu'elle avait besoin d'être quelque peu
rappelée à elle-même sans nul doute. L'admonesta-

tion de son mari était très douce, car il n'intervenait, pensait-il, que pour couvrir le vieux Tackleton ; mais elle se révéla efficace, car Dot s'arrêta et ne dit plus rien. Une agitation inhabituelle était perceptible même dans son silence, ce que le cauteleux Tackleton, qui avait fixé sur elle son œil à demi fermé, nota soigneusement et se remémora ensuite à bon escient.

May ne prononçait pas un mot, bon ou mauvais ; elle restait assise, immobile, les yeux baissés, sans marquer par aucun signe qu'elle s'intéressât à ce qui s'était passé. Sa bonne dame de mère intervint alors pour observer, en premier lieu, que les jeunes filles étaient des jeunes filles, que le passé était le passé et que, tant que les jeunes personnes seraient de jeunes étourneaux, elles se conduiraient en jeunes étourneaux, aphorismes accompagnés de deux ou trois déclarations d'une nature non moins solide et irrécusable. Elle remarqua ensuite avec dévotion qu'elle remerciait le Ciel d'avoir toujours trouvé en sa fille May une enfant soumise et obéissante, ce dont elle ne se glorifiait aucunement, encore qu'elle eût toute raison de croire que le mérite lui en revenait entièrement. Pour ce qui était de M. Tackleton, qu'il fût du point de vue moral un homme irréprochable et du point de vue matrimonial un gendre désirable, aucune personne douée de bon sens n'en pouvait douter (elle appuya fortement sur ces mots). En ce qui concernait la famille dans laquelle il allait bientôt, après beaucoup d'instances, être admis, M. Tackleton savait sans doute que, bien que sa bourse fût un peu réduite, elle avait quelques prétentions à la distinction ; et que, si certaines circonstances non sans lien, irait-elle jusqu'à dire, avec le commerce de l'indigo, mais sur lesquelles elle ne voulait pas s'appesantir avec plus de précision, s'étaient déroulées autrement, elle eût pu être en possession d'une belle fortune. Elle fit alors remarquer qu'elle ne voulait pas faire allusion au passé ni mentionner que sa fille avait durant quelque temps rejeté la demande de M. Tackleton; et qu'elle ne dirait pas un grand nombre d'autres choses qu'elle dit en fait, et très longuement. Elle prononça finalement, en conséquence générale de son observation et de son expérience, que les mariages dans lesquels il y avait le moins de ce qu'on appelle avec une romanesque bêtise l'amour, étaient toujours les plus heureux; et qu'elle attendait des noces à venir la plus grande somme de félicité, non de cette félicité qui vous transporte, mais de cette félicité solide qui est un article d'usage. Elle conclut en informant la compagnie que le lendemain était le jour pour lequel elle avait vécu, expressément; et qu'après cela, elle n'ambitionnait rien d'autre que d'être emballée et expédiée dans le premier venu des cimetières de quelque distinction.

Comme ces remarques n'étaient susceptibles de recevoir aucune réponse, ce qui est l'heureuse propriété de toutes les remarques d'une portée suffisamment étendue, elles détournèrent le cours de la conversation et portèrent l'attention générale sur le pâté de veau et de jambon, le mouton froid, les pommes de terre et la tarte. Pour ne point faire fi de la bière en bouteille, Jean Peerybingle proposa de porter un toast au lendemain, jour du mariage; puis il appela les autres convives à boire une rasade en cet honneur, avant qu'il ne se remît en route.

Car, il faut que vous le sachiez, il n'était là que pour souffler un peu et donner un instant de repos à son cheval. Il avait encore quatre ou cinq milles à parcourir, et au retour, le soir, il repasserait cher-

cher Dot et prendrait un autre moment de détente.
C'était là le programme consacré pour tous les jours
de pique-nique et ce l'avait été dès leur institution.

Deux personnes de l'assistance, outre la future et
le fiancé élu, ne firent que peu d'honneur au toast.
L'une était Dot, trop troublée et enfiévrée pour
s'adapter aux menues circonstances du moment;
l'autre était Berthe, qui se leva précipitamment
avant tout le monde et quitta la table.

«Au revoir! dit le robuste Jean Peerybingle, rajustant son paletot-pilote. Je serai là à l'heure habituelle. Au revoir, tous!

— Au revoir, Jean», répondit Caleb.

Il parut dire cela machinalement et saluer de la
main de la même façon inconsciente, car il était
occupé à observer Berthe avec un regard d'inquiète
surprise qui ne changea à aucun moment.

«Au revoir, moutard! dit le jovial voiturier en se
penchant pour embrasser l'enfant, que Tilly Slowboy,
pour lors tout entière à son couteau et à sa fourchette, avait déposé endormi (et, aussi étrange que
cela puisse paraître, sans dommage) dans un petit
berceau fourni par Berthe. Au revoir! Le jour viendra,
je suppose, où ce sera toi qui sortiras dans le froid,
mon petit ami, laissant ton vieux père jouir de sa
pipe et de ses rhumatismes au coin du feu, hein? Où
est Dot?

— Je suis là, Jean, dit-elle avec un sursaut.

— Voyons, voyons! reprit le voiturier en faisant
claquer ses mains sonores. Et ma pipe?

— Je l'ai complètement oubliée, Jean.»

Oublié la pipe! Avait-on jamais entendu chose
aussi surprenante! Elle avait oublié la pipe!

«Je... je vais la bourrer tout de suite. Ce sera vite
fait.»

Mais ce ne fut pas vite fait. La pipe se trouvait à sa place accoutumée (la poche du manteau-pilote du commissionnaire), ainsi que la petite blague, œuvre de ses propres mains, où elle avait l'habitude de puiser le tabac ; mais sa main tremblait tant qu'elle l'y empêtra (cette main était pourtant assez petite, sans nul doute, pour se dégager aisément) et se montra d'une maladresse affreuse. Le bourrage et l'allumage de la pipe, ces deux petites fonctions pour lesquelles j'avais tant vanté ses talents, furent remplis d'exécrable façon du début à la fin. Durant tout ce processus, Tackleton la dévisageait malicieusement de son œil à demi fermé, qui, chaque fois qu'il rencontrait celui de la jeune femme, ou plutôt l'attrapait (car il serait difficile de dire qu'il en rencontrait jamais un autre : c'était plutôt une sorte de trappe faite pour le happer), augmentait sa confusion à un point extrême.

« Mais quelle maladroite de Dot tu fais, cet après-midi ! dit Jean. Je l'aurais mieux bourrée moi-même, j'ai l'impression ! »

Sur ces mots pleins de bonhomie, il s'éloigna, et l'on ne tarda pas à l'entendre, en compagnie de Boxeur, du vieux cheval et de la voiture, faire résonner la route d'une joyeuse musique. Cependant que Caleb, rêveur, restait à contempler sa fille aveugle avec la même expression sur le visage.

« Berthe ! dit-il doucement. Qu'est-il arrivé ? Comme tu as changé, ma chérie, en quelques heures... depuis ce matin. *Toi*, rester silencieuse et triste toute la journée ! Qu'y a-t-il donc ? Dis-le-moi !

— Oh ! papa, papa ! s'écria la jeune aveugle, fondant en larmes. Ah ! quel dur, quel cruel destin que le mien ! »

Caleb passa la main sur ses yeux avant de répondre.

«Mais pense donc combien tu as été gaie et heureuse, Berthe! Combien tu as été bonne, aimée de tous.

— C'est bien ce qui me point le cœur, papa chéri! Toi qui es toujours si attentif, si bienfaisant à mon égard!»

Caleb se demandait bien ce qu'il devait comprendre.

«La... la cécité, Berthe, ma pauvre chérie, dit-il en bredouillant, est une grande affliction; mais...

— Je n'en ai jamais souffert! s'écria la jeune aveugle. Je n'en ai jamais pleinement souffert. Jamais. J'ai parfois souhaité d'être capable de te voir, ou de le voir lui... une seule fois, papa, juste un instant... pour connaître ce que je chéris, dit-elle en portant la main à son cœur, et que je garde ici! Afin d'être sûre que je me le représente bien! Et il m'est arrivé (mais j'étais alors une enfant) de pleurer dans mes prières à la pensée que les images qui montaient de mon cœur au Ciel pouvaient ne pas vous représenter fidèlement. Mais ce sentiment n'a point duré. Il a passé, me laissant calme et satisfaite.

— Et il en sera de même à nouveau, dit Caleb.

— Mais, papa! Oh! mon bon, mon tendre papa, sois indulgent si je suis méchante! dit la jeune aveugle. Ce n'est pas ce chagrin-là qui m'accable!»

Son père ne put retenir ses yeux humides de déborder, tant elle était convaincue et pathétique, mais il ne la comprenait toujours pas.

«Amène-la-moi, dit Berthe. Je ne puis garder le secret enfermé en moi-même. Amène-la-moi, papa!»

Elle sentit qu'il hésitait, et elle ajouta:

«May! Amène-moi May!»

May entendit que l'on prononçait son nom et, s'étant doucement approchée, lui toucha le bras. La

jeune aveugle se retourna aussitôt et lui saisit les
deux mains.

« Regarde-moi en face, mon cher, mon doux cœur !
dit Berthe. Que tes beaux yeux lisent dans mon
visage, et dis-moi si la vérité y est inscrite.

— Oui, Berthe, oui ! »

La jeune aveugle, levant toujours vers elle son
visage privé de regard le long duquel coulaient
d'abondantes larmes, lui adressa ces mots :

« Il n'est pas dans mon cœur de souhait ou de
pensée qui ne soit pour ton bonheur, belle May ! Il
n'est pas de souvenir reconnaissant gravé plus
profond en mon âme que celui des nombreuses fois
où toi qui jouissais des splendeurs de la vue et de la
beauté, tu as montré de la sollicitude à la pauvre
Berthe, alors même que nous n'étions que deux
enfants ou que Berthe était aussi enfant que la cécité
peut le permettre ! Que toutes les bénédictions du
Ciel descendent sur toi ! Que ton heureuse carrière
soit inondée de lumière ! Et qu'il n'en soit pas moins
ainsi, ma chère May (elle se serra plus fortement
contre son amie), qu'il n'en soit pas moins ainsi, ma
colombe, parce qu'aujourd'hui la nouvelle que tu vas
devenir sa femme m'a étreint le cœur presque à le
briser ! Papa, May, Marie ! Ah ! pardonnez-moi ce
sentiment à cause de tout ce qu'il a fait pour soulager
ma vie enténébrée, et au nom de la confiance que
vous avez en moi quand j'atteste le Ciel que je ne
pourrais lui souhaiter épouse plus digne de sa
bonté ! »

Tout en parlant, elle avait lâché les mains de May
Fielding et elle s'accrochait à ses vêtements dans un
geste où se mêlaient la supplication et la tendresse.
S'affaissant de plus en plus à mesure qu'elle avançait
dans son étrange confession, elle finit par tomber

aux pieds de son amie et par enfouir son visage aveugle dans les plis de sa robe.

«Bonté divine! s'écria son père, frappé d'un seul coup par la vérité, ne l'ai-je donc abusée dès le berceau que pour finir par lui briser le cœur?»

Il fut heureux pour tous que Dot, la rayonnante, l'utile, l'active petite Dot, car elle était tout cela quels que fussent ses défauts et dans quelque mesure que vous soyez appelé à la détester le moment venu, il fut heureux, dis-je, qu'elle se trouvât là; sans quoi, il serait bien difficile de dire à quoi tout cela aurait abouti. Mais Dot, recouvrant son sang-froid, intervint avant que May eût pu répondre ou Caleb ajouter un mot.

«Allons, allons, ma chère Berthe! Viens-t'en avec moi! Donne-lui le bras, May! Voyez: elle a déjà retrouvé son calme; et comme c'est gentil de sa part de se soucier de nous, dit l'enjouée petite bonne femme en lui baisant le front. Viens, chère Berthe. Viens donc; et voici son bon père qui l'accompagnera aussi, n'est-ce pas, Caleb? Cer-tai-ne-ment!»

Eh oui, elle se révélait une noble petite Dot en pareilles occasions, et il eût fallu avoir le caractère bien opiniâtre pour se soustraire à son influence. Quand elle eut éloigné le pauvre Caleb et sa Berthe afin qu'ils se réconfortassent et se consolassent mutuellement comme elle savait que seuls ils le pouvaient, elle revint vivement de son pas léger, aussi fraîche qu'une rose, comme on dit (plus fraîche, dirai-je quant à moi), monter la garde auprès du petit monument de roideur chapeauté et ganté, et éviter que cette bonne vieille créature ne fît quelques découvertes.

«Eh bien, apporte-moi ce trésor, Tilly, dit-elle, approchant une chaise du feu; et pendant que je

l'aurai sur les genoux, voici Mme Fielding, Tilly, qui
me donnera tous les conseils nécessaires sur la façon
de s'occuper des bébés, et qui redressera sur vingt
points toutes les bêtises que je commets. Vous voulez
bien, madame Fielding ? »

Le géant gallois lui-même, qui fut assez « lent »,
comme on dit, pour accomplir sur sa propre personne une fatale opération chirurgicale en imitation
d'un tour de passe-passe exécuté au petit déjeuner par
son ennemi insigne[1], ce géant lui-même ne se laissa
pas prendre plus aisément au piège ainsi tendu que
la vieille dame ne tomba dans cet adroit traquenard.
Le fait que Tackleton était sorti et qu'en outre deux
ou trois personnes avaient parlé ensemble à l'écart
pendant deux minutes, l'abandonnant à ses propres
ressources, avait amplement suffi à la faire se retrancher derrière sa dignité et reprendre pour vingt-
quatre heures au moins ses lamentations sur le
mystérieux bouleversement survenu dans le commerce de l'indigo. Mais cette marque de déférence
de la jeune mère envers son expérience fut si irrésistible qu'après une brève affectation d'humilité, elle
se mit à l'éclairer de la meilleure grâce du monde ;
et, assise droite comme un I devant la malicieuse
Dot, elle débita en effet, une demi-heure durant, plus
de recettes et de préceptes domestiques infaillibles
qu'il n'en aurait suffi (en admettant qu'on les suivît)
pour consommer la destruction du jeune Peerybingle, eût-il été l'enfant Samson en personne.

Pour changer de thème, Dot fit un peu de couture,
(je ne sais comment elle s'en tirait, mais elle portait
toujours dans sa poche le contenu de toute une boîte
à ouvrage), puis elle berça un peu l'enfant, puis elle
refit un peu de couture ; puis elle profita d'un assoupissement de la vieille dame pour bavarder un

moment à voix basse avec May ; et ainsi découpée en petites bribes d'occupation, ce qui était bien dans sa manière habituelle, l'après-midi lui parut fort court. Alors, comme il commençait à faire sombre et que cela faisait solennellement partie intégrante de cette institution du pique-nique qu'elle effectuât toutes les tâches domestiques de Berthe, elle arrangea le feu, balaya le devant du foyer, dressa la table du thé, tira le rideau et alluma une chandelle. Après quoi, elle joua un air ou deux sur une harpe rudimentaire que Caleb avait confectionnée pour Berthe, et elle les joua fort bien ; car la Nature lui avait donné une oreille délicate aussi bien faite pour la musique qu'elle l'eût été pour des bijoux si elle en eût eu à porter. L'heure fixée pour le thé étant alors venue, Tackleton rentra pour participer au repas et passer la soirée.

Caleb et Berthe étaient revenus quelque temps auparavant, et le premier s'était installé devant sa besogne de l'après-midi. Mais il ne pouvait s'y mettre, le pauvre homme, tant il était inquiet et rempli de remords envers sa fille. Il était émouvant de le voir assis, inactif sur son tabouret de travail, à la regarder d'un air triste et songeur, tandis que son expression répétait sans cesse : « Ne l'ai-je donc abusée dès le berceau que pour finir par lui briser le cœur ? »

Quand la nuit fut tombée et le thé terminé et que Dot en eut fini de laver tasses et soucoupes, bref (car il faut bien que j'y vienne et rien ne sert de lanterner), quand le moment approcha de guetter le retour du voiturier à chaque lointain bruit de roues, sa manière changea de nouveau ; elle pâlissait et rougissait tour à tour, et ne pouvait plus tenir en place. Non comme les bonnes épouses attentives au retour de leur mari. Non, non, non. C'était une autre sorte d'agitation.

Un bruit de roues. Le pas d'un cheval. L'aboi d'un chien. L'approche graduelle de tous ces sons. La patte de Boxeur qui gratte à la porte !

«De qui donc est-ce le pas ? s'écria Berthe, se levant en sursaut.

— De qui ? répondit le commissionnaire, debout sur le seuil, sa figure hâlée rougie comme des baies de houx par l'air vif du soir. Mais c'est le mien.

— L'autre pas, dit Berthe ; le pas d'homme qui suit le vôtre.

— On ne saurait la tromper, observa le commissionnaire en riant. Avancez donc, monsieur. Vous serez le bienvenu, n'ayez crainte ! »

Il dit cela à voix très haute, et tandis qu'il parlait le vieux monsieur sourd entra.

«Il n'est pas si étranger que tu ne l'aies déjà vu une fois, Caleb, dit le voiturier. Tu lui feras bien une petite place jusqu'à notre départ ?

— Bien sûr, Jean ; ce sera un honneur pour moi.

— C'est la meilleure compagnie du monde quand on a envie de raconter des secrets, dit Jean. J'ai d'assez bons poumons, mais il les met à rude épreuve, je te le dis. Asseyez-vous, monsieur. Tous ici sont des amis, et heureux de vous voir ! »

Après avoir donné cette assurance d'une voix qui confirmait amplement ce qu'il avait dit de ses poumons, il ajouta de son ton habituel :

«Une chaise au coin de la cheminée et qu'on le laisse rester assis sans parler en regardant agréablement autour de lui, c'est tout ce qu'il demande. Il n'est pas difficile à contenter. »

Berthe avait écouté avec attention. Elle appela Caleb auprès d'elle quand il eut disposé la chaise, pour lui demander à voix basse de lui décrire le visiteur. Après qu'il l'eut fait (véridiquement, cette fois ;

avec une surprenante fidélité), elle fit un mouvement, le premier depuis l'entrée de l'étranger, soupira et parut se désintéresser de lui.

Le voiturier se montrait plein d'entrain, bon garçon
qu'il était, et plus épris que jamais de sa petite
femme.

«C'était une maladroite de Dot, cet après-midi!
dit-il en lui passant son rude bras autour de la taille
tandis qu'elle se tenait à l'écart des autres; ce qui ne
m'empêche pas de l'aimer. Regarde là-bas, Dot.»

Il désignait le vieillard. Elle baissa les yeux. Je
crois qu'elle tremblait.

«Il... ha, ha, ha!... il est plein d'admiration pour
toi! dit le commissionnaire. Il n'a parlé de rien
d'autre durant tout le trajet. Hé, c'est un brave type.
Je l'en aime bien!

— J'aurais préféré qu'il eût un meilleur sujet de
conversation, Jean, dit-elle en jetant un regard gêné
autour de la pièce et plus particulièrement sur
Tackleton.

— Un meilleur sujet! s'écria le jovial Jean. Il n'en
est pas. Allons, débarrasse-moi de cette houppelande, de cet épais cache-nez, de ces lourdes couvertures! Que je jouisse d'une bonne demi-heure au
coin du feu! Votre humble serviteur, madame. Voulez-vous que nous fassions une partie de cribbage[1],
vous et moi? Bon! Les cartes et la table, Dot. Et un
verre de bière pour moi, s'il en reste, ma petite
femme!»

Son offre s'adressait à la vieille dame et, celle-ci
l'ayant acceptée avec un gracieux empressement, la
partie fut bientôt engagée. Au début, le voiturier
regardait parfois alentour avec un sourire, ou bien il
appelait de temps à autre Dot pour qu'elle vînt jeter
un coup d'œil sur son jeu par-dessus son épaule et

lui donner un conseil dans un cas difficile. Mais son adversaire, qui avait une discipline rigide et, à l'occasion, la faiblesse de marquer plus de points qu'il ne lui en revenait, requérait une telle vigilance de sa part qu'il dut bientôt consacrer entièrement ses yeux et ses oreilles au jeu. Toute son attention se trouva ainsi graduellement absorbée par les cartes; et il ne pensa plus à rien d'autre jusqu'au moment où une main posée sur son épaule le ramena au sentiment de la présence de Tackleton.

«Je m'excuse de vous déranger… mais je voudrais vous dire un mot tout de suite.

— C'est à moi de donner, répondit le voiturier. Le moment est critique.

— Il l'est, en effet, dit Tackleton. Venez donc, mon cher!»

Il y avait sur sa pâle figure une expression qui fit que l'autre se leva immédiatement en lui demandant avec précipitation de quoi il s'agissait.

«Chut, Jean Peerybingle! dit Tackleton. Je déplore cette affaire. Vraiment. J'ai craint, j'ai soupçonné la chose dès le début.

— Quoi donc? demanda le commissionnaire, d'un air effrayé.

— Chut! Je vais vous montrer, si vous voulez venir avec moi.»

Le voiturier l'accompagna sans ajouter un mot. Ils traversèrent une cour à la clarté des étoiles, et pénétrèrent par une petite porte de derrière dans le propre bureau de Tackleton, où se trouvait une vitre donnant sur le magasin, alors fermé pour la nuit. Il n'y avait aucune lumière dans le bureau même, mais des lampes étaient allumées dans le long et étroit magasin, ce qui éclairait la vitre.

« Un moment ! dit Tackleton. Croyez-vous pouvoir supporter de regarder par cette fenêtre ?

— Pourquoi pas ? répondit le commissionnaire.

— Un instant encore, dit Tackleton. Ne vous laissez aller à aucune violence. Cela ne sert à rien. Et c'est dangereux. Vous êtes fortement bâti ; et vous pourriez commettre un meurtre avant de vous en rendre compte. »

Le voiturier le dévisagea et recula d'un pas, comme frappé en pleine poitrine. D'un bond, il fut à la fenêtre, et là, il vit…

Oh ! ombre sur le Foyer ! Oh ! fidèle grillon ! Oh ! épouse perfide !

Il la vit avec le vieillard, non plus vieux, mais droit et fier, tenant à la main la perruque blanche qui lui avait donné accès à leur foyer, maintenant désolé et misérable. Il la vit l'écouter tandis qu'il se penchait pour lui murmurer à l'oreille, le laisser lui serrer la taille comme ils suivaient lentement l'obscure galerie de bois en se dirigeant vers la porte par laquelle ils étaient entrés. Il les vit s'arrêter, il la vit se retourner (oh ! ce visage qu'il aimait tant, ainsi présenté à sa vue !) et il la vit ajuster de ses propres mains l'instrument du mensonge sur la tête de son compagnon, riant ce faisant de la crédulité de son mari !

Il serra tout d'abord sa robuste main droite, comme pour abattre un lion. Mais il la rouvrit immédiatement et l'étala sous les yeux de Tackleton (car il aimait sa femme, à ce moment encore) ; et puis, comme le couple disparaissait, il se laissa tomber sur un bureau, aussi faible que le premier enfant venu.

Il était emmitouflé jusqu'au menton, et s'affairait après le cheval et les colis quand elle rentra dans la pièce, prête pour le retour.

«Alors, Jean, mon chéri! Bonsoir, May! Bonsoir, Berthe!»

Pouvait-elle donc l'embrasser? Pouvait-elle se montrer joyeuse et gaie en leur disant adieu? Pouvait-elle s'aventurer à montrer son visage sans rougir? Oui. Tackleton l'observa de près, et tout cela, elle le fit.

Tilly berçait le bébé, et elle passa et repassa une douzaine de fois devant Tackleton en répétant d'un ton somnolent:

«Est-ce la nouvelle qu'elle devait être leurs femmes qui lui a point les cœurs à les briser? Et ses papas ne l'ont-ils abusée dès leurs berceaux que pour finir par lui briser les cœurs?

— Allons, Tilly, donne-moi le bébé! Bonsoir, monsieur Tackleton. Où est Jean, pour l'amour du Ciel?

— Il préfère marcher à la tête du cheval, dit Tackleton, qui l'aida à monter.

— Mon cher Jean. Marcher? Ce soir?»

La forme emmitouflée de son mari lui fit vivement un signe affirmatif; et, le perfide étranger et la petite bonne étant en place, le vieux cheval se mit en chemin. Quant à Boxeur, l'innocent Boxeur, il courait en avant, il revenait toujours courant, il tournait en cercle autour de la voiture en poussant des aboiements aussi triomphants et joyeux que jamais.

Lorsque Tackleton fut également parti pour escorter May et sa mère jusque chez elles, le pauvre Caleb s'assit au coin du feu à côté de sa fille. Le cœur rempli d'inquiétude et de remords, et se disant toujours, tandis qu'il la contemplait avec une tristesse pensive: «Ne l'ai-je donc abusée dès le berceau que pour finir par lui briser le cœur?»

Les jouets que l'on avait mis en mouvement pour le bébé s'étaient tous arrêtés à bout de course depuis longtemps. Dans la pénombre et le silence, les poupées imperturbablement calmes, les chevaux à bascule frémissants aux yeux et aux naseaux dilatés, les vieux messieurs ployés en deux sur leurs chevilles et leurs genoux défaillants devant la porte de leur maison, les casse-noix à la figure tordue, les animaux eux-mêmes se rendant dans l'arche par paires comme un pensionnat en promenade, tous permettaient d'imaginer qu'un étonnement fantastique les avait frappés d'immobilité à l'idée d'une Dot infidèle ou d'un Tackleton aimé, quelles que pussent être les circonstances.

TROISIÈME GRÉSILLEMENT

Dix heures sonnaient à la pendule hollandaise accrochée dans le coin quand le commissionnaire s'assit près du feu. Il était tellement troublé, miné par le chagrin qu'il parut effaroucher le coucou, et celui-ci, ayant abrégé autant que possible ses dix annonces mélodieuses, replongea dans le palais mauresque et claqua derrière lui sa petite porte, comme si ce spectacle insolite dépassait sa capacité de résistance.

Le petit faneur eût-il été armé de la plus tranchante des faux et eût-il entamé à chaque coup le cœur du voiturier qu'il n'aurait jamais pu l'entailler et le blesser autant que l'avait fait Dot.

Ce cœur regorgeait de tant d'amour pour elle, il était tellement lié, si bien assujetti par les innombrables fils du charmant souvenir, ces liens filés par l'œuvre quotidienne des nombreuses qualités si attachantes de sa femme; c'était un cœur dans lequel elle s'était si doucement, si intimement enchâssée;

un cœur si honnête et si sincère dans sa vérité, si ferme dans le bien, si faible pour le mal, qu'il ne put tout d'abord nourrir aucun sentiment de colère, aucun sentiment de vengeance, et qu'il n'eut de place que pour l'image brisée de son idole.

Mais lentement, lentement, tandis que le voiturier restait assis à ruminer ses sombres pensées devant son foyer, maintenant froid et noir, d'autres idées, plus violentes, commencèrent de s'élever en lui comme un vent d'orage au milieu de la nuit. L'étranger était sous le toit qu'il avait outragé. Trois pas mèneraient Jean à la porte de la chambre. Un seul coup d'épaule l'enfoncerait. «Vous pourriez commettre un meurtre avant de vous en rendre compte», avait dit Tackleton. Comment pourrait-ce être un meurtre, s'il donnait au traître le temps de se battre corps à corps? C'était l'autre qui était le plus jeune.

C'était là une pensée malencontreuse, mauvaise pour son humeur sombre. C'était là une pensée de colère, une incitation à un acte vengeur qui changerait la riante maison en un lieu hanté auprès duquel les voyageurs solitaires craindraient de passer la nuit, où les timorés verraient des ombres lutter derrière les fenêtres ruinées lorsque la lune serait voilée, et distingueraient des bruits barbares au milieu de la tempête.

C'était l'autre qui était le plus jeune! Oui, oui: quelque amoureux qui avait gagné ce cœur qu'il n'avait, *lui*, jamais touché. Quelque amoureux antérieurement élu, auquel elle avait pensé et rêvé, pour qui elle n'avait cessé de languir, alors qu'il l'imaginait si heureuse à ses côtés. Ah! quelle angoisse d'y penser!

Elle était montée coucher le bébé. Tandis que Jean ressassait ses sombres pensées devant le foyer, elle s'approcha tout près de lui sans qu'il s'en aperçût (les tortures infligées par sa misère le rendaient insensible à tout bruit extérieur) et plaça son petit tabouret aux pieds de son mari. Il n'en prit conscience que lorsqu'il sentit sa main sur la sienne et qu'il la vit le regarder, le visage levé vers lui.

Avec étonnement ? Non. Ce fut sa première impression, et il dut la regarder à nouveau pour vérifier. Non, pas avec étonnement. Avec une expression d'ardente interrogation ; mais pas avec étonnement. Au début, c'était une expression alarmée et grave ; mais elle se transforma en un sourire étrange, égaré, terrible, montrant qu'elle lisait ses pensées ; puis il n'y eut plus que deux mains crispées sur son front, une tête baissée, des cheveux défaits.

Eût-il pu exercer à ce moment le pouvoir du Tout-Puissant, qu'il avait encore en son sein une trop grande part de cet attribut plus divin, la miséricorde, pour en tourner contre elle le poids d'une plume. Mais il ne pouvait supporter de la voir recroquevillée sur le petit siège où il l'avait souvent contemplée avec amour et fierté, si innocente, si gaie ; et quand elle se leva et le quitta en pleurant, il ressentit un soulagement d'avoir à côté de lui cette place vide plutôt que sa présence si longtemps chérie. Cela seul était une angoisse plus aiguë que tout le reste, en lui rappelant à quelle désolation il en était venu et combien était rompue de part en part la grande attache de sa vie.

Plus il le sentait, plus il comprenait qu'il aurait mieux enduré de la voir couchée morte prématurément devant lui avec leur petit enfant sur son sein, plus il sentait croître en lui sa fureur contre son ennemi. Il chercha des yeux une arme.

Un fusil était suspendu au mur. Il le prit et fit un

pas ou deux vers la chambre du perfide étranger. Il savait que le fusil était chargé. L'idée vague que l'arme devait abattre simplement cet homme comme une bête sauvage s'empara de lui, et s'amplifia dans son esprit au point de devenir un monstrueux démon qui le possédait complètement, écartant toutes pensées plus patientes et établissant son empire sans partage.

L'expression est fausse : ce démon n'écartait pas ses pensées plus patientes, mais les transformait artificieusement. Il les changeait en fouets pour le mener. Il tournait l'eau en sang, l'amour en haine, la douceur en férocité aveugle. L'image de Dot plongée dans la douleur, humiliée, mais en appelant toujours avec une force irrésistible à sa tendresse et à sa miséricorde, ne quittait pas la pensée de Jean ; fixée là, elle le poussa vers la porte, éleva l'arme jusqu'à son épaule, ajusta et assura son doigt sur la détente et lui cria : « Tue-le ! Dans son lit ! »

Il retourna le fusil pour enfoncer la porte avec la crosse ; il le tenait déjà levé ; l'idée confuse se présenta à son esprit de crier à l'autre de s'enfuir, pour l'amour de Dieu, par la fenêtre...

Quand, soudain, le feu qui avait lutté jusque-là illumina toute la cheminée d'un clair embrasement ; et le grillon du foyer se mit à grésiller !

Aucun autre son qu'il aurait pu entendre, nulle voix humaine, pas même celle de Dot, n'aurait pu l'émouvoir ni le radoucir de la sorte. Les mots candides avec lesquels sa femme lui avait dit son amour pour ce même grillon, il les entendit à nouveau ; l'expression tremblante, pénétrée, qui avait été la sienne à ce moment, se présenta de nouveau devant ses yeux ; sa douce voix (ah ! quelle voix c'était pour réjouir d'une musique familière le coin du feu d'un honnête homme!) vint faire tressaillir le meilleur de lui-même, le ranima, le remit en action.

Il recula de devant la porte, comme un somnambule éveillé d'un affreux cauchemar, et déposa le fusil. Il se rassit alors près du feu, les mains serrées devant son visage, et trouva un soulagement dans les larmes.

Le grillon du foyer s'avança dans la pièce et se tint, sous la forme d'une fée, devant lui.

« Je l'aime, dit la voix de la fée, répétant les mots dont il se souvenait bien, je l'aime pour les nombreuses fois que je l'ai entendu et les nombreuses pensées que m'a inspirées son innocente musique.

— Elle l'a dit! s'écria le voiturier. C'est vrai!

— Ç'a été un foyer heureux que celui-ci, Jean ; et c'est pour cela que j'aime le grillon.

— Dieu sait combien il l'a été, répondit le commissionnaire. Elle l'a rendu heureux, toujours... jusqu'à maintenant.

— Si gracieuse, d'humeur si douce ; si bonne ménagère, si joyeuse, si affairée et si enjouée! dit la voix.

— Autrement, je n'aurais jamais pu l'aimer comme je le faisais », répondit le commissionnaire.

La voix corrigea : « Comme je le fais ».

Le voiturier répéta « comme je le faisais », mais sans grande fermeté. Sa langue mal assurée, se dérobant à son pouvoir, voulait parler à sa façon pour lui-même et pour elle.

La forme, prenant une attitude d'invocation, leva la main et dit :

« Devant ton propre foyer...

— Le foyer qu'elle a souillé, dit Jean, l'interrompant.

— Le foyer qu'elle a, combien souvent! illuminé de sa présence bénie, dit le grillon ; le foyer qui, sans elle, ne serait que l'assemblage de quelques pierres, briques et barres rouillées, mais qui, grâce à elle, a été l'Autel domestique sur lequel tu as, soir après soir, sacrifié quelque menue colère, égoïsme, ou souci pour y offrir l'hommage d'un esprit tranquille, d'une nature confiante et d'un cœur débordant; si bien que la fumée de cette pauvre cheminée a porté au Ciel un parfum meilleur que le plus riche encens brûlé devant les plus riches châsses des fastueux temples de ce monde!... Devant ton foyer, dans son calme sanctuaire, environné de ses douces influences et de ses douces associations, écoute-la! Écoute-moi! Écoute tout ce qui parle le langage de ton foyer et de ta maison!

— Et qui plaide en ta faveur? demanda le voiturier.

— Tout ce qui parle le langage de ton foyer et de ta maison ne peut que plaider en sa faveur! répondit le grillon. Car tout cela dit la vérité. »

Et tandis que le commissionnaire, la tête dans les mains, continuait à méditer sur sa chaise, la Présence se tint à côté de lui, lui suggérant des réflexions par son pouvoir et les lui présentant comme dans un miroir ou un tableau. Ce n'était pas une Présence solitaire. De la pierre du foyer, de la cheminée, de la pendule, de la pipe, de la bouilloire et du berceau; du plancher, des murs, du plafond et de l'escalier; de la voiture au-dehors, de l'armoire à l'intérieur et des ustensiles ménagers, de toutes les choses et de tous les endroits avec lesquels elle avait toujours été associée et dont elle avait tissé un unique souvenir d'elle dans l'esprit de son mari, des fées s'avancèrent en foule. Non pour se tenir à côté de lui comme le grillon, mais pour s'affairer et se démener. Pour rendre tous les honneurs à l'image de Dot. Pour le tirer par les basques et la lui montrer chaque fois qu'elle apparaissait. Pour s'assembler autour d'elle, l'embrasser et répandre des fleurs sous ses pas. Pour tenter de couronner sa jolie tête de leurs mains minuscules. Pour montrer qu'elles lui étaient attachées, qu'elles l'aimaient ; et qu'il n'était pas une seule créature laide, méchante et accusatrice qui pût prétendre la connaître ; seules la connaissaient leurs propres petites personnes enjouées et approbatrices.

Ses pensées ne pouvaient se détacher de l'image de Dot. Elle était toujours là.

Elle était assise à tirer l'aiguille devant le feu en fredonnant pour elle-même. Qu'elle était gaie, prospère et bien à son affaire, cette petite Dot ! Les visages des fées se tournèrent tous à la fois d'un seul mouvement vers lui et, d'un seul regard prodigieusement concentré, semblèrent lui dire : — «Est-ce donc là l'épouse légère sur laquelle tu te lamentes ? »

Il y eut dehors des sons joyeux d'instruments de musique et de langues bruyantes et de rires. Une bande folâtre se déversa dans la pièce, parmi laquelle se trouvaient May Fielding et une vingtaine d'autres jolies personnes. Dot était la plus belle de toutes, et aussi jeune que n'importe laquelle. Ces amis venaient la prier de se joindre à leur partie. Il s'agissait d'aller danser. Si jamais petit pied fut fait pour la danse, c'était bien le sien. Mais elle se contenta de rire en hochant la tête et en montrant son dîner sur le feu et la table déjà mise, avec un joyeux défi qui la rendait plus charmante encore qu'auparavant. Et ainsi, elle les renvoya gaiement, saluant l'un après l'autre ses aspirants-cavaliers au fur et à mesure qu'ils passaient devant elle, mais avec une comique indifférence, suffisante pour envoyer se noyer aussitôt ceux d'entre eux qui pouvaient être ses admirateurs, et ils

devaient bien l'être tous plus ou moins : comment
s'en empêcher ? Et pourtant l'indifférence n'était pas
dans sa nature. Oh, non ! Car bientôt apparut sur le
pas de la porte certain voiturier ; et, Dieu la bénisse !
quel accueil elle lui réserva !

Les visages attentifs se tournèrent derechef tous à
la fois vers lui, semblant lui dire : — « Est-ce donc là
l'épouse qui t'a abandonné ? »

Une ombre tomba sur le miroir ou le tableau,
comme vous voudrez. Une grande ombre projetée
par l'étranger, tel qu'il était d'abord apparu sous
leur toit ; recouvrant la surface et masquant tout
autre objet. Mais les promptes fées s'activèrent
comme des abeilles pour la chasser à nouveau. Et
Dot fut là derechef. Toujours vive et belle.

Elle balançait son petit enfant dans le berceau, lui
chantonnant à mi-voix et posant sa tête sur une
épaule qui avait sa contrepartie dans la forme
pensive auprès de laquelle se tenait le grillon-fée.

La nuit, j'entends la nuit véritable, non celle qui se
règle aux horloges des fées, tirait à sa fin ; et à ce
stade des pensées du voiturier, la lune se montra
brusquement, brillant clairement dans le ciel. Peut-
être quelque lumière calme et tranquille se leva-t-elle
aussi dans l'esprit du voiturier, car il put alors réfléchir avec plus de sang-froid à ce qui était arrivé.

Bien que l'ombre de l'étranger tombât encore de
temps à autre sur le miroir, toujours distincte et
grande et parfaitement définie, elle ne fut plus jamais
aussi sombre qu'au début. À chacune de ses appari-
tions, les fées poussaient un cri général de consternation et remuaient bras et jambes avec une
inconcevable activité pour l'effacer. Et chaque fois
qu'elles retrouvaient au-dessous l'image de Dot et la

lui montraient encore, alerte et belle, elles se réjouissaient de la façon la plus inspirante.

Elles ne la montraient jamais qu'alerte et belle, car c'étaient des Esprits domestiques pour qui le mensonge n'est qu'annihilation; et, dans ces conditions, qu'est-ce que Dot était pour elles, sinon le petit être actif, gai, radieux, qui avait été le lumineux soleil de la maison du voiturier?

Les fées redoublèrent d'ardeur pour la montrer, avec le bébé, bavardant au milieu d'un groupe de sages vieilles matrones, affectant d'être elle-même étonnamment vieille et matrone, appuyée dans une attitude pleine du sérieux et de la dignité de l'âge sur le bras de son mari, et cherchant (elle, ce petit bouton de rose!) à faire croire qu'elle avait renoncé aux vanités du monde en général et qu'elle appartenait à cette catégorie de personnes pour qui la maternité n'a rien de nouveau; mais, d'une même haleine, elles la montrèrent aussi en train de se moquer de la balourdise de son mari, de remonter le col de sa chemise pour le rendre plus élégant et de pivoter gaiement dans cette même pièce pour lui apprendre à danser!

Elles se tournèrent et le regardèrent avec des yeux tout grands en la lui faisant voir en compagnie de la jeune aveugle, car la gaieté et l'animation qui l'accompagnaient en tous lieux, elle les apportait en surabondance dans la maison de Caleb Plummer. L'affection, la confiance et la gratitude que lui portait la jeune aveugle; la manière gentille et affairée dont elle-même écartait les remerciements de Berthe; les adroits petits artifices par lesquels elle remplissait chaque instant de la visite et se rendait utile dans la maison, travaillant réellement ferme en feignant de prendre un jour de congé; la généreuse provende que représentaient le pâté de veau et de jambon et les bouteilles de bière, ces invariables friandises ; son rayonnant petit visage lorsqu'elle arrivait à la porte ou prenait congé ; la merveilleuse assurance, répandue sur toute sa personne du pied coquet au sommet de la tête, qu'elle faisait partie intégrante de l'institution — qu'elle était une nécessité, sans laquelle cette institution n'existerait pas ; de tout cela les fées se délectaient, elles l'en aimaient profondément. Et une fois de plus elles le regardèrent toutes à la fois d'un air suppliant, semblant lui dire, tandis que certaines d'entre elles se nichaient dans la robe de Dot et la cajolaient : — « Est-ce donc là l'épouse qui a trahi ta confiance ? »

Plus d'une fois, plus de deux, de trois fois au cours de cette longue nuit de méditation, elles la lui montrèrent assise sur son tabouret favori, la tête baissée, les mains crispées sur son front, les cheveux défaits. Telle qu'il l'avait vue en dernier lieu. Et quand elles la trouvaient ainsi, elles ne se tournaient pas vers lui, elles ne le regardaient pas, mais elles s'assemblaient tout autour d'elle, la réconfortaient, l'embrassaient, se pressaient mutuellement de lui montrer sympathie et douceur, et le négligeaient, lui, entièrement.

La nuit passa ainsi. La lune descendit à l'horizon ; les étoiles pâlirent ; l'aube froide pointa ; le soleil se leva. Le voiturier était toujours assis, réfléchissant, au coin de la cheminée. Il était resté là, la tête dans les mains, toute la nuit. Toute la nuit, le fidèle grillon avait grésillé, grésillé, grésillé dans le foyer. Toute la nuit, Jean avait écouté cette voix. Toute la nuit, les fées domestiques s'étaient activées autour de lui. Toute la nuit, sa femme avait été aimable et irréprochable dans le miroir, sauf pour l'unique ombre qui était venue obscurcir cette image.

Quand il fit grand jour, il se leva, fit sa toilette et s'habilla. Il ne pouvait se rendre à ses joyeuses occupations coutumières (le courage lui manquait), mais cela importait d'autant moins que c'était le jour du mariage de Tackleton et qu'il s'était fait remplacer dans sa tournée. Il avait pensé se rendre gaiement à l'église avec Dot. Mais c'en était fait de pareils projets. C'était aussi l'anniversaire de leur mariage. Ah! comme il s'était peu attendu à pareille fin pour pareille année!

Le commissionnaire pensait que Tackleton viendrait le voir de bonne heure, et il ne se trompait pas. Il n'y avait pas longtemps qu'il faisait les cent pas devant sa porte, quand il vit s'avancer sur la route le cabriolet du marchand de jouets. Lorsque la voiture fut un peu plus près, il constata que Tackleton était déjà tout paré pour la noce et qu'il avait orné la tête du cheval de fleurs et de cocardes.

L'animal avait bien plus l'air d'un fiancé que Tackleton, dont l'œil à demi fermé trahissait une expression plus désagréable que jamais. Mais le commissionnaire y prêta peu d'attention. Ses pensées étaient occupées ailleurs.

«Jean Peerybingle! dit Tackleton d'un air de condoléance. Comment vous sentez-vous ce matin, mon bon ami?

— J'ai passé une bien mauvaise nuit, monsieur Tackleton, car j'avais l'esprit passablement troublé, répondit le commissionnaire, hochant la tête. Mais c'est passé maintenant! Pouvez-vous m'accorder quelque chose comme une demi-heure d'entretien particulier?

— Je suis venu exprès pour cela, répondit Tackle-

ton, mettant pied à terre. Ne vous occupez pas du
cheval. Il restera là bien tranquille, les rênes passées
autour de ce poteau, si vous voulez bien lui donner
un peu de foin.»

Le commissionnaire, en ayant apporté de l'écurie,
le plaça devant le cheval, et ils pénétrèrent dans la
maison.

«Vous ne vous mariez pas avant midi, je crois? dit
Jean.

— Non, répondit Tackleton. Il y a tout le temps.
Tout le temps.»

Quand ils entrèrent dans la cuisine, Tilly Slowboy
frappait à la porte de l'étranger, qui n'en était
séparée que par quelques pas. L'un de ses yeux, fort
rouges (car Tilly avait pleuré toute la nuit du fait que
sa maîtresse pleurait), était appliqué contre la serrure; elle frappait très fort et paraissait effrayée.

«S'il vous plaît, j'arrive pas à me faire entendre de
personne, dit Tilly en se retournant. J'espère que
personne il est pas parti et qu'il a pas été mourir, s'il
vous plaît.»

Mlle Slowboy souligna ce vœu philanthropique
d'un redoublement de coups de poing et de pied à la
porte, sans le moindre résultat.

«Voulez-vous que j'aille voir? dit Tackleton. C'est
curieux.»

Le voiturier, qui avait détourné la tête de la porte,
lui fit signe d'y aller s'il lui plaisait.

Tackleton s'exécuta donc au grand soulagement
de Tilly Slowboy; et lui non plus ne réussit à obtenir
aucune réponse. Mais il pensa à manœuvrer la
poignée de la porte; et, celle-ci s'étant ouverte sans
difficulté, il passa la tête par l'entrebâillement,
regarda, entra et ressortit presque aussitôt en
courant.

«Jean Peerybingle, lui dit-il à l'oreille. J'espère qu'il ne s'est rien passé... d'inconsidéré, au cours de la nuit?»

Le commissionnaire se tourna vivement vers lui.

«Parce qu'il est parti! dit Tackleton; et la fenêtre est ouverte. Je ne vois aucune trace; il est vrai qu'elle est presque de niveau avec le jardin; mais j'avais peur qu'il n'y ait eu quelque... quelque bagarre. Hein?»

Il ferma presque complètement l'œil expressif, tant il fixait Jean avec attention. Et il fit subir à cet œil, à sa figure, à sa personne entière une vive contorsion. Comme s'il eût voulu lui extirper la vérité à l'aide d'un tire-bouchon.

«Rassurez-vous, dit le commissionnaire. Il s'est retiré dans cette pièce hier soir sans avoir subi de ma part aucune atteinte en paroles ni en actes, et personne n'y est entré depuis. Il est parti de son propre gré. Moi-même, je passerais avec joie cette porte afin d'aller mendier mon pain de maison pour le restant de mes jours, si cela pouvait changer le passé et faire en sorte que cet homme ne fût jamais venu. Mais il est venu, il est parti. Et j'en ai fini avec lui!

— Ah! Eh bien, je trouve qu'il ne s'en est pas mal tiré», dit Tackleton, prenant une chaise.

Le sarcasme fut perdu pour le voiturier, qui s'assit aussi et abrita un moment son visage derrière sa main avant de poursuivre.

«Vous m'avez montré hier soir ma femme, dit-il enfin, ma femme que j'aime; et qui, secrètement...

— Et tendrement, insinua l'autre.

— Était complice du déguisement de cet homme et lui offrait l'occasion de la rencontrer seule. Je crois qu'il n'y a pas de spectacle que je n'eusse préféré voir. Je crois qu'il n'y a pas d'homme au

monde que je n'eusse choisi plutôt pour me le
montrer.

— J'avoue que j'ai toujours eu mes soupçons, dit
Tackleton ; et c'est ce qui fait que je n'ai jamais été le
bienvenu ici, je le sais.

— Mais puisque vous m'avez montré cela, poursuivit le voiturier sans lui prêter attention, et puisque
vous avez vu ma femme, ma femme que j'aime (sa
voix, son regard et sa main se firent plus assurés et
plus fermes tandis qu'il répétait ces mots), que vous
l'avez vue à son désavantage, il est bon et juste que
vous voyiez aussi par mes yeux, que vous regardiez
dans mon cœur et que vous sachiez quelle est mon
opinion en cette affaire. Car mon opinion est faite,
dit le commissionnaire en le regardant avec attention. Et rien ne saurait l'ébranler désormais. »

Tackleton murmura quelques vagues paroles d'assentiment, comme quoi il fallait bien prendre un
parti ou un autre ; mais la manière de son compagnon lui en imposait. Quelque simple et rude qu'elle
fût, elle avait quelque chose de digne et de noble que
seule avait pu lui impartir la généreuse probité du
voiturier.

« Je suis un homme simple et grossier, poursuivit
le commissionnaire, et je n'ai pas grand-chose pour
moi. Je ne suis pas particulièrement intelligent,
comme vous le savez fort bien. Je ne suis plus jeune.
J'aimais ma petite Dot parce que je l'avais vue
grandir depuis son enfance dans la maison de son
père ; parce que je savais quel trésor c'était ; parce
qu'elle avait été toute ma vie, des années durant. Il y
a bien des hommes avec qui je ne puis pas rivaliser,
qui n'auraient jamais pu aimer ma petite Dot comme
moi, je pense ! »

Il s'arrêta et battit le sol du pied un court moment, avant de reprendre :

« J'avais souvent pensé que, sans être à sa hauteur, je serais pour elle un bon mari, que je connaîtrais peut-être mieux qu'un autre sa valeur ; et je me suis persuadé ainsi que notre mariage pourrait être possible. Et finalement il se fit, et nous fûmes effectivement mariés.

— Ha ! dit Tackleton avec un hochement de tête significatif.

— Je m'étais étudié ; je savais à quoi m'en tenir sur moi-même ; je savais à quel point je l'aimais et combien je serais heureux, poursuivit le voiturier. Mais je n'avais pas suffisamment songé, je le sens bien maintenant, à son point de vue à elle.

— Bien sûr, dit Tackleton. L'étourderie, la frivolité, l'inconstance, le désir d'être admirée ! Vous n'y aviez pas songé ! Vous aviez omis tout cela ! Ha !

— Vous feriez mieux de ne pas m'interrompre jusqu'à ce que vous m'ayez compris, dit le commissionnaire non sans dureté ; et vous en êtes loin. Si, hier, j'aurais abattu d'un seul coup de poing l'homme qui eût osé murmurer un mot contre elle, aujourd'hui je lui écraserais du pied la figure, fût-il mon propre frère ! »

Le marchand de jouets le regarda avec ébahissement. Jean poursuivit d'un ton radouci :

« Avais-je réfléchi, dit le voiturier, que je l'enlevais, à son âge, avec sa beauté, à ses jeunes compagnons, aux nombreuses scènes dont elle faisait l'ornement et où elle était la plus brillante petite étoile qui ait jamais lui, pour la tenir enfermée jour après jour dans ma triste maison avec ma seule ennuyeuse compagnie ? Avais-je réfléchi combien peu je convenais à son caractère enjoué, combien fastidieux un lourdaud comme moi devait être pour quelqu'un de sa vivacité ? Avais-je réfléchi que je n'avais aucun mérite à l'aimer, que cela ne me valait aucun droit, puisque c'était forcément le fait de quiconque la connaissait ? Jamais. J'ai profité de sa nature confiante, de son caractère enjoué ; et je l'ai épousée. Plût au Ciel que je ne l'eusse jamais fait ! Pour son bien, non pour le mien ! »

Le marchand de jouets le contempla sans ciller. Même son œil d'ordinaire à demi fermé était ouvert.

« Dieu la bénisse, dit le voiturier, pour la sereine constance avec laquelle elle tenta d'éviter que je ne me rendisse compte de cela ! Et Dieu me soit en aide de ne pas l'avoir, avec mon esprit obtus, découvert plus tôt ! La pauvre enfant ! Pauvre Dot ! Ne pas m'en apercevoir, moi qui ai vu ses yeux s'emplir de larmes quand on parlait d'unions telles que la nôtre ! Moi qui ai vu cent fois le secret trembler sur ses lèvres, sans jamais le soupçonner avant hier soir ! La pauvre fille ! Comment ai-je jamais pu espérer qu'elle m'aimerait ? Croire même qu'elle m'aimait ?

— Elle faisait bien semblant, dit Tackleton. Elle en faisait si bien semblant que, pour ne vous rien celer, ce fut là l'origine de mes soupçons. »

Et, en cela, il marquait la supériorité de May Fielding, qui, elle, ne faisait certes aucun étalage d'affection pour *lui*.

« Elle s'est efforcée, dit le pauvre commissionnaire, avec une émotion plus forte qu'il n'en avait montré jusque-là, je commence seulement à voir maintenant combien elle s'est efforcée d'être pour moi une épouse dévouée et empressée. Ce qu'elle a fait, quel vaillant et ferme cœur est le sien, que le bonheur que j'ai connu sous ce toit en soit le témoignage! Cette pensée m'apportera aide et réconfort quand je serai ici, seul.

— Ici, seul? répéta Tackleton. Ah! Ainsi donc vous avez bien l'intention de tenir quelque compte de l'incident?

— J'ai l'intention, répondit le voiturier, de lui marquer la plus grande tendresse, de lui faire la meilleure réparation qu'il soit en mon pouvoir. Je puis la libérer de la souffrance quotidienne d'une union mal assortie et de la lutte destinée à la dissimuler. Elle recouvrera toute la liberté qu'il sera en mon pouvoir de lui donner.

— Lui faire réparation, à *elle*! s'écria Tackleton, tortillant ses grandes oreilles des deux mains. J'ai dû mal comprendre. Ce n'est pas là ce que vous avez dit, bien sûr.»

Le voiturier saisit au collet le marchand de jouets et se mit à le secouer comme un prunier.

«Écoutez-moi! dit-il. Et prenez bien soin de me comprendre. Écoutez-moi. Mon langage est-il clair?

— Fort clair, certes, répondit Tackleton.

— Et exprime-t-il bien ma résolution?

— Tout à fait bien.

— Je suis resté cette nuit, toute cette nuit, auprès de ce foyer, s'écria le commissionnaire. À l'endroit même où elle s'est si souvent assise à mes côtés, son doux visage tourné vers le mien. J'ai évoqué sa vie entière, jour après jour. J'ai revu sa chère personne dans tous les épisodes de sa vie. Et, sur mon âme, elle est innocente, aussi vrai qu'il y a un Juge pour l'innocent comme pour le coupable!»

Sûr grillon du foyer! Fidèles fées domestiques!

«La colère et la défiance m'ont abandonné! dit le commissionnaire, et il ne reste plus que mon chagrin. Dans un moment malheureux, quelque ancien amoureux, mieux fait que moi pour ses goûts et son âge, abandonné peut-être pour moi, est revenu. Dans un moment malheureux, prise à l'improviste, manquant de répit pour penser à sa conduite, elle s'est faite complice de la traîtrise de cet homme en la dissimulant. Hier soir elle l'a rencontré, lors de cette entrevue dont nous avons été témoins. Elle a eu tort. Mais, à part cela, elle est innocente, si la fidélité existe sur cette terre !

— Si c'est là votre opinion..., commença de dire Tackleton.

— Ainsi donc, qu'elle s'en aille s'il lui plaît ! poursuivit le commissionnaire. Qu'elle parte, emportant mes bénédictions pour toutes les heures de félicité qu'elle m'a données, et mon pardon pour toute la douleur qu'elle a pu m'infliger. Qu'elle parte, et qu'elle obtienne la paix d'esprit que je lui souhaite ! Elle ne me haïra jamais. Elle apprendra à mieux m'aimer quand je ne serai plus pour elle un boulet et qu'elle portera plus légèrement la chaîne que je lui ai forgée. C'est aujourd'hui l'anniversaire du jour où je l'ai emmenée, avec si peu de considération pour son agrément, de chez elle. Aujourd'hui, elle y retournera, et je ne l'importunerai plus. Ses parents doivent venir en ce jour ; nous avions formé un petit plan pour le passer ensemble, et ils la remmèneront. Je peux lui faire confiance, là, comme n'importe où. Elle me quitte sans tache et elle continuera à vivre de même, j'en suis sûr. Si je meurs, comme il se peut, tandis qu'elle sera encore jeune, car j'ai quelque peu perdu courage en ces quelques heures, elle verra que j'aurai pensé à elle, que je l'aurai aimé jusqu'au bout ! C'est là la conclusion de ce que vous m'avez montré. Et maintenant, c'en est fini !

— Oh ! non, Jean, ce n'en est pas fini. Ne dis pas

encore cela. Pas tout à fait encore. J'ai entendu tes nobles paroles. Je n'ai pu m'esquiver à pas de loup, feignant d'ignorer ce qui m'a émue d'une si profonde gratitude. Ne dis pas que c'en est fini avant que la pendule n'ait sonné encore une fois ! »

Dot était entrée peu après Tackleton, et elle était restée là. À aucun moment, elle ne regarda le marchand de jouets, mais elle tint les yeux fixés sur son mari. Cependant, elle restait à distance, maintenant entre eux un espace aussi large que possible ; et, malgré la chaleur passionnée de son appel, elle ne s'approcha pas même à ce moment. Quelle différence en cela avec l'ancienne Dot !

« Nulle main ne saurait fabriquer la pendule qui sonnerait de nouveau pour moi les heures passées, répondit le voiturier avec un pâle sourire. Mais qu'il en soit ainsi si tu le désires, ma chère. Elle va bientôt sonner. Peu importe ce que nous disons. J'essaierais de te complaire dans un cas plus difficile.

— Eh bien ! murmura Tackleton. Il faut que je m'en aille, car lorsque la pendule sonnera à nouveau, je devrai être en route pour l'église. Au revoir, Jean Peerybingle. Je regrette d'être privé du plaisir de votre compagnie. Je suis fâché de cette privation, et aussi de ce qui en est cause !

— Je me suis bien fait comprendre ? dit le voiturier, l'accompagnant à la porte.

— Oh ! parfaitement !

— Et vous vous rappellerez ce que j'ai dit ?

— Ma foi, si vous m'obligez à faire cette remarque, dit Tackleton non sans avoir pris la précaution de monter dans son cabriolet, ce fut si inattendu, je dois le dire, qu'il est improbable que je puisse l'oublier.

— Cela n'en vaudra que mieux pour l'un et l'autre,

répliqua le voiturier. Adieu. Je vous souhaite le bonheur!

— Je voudrais pouvoir vous le donner à vous, dit Tackleton. La chose étant impossible, merci. Entre nous (je vous l'ai déjà dit, hein?), je ne crois pas retirer moins de bonheur de ma vie conjugale du fait que May ne s'est pas montrée trop empressée ni trop démonstrative à mon égard. Adieu! Soignez-vous bien.»

Le commissionnaire resta à le suivre du regard jusqu'à ce qu'il lui apparût plus petit dans le lointain que ne l'étaient, près de lui, les fleurs et les cocardes de son cheval; puis, avec un profond soupir, il s'en alla errer comme une âme en peine parmi les ormes voisins, car il ne voulait pas rentrer avant que la pendule ne fût sur le point de sonner.

Sa petite femme, laissée seule, sanglotait misérablement; mais elle s'essuyait souvent les yeux, se contenant, pour dire combien il était bon, combien excellent! et une ou deux fois elle se prit à rire de si bon cœur, d'un tel air de triomphe, avec tant d'incohérence (elle continuait en même temps à pleurer) que Tilly en fut tout horrifiée!

«Hou-ou-ou, s'il vous plaît, non! dit Tilly. Ça suffirait à tuer et enterrer le bébé, s'il vous plaît!

— L'apporteras-tu quelquefois pour voir son père, Tilly, demanda sa maîtresse en séchant ses larmes, quand je ne pourrai plus habiter ici et que j'aurai regagné mon ancienne maison?

— Hou-ou-ou, s'il vous plaît, ne faites pas ça! s'écria Tilly, rejetant la tête en arrière et lançant un long hurlement (elle ressembla étonnamment alors à Boxeur). Hou-ou-ou, s'il vous plaît, non! Hou, qu'est-ce que tout le monde il a été lui faire à tout le monde, pour que tout le monde y soye si malheureux! Hou, hou!»

La tendre Slowboy s'était mise à pousser un hurlement si lamentable (d'autant plus forcené qu'elle l'avait longtemps retenu) qu'il eût infailliblement réveillé le bébé, l'effrayant au point d'entraîner des conséquences sérieuses (des convulsions, sans doute), quand ses yeux tombèrent sur Caleb Plummer, qui entrait en conduisant sa fille. Ce spectacle la ramenant au sentiment des convenances, elle se tint un moment silencieuse, la bouche grande ouverte; puis, s'étant précipitée vers le lit sur lequel dormait le bébé, elle se livra sur le plancher à une mystérieuse danse de Saint-Guy, tout en fourrageant de la figure et de la tête dans les couvertures, opérations extraordinaires d'où elle parut tirer un grand soulagement.

«Marie! dit Berthe. Tu n'es donc pas au mariage!

— Je lui ai dit que vous n'y seriez pas, madame, dit Caleb à voix basse. Je l'avais entendu dire hier soir. Mais, Dieu vous bénisse! dit le petit homme, lui saisissant affectueusement les deux mains, je ne m'occupe pas de tout ce qu'ils racontent, moi. Je ne les crois pas. Je ne suis pas grand-chose, mais ce peu-là se ferait hacher menu plutôt que de se fier à un mot prononcé contre vous!»

Il l'entoura de ses bras et la serra comme un enfant sa poupée.

«Berthe n'a pas pu rester à la maison ce matin, dit Caleb. Elle redoutait, je le sais, d'entendre sonner les cloches, et elle ne pouvait prendre sur elle d'être si près d'eux le jour des noces. Aussi sommes-nous partis de bonne heure, et nous voici. J'ai longuement réfléchi à ce que j'avais fait, dit Caleb après un instant de silence; je me suis adressé tellement de

reproches que je ne savais plus trop que faire ni vers
qui me tourner pour remédier à la détresse que je lui
ai causée ; et j'en suis arrivé à la conclusion que le
mieux était, si vous voulez bien rester avec moi
pendant ce temps, madame, de lui dire toute la
vérité. Vous voulez bien rester avec moi pendant ce
temps, madame ? demanda-t-il en tremblant de la
tête aux pieds. Je ne sais quel effet cela produira sur
elle ; je ne sais ce qu'elle pensera de moi ; je ne sais si
elle aura encore la moindre affection pour son
pauvre père, après cela. Mais le mieux est qu'elle soit
détrompée, et il me faut supporter les conséquences
que je mérite !

— Marie, dit Berthe, où est ta main ? Ah ! la voici ;
la voici ! dit-elle, la passant sous son bras après
l'avoir pressée contre ses lèvres avec un sourire. Je
les ai entendus échanger à mi-voix des paroles de
blâme contre toi, hier soir. Ils avaient tort. »

La femme du voiturier resta silencieuse. Caleb
répondit pour elle.

« Ils avaient tort, dit-il.

— Je le savais ! s'écria Berthe avec fierté. Je le leur
ai dit. Je me suis refusée à écouter un mot ! La blâmer
elle, avec justice ! (elle pressa la main de Dot dans les
siennes et sa douce joue contre son visage). Non ! Je
ne suis pas aveugle à ce point-là. »

Son père vint à l'un de ses côtés, tandis que Dot
restait de l'autre, lui tenant la main.

« Je vous connais tous, dit Berthe, mieux que vous
ne pensez. Mais aucun de vous aussi bien qu'elle. Pas
même toi, papa. Il n'y a rien autour de moi qui soit
moitié aussi vrai et aussi sincère qu'elle. Si je recou-
vrais la vue à l'instant, je pourrais la désigner au
milieu d'une foule sans qu'une parole soit prononcée ! Ma sœur !

— Berthe, ma chérie! dit Caleb. Quelque chose me pèse sur l'esprit, que je voudrais te dire pendant que nous sommes seuls tous les trois. Écoute-moi avec bonté! J'ai une confession à te faire, ma chérie.

— Une confession, papa?

— Je me suis écarté de la vérité et je me suis égaré, mon enfant, dit Caleb avec une expression pitoyable sur son visage désorienté. Je me suis écarté de la vérité en cherchant à être bon pour toi; et je n'ai été que cruel.»

Elle tourna vers lui son visage frappé d'étonnement et répéta:

«Cruel?

— Il s'accuse avec trop de force, Berthe, dit Dot. Tu le lui diras toi-même bientôt. Tu seras la première à le lui dire.

— Lui, cruel envers moi? s'écria Berthe avec un sourire d'incrédulité.

— Sans le vouloir, mon enfant, dit Caleb. Mais je l'ai été; encore que je ne m'en sois jamais douté jusqu'à hier. Ma chère fille aveugle, écoute et pardonne-moi! Le monde dans lequel tu vis, mon cœur, n'existe pas tel que je te l'ai représenté. Les yeux auxquels tu t'es fiée t'ont abusée.»

Elle tournait toujours vers lui le même visage stupéfait; mais elle recula et se cramponna un peu plus à son amie.

«Ton chemin dans la vie était rude, ma pauvre enfant, dit Caleb, et je voulais te l'adoucir. J'ai modifié les objets, changé les caractères des gens, inventé bien des choses pour te rendre plus heureuse. Je t'ai caché des faits, je t'ai fait des tromperies, Dieu me le pardonne! et je t'ai entourée d'un monde imaginaire.

— Mais les gens vivants ne sont pas imaginaires!

dit-elle vivement, pâlissant et se retirant encore davantage. On ne peut pas les changer.

— C'est pourtant ce que j'ai fait, Berthe, dit Caleb d'un ton suppliant. Il y a une personne que tu connais, ma colombe…

— Oh, papa! pourquoi dis-tu que je la connais? répondit-elle d'un ton d'amer reproche. Qui donc, quoi donc puis-je connaître? moi qui n'ai point de guide! moi si misérablement aveugle!»

Dans l'angoisse de son cœur, elle tendit les mains en avant comme pour chercher sa route à tâtons; puis elle les déploya, dans l'attitude de la tristesse la plus désespérée, devant son visage.

«Le mariage qui a lieu aujourd'hui, dit Caleb, est celui d'un homme inflexible, sordide, pressureur. D'un maître qui s'est montré dur pour moi et pour toi, ma chérie, depuis bien des années. Laid aussi bien de traits que de caractère. Froid et insensible toujours. Ne ressemblant en rien à celui que je t'ai dépeint, mon enfant. En rien.

— Ah! pourquoi, s'écria la jeune aveugle, en proie, semblait-il, à des tortures qui passaient ses forces, pourquoi as-tu fait cela? Pourquoi m'avoir empli le cœur d'amour pour venir ensuite, comme la Mort, m'en arracher l'objet? Ah! mon Dieu, que je suis aveugle! Que je suis seule, abandonnée!»

Son père affligé baissait la tête sans offrir d'autre réponse que sa contrition et son chagrin.

Il n'y avait pas longtemps qu'elle était livrée à ce violent accès de regret quand le grillon du foyer se mit à grésiller, entendu d'elle seule. Non gaiement, mais d'une façon faible, étouffée, affligée. Le son était si mélancolique que la jeune fille ne put retenir ses larmes, et quand la Présence qui s'était tenue toute la nuit auprès du commissionnaire apparut derrière elle, désignant son père, elles coulèrent à flots.

Elle entendit bientôt plus nettement la voix du grillon et elle eut conscience, en dépit de sa cécité, de la Présence rôdant autour de son père.

« Marie, dit la jeune aveugle, dis-moi ce qu'est mon foyer. Comment il est réellement.

— C'est un endroit pauvre, Berthe, très pauvre et très nu, en vérité. La maison ne pourra guère protéger du froid et de la pluie un hiver de plus. Elle est à peine mieux garantie des rigueurs du temps, poursuivit Dot d'une voix basse mais nette, que ton pauvre père dans son manteau en toile de sac. »

La jeune aveugle, très agitée, se leva et entraîna à l'écart la petite épouse du commissionnaire.

« Ces cadeaux dont je prenais tant de soin, qui m'arrivaient presque au moindre désir et qui m'étaient si chers, dit-elle en tremblant, d'où venaient-ils? Est-ce vous qui me les envoyiez?

— Non.

— Qui donc alors? »

Dot vit qu'elle savait déjà et garda le silence. La jeune aveugle étendit de nouveau les mains devant son visage. Mais d'une tout autre façon, cette fois.

« Un instant, ma chère Marie. Un instant. Viens un peu plus par ici. Parle-moi doucement. Tu es loyale, je le sais. Tu ne me tromperais pas maintenant, n'est-ce pas?

— Non, Berthe. Certainement pas!

— Non, j'en suis sûre. Tu as trop pitié de moi. Marie, regarde de l'autre côté de la pièce, là où nous étions il y a un instant, là où se trouve mon père, ce père si compatissant, si aimant, et dis-moi ce que tu vois.

— Je vois, dit Dot qui la comprenait parfaitement,

je vois un vieillard assis sur une chaise, tristement appuyé sur le dossier, la tête dans les mains. Comme si son enfant devrait aller le consoler, Berthe.

— Oui, oui. Elle le fera. Continue.

— C'est un vieillard, usé par les soucis et les travaux. C'est un homme amaigri, découragé, pensif, grisonnant. Je le vois en ce moment abattu, courbé en deux et luttant dans le vide. Mais, Berthe, je l'ai vu souvent alors qu'il luttait de toutes ses forces et de bien des manières pour une cause grande et sacrée. Et j'honore sa tête grise, et je le bénis ! »

La jeune aveugle la quitta brusquement et, se jetant à genoux devant son père, attira cette tête grise contre son cœur.

« C'est la vue qui m'est rendue. C'est la vue ! s'écria-t-elle. J'étais aveugle, et maintenant mes yeux sont ouverts. Je ne l'ai jamais connu ! Dire que j'aurais pu mourir sans avoir jamais vu véritablement le père qui m'a montré tant d'amour ! »

L'émotion de Caleb était indicible.

« Il n'est pas ici-bas de forme, si élégante qu'elle soit, s'écria la jeune aveugle en le tenant embrassé, que je puisse aimer aussi tendrement, que je puisse chérir avec autant de dévotion que celle-ci ! Plus cette tête est grise, plus elle est usée et plus elle m'est chère, papa ! Qu'on ne dise plus jamais que je suis aveugle. Il n'y a pas une ride de ce visage, pas un cheveu de cette tête que j'oublierai dans mes prières et dans mes actions de grâces au Ciel ! »

Caleb parvint à articuler : « Ma Berthe ! »

— Et, dans ma cécité, je l'ai cru si différent, dit la jeune fille, dont les caresses étaient mêlées des larmes de la plus vive tendresse. Et tandis que je l'avais à mes côtés, jour après jour, sans cesse si attentif à mes désirs, je n'avais pas un moment pensé à cela !

— Cet alerte, cet élégant père en pardessus bleu, Berthe, dit le pauvre Caleb, le voilà envolé !

— Rien n'est envolé, répondit-elle. Non, papa chéri ! Tout est là, en toi. Le père que j'aimais tant ; le père que je n'ai jamais assez aimé, que je n'ai pas connu ; le bienfaiteur que j'ai d'abord commencé à vénérer et à aimer parce qu'il avait tant de sympathie pour moi, je les ai tous ici en toi. Rien n'est mort pour moi. L'âme de tout ce qui m'était le plus cher est ici, ici dans ce visage usé, dans cette tête grise. Et je ne suis *plus* aveugle, papa ! »

Toute l'attention de Dot, durant ce discours, s'était concentrée sur le père et la fille ; mais regardant alors vers le petit faneur du pré mauresque, elle vit qu'il ne s'en fallait que de quelques minutes que la pendule ne sonnât, et elle tomba aussitôt dans un état de nervosité et d'agitation.

« Papa, dit Berthe avec hésitation, Marie ?

— Oui, ma chérie, répondit Caleb. Elle est ici.

— Il n'y a pas de changement pour *elle*. Tu ne m'as jamais rien dit sur elle qui ne fût vrai ?

— Je l'aurais fait, je le crains, ma chérie, répliqua Caleb, si j'avais pu la représenter meilleure qu'elle n'est. Mais si je l'ai changée en quoi que ce soit, ce n'a pu être qu'à son détriment. Rien ne saurait l'enjoliver, Berthe. »

Toute confiante qu'eût été la jeune aveugle en posant sa question, son enchantement et son orgueil en entendant cette réponse, les étreintes renouvelées qu'elle prodigua à Dot étaient charmants à voir.

« Il peut cependant se produire plus de changements que tu ne t'y attends, ma chérie, dit Dot. Des changements en mieux, j'entends ; des changements qui signifieront de la joie pour certains d'entre nous. Il ne faudra pas te laisser trop effrayer ni trop affecter si jamais pareille chose arrivait. Sont-ce des roues que l'on entend sur la route ? Toi qui as l'oreille fine, Berthe, sont-ce des roues ?

— Oui. Et qui approchent à grande allure.

— Je… je… je sais que tu as l'oreille fine, dit Dot, portant la main à son cœur et parlant aussi vite qu'elle le pouvait, évidemment pour en dissimuler la palpitation, parce que je l'ai souvent observé et qu'hier soir encore tu as tout de suite remarqué ce pas étranger. Encore que je ne sache pas trop pourquoi tu as dit (je me rappelle fort bien que ce furent là tes paroles) : "De qui donc est-ce le pas ?" et pourquoi tu y as prêté plus d'attention qu'à tout autre. Bien que, comme je viens de le dire, il se produise de grands changements dans le monde, de grands changements, et que nous ne puissions mieux faire que de nous préparer à être surpris à tout moment. »

Caleb se demanda ce que ces paroles pouvaient bien signifier, car il se rendait compte qu'elles s'adressaient aussi bien à lui qu'à sa fille. Étonné, il voyait Dot si agitée, si émue qu'elle pouvait à peine respirer et qu'elle devait se raccrocher à une chaise pour ne pas tomber.

« Oui, ce sont des roues, s'écria-t-elle, haletante. Elles approchent ! Elles approchent ! Elles arrivent ! Et maintenant, l'entendez-vous, elles s'arrêtent à la porte du jardin ! Et maintenant, vous entendez un pas derrière la porte… le même pas, Berthe, n'est-ce pas ?… et maintenant… »

Elle poussa un immense cri, un cri d'irrépressible joie ; et, courant à Caleb, lui posa les mains sur les yeux au moment où un jeune homme se précipitait

dans la pièce et, jetant son chapeau à la volée, fondait
sur eux.

« C'est terminé ? s'écria Dot.

— Oui !

— Heureusement terminé ?

— Oui !

— Vous rappelez-vous cette voix, mon cher Caleb ?
En avez-vous jamais entendu une semblable ? s'écria
Dot.

— Si mon garçon parti pour l'Eldorado des Amériques vivait encore…, dit Caleb d'une voix tremblante.

— Il est vivant ! cria Dot, retirant les mains de
devant ses yeux et les frappant l'une contre l'autre de
ravissement. Regardez-le ! Voyez-le debout devant
vous, en pleine santé, dans toute sa force ! Votre fils
chéri ! Ton propre frère aimant et bien vivant,
Berthe ! »

Honneur à la petite créature pour tous ses transports ! Honneur à ses larmes et à ses rires quand tous
trois se tinrent embrassés ! Honneur à la sincérité
avec laquelle elle rejoignit à mi-chemin le marin hâlé
aux noirs cheveux flottants sans détourner à aucun
moment sa petite bouche vermeille, souffrant qu'il
baise ces lèvres sans contrainte et qu'il la serre
contre son cœur palpitant !

Et honneur au coucou aussi — pourquoi pas ? —
pour avoir jailli tel un intrus de l'abat-foin du palais
mauresque et hoqueté douze fois, comme enivré de
joie, à l'adresse de la compagnie assemblée.

Le commissionnaire qui entrait alors eut un mouvement de recul. Et il le pouvait bien, à se trouver en
si bonne compagnie.

« Regarde, Jean ! dit Caleb tout exultant ; regarde
donc ! C'est mon fils revenu de l'Eldorado des Amé-

riques! Mon fils à moi! Celui-là que tu avais équipé
et envoyé toi-même! Celui-là dont tu fus toujours le
si grand ami!»

Le voiturier s'avança pour lui saisir la main; mais,
reculant soudain comme si quelque trait de ce visage
évoquait le souvenir du vieillard sourd de la charrette, il dit:

«Édouard! Était-ce toi?

— Raconte-lui tout, maintenant! s'écria Dot.
Raconte-lui tout, Édouard; et ne me ménage pas.
Car rien ne me fera me ménager moi-même à ses
yeux, jamais plus.

— Cet homme, c'était moi, dit Édouard.

— Et tu as pu t'introduire sous un déguisement
dans la maison de ton vieil ami? répliqua le voiturier. Il y eut autrefois un garçon franc — combien
cela fait-il d'années, Caleb, que nous apprîmes qu'il
était mort et que nous en eûmes, à ce que nous
croyions, la preuve? — un garçon franc qui n'eût
jamais fait pareille chose.

— Il y eut autrefois un généreux ami, plutôt un
père qu'un ami pour moi, dit Édouard, qui ne m'aurait jamais jugé, moi ni aucun autre, sans m'entendre. C'était toi. Aussi suis-je certain que tu
m'écouteras maintenant.»

Le commissionnaire, ayant jeté un regard troublé
vers Dot, qui se tenait toujours éloignée de lui, répondit:

«Eh bien, ce n'est que justice. Je t'écoute.

— Il faut que tu saches que lorsque je partis d'ici,
tout jeune, dit Édouard, j'étais amoureux et mon
amour était partagé. C'était une toute jeune fille, qui
peut-être, me diras-tu, n'était pas très fixée sur
ses propres sentiments. Mais moi je connaissais les
miens, et j'avais pour elle un amour passionné.

— Toi ! s'écria le voiturier. Toi !

— Oui, certes, répondit l'autre. Et elle me payait de retour. Je l'ai toujours cru depuis lors, et maintenant j'en suis sûr.

— Dieu me soit en aide ! dit le voiturier. Ceci est pire que tout.

— Lui étant resté fidèle, dit Édouard, et rentrant, le cœur plein d'espérance, après bien des tribulations et des périls, pour remplir ma part de notre ancien contrat, j'ai appris à vingt milles d'ici qu'elle m'était infidèle, qu'elle m'avait oublié et qu'elle s'était donnée à un autre, plus riche. Je n'avais aucunement l'intention de lui faire des reproches ; mais je désirais la voir et m'assurer sans conteste de la vérité de la chose. J'espérais qu'elle avait pu se trouver contrainte, contre son propre désir et contre ses souvenirs. Ce n'aurait été qu'un bien léger réconfort, mais c'en aurait été un tout de même, pensais-je, et je suis venu. Afin d'obtenir la vérité, la vérité vraie, en observant librement par moi-même, en jugeant par moi-même, sans aucune obstruction d'une part et de l'autre, sans lui faire subir ma propre influence (pour autant que j'en eusse). Je revêtis un déguisement — vous savez lequel ; et j'attendis sur le bord de la route — vous savez où. Tu n'eus aucun soupçon sur moi ; non plus que... non plus qu'elle (il désignait Dot) jusqu'au moment où je lui parlai à l'oreille au coin de cette cheminée et où elle fut bien près de me trahir.

— Mais quand elle sut qu'Édouard était vivant et qu'il était revenu, dit Dot entre ses sanglots (parlant pour elle-même comme elle avait brûlé de le faire depuis le début du récit), et quand elle connut ses intentions, elle lui conseilla de garder par-dessus tout le secret ; car son vieil ami Jean Peerybingle était beaucoup trop franc de caractère et beaucoup trop maladroit en matière d'artifices — étant d'une manière générale un peu balourd, dit Dot, mi-riant et mi-pleurant, pour le garder par-devers lui. Et quand elle — c'est-à-dire moi, Jean, ajouta-t-elle dans ses sanglots — lui raconta tout et lui dit comment sa petite fiancée l'avait cru mort ; comment elle avait fini par se laisser persuader par sa mère à consentir à une union que cette chère vieille sotte appelait avantageuse ; quand elle — c'est encore moi, Jean — lui dit qu'ils n'étaient pas encore mariés (bien que ce fût imminent) et que si la cérémonie avait lieu, ce ne serait rien d'autre qu'un sacrifice, car il n'y avait aucun amour de son côté à elle ; et quand il devint presque fou de joie d'entendre cela ; alors, elle — moi encore — dit qu'elle servirait d'intermédiaire, comme elle l'avait souvent fait autrefois, Jean, et qu'elle sonderait son amie pour s'assurer que ce qu'elle — moi encore, Jean — avait dit et pensé était exact. Et *c'était* exact, Jean ! Et ils ont été réunis, Jean ! Et ils se sont mariés, Jean, il y a une heure ! Et voici l'épousée ! Et Gruff & Tackleton pourra mourir célibataire ! Et je suis la plus heureuse des petites femmes, May, Dieu te bénisse ! »

C'était en tout cas la plus irrésistible des petites femmes, et jamais elle ne le fut aussi complètement que dans ses présents transports. Jamais il n'y eut plus affectueuses ni plus délicieuses congratulations que celles qu'elle répandit sur elle-même et sur la jeune épousée !

Perdu dans le tumulte d'émotions déchaîné dans son cœur, l'honnête voiturier était resté confondu. Mais alors, comme il se précipitait vers elle, Dot tendit la main en avant pour l'arrêter et recula comme auparavant.

«Non, Jean, non! Écoute-moi jusqu'au bout! Ne m'aime plus, Jean, tant que tu n'auras pas entendu jusqu'au dernier mot ce que j'ai à te dire. J'ai eu tort d'avoir un secret pour toi, Jean. J'en suis très confuse. Je ne croyais pas que ce fût mal jusqu'au moment où je vins m'asseoir hier soir près de toi sur mon petit tabouret. Mais quand j'ai lu sur ta figure que tu m'avais vue marcher dans la galerie avec Édouard et quand j'ai su ce que tu pensais, j'ai senti à quel point j'avais été étourdie et combien j'avais eu tort. Mais, ah! mon Jean chéri, comment as-tu pu avoir pareille pensée!»

La petite femme, comme elle sanglota encore! Jean Peerybingle aurait voulu la prendre dans ses bras. Mais non; elle refusa de le laisser faire.

«Ne m'aime pas encore, Jean, je t'en prie! Pas avant longtemps encore! Si je fus attristée par ce prochain mariage, mon chéri, c'était parce que je me rappelais May et Édouard, tout jeunes amoureux, et que je savais son cœur à elle bien loin de Tackleton. Tu le crois, maintenant, n'est-ce pas, Jean?»

Jean allait une nouvelle fois se précipiter à cet appel; mais elle l'arrêta derechef.

«Non, reste là, je t'en prie, Jean! Quand je me moque de toi, Jean, que je te traite de lourdaud, de cher vieux bêtasson et tout ça, c'est parce que je t'aime tant, Jean, et que je prends tant de plaisir à tes façons que je ne voudrais pour rien au monde t'en voir changer, fût-ce pour devenir roi demain.

— Hourra! s'écria Caleb avec une vigueur inhabituelle. Bien mon avis!

— Et quand je parle de gens d'un certain âge, de gens posés, Jean, et que je prétends que nous formons un couple pot-au-feu et que notre vie n'est qu'un train-train monotone, c'est seulement parce que je

suis un petit être si stupide, Jean, que j'aime parfois
à jouer à la madame, etc., et à faire semblant.»

Elle vit qu'il venait à elle, et elle l'arrêta encore.
Mais il s'en fallut de peu qu'il ne fût trop tard.

«Non, attends encore une ou deux minutes pour
m'aimer, s'il te plaît, Jean! Ce que je veux le plus te
dire, je l'ai gardé pour la fin. Mon chéri, mon bon,
mon généreux Jean, quand nous parlions du grillon
l'autre soir, j'ai été sur le point de dire qu'au début je
ne t'aimais pas tout à fait autant que maintenant;
qu'en arrivant ici dans ma nouvelle maison, j'avais
quelque crainte de ne pas apprendre à t'aimer au
point que j'espérais et que je priais Dieu de pouvoir
le faire — j'étais si jeune, Jean! Mais, mon Jean
chéri, de jour en jour, d'heure en heure, je t'aimais
davantage. Et si je le pouvais plus encore, les nobles
mots que je t'ai entendu prononcer ce matin m'y
auraient contrainte. Mais ce n'est pas possible. Toute
l'affection que j'avais (et j'en avais beaucoup, Jean),
je te l'ai donnée, comme tu le mérites bien, depuis
longtemps et je n'en ai plus de reste. Et maintenant,
mon mari chéri, redonne-moi ma place dans ton
cœur! C'est ma demeure, Jean; et ne pense plus
jamais à m'envoyer dans aucune autre!»

Vous ne tirerez jamais autant de plaisir de la vue
d'une belle jeune personne dans les bras d'un tiers
que vous n'en auriez ressenti à voir Dot courir se
blottir dans ceux du voiturier. C'était bien la plus
complète, la plus entière, la plus chaleureuse petite
démonstration de ferveur que l'on pût voir.

Comme vous pouvez en être sûr, le commissionnaire était dans un état de parfait ravissement; vous
pouvez être sûr aussi qu'il en était de même de Dot;
de même que de tous les gens présents, y compris
Mlle Slowboy, qui pleurait copieusement de joie

et qui, voulant faire participer sa jeune charge à l'échange de congratulations, tendait le bébé à chacun successivement comme s'il s'agissait d'une coupe.

Mais alors on entendit de nouveau un bruit de roues au-dehors; et quelqu'un s'écria que Gruff & Tackleton revenait. Ce digne monsieur ne tarda pas à paraître, l'air échauffé et agité.

«Voyons, que diantre cela signifie-t-il, Jean Peerybingle! dit-il. Il y a quelque erreur. J'avais convenu que Mme Tackleton devrait me retrouver à l'église, et je jurerais l'avoir croisée sur la route venant par ici. Ah, la voici! Excusez-moi, monsieur; je n'ai pas le plaisir de vous connaître, mais si vous voulez me faire la faveur de vous passer de mademoiselle, elle a ce matin un engagement un peu particulier.

— Mais je ne puis me passer d'elle, répliqua Édouard. Je ne saurais y songer.

— Que voulez-vous dire, jeune vaurien? dit Tackleton.

— Je veux dire, répondit l'autre avec un sourire, qu'eu égard au dépit que vous êtes en droit d'éprouver, je reste aussi sourd ce matin aux propos désagréables que je l'étais hier soir à tout discours.»

Quel regard lui lança Tackleton et quel haut-le-corps l'accompagna!

«Je suis désolé, monsieur, dit Édouard en présentant la main gauche de May et particulièrement l'annulaire, que cette jeune personne ne puisse vous accompagner à l'église; mais comme elle y a déjà été une fois ce matin, peut-être voudrez-vous bien l'excuser.»

Tackleton regarda fixement cet annulaire, puis il sortit de son gousset un petit bout de papier d'argent contenant visiblement une bague.

«Mademoiselle Slowboy, dit-il, auriez-vous l'obligeance de jeter ceci dans le feu? Merci.

— C'est un engagement antérieur, un engagement très ancien qui a empêché ma femme d'être fidèle à son rendez-vous, je vous l'assure, dit Édouard.

— Monsieur Tackleton me rendra la justice de reconnaître que je le lui avais loyalement révélé; et que je lui avais dit bien des fois ne pouvoir jamais l'oublier, dit May, rougissante.

— Oh! certes! dit Tackleton. Oh! pour sûr. Oh! ça va bien. C'est tout à fait exact. Madame Édouard Plummer, j'en conclus?

— C'est bien cela, répliqua le nouveau marié.

— Ah! je ne vous aurais pas reconnu, monsieur, dit Tackleton, qui, scrutant étroitement son visage, lui fit un profond salut. Mes félicitations, monsieur!

— Je vous en remercie.

— Madame Peerybingle, dit Tackleton, se tournant brusquement vers l'endroit où celle-ci se tenait aux côtés de son mari, je vous fais mes excuses. Vous ne m'avez pas trop bien traité, mais, par ma foi, je regrette ce qui s'est passé. Vous valez mieux que je ne croyais. Jean Peerybingle, à vous aussi je fais mes excuses. Vous me comprenez; il suffit. Tout est dans l'ordre, mesdames et messieurs, et il n'y a rien à dire. Au revoir!»

Il s'en tira par ces mots et se retira lui-même, se contentant de s'arrêter à la porte pour ôter les fleurs et les rubans de la tête de son cheval et donner à cet animal un coup de pied dans les côtes à seule fin de lui faire savoir qu'il y avait quelque chose de détraqué dans ses arrangements.

Ce devenait un sérieux devoir, évidemment, de célébrer la journée de telle façon que ces événements marquassent à jamais parmi les fêtes et réjouissances du calendrier des Peerybingle. Dot se mit donc à l'œuvre pour fournir une réception digne de couvrir d'un honneur immortel la maison et tous les intéressés ; et, un instant plus tard, elle avait les bras plongés jusqu'aux fossettes des coudes dans la farine, dont elle ne se faisait pas faute de blanchir la veste du voiturier en le repoussant à chacune des tentatives qu'il faisait pour l'embrasser. Le brave garçon lava les légumes, éplucha les navets, cassa les assiettes, renversa sur le feu les marmites pleines d'eau froide, bref se rendit utile de trente-six manières ; tandis qu'une couple d'aides de cuisine appelées en hâte de quelque endroit du voisinage comme pour une affaire de vie ou de mort se heurtaient l'une contre l'autre dans toutes les portes et à tous les coins, et que chacun trébuchait partout sur Tilly Slowboy et le bébé. Tilly ne s'était jamais montrée dans toute sa force avant ce jour. Son ubiquité faisait l'objet de l'admiration générale. Elle était pierre d'achoppement dans le couloir à deux heures vingt-cinq ; chausse-trape dans la cuisine à deux heures et demie précises ; et traquenard dans le grenier à deux heures trente-cinq. La tête du bébé jouait les pierres de touche, pour ainsi dire, pour toutes les catégories de matières, animales, végétales ou minérales. Point d'objet en usage ce jour-là qui ne vînt à un moment de la journée faire intimement connaissance avec elle.

Puis une grande expédition fut montrée afin d'aller à la recherche de Mme Fielding, de faire preuve d'une pénitence contrite envers cette excellente dame et de la ramener, de force si c'était nécessaire, afin de lui donner l'occasion d'être heureuse et clémente. Et quand l'expédition la découvrit, elle ne voulut tout d'abord rien entendre et répéta, un nombre

incalculable de fois, qu'elle n'aurait jamais cru voir
pareil jour; et il fut impossible de tirer d'elle rien
d'autre que: «Vous n'avez plus qu'à m'emporter
dans la tombe», ce qui semblait assez absurde
puisqu'elle n'était rien moins que morte. Après un
moment, cependant, elle tomba dans un calme
effrayant et observa qu'au moment où le malheureux concours de circonstances s'était produit dans
le commerce de l'indigo, elle avait prévu qu'elle se
trouverait exposée pour le restant de ses jours à
toutes sortes d'insultes et d'outrages; qu'elle était
contente de voir que tel était le cas; et qu'elle priait
qu'on ne se souciât point d'elle — car qu'était-elle?
eh, mon Dieu! rien du tout! —, qu'on oubliât l'existence même de pareille créature et que chacun voulût
bien poursuivre le cours de son existence sans elle.
De cette humeur d'amer sarcasme, elle passa à une
autre, coléreuse, dans laquelle elle émit cet apho-
risme remarquable que le ver se retourne quand on
lui marche dessus; après quoi, elle s'abandonna à un
doux regret, disant que si seulement on s'était confié
à elle, que n'aurait-elle été en mesure de suggérer?
Profitant de cette crise de sentiments, l'Expédition
l'embrassa; aussi la bonne dame eut-elle bientôt
enfilé ses gants et pris le chemin de chez Jean Peerybingle dans une tenue d'irréprochable distinction,
portant à son côté, dans une enveloppe de papier, un
bonnet de cérémonie à peu près aussi haut qu'une
mitre, et pour le moins aussi raide.

Puis, il y eut aussi le père et la mère de Dot qui
devaient venir dans un autre petit cabriolet et qui
étaient en retard; on eut des inquiétudes, et on se
rendit souvent sur la route pour voir s'ils arrivaient;
et Mme Fielding regardait toujours du mauvais
côté, dans une direction franchement impossible, et,

quand on le lui faisait remarquer, elle exprimait l'espoir qu'elle pouvait bien prendre la liberté de regarder où il lui plaisait. Ils finirent par arriver, petit couple grassouillet trottinant d'un pas vif et aisé qui appartenait bien à la famille Dot ; et c'était merveille de voir Dot et sa mère l'une à côté de l'autre, tant elles se ressemblaient.

Après quoi, la mère de Dot eut à renouveler connaissance avec la mère de May ; et la mère de May se tint sans cesse sur son quant-à-soi, alors que celle de Dot ne se tint à aucun moment sur autre chose que ses actifs petits pieds. Et le vieux Dot (entendez par là le père de Dot ; j'oubliais que ce n'était pas son véritable nom, mais peu importe) prenait des libertés, serrait les mains à première vue, semblait considérer qu'un bonnet n'était rien d'autre qu'un ensemble d'amidon et de mousseline, et ne prenait aucunement en considération le commerce de l'indigo puisqu'on n'y pouvait plus rien ; faisant figure enfin, dans le jugement de Mme Fielding, d'une bonne pâte d'homme — mais commun, ma chère !

Pour rien au monde je n'aurais voulu manquer la vue de Dot faisant les honneurs dans sa robe de mariée ; béni soit son radieux visage ! Non, ni celle du brave voiturier, si jovial et si coloré au bas bout de la table. Ni celles du vigoureux marin au teint hâlé et de sa jolie épouse. Ni celle d'aucune des personnes présentes. Manquer pareil dîner, c'eût été manquer le repas le plus joyeux et le plus solide qu'un homme puisse manger ; et manquer les coupes débordantes avec lesquelles on but à cet anniversaire de mariage eût été la plus grande de toutes les pertes.

Après le dîner, Caleb chanta la chanson de la Coupe Pétillante. Et, aussi vrai que je suis vivant et

que j'espère bien le rester encore un an ou deux, il la
chanta d'un bout à l'autre.

Et, à ce propos, juste au moment où il terminait le
dernier vers, se produisit un incident inattendu.

On entendit frapper à la porte, et un homme entra
en chancelant sans même dire : « avec votre permission » ou « sauf votre respect », avec quelque chose de
fort lourd sur la tête. L'ayant déposé au centre de la
table à égale distance des pommes et des noix, il dit :

« Avec les compliments de M. Tackleton : comme il
n'a que faire du gâteau pour son propre compte, il
pense que vous aimerez peut-être le manger. »

Et sur ces mots, il s'en fut.

Il y eut quelque surprise parmi la compagnie,
comme vous pouvez l'imaginer. Mme Fielding, qui
était une dame d'un discernement infini, suggéra
que le gâteau était empoisonné, et raconta l'histoire
de certain gâteau qui, à sa connaissance, avait fait
virer au violacé tout un pensionnat de demoiselles.
Mais son avis fut rejeté par acclamations et le gâteau
coupé en grande cérémonie et dans l'allégresse par
May.

Je crois que personne n'y avait encore goûté quand
un nouveau coup fut frappé à la porte, et le même
homme reparut, portant sous le bras un gros paquet
enveloppé de papier brun.

« M. Tackleton présente ses compliments, et il
envoie quelques jouets pour le bébé. Ils ne sont pas à
faire peur. »

S'étant acquitté de la commission, il se retira derechef.

Tous les convives auraient eu grande difficulté à
trouver des mots pour exprimer leur étonnement,
même s'ils avaient eu tout le temps de les chercher.
Mais ils ne l'eurent aucunement car à peine le mes-

sager avait-il fermé la porte derrière lui qu'elle résonna d'un nouveau coup, et Tackleton en personne pénétra dans la pièce.

«Madame Peerybingle! dit le marchand de jouets, son chapeau à la main. Je suis rempli de regrets. Plus encore que ce matin. J'ai eu le temps de réfléchir. Jean Peerybingle! Je suis acariâtre de nature; mais je ne puis m'empêcher de m'adoucir plus ou moins au contact d'un homme tel que vous. Caleb! Cette jeune nourrice m'a fait hier soir, dans son inconscience, une bizarre allusion, dont je suis arrivé à trouver le fil. Je rougis de penser avec quelle facilité j'aurais pu vous attacher à moi, vous et votre fille, et quel misérable idiot je faisais en la prenant, elle, pour une idiote! Mes amis, tous tant que vous êtes, ma maison est bien solitaire, ce soir. Je n'ai pas même un grillon à mon foyer. Je les ai tous fait fuir. Soyez bons pour moi; permettez que je me joigne à votre heureuse fête!»

En cinq minutes, il fut à l'aise. On n'avait jamais vu pareil gaillard. Qu'avait-il donc fait toute sa vie pour n'avoir pas connu jusque-là cette grande aptitude à la jovialité qui était la sienne? Ou bien comment les fées s'y étaient-elles donc prises pour effectuer un pareil changement?

«Jean, tu ne vas pas me renvoyer à la maison ce soir, dis?» murmura Dot à voix basse.

Il en avait été bien près, cependant!

Il ne manquait plus qu'un être vivant pour que la réunion fût complète; et en un clin d'œil, le voilà arrivé, fort assoiffé d'avoir tant couru et tout occupé de vains efforts pour introduire sa tête dans l'ouverture trop étroite d'une cruche. Il avait accompagné la charrette jusqu'au bout du trajet, tout dégoûté de l'absence de son maître et prodigieusement rebelle au suppléant de celui-ci. Après avoir traîné un moment du côté de l'écurie pour tenter, mais en vain, d'inciter le vieux cheval à se révolter et à rentrer de lui-même, il avait pénétré dans la salle de l'estaminet, où il s'était couché devant le feu. Mais cédant soudain à la conviction que le suppléant n'était qu'un fumiste et qu'il fallait l'abandonner, il s'était relevé, lui avait tourné le dos et était rentré.

Le soir, il y eut une sauterie. Je me serais contenté de mentionner cette récréation d'une façon générale, si je n'avais quelque raison de supposer que ce fut une danse fort originale et d'un caractère peu commun. Voici la curieuse façon dont elle prit naissance : Édouard, le marin — un beau gars, franc et hardi —, avait raconté diverses merveilles où il était question de perroquets, de mines, de Mexicains, de poudre d'or, quand il lui prit fantaisie tout à coup de se dresser de sa chaise en proposant une danse, car la harpe de Berthe était là et celle-ci en touchait avec un rare talent. Dot (quel rusé petit bout de femme elle faisait quand elle le voulait !) dit que le temps de la danse était passé pour elle, mais quant à moi je crois que c'était parce que le voiturier fumait sa pipe et qu'elle préférait rester assise à côté de lui. Après quoi, Mme Fielding n'eut d'autre ressource que de déclarer que ce temps était passé pour elle aussi ; et tous dirent la même chose, sauf May ; May, elle, était prête.

May et Édouard se levèrent donc à l'applaudissement général pour danser seuls ; et Berthe joua son air le plus entraînant.

Eh bien, vous me croirez si vous voulez, ils ne dansaient pas depuis cinq minutes que le commissionnaire jeta soudain sa pipe, saisit Dot par la taille, se précipita au milieu de la pièce et tournoya avec elle sur les talons et sur les pointes, de façon tout à fait remarquable. À peine Tackleton eut-il vu cela, qu'il glissa jusqu'à Mme Fielding, lui passa le bras autour de la taille et suivit le mouvement. À peine le vieux Dot eut-il vu cela, qu'il sauta sur ses pieds, tout alerte, et entraîna Mme Dot en plein dans la danse, dont il prit la tête. À peine Caleb eut-il vu cela, qu'il agrippa Tilly Slowboy des deux mains et s'élança, Mlle Slowboy étant bien persuadée que plonger avec acharnement parmi les autres couples en effectuant avec eux le plus grand nombre possible de collisions constituait le seul principe de la danse.

Écoutez ! comme le grillon accompagne la musique de son cri-cri-cri ; et comme la bouilloire chante !

Mais qu'est-ce donc ? Tandis que je les écoute joyeusement et que je me tourne vers Dot pour apercevoir une dernière fois une petite personne qui m'est fort plaisante, elle et les autres se sont évanouis dans l'air, et je reste seul. Un grillon chante dans le foyer ; un jouet d'enfant brisé gît sur le sol ; et rien d'autre ne demeure.

La Bataille de la vie

Conte d'amour

Traduction de Francis Ledoux.

PREMIÈRE PARTIE

Au temps jadis, peu importe quand, et quelque part dans la vaillante Angleterre, peu importe où, fut livrée une furieuse bataille. Elle eut lieu un jour d'été, alors que l'herbe ondoyante était toute verte. Mainte fleur des champs, créée par la main du Tout-Puissant pour servir de réceptacle parfumé à la rosée du matin, sentit, ce jour-là, sa coupe émaillée s'emplir de sang et, se contractant, dépérit. Maint insecte, qui tirait sa délicate couleur de feuilles et d'herbes inoffensives, fut teint à nouveau ce jour-là par des mourants et, affolé, marqua son chemin de traces contre nature. Le papillon emporta dans l'air le sang ajouté à la palette de ses ailes. Le ruisseau coula rouge. Le sol piétiné devint une fondrière où, sur les lugubres mares amassées dans les empreintes des pieds des hommes et des sabots des chevaux, scintillait encore le triste miroitement de la seule teinte dominante.

Le Ciel nous préserve de connaître les visions que la lune perçut sur ce champ de bataille quand, montrant au-dessus de la ligne sombre des hauteurs lointaines, ses contours estompés par les arbres, elle s'éleva dans le ciel et contempla la plaine, jonchée de visages levés qui, autrefois, sur le sein maternel avaient cherché les yeux de leur mère ou paisiblement dormi. Le Ciel nous préserve de connaître les secrets murmurés ensuite dans le vent corrompu qui souffla sur la scène de la besogne accomplie ce jour-là et sur la mort et les souffrances endurées cette nuit-là ! Maintes lunes solitaires brillèrent sur le champ de bataille, maintes étoiles montèrent leur funèbre garde, maints vents soufflant de toutes les parties du globe le balayèrent avant que ne disparussent les vestiges de la bataille.

Ces traces s'attardèrent longtemps, puis survécurent dans de petites choses : car la Nature, qui plane bien au-dessus des vilaines passions des hommes, ne tarda pas à recouvrer sa sérénité et sourit au champ de bataille coupable, comme auparavant à la campagne innocente. Les alouettes chantèrent haut dans les airs, les hirondelles rasèrent sa surface, piquant et zigzaguant de leur vol léger ; les ombres des nuages fuyants se poursuivirent, passant rapidement sur les herbages, les blés, les champs de navets et les bois, comme sur les toits et le clocher de la ville blottie parmi les arbres, avant de gagner le lumineux horizon à la limite du ciel et de la terre, où s'évanouissaient les rouges couchers du soleil. Des grains furent semés, poussèrent et furent moissonnés ; le ruisseau qui avait été teint de pourpre fit tourner une roue de moulin ; les hommes sifflèrent en poussant la charrue ; on vit des glaneurs et des faneurs au travail par petits groupes tranquilles ; des moutons et des bœufs pâturèrent ; des garçons poussèrent leurs houhous et leurs appels pour effrayer les oiseaux dans les champs ; la fumée s'éleva des cheminées des chaumières ; les cloches dominicales sonnèrent pacifiquement ; les vieilles gens vécurent et moururent; les timides plantes des champs, les simples fleurs des buissons et des jardins crurent et se flétrirent au terme marqué; tout cela sur les lieux de ce sanglant et féroce combat dans lequel avaient péri tant de milliers de soldats.

Mais, dans les premiers temps, il y eut au milieu du blé naissant des plaques vert sombre, que les gens regardaient avec crainte. D'année en année, elles reparurent; et l'on savait que, sous ces taches fertiles, gisaient enterrés pêle-mêle des monceaux d'hommes et de chevaux qui enrichissaient la terre. Les paysans, en labourant ces endroits, avaient un mouvement de recul devant les gros vers qui y abondaient; les gerbes qu'ils récoltaient là furent appelées bien des années « gerbes de la bataille » et mises de côté, et nul ne vit jamais aucune d'elles figurer dans la dernière charrette à une Fête de la Moisson. Pendant longtemps, chaque sillon ouvert découvrait quelque débris du combat. Pendant longtemps, il y eut des arbres blessés sur le champ de bataille; et des fragments de barrières déchiquetées et de murs ruinés là où s'étaient déroulées des luttes mortelles; ainsi que des endroits piétinés où pas une feuille, pas un brin d'herbe ne voulait plus pousser. Pendant longtemps, aucune fille du village ne voulut orner ses cheveux ou son sein de la plus douce des fleurs cueillies sur ce champ de mort; et même après que bien des années se furent écoulées, les baies qui y poussaient laissaient, disait-on, une tache trop foncée sur la main qui les cueillait.

Cependant, les saisons, en dépit d'un cours aussi léger que celui des nuages d'été eux-mêmes, finirent par effacer jusqu'à ces vestiges de l'ancien conflit et émousser les traces légendaires qui pouvaient en demeurer dans l'esprit des gens du voisinage, jusqu'à les réduire à quelques contes de bonne femme, vaguement rappelés autour du feu hivernal et plus imprécis d'année en année. Là où les fleurs et les baies sauvages étaient restées si longtemps intactes sur leur tige, des jardins surgirent, des maisons s'élevèrent et les enfants jouèrent à la bataille sur le gazon. Les arbres blessés avaient depuis longtemps fait des bûches de Noël et s'étaient consumés en feu ronflant. Les taches vert sombre n'avaient pas plus de verdeur que le souvenir de ceux qui gisaient au-dessous en poussière. Le soc de la charrue retournait bien de temps à autre quelque morceau de métal rouillé, mais il était difficile d'en déterminer l'usage, et ceux qui les trouvaient s'interrogeaient et en discutaient. Une vieille cuirasse bosselée et un casque étaient suspendus dans l'église depuis si longtemps que le faible vieillard à demi aveugle qui cherchait en vain à les distinguer au-dessus de la voûte blanchie à la chaux, s'en était déjà émerveillé enfant. Si tous les combattants tués sur le champ de bataille avaient pu revivre un moment sous la forme qu'ils avaient eue à l'instant où ils étaient tombés, chacun à la place qui avait été le lit de sa mort prématurée, des soldats balafrés et effrayants auraient plongé le regard, par centaines, à chaque porte, à chaque fenêtre des maisons ; se seraient dressés dans l'âtre de tranquilles logis ; auraient été entassés dans les granges et les greniers ; auraient surgi entre la nourrice et l'enfant au berceau ; auraient coulé au fil du ruisseau, tourné autour de la roue du moulin ; se seraient pressés dans le verger ; auraient encombré la cour de ferme de mourants empilés. Tant avait changé le champ de bataille où des milliers et des milliers avaient été tués dans le grand combat.

Nulle part davantage, peut-être, voici une centaine

d'années, que dans un petit verger attenant à une vieille maison de pierre au porche couvert de chèvrefeuille, où, par une claire matinée d'automne, résonnaient de la musique et des rires, et où deux jeunes filles dansaient gaiement ensemble sur l'herbe, tandis qu'une demi-douzaine de paysannes qui, debout sur des échelles, cueillaient les pommes des arbres, s'interrompaient dans leur travail pour les regarder et partager leur plaisir. C'était un aimable spectacle, animé et naturel; la journée était magnifique, l'endroit retiré, et les deux jeunes filles, sans contrainte et sans soucis, dansaient dans toute la liberté et la joie de leur cœur.

Mon opinion personnelle — et vous serez d'accord avec moi, j'espère — est que, s'il n'existait rien au monde qui ressemblât à l'ostentation, nous nous en trouverions beaucoup mieux et nous serions d'infiniment plus agréable compagnie que nous ne le sommes. Il était charmant de voir ainsi danser ces jeunes filles. Elles n'avaient d'autres spectateurs que les cueilleuses de pommes sur leurs échelles. Elles étaient fort heureuses de les divertir, mais elles dansaient surtout pour se divertir elles-mêmes (tout au moins l'aurait-on supposé); et l'on ne pouvait pas plus se retenir d'admirer qu'elles ne pouvaient se retenir de danser. Ah! comme elles dansaient!

Non comme des danseuses d'opéra. Certes pas. Ni comme les élèves accomplies de Mme Je-ne-sais-qui. Pas le moins du monde. Ce n'était pas un quadrille, ce n'était pas un menuet, ce n'était pas même une danse campagnarde. Leur danse n'était ni dans le style ancien, ni dans le style nouveau, ni dans le style français, ni dans le style anglais, bien qu'elle pût relever un tantinet du style espagnol, qui est libre et joyeux à ce que j'ai entendu dire, tirant un délicieux

air d'inspiration spontanée des petites castagnettes
grésillantes. Tandis qu'elles dansaient parmi les
arbres du verger, glissaient jusqu'aux bosquets et
revenaient en se faisant tournoyer l'une l'autre avec
légèreté, l'influence de leur mouvement aérien semblait s'étendre et s'étendre sur la scène ensoleillée,
comme un cercle qui s'élargit dans l'eau. Leurs
cheveux épandus et leurs robes flottantes, l'herbe
élastique sous leurs pieds, les branches qui bruis-
saient dans l'air du matin, les feuilles miroitantes, les
ombres mouchetées sur le doux sol verdoyant, la
brise embaumée qui parcourait gaiement le paysage,
heureuse d'aller faire tourner au loin le moulin à
vent, tout ce qui se trouvait entre les deux jeunes
filles et l'homme et ses chevaux en train de labourer
la butte de terre où ils se détachaient sur le ciel
comme pour marquer la limite du monde, tout semblait danser aussi.

Enfin la plus jeune des sœurs danseuses, hors
d'haleine, se jeta sur un banc, avec un rire de gaieté,
pour se reposer. L'autre s'appuya contre un arbre
tout proche. L'orchestre, composé d'une harpe portative et d'un violon, s'arrêta sur une belle fioriture,
comme pour se targuer de sa fraîcheur ; mais, à la
vérité, il avait joué à une telle allure, il s'était si bien
évertué à rivaliser avec la danse qu'il n'aurait jamais
pu tenir une demi-minute de plus. Les cueilleuses
de pommes, de leurs échelles, firent entendre un
murmure d'applaudissement, puis en harmonie avec
ce bourdonnement, s'affairèrent de nouveau comme
des abeilles à leur travail.

D'autant plus activement peut-être qu'un monsieur d'un certain âge, qui n'était autre que le
Dr Jeddler en personne — c'était la maison et le
verger du Dr Jeddler, il faut que vous le sachiez, et

les deux danseuses étaient ses filles —, le Dr Jeddler donc s'en venait, tout affairé, voir de quoi il retournait et qui diantre pouvait faire de la musique dans sa propriété dès avant le petit déjeuner. Car le Dr Jeddler n'appréciait guère la musique, si grand philosophe qu'il fût.

« De la musique et de la danse aujourd'hui ! dit le docteur, s'arrêtant court et se parlant à lui-même. Je croyais qu'elles redoutaient ce jour. Mais nous vivons dans un monde de contradictions. Voyons, Grâce ; voyons, Marion ! ajouta-t-il à voix haute. Le monde est-il encore plus fou qu'à l'ordinaire, ce matin ?

— Il faut être indulgent, papa, si c'est le cas, répliqua la cadette, Marion, s'avançant tout près de lui pour le regarder dans les yeux, car c'est l'anniversaire de quelqu'un !

— L'anniversaire de quelqu'un, mon petit chat ! répondit le docteur. C'est toujours l'anniversaire de quelqu'un, tu le sais bien. N'as-tu jamais entendu dire combien de nouveaux acteurs débutent, chaque minute, dans cette — ha, ha, ha ! il est impossible d'en parler avec sérieux — dans cette affaire absurde et ridicule qu'on appelle la Vie ?

— Non, papa.

— Non, pas toi, bien sûr ; tu es une femme, ou presque, dit le docteur. À propos (et il scruta le joli visage qui était encore tout près du sien), je suppose que c'est ton anniversaire à toi ?

— Non, vraiment, papa ? s'écria sa fille préférée, pinçant ses lèvres rouges pour se faire embrasser.

— Eh bien voilà ! Et tout mon amour avec, dit le docteur en y imprimant les siennes. Et je te souhaite — ah ! quelle idée ! — maints heureux retours d'anniversaires. L'idée de souhaiter d'heureux retours d'anniversaires dans une farce pareille est bien bonne, ajouta le docteur pour lui-même. Ha, ha, ha!»

Comme je l'ai dit, le Dr Jeddler était un grand philosophe; or, le centre et le secret de sa philosophie, c'était de considérer le monde comme quelque chose de trop absurde pour qu'aucun homme doué de raison pût le prendre au sérieux. Son système de croyance ayant été, à l'origine, partie intégrante du champ de bataille sur lequel il habitait, comme vous ne tarderez pas à le comprendre.

«Bon! Mais comment vous êtes-vous procuré la musique? demanda le docteur. Des pilleurs de poulaillers, naturellement! D'où sortent ces musiciens?

— C'est Alfred qui les a envoyés, dit sa fille Grâce, rajustant quelques fleurs des champs dont elle avait, dans son admiration pour cette juvénile beauté, orné les cheveux de sa sœur une demi-heure auparavant et que la danse avait dérangées.

— Ah! c'est Alfred qui les a envoyés, hein? répliqua le docteur.

— Oui. Il les a rencontrés qui sortaient de la ville, tandis qu'il y rentrait de bonne heure ce matin. Ces hommes voyagent à pied, et ils y avaient fait étape hier soir; comme c'était l'anniversaire de Marion, il a pensé lui faire plaisir en les envoyant avec une note au crayon à moi adressée, dans laquelle il me disait que, si j'étais d'accord, ils venaient lui donner l'aubade.

— Oui, oui, dit le docteur d'un air détaché, il s'enquiert toujours de ton opinion.

— Et mon opinion étant favorable, dit Grâce avec bonhomie, tout en s'arrêtant un instant, la tête rejetée en arrière, pour admirer le joli visage qu'elle ornait, mon opinion étant favorable et Marion, pleine d'entrain, s'étant mise à danser, je me suis jointe à elle.

Et nous avons ainsi dansé sur la musique d'Alfred jusqu'à en perdre haleine. Et cette musique nous a paru d'autant plus gaie qu'elle était envoyée par Alfred. N'est-ce pas, Marion chérie?

— Oh! je ne sais pas, Grâce. Tu me taquines toujours au sujet d'Alfred.

— Je te taquine en parlant de ton amoureux? demanda sa sœur.

— Je ne me soucie guère que l'on mentionne son nom, c'est certain, dit la jeune beauté d'un air mutin, tout en effeuillant les fleurs qu'elle tenait et dont elle laissait tomber les pétales à terre; je suis presque lasse d'entendre parler de lui; et pour ce qui est d'être mon amoureux...

— Chut! Ne parle pas à la légère, même pour plaisanter, d'un cœur fidèle qui est tout à toi, Marion, s'écria sa sœur. Il n'est pas au monde de cœur plus fidèle que celui d'Alfred!

— Non... non, dit Marion, qui, les sourcils levés, offrait l'aimable image d'une insouciante réflexion; il se peut. Mais je ne sache pas qu'il y ait trop de mérite à cela. Je... je ne tiens pas à ce qu'il soit si fidèle. Je ne le lui ai jamais demandé. S'il s'attend à ce que je... Mais, ma chère Grâce, pourquoi parler de lui maintenant?»

C'était un bien agréable spectacle que celui des gracieuses silhouettes des deux jeunes filles en fleur, qui, enlacées, s'attardaient sous les arbres à converser ainsi, opposant la gravité à l'insouciance, sans toutefois que l'amour ne répondît tendrement à l'amour. Et il était certes bien curieux de voir les yeux de la cadette baignés de larmes et un sentiment fervent et profond percer à travers la mutinerie de ses paroles et lutter péniblement avec elle.

La différence d'âge entre les deux jeunes filles ne

pouvait excéder quatre ans au plus ; mais Grâce, comme il arrive souvent quand aucune mère ne veille sur deux sœurs (la femme du docteur était morte), paraissait, de par le tendre soin qu'elle prenait de sa cadette et la fermeté de son dévouement, plus âgée qu'elle n'était ; et naturellement plus éloignée que leurs âges ne semblaient le justifier de toute rivalité avec elle ou de toute participation — autrement que par sympathie et sincère affection — à ses capricieuses fantaisies. Grand rôle de mère qui, même dans cette ombre, dans ce pâle reflet de lui-même, purifie le cœur et élève la nature exaltée plus près des anges !

Les réflexions du docteur, tandis qu'il les contemplait et qu'il entendait la teneur de leur conversation, se bornèrent tout d'abord à quelques aimables considérations sur la folie de toutes les amours ou de toutes les affections et sur la vaine imposture que pratiquent envers eux-mêmes les jeunes gens qui s'imaginent un moment qu'il puisse y avoir quoi que ce soit de sérieux dans pareilles bulles de savon, et qui finissent toujours par être désabusés, toujours !

Mais le charme domestique et l'abnégation de Grâce, son aimable caractère, si doux et effacé, quoique montrant tant de constance et de hardiesse, lui semblaient s'exprimer tout entiers dans le contraste entre sa sobre tournure de ménagère et les agréments de sa cadette plus belle ; et il éprouvait pour elle, pour toutes deux, le regret que la vie fût une affaire si profondément ridicule.

Le docteur n'avait jamais songé un instant à se demander si ses enfants, ou l'une d'elles, contribuaient de quelque façon que ce fût à donner quelque sérieux à l'ordre des choses. Mais, après tout, c'était un philosophe.

Bon et généreux par nature, il avait achoppé par hasard contre cette banale pierre philosophale (plus aisée à découvrir que celle des alchimistes), qui fait parfois trébucher les hommes bons et généreux et qui a la fatale propriété de tourner l'or en scories et de déprécier toute chose excellente.

«Bretagne! cria le docteur. Holà, Bretagne!»

Un petit homme, à la figure étonnamment revêche et mécontente, surgit de la maison en répondant à cet appel sous la forme peu cérémonieuse de: «Et alors?

— Où est la table du petit déjeuner? demanda le docteur.

— Dans la maison, répliqua Bretagne.

— Vas-tu la mettre ici dehors, comme je te l'ai dit hier soir? reprit le docteur. Ne sais-tu pas que des messieurs doivent venir, qu'il y a des affaires à traiter ce matin avant le passage du coche? Que les circonstances ne sont pas celles de tous les jours?

— Pouvais-je rien faire, docteur Jeddler, avant que les femmes aient fini de rentrer les pommes? dit Bretagne, dont la voix montait en même temps que son raisonnement, si bien qu'elle finit sur un ton extrêmement haut.

— Eh bien, ont-elles fini à présent? répondit le docteur, jetant un regard sur sa montre en tapant dans ses mains. Allons! Dépêchons-nous! Où est Clémence?

— Me voici, monsieur, dit une voix du haut d'une échelle sur les barreaux de laquelle on vit descendre vivement une paire de pieds assez lourdauds. C'est terminé. Disparaissez, mes filles. Tout sera prêt dans une demi-minute, monsieur.»

Sur quoi, elle s'activa vigoureusement, offrant alors

une apparence assez particulière pour justifier un mot de présentation.

Elle avait trente ans environ et la figure assez rondelette et rieuse, bien que tordue par une crispation bizarre qui la rendait comique. Mais l'extraordinaire inharmonie de son allure et de ses manières auraient eu raison de n'importe quel visage au monde. Dire qu'elle avait deux jambes gauches et les bras de quelqu'un d'autre, et que ces quatre membres semblaient disloqués et attachés à des endroits parfaitement incongrus chaque fois qu'ils étaient en mouvement, c'est présenter l'image la plus édulcorée de la réalité. Dire qu'elle était parfaitement satisfaite de ces arrangements, qu'elle les considérait comme n'étant nullement son affaire et qu'elle laissait ses membres disposer d'eux-mêmes comme cela se présentait, c'est faire piètre justice à son équanimité. Ses effets se composaient d'une prodigieuse paire de souliers obstinés, qui ne voulaient jamais aller où allaient ses pieds; de bas bleus; d'une robe multicolore, imprimée du dessin le plus hideux qui se puisse acheter; et d'un tablier blanc. Elle portait toujours des manches courtes et elle avait sans cesse, par suite de quelque accident, les coudes écorchés, coudes auxquels elle prenait un intérêt si vif qu'elle essayait constamment de les retourner pour les considérer sous un angle impossible. Un petit bonnet se trouvait en général placé quelque part sur sa tête, encore qu'on le vît rarement à l'endroit occupé ordinairement sur d'autres sujets par cet article d'habillement; mais, de la tête aux pieds, elle était d'une propreté scrupuleuse et maintenait une sorte de bonne tenue disloquée. En fait, son louable souci d'être ordonnée et homogène dans sa propre conscience autant qu'au regard d'autrui avait donné naissance à l'une de ses démonstrations les plus étonnantes, qui consistait à se saisir elle-même de temps à autre par une espèce de poignée de bois (partie de son vêtement, communément appelée busc) et de lutter en quelque sorte avec ses habits jusqu'à ce qu'ils tombassent avec symétrie.

Telle s'offrait, dans sa forme extérieure et son costume, Clémence Newcome, qui, supposait-on, était elle-même l'auteur inconscient de la corruption de son propre prénom de Clémentine (mais personne ne le savait à coup sûr, car la vieille mère sourde, véritable phénomène de longévité, qu'elle avait fait vivre presque depuis l'enfance, était morte, et elle n'avait pas d'autres parents), Clémence Newcome qui pour lors s'activait afin de mettre le couvert et qui, interrompant de temps à autre son travail, croisait ses bras rouges et nus pour frotter chacun de ses coudes éraflés avec la main opposée et les contemplait sans s'émouvoir jusqu'à ce qu'elle se souvînt tout à coup de quelque chose qui manquait et courût le chercher de son pas saccadé.

«Voilà ces deux hommes de loi qu'arrivent, monsieur! dit Clémence, d'un ton qui ne marquait pas trop de bienveillance.

— Ah! s'écria le docteur, s'avançant vers la grille pour les accueillir. Bonjour, bonjour! Grâce, ma chérie! Marion! Voici messieurs Snitchey et Craggs[1]. Où est Alfred?

— Il sera de retour dans un instant sans doute, papa, dit Grâce. Il avait tant à faire ce matin avec ses préparatifs de départ qu'il s'est levé et qu'il est sorti dès l'aube. Bonjour, messieurs.

— Mesdemoiselles! Je vous salue en mon nom propre et en celui de Craggs (qui s'inclina). Mademoiselle (à Marion), je vous baise la main (ce qu'il fit). Et je vous souhaite (ce qui pouvait être ou n'être pas la vérité, car il n'avait pas l'air, à première vue, d'un monsieur que troublent de trop chaleureux épanchements d'âme en faveur d'autrui) de voir cent fois revenir cet heureux jour.

— Ha, ha, ha ! fit le docteur, riant d'un air méditatif, les mains dans les poches. La grande farce en cent actes !

— Vous ne voudriez tout de même pas, je suis sûr, docteur Jeddler, dit M. Snitchey, tout en appuyant un petit sac bleu d'aspect professionnel contre un des pieds de la table, vous ne voudriez pas couper court à la grande farce pour cette actrice-ci, en tout cas.

— Non pas, répondit le docteur. À Dieu ne plaise ! Qu'elle vive pour en rire aussi longtemps qu'elle *pourra* rire, et puis qu'elle dise avec le bel esprit français : "La farce est finie ; tirez le rideau."

— Le bel esprit français avait tort, docteur Jeddler, dit M. Snitchey en examinant vivement le contenu de son sac bleu, et votre philosophie a tort de même, croyez-m'en ; je vous l'ai dit bien souvent. Il n'y aurait rien de sérieux dans la vie ? Et le droit, alors ?

— Une plaisanterie, répliqua la docteur.

— Avez-vous jamais plaidé ? demanda M. Snitchey, levant les yeux de son sac.

— Jamais, répondit le docteur.

— Si cela vous arrive, dit M. Snitchey, peut-être changerez-vous d'avis. »

Craggs, qui semblait être représenté par Snitchey et n'avoir qu'une conscience minime, sinon nulle, d'une existence séparée ou d'une individualité personnelle, émit alors une remarque à lui. Elle concernait la seule idée qu'il ne possédât pas à parts égales avec Snitchey, encore que, pour elle, il ne manquât pas de copartageants parmi les sages de ce monde.

«On l'a rendu beaucoup trop aisé, dit M. Craggs.

— Le droit? demanda le docteur.

— Oui, dit M. Craggs, tout est trop aisé. Il semble qu'on ait tout rendu trop aisé de nos jours. C'est le défaut de notre temps. Si le monde est une plaisanterie (et je ne me hasarderai pas à dire que ce ne l'est pas), on devrait bien la rendre moins aisée. Ce devrait être une lutte aussi dure que possible, monsieur. Voilà ce que je veux dire. Mais on rend tout beaucoup trop facile. On huile les portes de la vie. Elles devraient être toutes rouillées. On les verra bientôt tourner avec un son doux. Alors qu'elles devraient grincer sur leurs gonds, monsieur.»

M. Craggs paraissait lui-même grincer positivement sur ses gonds en exprimant cette opinion, à laquelle il communiqua un effet immense, car c'était un homme froid, dur et sec, vêtu de gris et de blanc comme un silex, avec de petits éclairs dans les yeux comme si quelqu'un en eût tiré des étincelles. Chacun des trois règnes de la nature, en fait, comptait un représentant de fantaisie dans ce cercle de discuteurs; car Snitchey ressemblait à une pie ou à un corbeau (en moins luisant), et le docteur avait la figure striée d'une reinette d'hiver, avec çà et là une fossette pour représenter les becquetages des oiseaux et une toute petite queue de cheveux pour tenir lieu de pédoncule.

Comme l'alerte silhouette d'un jeune homme de belle mine, en vêtements de voyage, et suivi d'un porteur chargé de plusieurs colis et paniers, pénétrait d'un pas vif dans le verger, avec un air de gaieté et d'espérance qui s'accordait bien avec cette matinée, les trois personnages se rapprochèrent tels les frères

des trois sœurs qui filent le destin ou telles les Grâces
fort efficacement déguisées, ou encore telles les trois
prophétesses fatales de la lande, pour l'accueillir.

« Heureux anniversaire, Alf ! dit le docteur, d'un
ton léger.

— Je vous souhaite cent retours de cet heureux
jour, monsieur Heathfield ! dit Snitchey, avec un
profond salut.

— Retours ! murmura isolément Craggs, d'une
voix profonde.

— Eh mais, quelle salve ! s'écria Alfred, s'arrêtant
court. Un… deux… trois… tous prophètes de trouble
dans la grande mer qui s'étend devant moi. Je suis
heureux que vous ne soyez pas les premiers que j'aie
rencontrés ce matin : j'aurais pris cela pour un
mauvais présage. Mais Grâce a été la première… la
douce, l'aimable Grâce… aussi, je vous défie tous !

— Si vous permettez, monsieur, ç'a été moi la première, vous savez, dit Clémence Newcome. Elle se
promenait ici au-dehors avant l'aube, vous vous rappelez. Moi, j'étais dans la maison.

— C'est vrai ! Clémence a été la première, dit
Alfred. Alors, je vous défie avec Clémence.

— Ha, ha, ha ! — en mon nom propre et en celui
de Craggs, dit Snitchey. Quel défi !

— Pas si négligeable qu'il semble, peut-être, dit
Alfred, qui, après avoir cordialement serré la main
du docteur, ainsi que celles de Snitchey et de Craggs,
jeta un regard à la ronde. Mais où sont… Grands
dieux ! »

D'un élan qui provoqua sur le moment entre Jona-
than Snitchey et Thomas Craggs une association
plus étroite que ne l'envisageaient les articles de leur
contrat, il se précipita vers l'endroit où les deux
sœurs se tenaient ensemble et… mais je n'ai pas

besoin de m'étendre plus particulièrement sur la façon dont il salua d'abord Marion et ensuite Grâce : il me suffira de suggérer que M. Craggs l'aurait peut-être considérée comme « trop aisée ».

Pour changer de sujet peut-être, le Dr Jeddler se dirigea vivement vers la table du déjeuner, et tous s'y assirent. Grâce présidait ; mais elle se plaça assez judicieusement pour séparer Alfred et sa sœur du reste de la compagnie. Snitchey et Craggs s'assirent en face l'un de l'autre, le sac bleu posé entre eux pour plus de sûreté ; le docteur prit sa place habituelle en face de Grâce. Clémence, pour servir, tournait autour de la table de son mouvement saccadé ; et l'atrabilaire Bretagne, à une seconde table plus petite, s'acquittait de ses fonctions de Grand Écuyer Tranchant aux dépens d'une pièce de bœuf et d'un jambon.

« Viande ? dit-il, s'avançant vers M. Snitchey, la fourchette et le couteau à découper à la main, et lançant sa question comme un projectile.

— Certainement, répondit l'avoué.

— Et vous, vous en voulez ? (À Craggs.)

— Maigre et bien cuite », répondit ce monsieur. Après avoir exécuté ces ordres et servi modérément le docteur (il semblait savoir que personne d'autre ne voulait rien manger), il s'attarda aussi près de la Firme que le permettait la bienséance pour observer d'un œil austère la façon dont les associés expédiaient leur viande, ne relâchant qu'une seule fois la sévérité de son expression : lorsque M. Craggs, dont les dents n'étaient pas des meilleures, faillit s'étouffer en s'écriant avec une vive animation : « Je le croyais parti !

— Or çà, Alfred, dit le docteur, quelques mots d'affaires tandis que nous sommes encore à table.

— Tandis que nous sommes encore à table»,
répétèrent Snitchey et Craggs, qui, pour leur part,
semblaient n'avoir aucune envie de la quitter.

Bien qu'Alfred n'eût pas participé au repas et qu'il
parût bien assez occupé comme cela, il répondit
d'un ton respectueux :

«Si vous le désirez, monsieur.

— S'il pouvait y avoir quoi que ce soit de sérieux,
dit le docteur, dans une...

— Une pareille farce, monsieur, suggéra Alfred.

— Dans une pareille farce, fit observer le docteur,
ce serait peut-être ce retour, à la veille de la séparation, d'un double anniversaire auquel se rattachent
bien des idées plaisantes pour tous quatre, et le souvenir de longs et amicaux rapports. Mais ce n'est pas
là ce qui nous intéresse.

— Ah ! si fait, si fait, docteur Jeddler, s'écria le
jeune homme. Cela nous intéresse. Et même beaucoup, comme mon cœur en témoigne ce matin ; et
comme le vôtre le ferait aussi, je le sais, si vous
vouliez bien le laisser s'exprimer. Aujourd'hui, je
quitte votre maison ; aujourd'hui, je cesse d'être
votre pupille ; nous nous séparons, et loin derrière
nous s'étendent des relations affectueuses qui ne
pourront jamais plus se renouveler de manière tout à
fait pareille, tandis que d'autres sont encore à leur
aurore devant nous (il abaissa ses regards sur
Marion, assise à côté de lui), fertiles en considérations que je ne puis me permettre d'aborder dès
maintenant. Allons, allons ! ajouta-t-il, faisant appel
en même temps à son courage et au docteur, il y a un
grain de sérieux dans ce grand tas de poussière et de
sottises, docteur. Admettons en ce jour qu'il y en a au
moins un.

— En ce jour ! s'écria le docteur. Écoutez-le ! Ha,

ha, ha! Entre tous les jours de cette année stupide.
Mais c'est en ce jour que la grande bataille se déroula
sur ce sol même. Sur ce sol où nous sommes assis, où
j'ai vu ce matin danser mes deux filles, où l'on vient
de récolter pour notre plaisir les fruits de ces arbres
dont les racines plongent dans des hommes, non
dans de la terre — tant de vies furent perdues que,
comme je m'en souviens moi-même, après des géné-
rations, on a remis au jour un cimetière plein d'ossements, de poussière d'os, d'éclats de crânes fendus,
là, sous nos pieds, ici même. Et pourtant, dans cette
bataille, il n'y avait pas cent hommes à savoir pourquoi ils se battaient; pas cent d'entre ceux qui se
réjouirent inconsidérément de la victoire, qui sussent
pourquoi ils se réjouissaient. Il n'y avait pas cinquante personnes qui se trouvassent mieux de la victoire ou de la défaite. Encore maintenant, il n'y a pas
une demi-douzaine de gens pour s'entendre sur la
cause ou les mérites de la bataille. Bref, personne n'a
jamais rien su de bien net à ce sujet, hormis ceux qui
pleurèrent les tués. Sérieux! dit le docteur en riant.
Un pareil système!

— Mais tout cela, dit Alfred, me paraît très sérieux,
à moi.

— Sérieux! s'écria le docteur. Si l'on admettait
que de telles choses fussent sérieuses, on n'aurait
plus qu'à devenir fou, ou à mourir ou à grimper en
haut de la montagne et se faire ermite.

— D'ailleurs... c'était il y a si longtemps, dit Alfred.

— Si longtemps! répliqua le docteur. Sais-tu ce
que le monde a fait depuis lors? Sais-tu ce qu'il a fait
d'autre? Pas moi.

— Il a un peu plaidé, fit observer M. Snitchey,
remuant son thé.

— Encore que la solution ait toujours été rendue trop aisée, dit son associé.

— Et, vous m'excuserez de le dire, docteur, poursuivit M. Snitchey, quoique je vous aie bien souvent communiqué mon opinion au cours de nos discussions, je vois du sérieux dans le fait que le monde a eu recours à la loi, comme dans tout son système juridique… oui vraiment, quelque chose de tangible, avec un objectif, une intention bien définis… »

Clémence Newcome vint buter de biais contre la table, faisant résonner tasses et soucoupes.

« Eh bien ! qu'y a-t-il ? s'exclama le docteur.

— C'est ce vilain sac bleu qui m'en veut, dit Clémence. Il est toujours à faire des crocs-en-jambe aux gens.

— Avec un objectif, une intention bien définis, reprit Snitchey, qui commandent le respect. La vie serait une farce, docteur Jeddler ? Alors qu'il y a recours à la Loi dans l'affaire ? »

Le docteur rit et regarda Alfred.

« Je vous accorde, si vous voulez, que la guerre est une stupidité, dit Snitchey. Là-dessus, nous sommes d'accord. Voici par exemple une campagne riante (il la montrait de la fourchette), qui fut à une certaine époque envahie par une soldatesque dont chaque homme était un violateur de la propriété privée, notez-le, et la ravagea par le fer et par le feu. Hé, hé, hé ! Comment peut-on s'exposer de son propre gré au fer et au feu ? C'est stupide, c'est du gaspillage, c'est positivement ridicule ; on ne peut que rire de son semblable, voyez-vous, quand on y pense ! Mais prenez cette campagne riante telle qu'elle est. Pensez aux lois régissant les biens-fonds, les legs et dispositions testamentaires touchant les propriétés immobilières, les hypothèques et leur purge, les baux, les

francs-fiefs et les tenures censitaires ; songez, dit
M. Snitchey avec tant d'émotion qu'il s'en lécha littéralement les babines, songez aux lois compliquées
qui se rapportent aux titres et à leur justification,
avec tous les précédents contradictoires et les
nombreux actes du Parlement y relatifs ; songez au
nombre infini d'ingénieux et interminables procès
en Cour de Chancellerie[1] auxquels cet aimable
paysage peut donner lieu ; et reconnaissez, docteur
Jeddler, qu'il y a une oasis dans le système auquel
nous sommes soumis ! Je pense, dit M. Snitchey en
regardant son associé, parler en mon nom propre et
en celui de Craggs ? »

M. Craggs ayant fait un signe d'assentiment,
M. Snitchey, quelque peu ragaillardi par sa récente
démonstration éloquente, fit observer qu'il prendrait
bien un peu plus de bœuf et une autre tasse de thé.

« Je ne défends pas la vie en général, reprit-il en se
frottant les mains et en riant *in petto* ; elle est pleine
de folie, de choses pires même : déclarations de
confiance, désintéressement et autres billevesées !
Bah, bah, bah ! Nous savons ce que cela vaut. Mais il
ne faut pas se moquer de la vie ; vous avez un jeu à
jouer, et un jeu très sérieux, je vous l'assure ! Tout le
monde joue contre vous, voyez-vous, et vous jouez
contre tout le monde. Oh ! c'est une chose fort inté-
ressante. Il y a des mouvements astucieux à faire
sur l'échiquier. Il ne faut rire, docteur Jeddler, que
quand vous gagnez — et encore, pas trop. Hé, hé, hé !
Et encore, pas trop, répéta Snitchey, avec un roule-
ment de tête et un clin d'œil qui semblait dire : "Vous
pouvez aussi bien faire cela à la place !"

— Eh ! bien, Alfred ! s'écria le docteur. Qu'en
dis-tu ?

— Je dis, monsieur, répondit le jeune homme, je

dis que la plus grande faveur que vous puissiez me faire — à moi et à vous-même d'ailleurs, comme je suis assez enclin à le croire — serait de tâcher d'oublier parfois ce champ de bataille et d'autres semblables au profit de ce plus vaste champ de bataille qu'est la Vie, sur lequel le soleil se lève chaque jour.

— Vraiment, je crains que cela ne doive guère adoucir son opinion, monsieur Alfred, dit Snitchey. Les combattants sont fort ardents et implacables dans cette bataille de la Vie dont vous parlez. Il s'y pratique force coups d'estoc et de taille, sans compter les coups de pistolet dans la tête, par-derrière. On vous y abat, on vous y piétine de terrible sorte. C'est une assez vilaine affaire.

— Je pense, monsieur Snitchey, dit Alfred, qu'il s'y trouve aussi des luttes et des victoires sereines, de grands sacrifices, et de nobles actes d'héroïsme (même dans nombre de ses légèretés et de ses contradictions apparentes) — de ceux que l'absence de chroniques ou d'audience terrestre ne rend pas plus aisés, et qui s'accomplissent chaque jour dans les coins et recoins, dans les humbles maisonnées ou dans le cœur des hommes et des femmes : des actes dont chacun pourrait raccommoder l'homme le plus rigide avec un pareil monde et l'emplir de foi et d'espérance en lui, quand deux quarts de sa population seraient en guerre, et qu'un troisième aurait recours à la Justice — si l'on peut dire.»

Les deux sœurs écoutaient avec attention.

«Bon, bon! dit le docteur. Je suis trop vieux pour être converti, fût-ce par mon ami Snitchey ici présent ou par ma bonne vieille fille de sœur, Marthe Jeddler, qui eut, il y a bien longtemps, ce qu'elle appelle des épreuves domestiques, qui a mené depuis lors une vie pleine de charitable sympathie pour toutes sortes de gens et qui est tellement de votre opinion (encore qu'elle soit moins raisonnable et plus obstinée, étant femme) que nous ne pouvons pas nous entendre et que nous nous voyons très rarement. Je suis né sur ce champ de bataille. Dès l'enfance, j'eus l'esprit tourné vers l'histoire réelle d'un champ de bataille. Soixante années ont passé sur ma tête et je n'ai jamais vu le monde chrétien, y compris Dieu sait combien de mères aimantes et de bonnes jeunes filles comme celles que j'ai là, autrement que passionné pour un champ de bataille. Les mêmes contradictions se retrouvent partout. On ne peut que rire ou pleurer d'un aussi prodigieux illogisme ; et moi, je préfère rire. »

Bretagne, qui n'avait cessé de prêter la plus profonde et la plus mélancolique attention à chaque orateur, parut se décider tout à coup en faveur de la même préférence, si l'on pouvait interpréter le son sépulcral qui lui échappa comme une démonstration de sa faculté de rire. Sa figure, cependant, resta parfaitement impassible, aussi bien avant qu'après, et, quoiqu'un ou deux des convives se fussent retournés comme alarmés par un bruit mystérieux, personne ne l'attribua au coupable.

Excepté sa partenaire dans le service, Clémence Newcome, qui, le réveillant de ses réflexions à l'aide d'une de ses articulations favorites, autrement dit d'un coup de coude, lui demanda dans un murmure réprobateur ce qui le faisait rire.

« Pas vous ! dit Bretagne.

— Qui donc, alors ?

— L'humanité, dit Bretagne. Voilà la bonne blague !

— Entre notre maître et ces hommes de loi, il a la tête de jour en jour plus brouillée ! s'écria Clémence, lui portant une botte de l'autre coude en guise de stimulant pour l'esprit. Savez-vous où vous êtes ? Voulez-vous recevoir vos huit jours ?

— Je ne sais rien du tout, dit Bretagne, l'œil terne et le visage impassible. Je ne me soucie de rien du tout. Je ne comprends rien du tout. Je ne crois rien du tout. Et je ne veux rien du tout. »

Quoique ce sommaire désespéré de sa condition générale pût avoir été chargé outre mesure dans un accès de découragement, Benjamin Bretagne — parfois appelé Petite-Bretagne pour le distinguer de la Grande, comme on dirait la Jeune-Angleterre pour parler de la Vieille avec une différence marquée —, Benjamin Bretagne avait défini son état réel avec plus de justesse que l'on ne pourrait supposer. Car, servant comme une sorte de valet Miles auprès du Frère Bacon du Docteur[1] et écoutant chaque jour les innombrables discours que son maître tenait à diverses personnes, discours qui tendaient tous à montrer que son existence était au mieux une erreur et une absurdité, cet infortuné domestique était graduellement tombé dans un tel abîme de pensées confuses et contradictoires venues du dedans et du dehors, que la Vérité au fond de son puits se trouvait encore à la surface en comparaison de Bretagne dans les profondeurs de son désarroi. Le seul point qu'il comprît clairement, c'était que l'élément nouveau généralement apporté dans ces discussions par Snitchey et Craggs ne servait jamais à les rendre plus claires et semblait toujours fournir au docteur une sorte d'avantage et de confirmation. Aussi considérait-il la Firme comme l'une des causes immédiates de son état d'esprit et avait-il les deux avoués en horreur.

« Mais ce n'est pas là notre affaire, Alfred, dit le

docteur. Puisque tu cesses aujourd'hui d'être sous ma tutelle (comme tu l'as rappelé), que tu nous quittes gorgé de tout l'enseignement que pouvait te dispenser l'école secondaire d'ici, de ce que tes études à Londres ont pu y ajouter et des connaissances pratiques qu'un ennuyeux vieux médecin de campagne comme moi était capable de greffer là-dessus, te voilà donc maintenant lâché dans le monde. La première période de probation voulue par ton pauvre père étant écoulée, tu pars maintenant, étant ton propre maître, pour remplir son second désir. Et bien avant la fin des trois années de ton voyage dans les écoles de médecine étrangères, tu nous auras oubliés. Mon Dieu, tu nous auras facilement oubliés d'ici six mois !

— Si cela était... mais vous savez bien que non ; pourquoi répondrais-je ? dit Alfred, riant.

— Je ne sais rien de la sorte, répliqua le docteur. Qu'en dis-tu, Marion ? »

Marion, qui maniait nonchalamment sa tasse, semblait vouloir dire — mais elle ne le dit pas — qu'il n'avait qu'à l'oublier, s'il le pouvait. Grâce attira le rougissant visage contre sa joue et sourit.

« Je ne me suis pas acquitté de manière trop infidèle, j'espère, du mandat qui m'était confié, poursuivit le docteur ; mais il faut, en tout cas, que je sois formellement déchargé, et que j'en reçoive quitus ce matin ; voici donc nos bons amis Snitchey et Craggs, avec un sac rempli de papiers, de comptes, de documents pour le transfert à ton compte du solde de fidéicommis — je souhaiterais qu'il fût plus difficile à liquider, Alfred, il te reste à devenir un grand homme pour le rendre tel — et autres bouffonneries de ce genre à signer, sceller et délivrer.

— Devant témoins, comme le requiert la loi, dit

Snitchey, repoussant son assiette et sortant les papiers, que son associé se mit en devoir d'étaler sur la table; et comme moi-même et Craggs avons été co-fidéicommissaires avec vous, docteur, en ce qui concerne les fonds, nous aurons besoin de vos deux serviteurs pour certifier les signatures. Savez-vous lire, madame Newcome?

— Je suis pas mariée, m'sieur, dit Clémence.

— Oh! je vous demande pardon. Cela ne me surprend pas, ajouta Snitchey, riant sous cape tandis qu'il jetait les yeux sur l'extraordinaire tournure de la servante. Vous savez lire?

— Un peu, répondit Clémence.

— L'office du mariage, soir et matin, hé? fit observer l'avoué, facétieux.

— Non, dit Clémence. C'est trop difficile. Je ne lis qu'un dé à coudre.

— Lire un dé à coudre! répéta Snitchey. Que me chantez-vous là, ma fille?»

Clémence fit un signe affirmatif de la tête: «Et une râpe à muscade.

— Mais elle est folle! Elle relève du Grand Chancelier[1]! s'écria Snitchey, la regardant ahuri.

— Au cas où elle possède quelque bien», stipula Craggs.

Mais Grâce intervint pour expliquer que chacun des articles en question portait une devise gravée et constituait ainsi la bibliothèque de poche de Clémence Newcome, qui n'était pas très versée dans l'étude des livres.

«Ah! c'est cela, c'est donc cela, mademoiselle Grâce! dit Snitchey. Oui, oui. Ha, ha, ha! Je prenais notre amie pour une idiote. Elle en a singulièrement l'air, murmura-t-il avec un coup d'œil dédaigneux. Et que dit donc votre dé, madame Newcome?

— Je suis pas mariée, m'sieur, fit observer Clémence.

— Eh bien, Newcome[1]. Cette appellation-là vous va-t-elle? dit l'avoué. Que dit votre dé, Newcome?»

La façon dont Clémence, avant de répondre à cette question, tint une de ses poches ouvertes et regarda dans les profondeurs béantes à la recherche du dé qui ne s'y trouvait pas; la façon dont elle tint ouverte une poche du côté opposé et, semblant apercevoir l'objet comme une perle de grand prix tout au fond, en retira divers obstacles interposés tels qu'un mouchoir, un morceau de bougie de cire, une pomme écarlate, une orange, un penny porte-bonheur, une rotule de mouton[2], un cadenas, une paire de ciseaux dans un étui dont on eût plutôt dit qu'il annonçait de petites cisailles, une poignée ou deux de perles en vrac, plusieurs pelotes de coton, un porte-aiguilles, une collection de papillotes et un biscuit, tous articles qu'elle passa un à un à Bretagne pour qu'il les lui tînt — est sans conséquence.

Tout comme la manière dont, dans sa détermination à saisir cette poche à la gorge et à la tenir prisonnière (car ladite poche avait tendance à se balancer et à s'entortiller au moindre prétexte), elle prit et maintint calmement une attitude apparemment incompatible avec l'anatomie humaine comme avec les lois de la gravité. Il suffira de savoir qu'elle finit par produire triomphalement le dé au bout de son doigt et qu'elle fit crépiter la râpe à muscade, la littérature inscrite sur ces deux colifichets étant manifestement en passe d'usure et de disparition complète par suite de friction excessive.

«Ainsi donc, voilà le dé, ma fille? dit Snitchey, se divertissant à ses dépens. Et que dit-il, ce dé?

— Il dit, répondit Clémence, lisant lentement tout

autour de l'objet comme si c'eût été une tour : "Ou-b-
lie et par-don-ne."

Snitchey et Craggs rirent de bon cœur.

« Comme c'est nouveau ! dit Snitchey.

— Comme c'est facile ! dit Craggs.

— Et quelle connaissance de la nature humaine il
y a là-dedans ! dit Snitchey.

— Et comme c'est applicable aux affaires de la
vie ! dit Craggs.

— Et la râpe à muscade ? demanda le chef de la
Firme.

— La râpe, elle dit, répliqua Clémence : "Fais ce
que tu voudrais qu'on te fît."

— Fais en sorte de n'être pas défait, vous voulez
dire, déclara M. Snitchey.

— Je ne comprends pas, dit Clémence, avec un
vague hochement de tête. Je ne suis pas homme de
loi.

— Si elle l'était, docteur, dit M. Snitchey, se tournant soudain vers lui comme pour prévenir l'effet
qu'eût pu avoir cette réplique, elle s'apercevrait, je
le crains, que ce serait là la règle d'or de la moitié
de ses clients. Ils s'y appliquent assez sérieusement
— tout capricieux que soit ce monde — et en rejettent
ensuite tout le blâme sur nous. Dans notre profession, nous ne sommes guère que des miroirs, après
tout, monsieur Alfred ; mais ceux qui nous consultent
sont en général des gens coléreux et querelleurs, qui
ne se montrent pas alors sous leur meilleur jour, et il
est assez injuste de nous en vouloir quand nous ne
faisons que réfléchir des aspects déplaisants. Je
pense, dit M. Snitchey, que je parle en mon nom
propre et en celui de Craggs ?

— Incontestablement, dit Craggs.

— Ainsi donc, si M. Bretagne veut bien avoir

l'obligeance de nous apporter un rien d'encre, dit
M. Snitchey, revenant à ses papiers, nous signerons,
scellerons et délivrerons aussitôt que possible, sans
quoi le coche sera là avant que nous sachions où
nous en sommes. »

À en juger par son apparence, il y avait toute pro-
babilité pour que le coche passât avant que M. Bretagne sût, quant à lui, où il en était ; car il restait
planté là, l'air absent, occupé à mettre en balance
dans son esprit le docteur et les avoués, les avoués et
le docteur, leurs clients et ce trio, et à tenter mollement de faire cadrer le dé et la râpe à muscade (nouveaux pour lui) avec le système philosophique de je
ne sais qui ; bref, s'égarant tout autant que son grand
homonyme le fit jamais dans ses théories et ses
écoles. Mais Clémence, qui était son bon génie
— encore qu'il eût la plus piètre opinion de son
entendement du fait qu'elle se préoccupait rarement
de spéculations abstraites et qu'elle était toujours là
pour faire ce qu'il fallait au moment qu'il fallait —,
Clémence, ayant apporté l'encre en un clin d'œil, lui
rendit le service supplémentaire de le rappeler à lui-
même d'un coup de coude dans les côtes et, de ses
délicates bourrades, donna si bien le branle à sa
mémoire qu'il ne tarda pas à être frais et alerte.

Je manque du temps nécessaire pour raconter en
détail l'appréhension qu'il avait (chose assez fré-
quente chez les personnes de sa condition, pour qui
l'usage d'une plume et d'encre est un événement) de
ne pouvoir apposer son nom sur un document écrit
d'une main autre que la sienne sans se compromettre
de quelque ténébreuse façon ou renoncer par sa
signature à des sommes d'argent aussi énormes que
vagues ; pour dire comment, après ne s'être approché des actes qu'à son corps défendant et sous la

contrainte du docteur, il insista pour prendre tout le temps de les examiner avant d'écrire (ces pattes de mouche, pour ne rien dire de la phraséologie, étant pour lui du pur chinois) et aussi pour les retourner afin de voir s'il n'y avait rien de frauduleux par-derrière ; ou la manière dont, après avoir signé son nom, il prit l'air désolé de quelqu'un qui vient d'abandonner ses biens et ses droits. Et comment le sac bleu contenant sa signature présenta pour lui à partir de ce moment-là un mystérieux intérêt qui l'empêchait de le quitter ; et aussi comment Clémence Newcome, se pâmant de rire à l'idée de sa propre importance et de sa dignité, s'étala des deux coudes sur la table entière, telle une aigle éployée, et reposa sa tête sur son bras gauche préalablement à la formation de certains caractères cabalistiques nécessitant une bonne quantité d'encre ainsi que des contreparties imaginaires qu'elle exécuta en même temps avec la langue. Et enfin comment, une fois qu'elle eut goûté à l'encre, la soif l'en prit, comme il advient aux tigres, dit-on, pour un autre liquide, si bien qu'elle voulut tout signer et mettre son nom en toutes sortes d'endroits. Bref, le docteur fut déchargé de son fidéicommis et de toutes ses responsabilités ; et Alfred, les prenant à son compte, se trouva définitivement lancé dans le voyage de la vie.

« Bretagne ! dit le docteur. Cours à la grille surveiller l'arrivée du coche. Le temps s'envole, Alfred.

— Oui, monsieur, oui, répondit vivement le jeune homme. Ma chère Grâce ! un moment ! Marion — si jeune et si belle, si séduisante et tant admirée, plus chère à mon cœur que toute autre chose dans la vie — rappelez-vous ! Je vous confie Marion !

— Elle a toujours été pour moi une charge sacrée,

Alfred. Elle l'est doublement maintenant. Je veillerai fidèlement à ce dépôt, croyez-moi.

— Je le crois, Grâce. Je le sais bien. Qui pourrait regarder votre visage et entendre votre voix sans en être sûr? Ah! Grâce! Si j'avais votre cœur si bien gouverné, votre esprit si tranquille, avec quel courage ne quitterais-je pas ces lieux aujourd'hui!

— Vraiment? répondit-elle avec un tranquille sourire.

— Et pourtant, Grâce... ma sœur, devrais-je dire tout naturellement.

— Dites-le! répliqua-t-elle vivement. Je suis heureuse de l'entendre. Ne me donnez pas d'autre nom.

— Et pourtant, ma sœur donc, dit Alfred, il vaut mieux pour Marion et moi que vos loyales et fermes qualités nous servent ici pour notre sécurité et notre bonheur. Je ne les emporterais pas avec moi pour me soutenir, même si je le pouvais!

— Le coche est en haut de la colline! cria Bretagne.

— Le temps s'envole, Alfred. »

Marion s'était tenue à l'écart, les yeux fixés à terre; mais, à cet avertissement, son jeune amoureux l'entraîna tendrement vers sa sœur et la plaça dans ses bras.

« Je viens de dire à Grâce, Marion chérie, dit-il, qu'au moment de cette séparation je lui confiais ma précieuse charge. Et quand je reviendrai vous réclamer, ma chérie, quand la lumineuse perspective de notre vie à deux s'étendra devant nous, ce sera l'une de nos plus grandes joies de voir comment nous pourrons rendre Grâce heureuse, comment nous pourrons aller au-devant de ses désirs; comment nous pourrons lui montrer notre gratitude et l'aimer;

comment nous pourrons lui restituer une partie de la
dette qu'elle aura accumulée sur nos épaules. »

La cadette avait une main dans la sienne ; l'autre
était passée autour du cou de sa sœur. Elle plongea
dans les yeux si calmes, si sérieux, si clairs de celle-ci
un regard dans lequel se mêlaient l'affection, l'admiration, la tristesse, l'émerveillement et presque la
vénération. Elle regarda ce visage comme si c'eût été
celui de quelque ange brillant de lumière. Calme,
serein et clair, le visage retourna ce regard, le posant
sur elle et son amant.

« Et quand le moment sera venu, comme il viendra
bien un jour, dit Alfred — et je me demande comment
il n'est pas encore venu ; mais Grâce sait ce qu'elle
fait, car elle a toujours raison —, quand le moment
sera venu où elle-même désirera un ami à qui ouvrir
tout son cœur, un ami qui soit pour elle un peu de ce
qu'elle aura été pour nous — alors, Marion, combien
nous nous montrerons fidèles et quelle joie ce sera
pour nous de savoir que notre chère et bonne sœur
aime et est aimée comme nous le souhaitons pour
elle ! »

La jeune fille continua de regarder sa sœur dans
les yeux, et ne se retourna pas — pas même vers lui.
Et ces yeux loyaux continuèrent d'envelopper de leur
regard calme, serein et clair, la jeune fille et son
amant.

« Et quand tout cela sera passé, lorsque nous
serons vieux et que nous vivrons (comme nous le
devons !) ensemble, bien près l'un de l'autre, en
parlant souvent de l'ancien temps, dit Alfred, cette
époque-ci sera notre époque favorite, et tout particulièrement ce jour-ci ; et nous nous rappellerons l'un
à l'autre nos pensées et nos sentiments, nos espoirs
et nos craintes à l'heure de la séparation ; nous nous

dirons combien il nous était pénible de nous dire adieu...

— Le coche traverse le bois! cria Bretagne.

— Oui, je suis prêt... et comment nous nous sommes retrouvés, si heureusement, en dépit de tout; nous ferons de ce jour le plus heureux de toute l'année, et nous le célébrerons comme un triple anniversaire. N'est-ce pas, ma chérie?

— Oui! dit l'aînée, intervenant d'un ton ardent et avec un sourire radieux. Oui! Alfred, ne vous attardez pas. Vous n'en avez plus le temps. Dites au revoir à Marion. Et que Dieu vous accompagne!»

Il serra la plus jeune des deux sœurs contre son cœur. Libérée de son étreinte, elle se jeta de nouveau contre sa sœur; et ses yeux, du même regard mêlé, cherchèrent de nouveau les yeux si calmes, si sereins, si clairs.

«Adieu, mon garçon! dit le docteur. Parler de correspondances ou d'affections sérieuses, d'engagements, etc. en pareilles... ha, ha, ha! tu sais ce que je veux dire... eh bien, ce serait pure absurdité, bien sûr. Tout ce que je puis dire, c'est que si toi et Marion, vous conservez toujours les mêmes stupides intentions, je n'aurai aucune objection à t'avoir un de ces jours pour gendre.

— Sur le pont! cria Bretagne.

— Qu'il arrive! dit Alfred, serrant vigoureusement la main du docteur. Pensez parfois à moi, mon vieil ami et tuteur, avec toute l'intensité que vous pourrez! Adieu, monsieur Snitchey! Adieu, monsieur Craggs!

— Il descend la route! cria Bretagne.

— Un baiser de Clémence Newcome, en souvenir d'une vieille connaissance! Une poignée de main, Bretagne! Marion, mon cœur, au revoir! Ma sœur Grâce! souvenez-vous!»

La tranquille figure domestique et le visage si beau
dans sa sérénité se tournèrent vers lui en réponse ;
mais le regard et l'attitude de Marion demeurèrent
inchangés.

Le coche était à la grille. On s'affaira autour des
bagages. Le coche se remit en route. Marion ne bou-
geait toujours pas.

«Il agite son chapeau à ton intention, mon cœur,
dit Grâce. Le mari que tu as choisi, ma chérie.
Regarde!»

La cadette leva la tête et la tourna un instant. Puis,
regardant de nouveau et rencontrant pour la première fois ces calmes yeux, elle se laissa aller en
pleurant sur l'épaule de sa sœur.

«Oh! Grâce, Dieu te bénisse! Mais je ne puis supporter de voir cela, Grâce! J'en ai le cœur brisé.»

DEUXIÈME PARTIE

Snitchey et Craggs avaient sur l'ancien champ de
bataille une confortable petite étude, dans laquelle
ils menaient leur confortable petite affaire et livraient
un grand nombre de parties contestantes. Bien que
l'on ne pût guère qualifier ces conflits de batailles à
feu roulant, car en vérité elles se déroulaient généralement à pas de tortue, la part qu'y prenait la Firme
relevait bien de cette dénomination générale, dans la
mesure où les avoués tantôt tiraient sur tel deman-
deur, tantôt lançaient une estocade à tel défendeur,
tantôt chargeaient rudement tels biens en Cour de
Chancellerie ou encore livraient quelque légère
escarmouche à un corps irrégulier de petits débi-
teurs, selon que l'occasion se présentait ou que l'ennemi y prêtait le flanc. La Gazette représentait un

élément important et profitable dans certaines de
leurs campagnes, comme dans d'autres de plus grand
renom ; et, pour la plupart des actions dans lesquelles s'exerçait leur stratégie, les combattants pouvaient ensuite observer qu'ils avaient eu toutes les
difficultés du monde à se distinguer mutuellement
ou à comprendre avec la moindre clarté où ils en
étaient, vu la grande quantité de fumée qui les envi-
ronnait.

Les bureaux de MM. Snitchey et Craggs se trouvaient commodément situés, la porte ouverte au bas
de deux marches douces, sur la place du marché ; de
façon que tout fermier irrité, désireux de chercher
noise, s'y pût précipiter tout aussitôt. Leur chambre
du conseil et salle de conférence particulière était
une vieille pièce de derrière, à l'étage, avec un
plafond bas et sombre, qui semblait froncer les sourcils en réfléchissant à certains points de jurispru-
dence embrouillés. Elle était meublée de chaises de
cuir à haut dossier, garnies de clous de cuivre semblables à de gros yeux en boules de loto, dont certains, par-ci par-là, étaient tombés — ou avaient
peut-être été extirpés par les doigts distraits de
clients désorientés. Il y avait une gravure encadrée
représentant quelque grand juge, de la terrible perruque duquel chaque boucle avait fait dresser les
cheveux sur la tête de quelqu'un. Des ballots de
papiers emplissaient les placards, les étagères et les
tables poussiéreuses ; et le long des lambris, se trouvaient des rangées de coffrets, cadenassés et incombustibles, portant des noms de personnes que les
visiteurs anxieux se croyaient contraints par quelque
cruel enchantement d'épeler à l'endroit et à l'envers
ou de transformer en anagrammes, tandis qu'ils faisaient mine d'écouter Snitchey et Craggs sans com-

prendre un traître mot de ce que ceux-ci leur
racontaient.

Snitchey et Craggs avaient l'un et l'autre, dans la
vie privée comme dans la vie professionnelle, des
partenaires, Snitchey et Craggs étaient les meilleurs
amis du monde et se portaient mutuellement une
réelle confiance ; mais Mme Snitchey, selon une tendance assez fréquence en ce monde, se méfiait par
principe de M. Craggs, tandis que Mme Craggs se
méfiait par principe de M. Snitchey. « Ah ! ouiche,
parlons-en de tes Snitchey ! » faisait parfois observer
cette dernière à M. Craggs en usant de ce pluriel
imagé comme par allusion à l'un de ces répréhensibles articles vestimentaires qui ne possèdent pas de
singulier en anglais[1] ; « Pour ma part, je ne vois pas
ce que tu veux avec tes Snitchey. À *mon* avis, tu fais
beaucoup trop confiance à tes Snitchey, et je souhaite que tu ne sois jamais amené à constater le
bien-fondé de ce que je te dis là. » Tandis que
Mme Snitchey faisait remarquer à M. Snitchey à
propos de Craggs que « si jamais il se laissait entraîner par quiconque, c'était bien par cet homme-là et
que si jamais elle pouvait lire un double jeu dans
l'œil d'un mortel, c'était bien ce qu'elle voyait dans
le regard de Craggs ». Nonobstant ces commentaires,
cependant, ils étaient tous très bons amis en général ;
et Mmes Snitchey et Craggs maintenaient une
solide alliance contre « l'étude », qu'elles considéraient toutes deux comme la Chambre Bleue et l'ennemi commun, rempli de machinations dangereuses
(parce que inconnues).

Dans cette étude, néanmoins, Snitchey et Craggs
élaboraient le miel pour leurs diverses ruches. Là,
par certains beaux soirs, il leur arrivait de s'attarder
à la fenêtre de leur chambre du conseil, qui donnait

sur l'ancien champ de bataille, et de s'étonner (mais cela, c'était généralement à l'époque des assises, quand l'abondance des affaires les rendait sentimentaux) de la folie des hommes qui ne pouvaient rester en paix les uns avec les autres et aller tranquillement en Justice. Là, les jours, les semaines, les mois et les années passaient sur leur tête ; sur leurs dossiers, sur les clous de cuivre en nombre régulièrement décroissant des chaises de cuir et sur l'amas toujours croissant des papiers de leurs tables. Là, donc, trois années écoulées depuis le déjeuner au verger avaient minci l'un et engraissé l'autre des deux associés, assis un beau soir en consultation.

Ils n'étaient pas seuls, car il y avait avec eux un homme d'une trentaine d'années environ, assez négligemment vêtu, qui, en dépit d'un visage quelque peu défait, était bien découplé, bien mis et de belle mine ; il se trouvait dans le fauteuil d'apparat, une main passée dans son gilet et l'autre dans ses cheveux en désordre, ruminant d'un air morose. MM. Snitchey et Craggs étaient assis de part et d'autre d'un bureau voisin. L'un des coffrets incombustibles, le cadenas défait, était posé ouvert devant eux ; une partie de son contenu était répandue sur la table et le reste en cours d'examen entre les mains de M. Snitchey, qui approchait successivement chaque document de la bougie, regardant chaque papier séparément à mesure qu'il le tirait, hochait la tête et le tendait à Craggs, lequel le parcourait à son tour, hochait la tête et le reposait. Ils s'arrêtaient parfois et, hochant la tête de concert, jetaient un regard sur le client pensif. Et le nom qui figurait sur le coffret étant Michel Warden, Esq., on peut conclure de ces prémisses que le nom et le coffret étaient tous deux

siens, et que les affaires de Michel Warden, Esq.[1]
étaient en assez mauvais état.

« C'est tout, dit M. Snitchey, prenant le dernier
papier. Il n'y a vraiment aucune autre ressource.
Aucune autre ressource.

— Ainsi donc tout a été perdu, dépensé, gaspillé,
engagé, emprunté ou vendu ? dit le client en levant la
tête.

— Tout, répondit M. Snitchey.

— Il n'y a plus rien à faire, dites-vous ?

— Rien du tout. »

Le client se mordit les ongles et se replongea dans
ses réflexions.

« Et je ne suis pas trop en sécurité en Angleterre ?
Vous vous en tenez à cette opinion ?

— Dans aucune partie du Royaume-Uni de
Grande-Bretagne et d'Irlande, répondit M. Snitchey.

— Je ne suis plus qu'un simple enfant prodigue,
sans père chez lequel retourner, sans porcs à garder
ni carouges à partager avec eux, en somme ? » poursuivit le client, balançant une jambe croisée sur
l'autre, et les yeux fixés sur le sol.

M. Snitchey toussa comme pour écarter toute idée
qu'il pût avoir part à l'illustration métaphorique
d'une position légale. M. Craggs, comme pour exprimer que ce point de vue représentait celui de leur
association, toussa également.

« Ruiné à trente ans ! dit le client. Eh bien !

— Pas ruiné, monsieur Warden, répliqua M. Snitchey. Ce n'est pas tout à fait aussi catastrophique
que cela. Vous avez fait passablement de choses pour
y arriver, je dois le dire ; mais vous n'êtes pas ruiné.
Un peu de soins assidus...

— Au diable les soins assidus ! s'écria le client.

— Monsieur Craggs, dit Snitchey, auriez-vous

l'obligeance de m'offrir une prise? Merci, monsieur.»

Tandis que l'imperturbable avoué l'appliquait à
son nez avec l'apparence du plus grand plaisir et en
consacrant toute son attention au processus, le client
en vint graduellement à sourire et, levant les yeux,
dit:

«Vous parliez de soins assidus. De quelle durée
seraient-ils, ces soins?

— De quelle durée? répéta Snitchey, qui fit tomber
de ses doigts la poussière de tabac tout en effectuant
un lent calcul mental. Pour les biens grevés, monsieur? En de bonnes mains? S. et C., par exemple?
Six ou sept ans.

— Mourir de faim durant six ou sept ans! s'écria
le client, partant d'un rire maussade et changeant
impatiemment de posture.

— Mourir de faim durant six ou sept ans, monsieur Warden, dit Snitchey, serait certes chose très
inhabituelle. Vous pourriez sans doute acquérir une
nouvelle fortune en vous montrant un peu pendant
ce temps. Mais nous ne pensons pas que vous le puissiez — je parle en mon nom propre et en celui de
Craggs — et nous nous abstenons par conséquent de
vous le conseiller.

— Et que conseillez-vous donc?

— Les soins, vous ai-je dit, répéta Snitchey. Quelques années de soins administrés par moi-même et
Craggs arrangeraient les choses. Mais, pour nous
permettre de prendre des dispositions et de nous y
tenir et vous permettre à vous de les respecter, il
vous faudra partir; vous devrez aller vivre sur le
continent. Quant à mourir de faim, nous pourrions
vous assurer, même dès le début, quelques cen-

taines de livres par an pour vous faciliter les choses
— à ce que je pense, monsieur Warden.

— Quelques centaines, dit le client. Alors que j'en
ai dépensé des milliers!

— Pour cela, repartit M. Snitchey, remettant posément les papiers dans le coffret, il n'y a aucun doute.
Aucun doute là-dessus», se répéta-t-il à lui-même,
tandis qu'il poursuivait pensivement son occupation.

L'avoué connaissait très probablement son homme;
en tout cas, sa manière sèche, perspicace et bizarre
exerça une influence favorable sur l'humeur morose
de son client et le disposa à plus de liberté et de franchise. Ou peut-être est-ce le client qui connaissait
son homme et qui avait provoqué les encouragements qu'il avait reçus à seule fin de rendre plus
défendable en apparence l'objet de ses réflexions,
qu'il était sur le point de dévoiler. Relevant graduellement la tête, il regarda son inébranlable conseiller
avec un sourire qui ne tarda pas à se muer en un rire
franc.

«Après tout, dit-il, mon ami à la tête de fer...»

M. Snitchey désigna du doigt son associé.

«Moi-même et... excusez-moi... Craggs.

— J'en demande pardon à M. Craggs, dit le client.
Après tout, mes amis à la tête de fer (il se pencha en
avant et laissa un peu tomber la voix), vous ne
connaissez encore qu'à moitié ma ruine.»

M. Snitchey se figea et le considéra avec fixité.
M. Craggs le regarda non moins fixement.

«Je ne suis pas seulement endetté, dit le client; je
suis aussi follement...

— Pas amoureux! s'écria Snitchey.

— Si! dit le client, se rejetant en arrière dans son
fauteuil et contemplant, les mains dans les poches,
les deux associés. Follement amoureux.

— Et pas d'une héritière, monsieur ? dit Snitchey.

— Pas d'une héritière.

— Ni d'une dame riche ?

— Ni d'une dame riche, pour autant que je sache… si ce n'est en beauté et en mérite.

— Une personne non mariée, j'aime à le croire ? dit M. Snitchey avec beaucoup d'expression.

— Certes.

— Ce n'est pas une des filles du Dr Jeddler ? dit Snitchey, carrant soudain ses coudes sur ses genoux et avançant la tête d'un bon yard.

— Si ! répondit le client.

— Pas la cadette ? dit Snitchey.

— Si ! répondit le client.

— Monsieur Craggs, dit Snitchey fort soulagé, voudriez-vous avoir l'obligeance de m'offrir encore une prise ? Merci ! Je suis heureux de déclarer que cela n'a pas d'importance, monsieur Warden : elle est fiancée, monsieur ; elle n'est plus libre. Mon associé peut le confirmer. Nous le savons de fait.

— Nous le savons de fait, répéta Craggs.

— Moi aussi, peut-être, répondit tranquillement le client. Et après ? N'êtes-vous pas hommes d'expérience, et n'avez-vous donc jamais entendu parler d'une femme qui change d'avis ?

— Il y a certainement eu des procès pour non-accomplissement de promesse de mariage, dit M. Snitchey, procès intentés aussi bien à des demoiselles qu'à des veuves ; mais dans la majorité des affaires…

— Des affaires ! s'écria le client, l'interrompant avec impatience. Ne me parlez pas d'affaires. Le précédent général se trouve dans un volume bien plus gros qu'aucun de vos bouquins de droit. Et d'ailleurs, croyez-vous que j'aie vécu pour rien six semaines durant chez le docteur?

— Je crois, monsieur, fit observer M. Snitchey, s'adressant avec gravité à son associé, je crois que de tous les mauvais pas où les chevaux de M. Warden l'aient mis — et ils ont été passablement nombreux, passablement dispendieux comme nul ne le sait mieux que lui, ou vous et moi — le pire, s'il parle ainsi, pourrait bien être que l'un d'entre eux l'a laissé au pied du mur du docteur avec trois côtes enfoncées, une clavicule brisée et Dieu sait combien de contusions. Nous n'y avions pas attaché trop d'importance à l'époque, sachant qu'il ne s'en tirait pas mal entre les mains et sous le toit même du docteur; mais les choses semblent aller plus mal maintenant, monsieur. Plus mal? Très mal même. Et le Dr Jeddler... il est notre client, monsieur Craggs.

— M. Alfred Heathfield, lui aussi; c'est en quelque sorte un client, monsieur Snitchey, dit Craggs.

— M. Michel Warden, lui aussi, c'est en quelque sorte un client, dit le visiteur d'un ton nonchalant; et pas si mauvais, considérant ses dix ou douze ans de bêtises. Quoi qu'il en soit, M. Michel Warden a maintenant semé sa folle avoine — vous en avez la moisson dans ce coffret —, et il a bien l'intention de se ranger et de devenir sage. En preuve de quoi, M. Michel Warden a l'intention, s'il le peut, d'épouser Marion, la ravissante fille du docteur, et de l'emmener avec lui.

— Réellement, monsieur Craggs..., commença de dire Snitchey.

— Réellement, monsieur Snitchey, et monsieur Craggs, tous deux associés, dit le client, l'interrompant; vous connaissez vos devoirs envers vos clients et vous savez, à n'en pas douter, qu'ils ne consistent aucunement à intervenir dans une simple affaire de cœur, dont je suis contraint de vous faire la confidence. Je ne me propose pas d'enlever la jeune personne sans son consentement. Il n'y a rien d'illégal là-dedans. Je n'ai jamais été l'ami intime de M. Heathfield. Je ne viole aucune confiance qu'il m'ait accordée. J'aime où il aime, et j'entends gagner, si je le puis, où il voudrait gagner.

— Il ne peut pas, monsieur Craggs, dit Snitchey, évidemment inquiet et contrarié, il ne peut pas faire cela, monsieur. Elle adore M. Alfred.

— Vraiment? répliqua le client.

— Elle l'adore, monsieur Craggs, répéta Snitchey obstinément.

— Ce n'est pas en vain que j'ai vécu six semaines, il y a quelques mois, dans la maison du docteur; et je n'ai pas tardé à douter de cette adoration, fit observer le client. Elle l'aurait adoré, si sa sœur avait pu arranger les choses dans ce sens; mais je les ai observées. Marion évitait de prononcer son nom, évitait d'aborder ce sujet; elle se raidissait à la moindre allusion, avec une gêne évidente.

— Pourquoi en serait-il ainsi, monsieur Craggs, le voyez-vous? Pourquoi, monsieur? demanda Snitchey.

— Je ne sais pas pourquoi, encore qu'il y ait à cela bien des raisons vraisemblables, dit le client, souriant de l'attention et de la perplexité qui se lisaient dans l'œil brillant de M. Snitchey et de la façon prudente dont il menait la conversation en sorte de recueillir toutes les informations possibles sur la question; mais je sais qu'il en est ainsi. Elle était très jeune quand elle s'est fiancée, si l'on peut appeler cela des fiançailles, ce dont je ne suis pas trop sûr, et elle l'a peut-être regretté. Peut-être aussi — mais cela paraît assez fat à dire, bien que je n'y mette aucunement cette intention, croyez-moi — peut-être est-elle tombée amoureuse de moi, comme je suis tombé amoureux d'elle.

— Hé, hé! M. Alfred, son camarade d'enfance, vous vous en souvenez, monsieur Craggs, dit Snitchey avec un petit rire déconcerté, l'a connue depuis l'époque où elle était presque un bébé.

— Ce qui n'en rend que plus probable qu'elle puisse être lasse de cette idée, poursuivit avec calme le client, et qu'elle se montre assez disposée à la troquer contre celle, plus neuve, d'un autre prétendant qui se présente (ou plus exactement que son cheval présente) dans des circonstances romanesques; qui a la réputation non désavantageuse — auprès d'une jeune fille de la campagne — d'avoir vécu avec insouciance et gaieté sans faire grand mal à quiconque; et qui, pour ce qui est de la jeunesse, de la mine, etc. — cela encore peut paraître de la fatuité, mais je n'y mets aucunement cette intention, croyez-moi — pourrait peut-être se mesurer dans une foule avec M. Alfred lui-même.»

Il n'y avait pas à contredire le dernier postulat, sans nul doute; et c'est ce que, jetant un coup d'œil à son client, pensa M. Snitchey. Il y avait dans la nonchalance même de son air quelque chose de gracieux et de plaisant. Elle semblait suggérer, quant à son visage avenant et à sa tournure bien découplée, qu'ils pourraient être bien mieux encore s'il voulait s'en donner la peine; et qu'aiguillonné et rendu sérieux (quoique, sérieux, il ne l'eût encore jamais été), il saurait se montrer plein de feu et de résolution. «Une dangereuse espèce de libertin, se dit l'avoué, qui semble recevoir l'étincelle qui lui manque de l'œil d'une jeune personne. »

« Maintenant, remarquez, Snitchey, poursuivit-il (se levant et le tenant par un bouton), et Craggs (le tenant aussi par un bouton et plaçant les deux associés de part et d'autre de sa personne de façon qu'aucun des deux ne pût lui échapper), je ne vous demande aucun conseil. Vous avez raison de vous tenir à l'écart de toutes les parties intéressées en pareille matière, qui n'est pas de celles où pourraient intervenir des hommes aussi graves que vous, de quelque côté que ce soit. Je vais brièvement résumer en une demi-douzaine de mots ma position et mes intentions, et puis je m'en remettrai à vous pour faire le maximum de ce que vous pourrez pour moi, pécuniairement parlant ; vu que, si j'enlève la ravissante fille du docteur (comme je l'espère, tout comme j'espère devenir un autre homme grâce à sa brillante influence), ce sera, pour le moment, plus coûteux que de m'enfuir tout seul. Mais je ne tarderai pas à racheter tout cela en amendant ma vie.

— Je crois qu'il vaudrait mieux ne pas entendre ces confidences, monsieur Craggs ? dit Snitchey, regardant son associé au travers du client.

— C'est mon avis », dit Craggs.

Et tous deux écoutèrent avec attention.

« Eh bien, vous n'avez qu'à ne pas les entendre, répliqua leur client. Je vais les dire néanmoins. Je n'ai pas l'intention de demander le consentement du docteur, sachant qu'il ne me l'accorderait pas. Mais j'entends ne lui faire aucun tort ni aucun mal, puisque (outre qu'il n'y a rien de sérieux dans pareilles vétilles, comme il dit) j'espère bien arracher sa fille, ma Marion, à quelque chose dont je vois, dont je sais qu'elle le craint et qu'elle l'envisage avec détresse, c'est-à-dire le retour de son ancien prétendant. S'il est au monde une vérité, c'est bien qu'elle redoute son retour. Jusqu'à présent, aucun mal n'a été fait à quiconque. Pour le moment, je suis tellement harcelé, tellement tourmenté, que je mène une vie de poisson volant. Je circule furtivement dans l'obscurité. Je suis à la porte de ma propre maison et mes propres terres me sont interdites ; mais cette maison, ces terres, et bien des hectares supplémentaires, me reviendront un jour, comme vous le savez et me l'affirmez ; et Marion sera sans doute plus riche dans dix ans d'ici, étant ma femme — à ce que vous dites vous-mêmes, et vos estimations ne sont jamais trop optimistes —, que si elle était celle d'Alfred Heathfield, dont elle redoute le retour (rappelez-vous-le) et chez qui, non plus que chez quiconque, il ne saurait y avoir de passion supérieure à la mienne. Là encore, quel mal y a-t-il ? C'est une affaire loyale de bout en bout. Mes droits sont aussi forts que les siens, si elle se décide en ma faveur ; et je ne m'en remettrai pour ces droits qu'à elle-même. Vous ne désirerez pas en savoir davantage après cela, et je ne vous en dirai pas plus. Vous connaissez maintenant mes desseins, et mes besoins. Quand faut-il que je parte ?

— Dans une semaine, dit Snitchey. Monsieur Craggs ?

— Je dirais plutôt moins, répondit Craggs.

— Dans un mois, dit le client après avoir examiné avec attention leurs deux visages. Dans un mois, jour pour jour. C'est aujourd'hui jeudi. Que je réussisse ou non, dans un mois, jour pour jour, je partirai.

— Le délai est trop long, dit Snitchey, beaucoup trop long. Mais soit ! J'aurais cru qu'il stipulerait trois mois, murmura-t-il en lui-même. Vous partez ? Bonsoir, monsieur !

— Bonsoir! répondit le client, serrant la main de la Firme. Vous me verrez un jour faire bon usage de ma fortune. Dorénavant l'étoile de mon destin, c'est Marion!

— Prenez garde aux marches, monsieur, répondit Snitchey, car elle ne brille pas par là. Bonne nuit!

— Bonne nuit!»

Ils se tinrent donc tous deux sur le palier pour l'éclairer avec une paire de bougies de l'étude. Quand il fut parti, ils se regardèrent l'un l'autre.

«Que pensez-vous de tout cela, monsieur Craggs?» dit Snitchey.

M. Craggs hocha la tête.

«Nous avions remarqué, le jour où nous donnâmes la décharge, qu'il y avait quelque chose de curieux dans la séparation de ces deux jeunes gens, je me le rappelle, dit Snitchey.

— En effet, dit Craggs.

— Peut-être s'abuse-t-il du tout au tout, poursuivit M. Snitchey, recadenassant le coffret incombustible et le remettant en place; mais dans le cas contraire, un peu d'inconstance et de perfidie ne tient pas du miracle, monsieur Craggs. Et pourtant, je trouvais ce joli visage très loyal. Il me semblait, dit M. Snitchey, tandis qu'il mettait son pardessus (car le temps était très froid), qu'il enfilait ses gants et qu'il éteignait entre ses doigts une des bougies, il me semblait avoir même vu son caractère se renforcer, se faire plus résolu, ces derniers temps. Se rapprocher davantage de celui de sa sœur.

— Mme Craggs était du même avis, répliqua Craggs.

— Je donnerais vraiment quelque chose ce soir, fit remarquer M. Snitchey, qui était un homme d'un bon naturel, pour pouvoir croire que M. Warden comptait sans son hôte; mais tout léger, capricieux et écervelé qu'il est, il connaît le monde et ses habitants (il le peut bien, car il a payé cette connaissance assez cher) et je ne peux pas trop le croire. Mieux vaut ne pas nous en mêler: nous ne pouvons rien faire d'autre, monsieur Craggs, que de rester cois.

— Rien, répliqua M. Craggs.

— Notre ami le docteur traite ces questions à la légère, dit M. Snitchey avec un hochement de tête. Je souhaite qu'il n'ait pas besoin un de ces jours de toute sa philosophie. Notre ami Alfred parle de la bataille de la vie (il hocha de nouveau la tête); espérons qu'il ne sera pas fauché dès le début. Vous avez votre chapeau, monsieur Craggs? Je vais éteindre l'autre bougie.«

M. Craggs ayant répondu par l'affirmative, M. Snitchey joignit le geste à la parole, et ils sortirent à tâtons de la salle du conseil, maintenant aussi obscure que le sujet de la discussion ou que la Loi en général.

Mon récit passe à un tranquille petit cabinet où, ce même soir, les deux sœurs et le robuste vieux docteur étaient assis devant une belle flambée. Grâce travaillait à l'aiguille. Marion lisait à haute voix. Le docteur, en robe de chambre et en pantoufles, les pieds étendus au chaud sur le tapis, s'était carré dans son fauteuil et écoutait la lecture en contemplant ses filles.

Elles étaient bien belles à regarder. Jamais on ne vit plus beaux visages éclairer et sanctifier un âtre. Trois ans écoulés avaient adouci en quelque sorte la différence qui existait entre les deux; et à présent, trônant sur le front limpide de la cadette, visible dans ses yeux et vibrant dans sa voix, se trouvait le même sérieux que sa propre jeunesse orpheline avait dès longtemps fait mûrir chez sa sœur aînée. Mais en même temps elle paraissait toujours la plus jolie et la plus faible des deux ; elle semblait toujours reposer sa tête sur le sein de sa sœur, mettre en elle sa confiance et chercher conseil et soutien dans ses yeux. Ces yeux aimants, comme autrefois si calmes, si sereins et si gais.

« Et se trouvant à son propre foyer, lisait Marion, son foyer que ces souvenirs lui rendaient extrêmement cher, elle commençait à connaître que la grande épreuve de son cœur allait bientôt venir et ne pourrait être remise. Ô Foyer, notre consolateur et notre ami quand tous les autres font défection, Foyer que nous ne pouvons quitter à aucun moment du berceau jusqu'à la tombe… »

« Marion, ma chérie ! dit Grâce.

— Mais, ma chatte ! s'écria son père, qu'y a-t-il donc ? »

Elle posa sa main sur la main que lui tendait sa sœur et poursuivit sa lecture, la voix toujours hésitante et troublée, comme si elle faisait effort pour la contrôler après avoir été ainsi interrompue :

« Que nous ne pouvons quitter à aucun moment du berceau jusqu'à la tombe, sans une grande tristesse. Ô Foyer si fidèle, si souvent négligé en retour, sois indulgent envers ceux qui se détournent de toi et n'obsède pas de trop de reproches leurs pas errants ! Ne laisse paraître sur ton visage fantomatique aucun doux regard, aucun sourire trop présent à la mémoire. Ne laisse s'échapper de ton front blanc aucun rayon d'affection, de bienvenue, de douceur, de patience, de cordialité. Ne laisse s'élever en jugement contre celui qui te déserte aucun mot, aucun son amant ; mais si tu peux prendre un air dur et sévère, fais-le, par miséricorde à l'égard de qui se repent ! »

«Marion chérie, ne lis plus ce soir, dit Grâce — car la cadette pleurait.

— Je ne peux plus, répondit celle-ci, fermant le livre. Les mots me paraissent de feu!»

Le docteur en fut amusé, et il rit en lui tapotant la tête.

«Quoi! Bouleversée par un livre de contes! dit le Dr Jeddler. De l'encre et du papier! Enfin... C'est tout un. Il est aussi raisonnable de prendre au sérieux de l'encre et du papier que toute autre chose. Mais sèche tes yeux, ma chérie, sèche tes yeux. Je crois pouvoir t'assurer que l'héroïne est rentrée chez elle depuis longtemps et qu'elle a tout arrangé... et, dans le cas contraire, une vraie maison ne représente jamais que quatre murs; et une maison de roman, de simples chiffons et de l'encre. Qu'est-ce que c'est encore?

— Ce n'est que moi, monsieur, dit Clémence, passant la tête par l'entrebâillement de la porte.

— Et qu'est-ce qui ne va pas chez vous? dit le docteur.

— Oh! mon Dieu, rien, rien pour moi», répliqua Clémence.

Et c'était bien vrai, à en juger par sa figure bien savonnée, sur laquelle brillait comme à l'ordinaire la belle humeur qui, si gauche que fût la servante, la rendait tout à fait attrayante. Les excoriations aux coudes ne sont généralement pas considérées, il est vrai, comme se rangeant dans cette catégorie de charmes personnels appelés grains de beauté. Mais mieux vaut, pour traverser le monde, avoir le bras irrité en cet étroit passage que le caractère; et celui de Clémence était sain et robuste à rivaliser avec celui de n'importe quelle beauté du pays.

«Y a rien qui ne va pas pour moi, dit Clémence en

entrant; mais... venez donc un peu par ici, monsieur. »

Le docteur, assez étonné, répondit à cette invitation.

« Vous m'avez dit de ne pas vous en donner devant eux, vous savez bien », dit Clémence.

Un nouveau venu dans la famille aurait pu supposer, à voir l'extraordinaire œillade qu'elle jetait ce disant, aussi bien que le ravissement ou le transport singulier en proie auquel étaient ses coudes, qu'elle semblait embrasser elle-même, qu'«en», dans l'interprétation la plus favorable, signifiait un chaste baiser. En fait, le docteur lui-même parut sur le moment quelque peu alarmé; mais il retrouva vite son sang-froid quand Clémence, après avoir recouru à chacune de ses poches — en commençant par la bonne pour passer à la mauvaise et revenir enfin à la bonne —, tira une lettre venue par la Poste.

« Bretagne, qui était parti en course, passait par là, dit-elle dans un gloussement en la tendant au docteur, et il a vu arriver le courrier; alors il a attendu. Il y a A. H. dans le coin. M. Alfred rentre, je parie. On va avoir une noce à la maison — y avait deux cuillers dans ma soucoupe, ce matin. Ah! mon Dieu! ce qu'il en met du temps à l'ouvrir! »

Tout cela, elle le lançait sous forme de monologue en se dressant de plus en plus sur la pointe des pieds dans son impatience d'entendre la nouvelle, non sans donner à son tablier la forme d'un tire-bouchon, auquel sa bouche eût fourni la bouteille. Enfin, parvenue au comble de la curiosité et voyant le docteur toujours occupé à lire la lettre, elle retomba sur la plante des pieds et, dans un muet désespoir qu'elle était incapable de supporter plus longtemps, elle jeta son tablier sur sa tête comme un voile.

«Écoutez, mes petites! s'écria le docteur. Je n'y puis rien: je n'ai jamais pu, de ma vie, garder un secret. Il n'y en pas beaucoup, à la vérité, qui méritent d'être gardés dans un tel… Mais n'importe! Alfred, mes chéries, rentre de ce pas…

— De ce pas! s'écria Marion.

— Et alors! Oublié, le livre de contes? dit le docteur en lui pinçant la joue. Je pensais bien que la nouvelle sécherait ces larmes. Oui. "Que ce soit une surprise", écrit-il. Mais je ne peux pas faire cela. Il faut qu'il soit accueilli.

— De ce pas! répéta Marion.

— Enfin, peut-être pas ce que ton impatience entend par "de ce pas", répondit le docteur; mais très bientôt. Voyons, voyons. C'est aujourd'hui jeudi, n'est-ce pas? Eh bien, il promet d'être là dans un mois, jour pour jour.

— Dans un mois, jour pour jour! répéta doucement Marion.

— Un jour heureux et un jour de fête pour nous, dit la voix enjouée de sa sœur Grâce, qui l'embrassa en même temps pour la féliciter. Depuis longtemps attendu, ma chérie, et enfin venu.»

Marion répondit par un sourire, un sourire mélancolique, mais rempli de toute l'affection d'une sœur. Tandis qu'il regardait le visage de Grâce et écoutait la calme musique de sa voix évoquant le bonheur de ce retour, son propre visage rayonnait d'espérance et de joie.

Et de quelque chose d'autre aussi; quelque chose qui brillait de plus en plus dans le reste de son expression; quelque chose pour quoi je n'ai pas de nom. Ce n'était pas de l'exultation, pas du triomphe, pas un fier enthousiasme. Ces sentiments-là ne se montrent pas avec tant de calme. Ce n'était pas l'amour et la gratitude seuls, encore que l'amour et la gratitude y eussent part. Cela n'émanait d'aucune pensée sordide, car les pensées sordides n'éclairent pas le front, ne voltigent pas sur les lèvres, n'agitent pas l'esprit comme une palpitante lumière jusqu'à ce que, par sympathie, frémisse le corps entier.

Le Dr Jeddler, en dépit de son système de philosophie — qu'il ne cessait de contredire et de démentir dans la pratique, mais des philosophes plus célèbres en ont fait autant —, le Dr Jeddler ne pouvait se retenir de prendre autant d'intérêt au retour de son ancien pupille et élève que si c'eût été le plus important des événements. Il se rassit donc dans son fauteuil, étendit de nouveau ses pieds chaussés de pantoufles sur la carpette, lut et relut bon nombre de fois la lettre et en reparla encore plus souvent.

«Ah! Il fut un temps, dit le docteur, les yeux fixés sur la flamme, où toi et lui, Grâce, vous trottiez bras dessus, bras dessous, à l'époque de ses vacances, comme un couple de poupées marcheuses. T'en souviens-tu?

— Je m'en souviens, répondit-elle, accompagnant ces mots de son agréable rire et faisant courir activement son aiguille.

— Un mois jour pour jour, en vérité! dit le docteur d'un air méditatif. On croirait à peine qu'il y a un an. Et où était ma petite Marion, alors?

— Jamais très loin de sa sœur, dit gaiement Marion, quelque petite qu'elle fût. Grâce était tout pour moi, même quand elle n'était elle-même qu'une enfant.

— C'est vrai, ma chatte, repartit le docteur. C'était une petite femme sérieuse que Grâce, une sage ménagère, une personne active, tranquille et aimable, qui se pliait à nos humeurs et devançait nos vœux, tou-

jours prête à oublier les siens, dès cette époque-là. Je
ne t'ai jamais connue volontaire ou obstinée, Grâce,
ma chérie, même alors, si ce n'est sur un seul point.

— Je crains d'avoir, depuis lors, tristement changé
pour le pire, dit Grâce en riant, mais l'aiguille toujours active. Et quel était donc ce point précis, papa ?

— Alfred, bien sûr, dit le docteur. Rien ne te
convenait si l'on ne t'appelait la femme d'Alfred ;
nous t'appelions donc ainsi, et tu préférais cela, je
crois bien (aussi curieux que cela puisse paraître
aujourd'hui), au titre de Duchesse, à supposer que
l'on eût pu te le donner.

— Vraiment ? dit Grâce avec placidité.

— Comment, tu ne te rappelles pas ? demanda le
docteur.

— Il me semble me souvenir vaguement de quelque
chose de ce genre, répliqua-t-elle, mais il y a si longtemps... »

Et, tout en travaillant, elle se mit à fredonner le
refrain d'une vieille chanson qu'aimait le docteur.

« Alfred trouvera bientôt une vraie femme, dit-elle,
interrompant son travail, et ce sera, certes, un heureux moment pour nous tous. Ma charge de trois
années touche à sa fin, Marion. Elle a été bien aisée.
Je dirai à Alfred en te restituant à lui que tu l'as aimé
tendrement tout du long et qu'à aucun moment il n'a
eu besoin de mes bons offices. Puis-je lui dire cela,
ma chérie ?

— Dis-lui, ma chère Grâce, répondit Marion, que
jamais mandat ne fut rempli avec plus de générosité,
de noblesse, de constance ; et que je t'ai aimée, *toi*,
plus tendrement chaque jour, et oh ! combien tendrement en ce moment même !

— Non, dit sa sœur enjouée en lui rendant ses
baisers, je ne peux guère lui dire cela ; nous laisse-

rons mes mérites à l'imagination d'Alfred. Elle sera
assez généreuse, ma chère Marion ; comme la tienne. »

Sur ce, elle reprit son ouvrage qu'elle avait posé
un instant quand sa sœur avait parlé avec tant de
ferveur, et avec lui la vieille chanson que le docteur
aimait à entendre. Celui-ci, toujours enfoncé dans
son fauteuil, ses pieds en pantoufles étendus devant
lui sur la carpette, écoutait l'air en battant la mesure
sur son genou avec la lettre d'Alfred et, tandis qu'il
regardait ses filles, il pensait qu'au milieu de toutes
les vétilles de ce monde vétilleur, ces vétilles-là
étaient assez agréables.

Clémence Newcome, cependant, ayant accompli
sa mission et traîné dans la pièce jusqu'à ce qu'elle
eût pris sa part de la nouvelle, descendit à la cuisine
où son collègue, M. Bretagne, se régalait après dîner,
entouré d'une collection si abondante de couvercles
de pots brillants, de casseroles bien récurées, de
cloches polies, de bouilloires miroitantes et autres
témoignages des habitudes industrieuses de la servante, disposés le long des murs et sur les étagères,
qu'il était assis comme au centre d'une galerie des
glaces. La plupart de ces objets ne présentaient
certes pas de lui des portraits bien flatteurs ; ils
n'étaient pas non plus unanimes dans leurs reflets,
les uns lui donnant une figure fort allongée, les autres
très large, certains le faisant paraître bien portant,
certains autres fort malade, selon leurs différentes
manières de réfléchir, qui étaient aussi variées, touchant un fait isolé, que celles d'un aussi grand
nombre de gens. Mais ils s'accordaient tous à attes-
ter qu'au milieu d'eux était assis, bien à son aise, un
individu qui, la pipe à la bouche et un pot de bière
près du coude, accueillit Clémence avec condescendance quand elle prit place à la même table.

«Alors, Clemmy, dit Bretagne, comment ça va pour lors, et quelles sont les nouvelles?»

Clémence les lui raconta et il les reçut avec beaucoup d'affabilité. Un certain changement en ce sens avait transformé Benjamin de la tête aux pieds. Il était beaucoup plus large, plus rouge, plus gai et plus jovial sous tous les rapports. On eût dit que sa figure, auparavant nouée, avait été détortillée et lissée.

«Y aura de nouveau du travail pour Snitchey et Craggs, je suppose, fit-il observer, tirant lentement sur sa pipe. Peut-être encore des signatures à donner pour nous, Clemmy!

— Mon Dieu! répondit sa belle compagne, imprimant sa torsion favorite à ses articulations favorites. Je voudrais bien que ça soye moi, Bretagne!

— Que quoi soye vous?

— Qui va se marier», dit Clémence.

Benjamin retira la pipe de sa bouche et rit de bon cœur.

«Oui! Vous avez bien ce qu'il faut pour ça! dit-il. Ma pauvre Clem!»

Clémence rit pour sa part d'aussi bon cœur que lui et sembla tout autant amusée de cette idée.

«Oui, fit-elle. J'ai bien ce qu'il faut pour cela, hein?

— Vous, vous ne vous marierez jamais, vous savez, dit M. Bretagne, se remettant à fumer sa pipe.

— Vous croyez, vraiment?» dit Clémence en toute bonne foi.

M. Bretagne hocha la tête.

«Vous n'avez pas la moindre chance!

— Pensez donc! dit Clémence. Enfin… Je suppose que vous avez l'intention de vous marier, vous, Bretagne, un de ces jours, non?»

Une question aussi abrupte sur un sujet aussi important nécessitait quelque considération. Après avoir soufflé un grand nuage de fumée et l'avoir contemplé, la tête inclinée alternativement d'un côté et de l'autre comme si c'eût été la question elle-même et qu'il en examinât les divers aspects, M. Bretagne répondit qu'il n'était pas tout à fait fixé, mais que... oui, après tout... il pensait pouvoir en venir là en fin de compte.

«Je lui souhaite bien du bonheur, quelle qu'elle puisse être! s'écria Clémence.

— Oh! elle en aura, dit Benjamin, c'est bien certain.

— Mais elle n'aurait pas mené une vie tout à fait aussi heureuse, elle n'aurait pas eu un mari tout à fait aussi sociable que celui qu'elle aura, dit Clémence, s'étalant sur la moitié de la table et fixant sur la chandelle un regard rétrospectif, sans... non que j'aie rien fait volontairement, car ç'a été accidentel, bien sûr... enfin, sans moi. Qu'en pensez-vous, Bretagne?

— Certainement, répondit M. Bretagne, plongé alors dans cet état de haute appréciation de sa pipe où l'on peut à peine ouvrir la bouche pour parler et où, assis dans une voluptueuse impassibilité, on ne peut se permettre de tourner que les yeux vers une compagne, et ce avec beaucoup de passivité et de gravité. Oh! je vous suis grandement obligé, vous savez, Clem.

— Mon Dieu, que c'est agréable de se le dire!» dit Clémence.

Sur quoi, fixant en même temps sa pensée et son regard sur la graisse de la chandelle, elle se souvint brusquement des qualités curatives de ce produit en tant que baume et fit l'application immédiate du remède en s'en oignant abondamment le coude gauche.

«Voyez-vous, j'ai fait beaucoup de recherches de diverses sortes en mon temps, poursuivit M. Bretagne de l'air profond d'un sage, car j'ai toujours eu l'esprit curieux; et j'ai lu bon nombre de livres sur le Bien des choses et le Mal des choses, ayant été quelque peu dans la carrière littéraire quand je me suis lancé dans la vie.

— Vraiment! s'écria Clémence, admirative.

— Oui, dit M. Bretagne. Je suis resté dissimulé pendant près de deux ans derrière un étalage de libraire, prêt à m'élancer sur quiconque chercherait à empocher un volume; et après cela, j'ai été garçon de magasin chez une couturière-corsetière, en qualité de quoi on m'envoyait porter, dans des paniers recouverts de toile cirée, une quantité de tromperies — ce qui m'aigrit le caractère et ruina ma confiance dans la nature humaine; et après cela, j'ai entendu dans cette maison un monde de discussions qui m'aigrirent de nouveau le caractère; et mon opinion après tout, c'est que, comme édulcorant sûr et confortable dudit caractère aussi bien que comme guide dans la vie, il n'y a rien de tel qu'une râpe à muscade.»

Clémence fut sur le point de présenter une suggestion; mais il l'arrêta en la devançant:

«Combinée, ajouta-t-il gravement, avec un dé.

— "Fais ce que tu voudrais qu'on te...", vous savez, eccetra, hein? fit observer Clémence, se croisant confortablement les bras dans la joie de cet aveu et se tapotant les coudes. Quel raccourci, hein?

— Je ne suis pas sûr, dit M. Bretagne, que c'est ce que l'on pourrait considérer comme de la bonne philosophie. J'ai mes doutes là-dessus; mais c'est de bon usage, et ça évite bien des grincements, ce que ne fait pas toujours l'article original.

— Il n'y a qu'à se rappeler comment vous étiez vous-même autrefois, vous savez! dit Clémence.

— Ah! dit M. Bretagne. Mais le plus extraordinaire, Clemmy, c'est que j'ai pu être transformé par votre entremise. Voilà ce qui est étrange. Par votre entremise! Alors que je crois bien que vous n'avez pas la moitié d'une idée dans la cervelle.»

Clémence, sans s'offenser le moins du monde, hocha la tête, rit, se prit à pleins bras et dit qu'en effet, elle ne pensait pas en avoir la moitié d'une.

«J'en suis assez certain, dit M. Bretagne.

— Oh! vous avez sans doute raison, dit Clémence. Je ne prétends pas en avoir. Ça ne me manque pas.»

Benjamin retira la pipe de sa bouche et rit aux larmes.

«Quelle innocente vous faites, Clemmy!» dit-il avec un hochement de tête, en jouissant infiniment de la plaisanterie et en s'essuyant les yeux.

Clémence, sans la moindre inclination à la discuter, fit de même et rit de tout aussi bon cœur.

«Je ne puis m'empêcher de vous adorer, dit M. Bretagne; vous êtes une créature vraiment bonne à votre façon, aussi serrons-nous la main, Clem. Quoi qu'il arrive, je ferai toujours attention à vous et serai votre ami.

— Vraiment? répliqua Clémence. Eh bien, c'est bien bon à vous.

— Oui, oui, dit M. Bretagne, lui tendant sa pipe pour qu'elle en fît tomber la cendre, je me rangerai à vos côtés. Écoutez! Voilà un curieux bruit!

— Un bruit? répéta Clémence.

— Un pas au-dehors. On aurait dit que quelqu'un sautait du haut du mur, dit Bretagne. Tout le monde est couché, là-haut?

« — Oui, ils sont tous couchés à cette heure, répondit-elle.

— Vous n'avez rien entendu ?

— Non. »

Ils tendirent tous deux l'oreille, mais ne perçurent aucun son.

« Je vais vous dire, reprit Benjamin, décrochant une lanterne. Je vais jeter un coup d'œil alentour avant d'aller moi-même me coucher, juste pour voir. Déverrouillez la porte pendant que j'allume ceci, Clemmy. »

Clémence obtempéra vivement ; mais non sans faire remarquer qu'il en serait pour sa promenade, que tout cela c'était de l'imagination, etc. M. Bretagne dit : « C'est bien probable », mais il sortit néanmoins, armé du tisonnier et dirigeant en tous sens la lueur de sa lanterne.

« Tout est aussi tranquille qu'un cimetière, dit Clémence en le suivant des yeux, et presque aussi fantomatique ! »

Tournant la tête vers l'intérieur de la cuisine, elle poussa un cri de peur en voyant une forme légère s'avancer d'un pas furtif : « Qu'est-ce que c'est ?

— Chut, dit Marion dans un murmure plein d'émoi. Vous m'avez toujours aimée, n'est-ce pas ?

— Aimée, mon enfant ! Vous pouvez en être sûre.

— Je le suis. Et je peux avoir confiance en vous, n'est-ce pas ? Il n'y a personne d'autre, en ce moment, en qui je *puisse* avoir confiance.

— Oui, dit Clémence, du fond du cœur.

— Il y a quelqu'un là-dehors, dit Marion, montrant la porte, quelqu'un que je dois voir, avec qui je dois m'entretenir ce soir. Michel Warden, pour l'amour du Ciel, retirez-vous ! Pas maintenant ! »

Clémence tressaillit de surprise et d'émoi quand,

suivant la direction du regard de celle qui parlait, elle vit une forme sombre debout sur le seuil.

«Dans un instant vous pourriez être découvert, dit Marion. Pas maintenant! Attendez, si vous le pouvez, dans quelque cachette. Je ne tarderai pas.»

Il fit un signe de la main et disparut.

«Ne vous couchez pas. Attendez-moi! dit vivement Marion. Voilà une heure que je guette l'occasion de vous parler. Ah, ne me trahissez pas!»

Ayant ardemment saisi la main hésitante de Clémence et l'ayant pressée entre les deux siennes contre son sein — action plus expressive dans son suppliant transport que le plus éloquent appel en paroles —, Marion se retira au moment où la lanterne de Bretagne, qui revenait, jetait sa lueur dans la pièce.

«Tout est calme et paisible. Il n'y a personne. C'était de l'imagination, je pense, dit M. Bretagne, tandis qu'il donnait un tour de clef et assujettissait la barre de la porte. Voilà ce que c'est que d'avoir l'imagination assez vive. Eh! bien? Qu'est-ce qu'il y a?»

Clémence, qui ne pouvait dissimuler les effets de sa surprise et de son inquiétude, était assise sur une chaise, pâle et tremblante de la tête aux pieds.

«Ce qu'il y a! répéta-t-elle, se frictionnant nerveusement les mains et les coudes et tournant les yeux partout sauf vers lui. C'est bien bon de votre part, Bretagne, une question comme ça! Après avoir été me faire mourir de peur avec vos bruits et vos lanternes et je ne sais quoi encore. Ce qu'il y a! Ah, oui!

— S'il suffit d'une lanterne pour vous faire mourir de peur, Clemmy, dit M. Bretagne en la soufflant tranquillement et en la suspendant à nouveau, c'est une apparition dont vous serez vite débarrassée. Mais à l'ordinaire vous êtes hardie comme un lion, ajouta-t-il en s'arrêtant pour l'examiner, et vous l'étiez encore après le bruit et la lanterne. Qu'est-ce qui vous a passé par la tête ? Pas une idée, hé ? »

Mais comme Clémence lui dit bonsoir tout à fait à sa manière habituelle et qu'elle se mit à s'affairer, montrant ainsi qu'elle allait elle-même se coucher tout de suite, Petite-Bretagne, après avoir émis la remarque originale que les caprices d'une femme étaient inexplicables, lui souhaita le bonsoir en retour et, ayant pris sa chandelle, monta d'un air déjà somnolent.

Quand tout fut silencieux, Marion revint.

« Ouvrez la porte, dit-elle, et restez là tout près de moi pendant que je lui parlerai dehors. »

Toute timide qu'était sa manière, elle dénotait un dessein tellement résolu, si bien établi que Clémence ne put y résister. Elle ôta doucement la barre de la porte ; mais avant de tourner la clef, elle regarda vers la jeune créature qui attendait pour s'élancer sitôt la porte ouverte.

Le visage ne se détourna pas, ne s'abaissa pas ; il la regardait bien droit, dans toute la gloire de sa jeunesse et de sa beauté. Le sentiment de la fragile barrière interposée entre le foyer heureux et l'amour honorable de la belle jeune fille, et ce qui pourrait être la désolation de ce foyer et la ruine de son trésor le plus cher, poignit avec tant d'acuité le tendre cœur de Clémence, l'emplit si bien de chagrin et de compassion que, fondant en larmes, elle jeta ses bras autour du cou de Marion.

« Je ne sais que bien peu de chose, ma chérie, s'écria Clémence, bien peu de chose ; mais je sais que cela ne devrait pas être. Réfléchissez à ce que vous faites !

— J'y ai réfléchi bien des fois, dit doucement Marion.

— Une fois encore! insista Clémence. Jusqu'à demain. »

Marion fit signe que non.

« Au nom de M. Alfred, dit Clémence avec une candide ardeur. De celui que vous avez aimé si tendrement, autrefois! »

Marion se cacha vivement la tête dans les mains, répétant « autrefois! » comme si cela lui eût brisé le cœur.

« Laissez-moi sortir, dit Clémence, tentant de la calmer. Je lui dirai ce que vous voudrez. Ne passez pas le seuil ce soir. Je suis sûre qu'aucun bien n'en sortira. Ah! quel jour néfaste que celui où M. Warden fut porté dans cette maison! Pensez à votre bon père, ma chérie — à votre sœur.

— J'y ai pensé, dit Marion, levant vivement la tête. Vous ne savez pas ce que je fais. Il *faut* que je lui parle. Ce que vous m'avez dit prouve que vous êtes la meilleure et la plus fidèle des amies, mais il faut que je fasse cette démarche. Voulez-vous venir avec moi, Clémence (elle embrassa son bienveillant visage), ou irai-je seule? »

Partagée entre l'affliction et l'étonnement, Clémence tourna la clef et ouvrit la porte. Marion, la tenant par la main, passa vivement dans les ténèbres confuses qui s'étendaient au-delà du seuil.

Dans la nuit sombre, l'homme la rejoignit et ils s'entretinrent longuement, avec ardeur; et la main qui serrait si fort celle de Clémence tantôt frémissait, tantôt devenait mortellement froide, tantôt l'étreignait et se refermait sur elle, révélant inconsciemment toute la force du sentiment suscité par l'entretien. Quand ils revinrent, il l'accompagna jusqu'à la porte, où il s'arrêta un moment pour saisir l'autre main et la presser contre ses lèvres. Après quoi, il se retira furtivement.

La porte fut de nouveau barrée et fermée à clef, et de nouveau Marion se trouva sous le toit de son père. Elle n'était aucunement courbée sous le poids du secret qu'elle y apportait, bien que si jeune ; mais elle avait sur le visage cette même expression pour laquelle je n'avais pas de nom et qui rayonnait à travers ses larmes.

Elle remercia encore à plusieurs reprises son humble amie, lui disant qu'elle s'en remettait à elle avec une confiance aveugle. Une fois en sécurité dans sa chambre, elle tomba à genoux et, en dépit du secret qui lui pesait sur le cœur, elle put prier !

Elle put se relever de sa prière, tranquille et sereine ; et, penchée sur sa chère sœur endormie, elle put contempler son visage et sourire — quoique tristement, en murmurant tandis qu'elle la baisait au front combien Grâce avait été pour elle une mère, toujours, et l'avait aimée comme une enfant !

Elle put, étendue pour dormir aux côtés de sa sœur, attirer le bras passif autour de son cou — il parut s'attacher là de son propre gré, protecteur et aimant jusque dans le sommeil — et soupirer sur les lèvres entrouvertes : « Dieu la bénisse ! »

Elle put s'abandonner elle-même à un sommeil paisible, qui ne fut troublé qu'une seule fois par un rêve dans lequel elle criait, de sa voix innocente et pathétique, qu'elle était entièrement seule et que tous l'avaient oubliée.

Un mois passe vite, fût-ce à son allure la plus paresseuse. Celui qui devait s'écouler avant le retour avait le pied leste, et il passa comme une nuée.

Le jour arriva ; un furieux jour d'hiver qui secouait parfois la vieille demeure comme si elle frissonnait dans la rafale. Un jour à rendre le foyer doublement cher. À donner de nouvelles délices au coin du feu. À faire monter un rouge plus éclatant encore aux visages rassemblés autour de l'âtre et à resserrer plus intimement chaque groupe domestique contre les éléments déchaînés au-dehors. Un de ces implacables jours d'hiver qui préparent le mieux aux soirées closes, aux rideaux tirés et aux mines joviales, à la musique, aux rires, à la danse, aux lumières et aux joyeux divertissements !

Tout cela, le docteur l'avait en réserve pour fêter le retour d'Alfred. On savait qu'il ne pourrait arriver avant le soir ; et, disait le brave docteur, on ferait résonner l'air nocturne à son approche. Tous ses vieux amis devaient s'assembler autour de lui. Aucun des visages qu'il avait connus et aimés ne devait manquer à l'appel. Non ! Ils devaient tous être là, jusqu'au dernier.

Les invitations furent donc lancées, les musiciens engagés, les tables dressées, les parquets préparés pour les pieds actifs, et prises toutes les dispositions que peut suggérer l'hospitalité la plus généreuse. Puisque c'était l'époque de Noël et que ses yeux avaient perdu l'habitude du houx anglais et de sa robuste verdeur, l'on en suspendit des guirlandes aux murs du salon de danse ; et les baies rouges luisaient parmi les feuilles pour lui prodiguer un accueil véritablement anglais.

Ce fut un jour de grande activité pour tous, mais pour nul plus que pour Grâce, qui présidait partout sans bruit et qui était gaiement l'âme de tous les préparatifs. À maintes reprises, ce jour-là (comme maintes fois au cours du mois fugitif qui l'avait précédé), Clémence lança vers Marion des coups d'œil inquiets, presque craintifs. Elle la voyait plus pâle, peut-être, qu'à l'ordinaire; mais il y avait sur son visage une douce quiétude qui la rendait plus jolie que jamais.

Le soir venu, quand elle fut parée, portant sur la tête une couronne de fleurs que Grâce avait tressée avec fierté — ses fleurs factices étaient les préférées d'Alfred, comme Grâce le lui avait rappelé en les choisissant —, cette ancienne expression, pensive, presque triste et pourtant si immatérielle, si élevée et si émouvante, s'étendit de nouveau, cent fois rehaussée, sur son front.

« La prochaine guirlande que j'ajusterai sur cette jolie tête sera une couronne de mariée, dit Grâce, ou je ne suis pas bon prophète, ma chérie. »

Sa sœur sourit et la retint dans ses bras.

« Un moment, Grâce. Ne me quitte pas encore. Es-tu sûre qu'il ne me manque plus rien? »

Son souci n'était pas là. C'était au visage de sa sœur qu'elle pensait, et ses yeux s'y attachaient avec tendresse.

« Mon art, dit Grâce, ne saurait aller plus loin, ma chère; ni ta beauté. Je ne t'ai jamais vue plus belle.

— Je n'ai jamais été plus heureuse, dit-elle.

— Peut-être, mais tu as un plus grand bonheur devant toi. Dans une autre maison, aussi joyeuse et brillante que celle-ci l'est à présent, dit Grâce, habiteront bientôt Alfred et sa jeune épouse. »

Elle sourit de nouveau.

« Ton idée te dit que ce sera une demeure heureuse, Grâce, je le lis dans tes yeux. Je sais que ce le sera *réellement*, ma chérie. C'est une joie de le savoir.

— Alors! s'écria le docteur, faisant irruption, l'air affairé. Nous voici tout prêts à recevoir Alfred, hé? Il ne pourra être ici qu'assez tard — une heure environ avant minuit; nous aurons donc tout le temps de nous mettre en train avant son arrivée. Il ne nous surprendra pas sans que la glace soit rompue. Nourris bien le feu, Bretagne! Qu'il brille sur le houx pour le faire clignoter de nouveau. C'est un monde d'absurdités, ma chatte; amoureux fidèles et le reste — tout cela, c'est de l'absurdité; eh bien, soyons absurdes avec les autres et réservons à notre amoureux fidèle un fol accueil. Ma parole! s'écria le vieux docteur en regardant ses filles avec fierté; entre autres absurdités, je ne suis pas trop sûr, ce soir, de ne pas être le père de deux bien jolies jeunes filles.

— Tout ce que l'une d'elles a jamais fait ou pourrait faire — pourrait faire, papa chéri — pour te causer peine ou chagrin, pardonne-le-lui, dit Marion; pardonne-le-lui maintenant, tandis que son cœur déborde. Dis que tu lui pardonnes. Que tu lui pardonneras. Qu'elle aura toujours part à ton amour, et... »

La phrase resta inachevée, car le visage de la jeune fille était enfoui dans l'épaule du vieillard.

« Ta, ta, ta! dit doucement le docteur. Pardonner! Qu'aurais-je donc à pardonner? Ah bah! si c'est pour nous mettre dans cet état que reviennent les amoureux fidèles, il va falloir le tenir à distance; on enverra des exprès pour les arrêter en route et ne les laisser approcher qu'à raison d'un ou deux milles par jour pour que nous ayons le temps de nous préparer à les rencontrer. Embrasse-moi, ma chatte. Pardonner! Mais quelle petite bécasse tu fais! M'aurais-tu contrarié ou irrité cinquante fois par jour, et non pas même une, que je te pardonnerais tout, hormis cette supplication. Embrasse-moi encore, ma chatte. Là! Avenir et passé, nos comptes sont en règle. Nourris le feu, Bretagne! Tu veux donc faire geler les gens par cette glaciale nuit de décembre! Soyons gais, chaleureux et joyeux, ou il en est parmi vous à qui je ne pardonnerai pas!»

Avec quelle gaieté le vieux docteur mena le train! On entassa les bûches, les lumières brillèrent, la compagnie arriva, un bourdonnement de langues agiles s'éleva, et une aimable atmosphère d'allègre animation se répandit par toute la maison.

Une compagnie de plus en plus nombreuse ne cessait d'affluer. Des beaux yeux étincelèrent en se posant sur Marion; des lèvres souriantes la félicitèrent du retour de son fiancé; de sages mères s'éventèrent en émettant l'espoir qu'elle ne se montrerait pas trop jeune et trop inconstante pour le calme train-train du ménage; des pères impétueux se firent mal voir en exaltant un peu trop sa beauté; des filles l'envièrent; des fils l'envièrent, *lui*, d'innombrables couples d'amoureux profitèrent de l'occasion; tous étaient intéressés, animés, expectants.

Mme Craggs arriva au bras de M. Craggs, mais Mme Snitchey arriva seule.

«Qu'est-il donc arrivé à votre mari?» demanda le docteur.

La queue de l'oiseau de paradis qui garnissait le turban de Mme Snitchey frémit comme si l'oiseau était ressuscité quand elle répondit que M. Craggs devait le savoir. On ne lui disait jamais rien, à elle.

«Cette affreuse étude! dit Mme Craggs.

— Je voudrais qu'elle fût réduite en cendres! dit Mme Snitchey.

— Il est... il est... il y a une petite affaire qui retiendra mon associé assez tard, dit Craggs, jetant autour de lui un regard gêné.

— A a ah ! une affaire. Pas possible ! dit Mme Snitchey.

— Oui, on sait ce que cela signifie, les affaires », fit Mme Craggs.

Mais le fait qu'elles ignoraient précisément ce que cela signifiait était peut-être la raison pour laquelle la plume de l'oiseau de paradis qui garnissait la coiffure de Mme Snitchey frémissait si prodigieusement et toutes les pendeloques des boucles d'oreilles de Mme Craggs s'agitaient comme autant de petites clochettes.

« Je me demande comment vous, vous avez pu partir, monsieur Craggs, dit son épouse.

— M. Craggs a bien de la chance, pour sûr ! dit Mme Snitchey.

— Cette étude les accapare tant, dit Mme Craggs.

— Une personne qui a une étude n'a que faire de se marier », dit Mme Snitchey.

Mme Snitchey se dit alors *in petto* que le regard qu'elle avait jeté à Craggs l'avait percé jusqu'à l'âme et qu'il le savait ; et Mme Craggs fit observer à son époux que « ses Snitchey » le trompaient par-derrière son dos et qu'il s'en apercevrait trop tard.

M. Craggs, cependant, sans prêter attention à ces remarques, regarda avec inquiétude autour de lui jusqu'au moment où ses yeux se posèrent sur Grâce, auprès de laquelle il se rendit aussitôt.

« Bonsoir, mademoiselle, dit-il. Vous êtes ravissante. Votre… mademoiselle… votre sœur, Mlle Marion, va-t-elle…

— Oh, elle va tout à fait bien, monsieur Craggs.

— Oui… je… est-elle ici ? demanda Craggs.

— Ici ? Ne le voyez-vous donc pas, là-bas ? Prête à danser ? » dit Grâce.

M. Craggs ajusta ses lunettes pour mieux voir, la

regarda un moment, toussota et, l'air satisfait, replaça
les lunettes dans leur étui et le tout dans sa poche.

Bientôt, la musique attaqua, et la danse commença. Le feu clair crépitait et pétillait, et sa flamme
montait et descendait, comme s'il se joignait lui aussi
à la danse, en toute amitié. Parfois il ronflait comme
s'il voulait lui aussi faire sa musique. Parfois il
étincelait et rayonnait comme s'il eût été l'œil du
vieux salon : ou encore il clignotait, tel un patriarche
entendu, à l'adresse des jeunes gens qui chucho-
taient dans les coins. Parfois il jouait sur les guirlandes de houx, et, les éclairant de lueurs vacillantes,
leur donnait l'air d'être de nouveau dans la froide
nuit d'hiver et de frissonner au vent. Parfois son
humeur joviale se faisait turbulente et dépassait
toutes les bornes ; il la projetait alors dans la pièce,
parmi les pieds virevoltants, avec une explosion
retentissante et une pluie d'innocentes étincelles, et
son exultation sautait et bondissait comme une folle
dans l'ample vieille cheminée.

Une seconde danse était sur le point de se terminer
quand M. Snitchey toucha le coude de son associé,
qui contemplait la scène.

M. Craggs sursauta comme si son ami eût été un
spectre.

« Il est parti ? demanda-t-il.

— Chut ! Il est resté avec moi plus de trois heures,
dit Snitchey. Il a tout passé en revue. Il a examiné
tous les arrangements que nous avons pris pour lui,
et il s'est montré très pointilleux, je vous l'assure.
Il... Hum ! »

La danse était finie, et Marion passait devant lui
tandis qu'il parlait. Elle ne le remarqua pas, non plus
que son associé ; car elle tournait la tête pour regar-

der sa sœur à l'autre bout du salon tout en traversant lentement la foule, dans laquelle elle se perdit.

«Vous voyez ! Tout va bien, dit M. Craggs. Il n'a fait aucune allusion à ce sujet, je pense ?

— Pas un mot.

— Mais est-il réellement parti ? Peut-on en être sûr ?

— Il tient parole. Il laisse la marée descendante le porter le long du fleuve dans cette coquille de noix qu'il possède, et il va prendre la mer par cette nuit noire ! — c'est un risque-tout — en profitant du vent. Nulle part il ne trouverait une route aussi solitaire. C'est déjà quelque chose. La marée doit monter, m'a-t-il dit, une heure avant minuit... à peu près maintenant. Je suis heureux que c'en soit fini. »

M. Snitchey essuya un front qui révélait aussi bien l'inquiétude que la chaleur.

«Que pensez-vous, dit M. Craggs, de...

— Chut ! répliqua son prudent associé, regardant droit devant lui. Je vous comprends. Ne prononcez pas de noms et n'ayons pas l'air de nous confier des secrets. Je ne sais que penser et, à vous dire vrai, je ne m'en soucie pas pour l'instant. C'est un grand soulagement. Son amour-propre a dû l'abuser, je suppose. Peut-être la jeune personne a-t-elle fait un peu la coquette. Les faits sembleraient l'indiquer, en tout cas. Alfred n'est pas arrivé ?

— Pas encore, dit M. Craggs. On l'attend d'une minute à l'autre.

— Bon. (M. Snitchey s'essuya le front derechef.) C'est un grand soulagement. Je n'ai jamais été aussi nerveux depuis le début de notre association. Je me propose de profiter maintenant de ma soirée, monsieur Craggs. »

Mme Craggs et Mme Snitchey les rejoignirent au

moment où il annonçait cette intention. L'oiseau de paradis était dans un état de vibration extrême, et les petites clochettes tintaient très distinctement.

«Ç'a été le thème général des commentaires, monsieur Snitchey, dit Mme Snitchey. J'espère que l'étude est satisfaite.

— Satisfaite de quoi, ma chère amie? demanda M. Snitchey.

— D'avoir exposé une femme sans défense au ridicule et aux remarques, répliqua sa femme. C'est tout à fait dans la manière de l'étude, cela.

— Pour ma part, dit Mme Craggs, je suis depuis si longtemps accoutumée à associer l'étude à tout ce qui s'oppose à la vie de famille que je suis heureuse de savoir qu'elle est l'ennemie avouée de ma paix. Il y a en cela une certaine honnêteté, en tout cas.

— Ma chère amie, objecta M. Craggs, j'attache un grand prix à votre bonne opinion; mais, quant à moi, je n'ai jamais déclaré que l'étude fût l'ennemie de votre paix.

— Non, dit Mme Craggs, faisant résonner un parfait carillon de clochettes. Pas vous, bien sûr. Vous ne seriez pas digne de l'étude si vous aviez la candeur de le faire.

— Pour ce qui est de mon absence ce soir, ma chère amie, dit M. Snitchey, lui donnant le bras, la privation a été toute pour moi, soyez-en sûre; mais, comme le sait M. Craggs...»

Mme Snitchey coupa court à cette référence en attirant son mari à une certaine distance, pour le prier de regarder «cet» homme. De lui faire la faveur de regarder «cet» homme.

«Quel homme, ma chère? demanda M. Snitchey.

— Votre compagnon d'élection; moi, je n'ai pour vous rien d'une compagne, monsieur Snitchey.

— Mais si, mais si, ma chère, essaya-t-il de dire.

— Mais non, mais non, dit Mme Snitchey avec un sourire majestueux. Je connais ma position. Voulez-vous bien regarder votre compagnon d'élection, monsieur Snitchey ; votre répondant, le gardien de vos secrets, l'homme en qui vous placez votre confiance ; bref, cet autre vous-même ? »

L'habituelle association entre lui-même et Craggs poussa M. Snitchey à regarder dans la direction indiquée.

« Si vous pouvez regarder cet homme dans les yeux ce soir, dit Mme Snitchey, sans comprendre que vous êtes trompé, exploité, victime de ses artifices, contraint à vous plier à sa volonté par quelque étrange et inexplicable sortilège contre lequel tous mes avertissements se révèlent vains, tout ce que je puis vous dire, c'est que vous me faites pitié ! »

Au même instant, Mme Craggs discourait sur le même chapitre. Était-il possible, disait-elle, que Craggs pût s'aveugler sur ses Snitchey au point de ne pas sentir quelle était sa situation réelle ? Entendait-il prétendre qu'il avait vu ses Snitchey entrer dans le salon, sans percevoir clairement toutes les arrière-pensées, toute la fourberie, toute la perfidie qu'il y avait en cet homme ? Allait-il dire que ses gestes mêmes, quand il s'essuyait le front et regardait si furtivement à la ronde, ne montraient pas qu'il pesait sur la conscience de ses précieux Snitchey (si tant est qu'ils eussent une conscience) quelque chose qui ne pouvait être mis au jour ? Y avait-il quelqu'un d'autre que ces Snitchey pour venir à une soirée de fête comme un cambrioleur ? — ce qui, par parenthèse, n'était pas une illustration bien fidèle de la vérité, étant donné qu'il était entré innocemment par la porte. Et M. Craggs affirmerait-il sans cesse au grand

jour (il était près de minuit) que ses Snitchey devaient
être justifiés contre vent et marée, au mépris des
faits, de la raison et de l'expérience ?

Ni Snitchey ni Craggs ne tentèrent ouvertement de
lutter contre le courant ainsi déchaîné, mais tous
deux se laissèrent doucement entraîner jusqu'à ce
que sa force commençât de décroître. Cela se
produisit à peu près en même temps qu'un mouvement général provoqué par le début d'une contredanse ; et M. Snitchey se proposa comme cavalier à
Mme Craggs, tandis que M. Craggs s'offrait galam-
ment à Mme Snitchey ; si bien qu'après quelques
légères dérobades telles que « Pourquoi ne deman-
dez-vous pas à quelqu'un d'autre ? », « Vous serez
bien content, je le sais, si je décline votre invitation »
ou « Je me demande comment vous pouvez danser
loin de l'étude » (mais cela sur un ton de plaisanterie), chacune des deux dames accepta gracieusement
et prit place.

C'était là, en vérité, une coutume établie parmi
eux, comme de se répartir ainsi deux par deux aux
dîners et soupers, car c'étaient d'excellents amis, qui
vivaient sur un pied d'aimable familiarité. Peut-être
« le perfide Craggs » et « le fourbe Snitchey » consti-
tuaient-ils pour les deux épouses une fiction admise,
comme l'étaient pour les deux maris Doe et Roe[1]
parcourant sans cesse les bailliages ; ou peut-être ces
dames avaient-elles institué et assumé ces deux parts
dans l'affaire, plutôt que de s'en voir totalement
exclues. Toujours est-il que chacune des deux
épouses travaillait dans son emploi avec autant de
sérieux et d'assiduité que son mari dans le sien, et
qu'elle eût considéré comme presque impossible
que, privée de ces louables efforts, la Firme pût poursuivre une respectable et heureuse carrière.

Mais alors on put voir l'oiseau de paradis voleter au centre de la pièce ; les clochettes se mirent à tressauter et à tintinnabuler dans la ronde ; la figure vermeille du docteur tournoya comme une toupie expressive et hautement vernie ; M. Craggs, hors d'haleine, commença de se demander déjà si la contredanse n'avait pas été rendue «trop aisée» comme le reste de la vie ; et M. Snitchey, avec ses lestes entrechats, dansa pour lui-même et Craggs et une demi-douzaine d'autres.

Alors, aussi, le feu, encouragé par la jolie brise que soulevait la danse, fut pris d'une nouvelle ardeur et se mit à brûler d'une flamme claire et haute. C'était le Génie de la salle, et il était omniprésent. Il brillait dans les yeux des assistants, il étincelait dans les bijoux qui ornaient le cou neigeux des jeunes filles, il scintillait à leurs oreilles comme s'il leur murmurait quelque espièglerie, il jetait des éclairs autour de leur taille, il papillotait sur le parquet en le rosissant pour leurs pieds, il resplendissait au plafond de telle sorte que son embrasement mît en valeur leur clair visage, et il illuminait de toutes parts le petit clocher de Mme Craggs.

Alors, aussi, l'air animé qui l'éventait se fit moins doux à mesure que la musique devenait plus rapide et que la danse se poursuivait avec un nouvel entrain ; et une brise s'éleva qui fit danser sur les murs les feuilles et les baies comme elles l'avaient fait maintes fois sur les arbres ; et cette brise se mit à bruire dans le salon comme si quelque invisible compagnie de fées, marchant dans les pas des invités réels, tournoyaient à leur suite. Alors, aussi, on ne put plus distinguer aucun des traits du docteur, tant il tournait, tournait ; alors, on eût dit qu'une douzaine d'oiseaux de paradis voletaient capricieusement ; alors, il y eut un millier de clochettes en activité ; alors enfin, une petite tempête agita toute une escadre de jupes flottantes lorsque la musique baissa pavillon et que la danse prit fin.

Le docteur avait beau avoir chaud à étouffer, il avait beau être tout hors d'haleine, il n'en était que plus impatient de voir arriver Alfred.

« On n'a toujours rien vu, Bretagne ? Rien entendu ?

— Il fait trop sombre pour voir bien loin, monsieur. Et il y a trop de bruit dans la maison pour qu'on entende quelque chose.

— C'est juste ! L'accueil n'en sera que plus chaleureux. Quelle heure est-il ?

— Minuit juste, monsieur. Il ne saurait plus tarder, monsieur.

— Racine le feu et jettes-y une autre bûche, dit le docteur. Qu'il voie la bienvenue flamboyer dans la nuit, ce brave garçon, tandis qu'il approchera ! »

Il la vit. Oui ! De la chaise, son regard saisit la lumière comme il tournait le coin de la vieille église. Il reconnut la pièce d'où elle rayonnait. Il vit les branches hivernales des vieux arbres qui s'interposaient entre la lumière et lui. Il savait que l'un de ces arbres bruissait mélodieusement, l'été, à la fenêtre de la chambre de Marion.

Les larmes lui montèrent aux yeux. Son cœur se mit à battre avec une telle violence qu'il pouvait à peine supporter son bonheur. Combien de fois il avait pensé à ce moment, se l'était représenté dans toutes les circonstances, avait redouté qu'il ne vînt jamais, avait soupiré, langui après lui — au loin !

De nouveau la lumière ! Distincte et rougeoyante ; allumée, il le savait, pour lui souhaiter la bienvenue et accélérer son arrivée. Il fit signe de la main, agita son chapeau, poussa des hourras bien fort, comme s'ils pouvaient le voir et l'entendre, tandis qu'il se ruait triomphalement vers eux à travers la boue et les fondrières.

Halte! Il connaissait le docteur et il comprit ce qu'il avait fait. Il n'avait pas voulu que ce fût une surprise. Eh bien, Alfred pouvait encore faire que c'en fût une, en approchant à pied. Si la porte du verger était ouverte, il pourrait entrer par là; sinon, il était aisé de grimper par-dessus le mur, comme il le savait depuis longtemps; et il ne lui faudrait qu'un instant pour être parmi eux.

Il descendit de la chaise et, après avoir dit au cocher — non sans peine, tant il était agité — de rester derrière quelques minutes, puis de suivre lentement, il courut avec une rapidité étonnante, éprouva la grille, escalada le mur, sauta de l'autre côté et se tint, haletant, dans le vieux verger.

Les arbres étaient couverts de givre et, à la faible lueur de la lune voilée de nuages, les petites branches semblaient des guirlandes funèbres. Les feuilles sèches craquetaient sous ses pas, tandis qu'il s'avançait doucement vers la maison. La désolation d'une nuit d'hiver pesait sur la terre et dans le ciel. Mais la lueur rouge s'en venait joyeusement des fenêtres; des silhouettes passaient et repassaient; et le bourdonnant murmure des voix frappait doucement son oreille.

Il guettait celle de sa fiancée, tâchant, tandis qu'il s'avançait, de l'isoler des autres et s'imaginant presque l'entendre; il allait atteindre la porte, quand quelqu'un l'ouvrit brusquement, et une forme, en jaillissant, rencontra la sienne. Elle recula aussitôt en étouffant un cri.

« Clémence, dit-il, ne me reconnaissez-vous plus?

— N'entrez pas! répondit-elle, le repoussant.

Allez-vous-en. Ne me demandez pas pourquoi. N'entrez pas.

— Mais qu'est-ce qu'il y a ? s'écria-t-il.

— Je ne sais pas. Je… j'ai peur d'y penser. Retournez-vous-en. Écoutez ! »

Il y eut un soudain tumulte dans la maison. Clémence se couvrit les oreilles de ses mains. Un cri si perçant que nulles mains n'auraient pu le bannir retentit, et Grâce — la folie répandue dans ses manières et sur ses traits — se précipita au-dehors.

« Grâce ! (Il la saisit dans ses bras.) Qu'est-ce qu'il y a ? Est-elle morte ? »

Elle se dégagea, comme pour reconnaître son visage, et tomba à ses pieds.

Une foule de gens, sortis de la maison, les entourèrent. Parmi eux se trouvait le père de la jeune fille, un papier à la main.

« Qu'est-ce que c'est ? s'écria Alfred, s'arrachant les cheveux et cherchant, angoissé, à lire sur les visages tandis qu'il s'agenouillait auprès de la jeune fille insensible. Nul ne me regardera-t-il ? Nul ne me parlera-t-il ? Personne ne me reconnaît-il ? N'y aura-t-il pas une voix parmi vous pour me dire ce qu'il y a ? »

Un murmure parcourut l'assistance : « Elle est partie.

— Partie ! répéta-t-il.

— Elle s'est enfuie, mon cher Alfred ! dit le docteur d'une voix brisée, les mains devant son visage. Elle a déserté son foyer et nous a abandonnés. Ce soir ! Elle écrit qu'elle a fait son choix, innocent et sans reproche ; elle nous supplie de lui pardonner — de ne pas l'oublier — et elle est partie.

— Avec qui ? Pour où ? »

Il se leva brusquement, comme pour s'élancer à sa

poursuite ; mais quand on s'écarta pour le laisser passer, il regarda l'assistance avec des yeux hagards, revint en chancelant, s'affaissa dans sa posture précédente, et serra une des mains glacées de Grâce dans les siennes.

Il y eut des allées et venues précipitées, beaucoup de confusion, de bruit, de désordre, d'indécision. Les uns s'apprêtèrent à se disperser sur les routes, les autres enfourchèrent leur cheval, tandis que d'autres restaient à discuter, objectant qu'il n'y avait aucunes traces, aucune piste à suivre. Certains s'approchèrent avec sympathie d'Alfred pour tenter de le réconforter ; d'autres lui représentèrent que mieux vaudrait transporter Grâce à l'intérieur et qu'il y faisait obstacle. Il n'entendait rien et ne faisait pas un mouvement.

La neige tombait, épaisse et drue. Il leva un moment les yeux en l'air et se dit que ces cendres blanches répandues sur ses espoirs et sa détresse s'accordaient bien avec eux. Il regarda autour de lui le sol blanchissant et pensa à la façon dont les pas de Marion seraient étouffés et couverts aussitôt imprimés, et effacé jusqu'à ce souvenir d'elle. Mais à aucun moment il ne sentit la morsure du froid, ni ne bougea.

TROISIÈME PARTIE

Le monde avait vieilli de six ans depuis ce soir du retour. C'était une tiède après-midi d'automne, et il avait plu d'abondance. Le soleil fit soudain irruption parmi les nuages ; et le vieux champ de bataille, miroitant gaiement à sa vue en un point verdoyant, y fit resplendir sa sympathique bienvenue, qui s'étendit bientôt à toute la campagne, comme si l'on eût allumé quelque heureux feu de joie auquel eussent répondu aussitôt des milliers d'autres.

Qu'il était beau, ce paysage embrasé de lumière sous l'exubérante influence qui passait comme une céleste présence, avivant toutes choses! Le bois, naguère une sombre masse, révélait ses divers tons de jaune, de vert, de brun, de rouge, et les formes variées de ses arbres, avec les gouttes de pluie clignotant sur les feuilles et scintillant dans leur chute. On eût dit que les lumineuses et verdoyantes prairies, aveugles encore un moment auparavant, venaient de retrouver la vue pour contempler ce ciel éclatant. Les champs de blé, les haies, les clôtures, les fermes et leurs toits groupés, le clocher de l'église, le ruisseau, le moulin, tout s'élançait souriant hors de la triste obscurité. Les oiseaux chantaient délicieusement, les fleurs redressaient leur tête penchée, de fraîches senteurs s'élevaient de la terre vivifiée ; là-haut, l'étendue bleue s'élargissait et se diffusait rapidement ; déjà les rayons obliques du soleil perçaient à mort le maussade banc de nuages qui s'attardait dans sa fuite, et un arc-en-ciel, essence de toutes les couleurs qui ornent la terre et le ciel, se déployait dans toutes sa gloire triomphante.

En pareille saison, une petite auberge douillettement abritée à l'ombre d'un grand orme, dont le vaste tronc était entouré d'un excellent banc pour les flâneurs, présentait au voyageur sa façade réjouissante comme le doit faire une maison d'hébergement, le tentant par maints signes muets, mais non moins significatifs d'un accueil confortable. L'enseigne d'un beau rouge, perchée dans l'arbre, lançait au passant d'entre les feuilles, comme dardée d'une joviale figure, l'œillade prometteuse de bonne chère de ses lettres d'or clignotant au soleil. L'abreuvoir rempli de claire eau fraîche et le sol parsemé devant lui de tombées de foin odorant faisaient dresser les oreilles à tout cheval qui passait par là. Les rideaux cramoisis des pièces du bas et les voilages du blanc le plus pur des chambres à coucher d'en haut vous disaient : « Entrez donc ! » à chaque souffle d'air. Sur les volets vert vif se lisaient des inscriptions parlant de bière et d'ale, de vins choisis et de bons lits, de l'image attendrissante d'un pot brun débordant de mousse. Il y avait au rebord des fenêtres des plantes fleuries dans des pots d'un rouge brillant, qui ressortaient gaiement sur la façade blanche de la maison ; et dans l'encadrement de la porte, des rais de lumière jaillissaient de la surface polie des bouteilles et des pots d'étain.

Et sur le seuil, on voyait précisément la silhouette d'aubergiste qu'il fallait : il compensait sa courte taille par sa largeur et sa rotondité, et il se tenait les mains dans les poches, les jambes juste assez écartées pour montrer un esprit en repos quant à sa cave et une tranquille confiance — trop calme et trop vertueuse pour tourner à la fanfaronnade — dans les ressources générales de son établissement. L'humidité surabondante qui dégouttait de partout après la récente pluie lui allait bien. Rien autour de lui n'avait soif. Certains dahlias, qui penchaient leur tête lourde par-dessus la clôture de son jardin net et ordonné, s'étaient imbibés au maximum — un peu trop même, peut-être — et semblaient ne pas supporter très bien la boisson ; mais les églantines, les roses, les giroflées, les plantes des fenêtres et les feuilles du vieil arbre étaient dans l'état radieux d'une compagnie raisonnable qui n'aurait rien pris de plus qu'il n'était bon pour développer ses meilleures qualités. Arrosant le sol autour d'elles de gouttes de rosée, elles semblaient répandre une innocente et pétillante gaieté, qui faisait du bien là où elle tombait, attendrissant les coins négligés que la pluie régulière n'atteignait que rarement, sans faire de mal à quiconque.

Cette auberge de village avait reçu, lors de son établissement, une enseigne peu ordinaire. Elle s'appelait : la Râpe à Muscade. Et sous ces mots domestiques était inscrit, là-haut dans l'arbre, sur la même planche couleur de feu et en mêmes lettres d'or : Benjamin Bretagne, propriétaire.

Au second coup d'œil et après un examen plus attentif de son visage, on aurait pu reconnaître que c'était Benjamin Bretagne en personne qui se tenait sur le seuil — raisonnablement changé par le temps, mais en mieux : c'était un hôte qui respirait le confort, en vérité.

« Mme Bretagne est assez en retard, dit M. Bretagne, scrutant la route. C'est l'heure du thé. »

Comme aucune Mme Bretagne n'était visible, il sortit sans se presser sur la route, et contempla la maison avec grande satisfaction.

« C'est tout à fait le genre de maison où j'aimerais descendre, si je n'en étais le patron », dit Benjamin.

Puis il se rendit à la palissade du jardin pour admirer les dahlias. Ils lui retournèrent son regard, la tête courbée d'un air d'invincible somnolence, mais se redressant brusquement à mesure que leur eau s'écoulait en lourdes gouttes.

« Vous avez besoin qu'on s'occupe de vous, dit Benjamin. Il faudra que je pense à le lui dire. Mais comme elle est longue à venir ! »

La femme de M. Bretagne semblait si bien être sa moitié que la moitié qui appartenait en propre au mari se trouvait entièrement perdue et désemparée dès qu'elle n'était pas là.

« Elle n'avait pas grand-chose à faire, je crois, dit Ben. Il y avait bien quelques petites affaires à traiter après le marché, mais pas beaucoup. Ah ! Nous voici enfin ! »

Une carriole, conduite par un garçon, approchait en cahotant sur la route : dedans, assise sur une chaise, avec un vaste parapluie bien trempé ouvert derrière elle pour sécher, on distinguait la forme rebondie d'une brave matrone, les bras nus croisés sur un panier qu'elle tenait sur ses genoux, tandis que plusieurs autres paniers et paquets étaient entassés autour d'elle ; et certain bon naturel qui éclairait son visage et la gaucherie satisfaite qui se voyait dans toutes ses manières, comme elle brimbalait au mouvement de la voiture, faisaient songer à l'ancien temps, même ainsi vues à distance. Quand elle fut plus près, cette saveur d'antan ne se trouva pas diminuée ; et quand la carriole s'arrêta à la porte de la Râpe à Muscade, une paire de souliers, en descendant, glissa prestement entre les bras ouverts de M. Bretagne et atterrit avec un poids substantiel sur la chaussée, souliers qui n'auraient guère pu appartenir à personne d'autre que Clémence Newcome.

En fait, ils lui appartenaient bien, et elle se tenait dedans, vermeille et bien en chair, avec autant de savon sur son visage poli qu'au bon vieux temps, mais avec des coudes intacts à présent, que sa condition améliorée avait remplis de fossettes.

« Tu rentres bien tard, Clemmy ! dit M. Bretagne.

— C'est que j'ai eu beaucoup de choses à faire, Ben ! répondit-elle, tout en s'assurant activement que les paquets et les paniers étaient tous transportés sans dommage à l'intérieur de la maison. Huit, neuf,

dix… où est le onzième ? Ah ! oui, c'est mon panier
qui fait onze ! Ça va bien. Rentre le cheval à l'écurie,
Harry, et s'il tousse encore, donne-lui un barbotage[1].
Huit, neuf, dix. Mais où est donc le onzième ? Ah !
oui, j'oubliais. Ça va bien. Comment sont les enfants,
Ben ?

— Gaillards, Clemmy, gaillards.

— Dieu les bénisse ! dit Mme Bretagne, ôtant le
bonnet qui entourait sa face ronde (car elle et son
mari étaient alors passés dans l'estaminet) et se lissant
les cheveux de la paume de ses mains. Embrasse-
moi, papa ! »

M. Bretagne s'exécuta promptement.

« Je crois que je n'ai rien oublié, dit Mme Bretagne,
recourant à ses poches et en tirant tout un charge-
ment de petits carnets et de papiers chiffonnés, véritable troupeau de mémentos à cornes. Les notes sont
toutes réglées, les navets vendus ; j'ai vérifié et payé
le compte de la brasserie, commandé les pipes, versé
dix-sept livres et quatre shillings à la banque. La note
du Dr Heathfield pour la petite Clem… tu peux
deviner à quoi elle se monte : le Dr Heathfield n'a
encore rien voulu prendre, Ben.

— Je le pensais bien, répondit son mari.

— Non. Il déclare que, quel que soit le nombre
d'enfants que tu auras, Ben, il ne voudrait jamais te
faire payer un sou. Pas même s'il devait y en avoir
une vingtaine. »

Le visage de M. Bretagne prit une expression de
gravité, et il fixa les yeux sur le mur.

« N'est-ce pas que c'est gentil de sa part ? dit Clémence.

— Très, répondit M. Bretagne. Mais c'est un genre
de gentillesse dont je ne voudrais abuser pour rien
au monde.

— Non, répliqua Clémence. Bien entendu. Ah! et il y avait le poney; il a fait huit livres et deux shillings; ce n'est pas mal, hein?

— C'est très bien, dit Ben.

— Je suis contente que tu sois satisfait! s'écria sa femme. Je le pensais bien. Je crois que c'est tout, alors rien de plus pour le moment de votre eccetra, C. Bretagne. Ha, ha, ha! Prends tous les papiers, et mets-les sous clef. Oh, attends une minute. Voici une affiche imprimée à coller sur le mur. Elle sort de l'imprimerie. Comme ça sent bon!

— Qu'est-ce que c'est? dit Ben, parcourant le document.

— Je ne sais pas, répondit sa femme. Je n'en ai pas lu le premier mot.

— "À vendre aux enchères publiques", lut le patron de la Râpe à Muscade, "sauf en cas de vente préalable par contrat privé".

— Ils mettent toujours ça, dit Clémence.

— Oui, mais ils ne mettent pas toujours ce qui suit, répliqua-t-il. Écoute: "Château, etc. dépendances, etc. bosquets, etc. clos de murs, etc. MM. Snitchey et Craggs, etc. partie d'agrément de la propriété foncière, franche d'hypothèques, de Michel Warden, Esq., qui a l'intention de continuer à vivre à l'étranger"!

— Qui a l'intention de continuer à vivre à l'étranger! répéta Clémence.

— C'est écrit là, dit Bretagne. Regarde.

— Et dire qu'aujourd'hui même j'avais entendu chuchoter, à la vieille maison, que l'on avait reçu la presque assurance d'avoir des nouvelles meilleures et plus précises d'elle pour bientôt! dit Clémence, hochant tristement la tête et se tapotant les coudes comme si le souvenir de l'ancien temps réveillait inconsciemment ses anciennes habitudes. Mon Dieu, mon Dieu ! Il va y avoir des cœurs bien lourds, là-bas, Ben. »

M. Bretagne soupira, hocha la tête et dit qu'il n'y pouvait rien comprendre : il avait dès longtemps cessé de s'y efforcer. Sur cette remarque, il se mit en devoir de coller l'affiche à la fenêtre de l'estaminet. Clémence, après avoir médité un instant en silence, se secoua, éclaircit son front pensif, et partit d'un air affairé s'occuper des enfants.

Bien que le patron de la Râpe à Muscade eût une vive affection pour sa digne femme, c'était avec la condescendance d'autrefois, et sa moitié l'amusait fort. Rien ne l'aurait tant étonné que d'apprendre avec certitude d'un tiers que c'était elle qui menait toute la maison et qui, par sa simple et franche économie ménagère, sa bonne humeur, son honnêteté et son industrie, faisait de lui un homme prospère. Tant il est aisé, à n'importe quel échelon de la vie (on le constate souvent en ce monde), d'accorder à ces heureuses natures qui ne mettent pas en avant leurs mérites la seule valeur que s'attribue leur modestie ; et de s'enticher à la légère, pour leurs bizarreries ou originalités extérieures, de gens dont la valeur innée, si l'on voulait regarder jusque-là, nous ferait rougir par comparaison !

Il était agréable à M. Bretagne de penser à la condescendance dont il avait fait preuve en épousant Clémence. Elle lui était un témoignage permanent de la bonté de son cœur et de la bienveillance de son caractère ; et il avait le sentiment que le fait qu'elle était une excellente épouse illustrait bien le vieux précepte selon lequel la vertu porte en soi sa propre récompense.

Il avait fini d'apposer l'affiche, et il avait enfermé

dans l'armoire les justificatifs de toutes les transactions accomplies ce jour-là par sa femme — non sans
rire *in petto* de l'aptitude de celle-ci aux affaires —
quand, revenant avec la nouvelle que les deux jeunes
Bretagne jouaient dans la remise sous la surveillance
d'une certaine Betsey et que la petite Clem dormait
«comme un ange», elle s'assit pour prendre le thé,
qui avait attendu son arrivée sur une petite table.
C'était un très joli petit bar, avec son étalage habituel
de bouteilles et de verres, sa sobre pendule, exacte à
une minute près (il était cinq heures et demie), et
chaque jour à sa place, fourbie et astiquée à souhait.

«C'est bien la première fois de la journée que je
peux m'asseoir tranquillement, déclara Mme Bretagne, respirant longuement comme si elle s'était
installée pour la nuit, mais se relevant aussitôt pour
tendre sa tasse de thé à son mari et lui préparer sa
tartine de pain beurré. Comme cette affiche me fait
repenser à l'ancien temps!

— Ah! dit M. Bretagne, maniant sa soucoupe
comme une huître et en avalant le contenu d'après le
même principe.

— C'est ce même M. Michel Warden, dit Clémence, hochant la tête dans la direction de l'avis de
vente, qui m'a valu de perdre mon ancienne place.

— Et qui t'a procuré un mari, dit M. Bretagne.

— Ma foi oui, répliqua Clémence. Grand merci à
lui.

— L'homme est une créature d'habitudes, dit
M. Bretagne en l'observant par-dessus sa soucoupe.
Je m'étais en quelque sorte accoutumé à toi, Clem;
et je me suis aperçu que je ne pourrais pas me passer
de toi. Alors, nous nous sommes mariés. Ha, ha!
Nous deux! Qui l'eût cru!

— Qui donc, en effet ! s'écria Clémence. Ç'a été très bon de ta part, Ben.

— Non, non, non, répliqua M. Bretagne d'un air d'abnégation. Ça ne vaut pas la peine d'en parler.

— Oh ! que si, Ben, dit sa femme en toute candeur. C'est bien ce que je pense, et je t'en ai beaucoup de reconnaissance. Ah ! ajouta-t-elle en regardant de nouveau l'avis, quand on a su qu'elle était vraiment partie et hors d'atteinte, je ne pouvais faire autrement que de dire ce que je savais, aussi bien pour elle que pour eux, n'est-ce pas ?

— En tout cas, tu l'as dit, fit observer son mari.

— Et le Dr Jeddler, poursuivit Clémence en reposant sa tasse et en regardant pensivement l'affiche, dans son chagrin et sa fureur m'a mise à la porte de cette maison qui était mon foyer ! Rien ne m'a jamais fait plus de plaisir que de n'avoir pas eu pour lui alors un seul mot de colère, de n'avoir éprouvé contre lui aucun ressentiment, même sur le moment ; car il s'en est vraiment repenti par la suite. Combien de fois il s'est assis dans cette pièce, me répétant sans cesse son regret — hier encore, tandis que tu étais sorti. Combien de fois il s'est assis dans cette pièce pour parler, à longueur de journée, de choses et d'autres auxquelles il faisait semblant de s'intéresser ! — mais, en fait, uniquement en souvenir du temps passé et parce qu'il sait qu'elle m'aimait, Ben !

— Mais comment es-tu jamais arrivée à saisir cela, Clem ? demanda son mari, tout étonné qu'elle pût découvrir clairement une vérité qui ne s'était que vaguement présentée à son esprit inquisiteur.

— Je n'en sais rien, pour sûr, dit Clémence, soufflant sur son thé pour le refroidir. Je serais bien incapable de le dire, même si tu m'offrais une récompense de cent livres. »

Peut-être aurait-il poursuivi cette conversation métaphysique, n'eût-elle perçu un fait très matériel qui se présentait derrière lui sous la forme d'un monsieur en vêtements de deuil, portant manteau et bottes de cavalier, et se tenant sur le seuil. Il paraissait écouter leur conversation sans marquer aucune envie de l'interrompre.

Clémence se hâta de se lever en le voyant. M. Bretagne fit de même et accueillit le client.

«Voulez-vous monter, monsieur? Il y a une excellente chambre au premier, monsieur.

— Merci, dit l'étranger, regardant attentivement la femme de M. Bretagne. Puis-je entrer ici?

— Mais certainement, si vous le désirez, monsieur, répondit Clémence en le laissant passer. Que sera-ce pour votre service, monsieur?»

L'affiche avait attiré son attention, et il était en train de la lire.

«C'est une très belle propriété, cela, monsieur», fit observer M. Bretagne.

L'homme ne fit aucune réponse; mais, s'étant retourné une fois sa lecture finie, il regarda Clémence avec la même attentive curiosité qu'auparavant. «Vous me demandiez...? dit-il, sans la quitter des yeux.

— Ce que ce serait pour votre service, monsieur, répondit Clémence, lui jetant un coup d'œil en retour.

— Si vous voulez bien me donner un peu d'ale, dit-il en s'approchant d'une table près de la fenêtre, et me la servir ici sans que cela interrompe votre repas, je vous serai fort obligé.»

Ce disant, il s'assit sans plus parlementer et contempla le paysage. C'était un homme jeune, bien découplé, aux manières aisées. Sa figure, très brunie du soleil, était ombragée par une épaisse chevelure noire, et il portait une moustache. La bière lui ayant été servie, il emplit son verre et but avec bonhomie à la prospérité de la maison ; puis il ajouta, tandis qu'il le reposait :

« C'est une nouvelle maison, n'est-ce pas ?

— Pas tout à fait, monsieur, répondit M. Bretagne.

— Elle date d'il y a cinq ou six ans, dit Clémence avec une netteté particulière.

— Il m'a semblé vous entendre prononcer le nom du Dr Jeddler quand je suis entré, dit l'étranger. Cette affiche me fait souvenir de lui, car il se trouve que je connais quelque chose de cette histoire par ouï-dire et par l'intermédiaire de certaines relations. Le vieillard vit-il toujours ?

— Oui, il vit toujours, monsieur, dit Clémence.

— A-t-il beaucoup changé ?

— Depuis quand, monsieur ? répliqua Clémence, avec une insistance et une expression particulières.

— Depuis que sa fille... est partie.

— Oui, il a grandement changé depuis lors, dit Clémence. C'est un vieillard aux cheveux gris, et il n'a plus du tout le même air ; mais je crois qu'il a retrouvé la paix, maintenant. Il s'est raccommodé avec sa sœur depuis lors, et il va la voir très souvent. Cela lui a tout de suite fait du bien. Au début, il fut très abattu ; et cela fendait le cœur de le voir errer de-ci de-là en invectivant le monde ; mais un grand changement se fit après un an ou deux, et il commença à prendre plaisir à parler de sa fille perdue, à faire son éloge, oui, et celui du monde aussi ! et il ne se lassait jamais de dire, avec des larmes dans ses pauvres yeux, combien elle était belle et bonne. Il lui avait pardonné. Ce fut à peu près à l'époque du mariage de Mlle Grâce. Tu te rappelles, Bretagne ? »

M. Bretagne s'en souvenait très bien.

« Ainsi donc, la sœur est mariée », répondit l'étranger.

Il observa un moment de silence avant de demander :

« Qui a-t-elle épousé ? »

Il s'en fallut de peu que Clémence ne renversât le plateau de thé, dans l'émotion qu'elle ressentit à cette question.

« Comment, *vous* ne l'avez jamais su ?

— J'aimerais le savoir, répondit-il, emplissant à nouveau son verre et le portant à ses lèvres.

— Ah ! ce serait une longue histoire, s'il fallait la raconter convenablement, dit Clémence, posant son menton au creux de sa main gauche et supportant le coude correspondant dans la droite, tout en hochant la tête et en considérant les années intermédiaires comme si elle regardait le feu. Ce serait une longue histoire, pour sûr.

— Mais, en quelques mots, suggéra l'étranger.

— En quelques mots, répéta Clémence du même ton pensif, sans faire aucunement attention à lui ni sembler se douter qu'elle eût un auditoire quelconque, que pourrait-on en dire ? Qu'ils s'affligèrent ensemble, qu'ils entretinrent ensemble son souvenir, comme celui d'une morte ; qu'ils étaient si délicats à son sujet que jamais ils ne lui reprochèrent rien, qu'ils se la rappelèrent l'un à l'autre telle qu'elle était autrefois et qu'ils lui trouvaient des excuses ! Tout le monde sait cela. Et moi tout particulièrement. Qui le saurait mieux que moi ? ajouta Clémence, s'essuyant les yeux du revers de sa main.

— En sorte que ? fit l'étranger, suggérant un complément d'information.

— En sorte que, dit Clémence, enchaînant mécaniquement et sans changer d'attitude ou de manière, ils finirent par se marier. Ils se marièrent le jour anniversaire de sa naissance — il reviendra de nouveau demain — d'une façon toute tranquille, toute simple, mais avec bonheur. M. Alfred dit, un soir qu'ils se promenaient dans le verger : "Grâce, voulez-vous que notre mariage se fasse le jour anniversaire de la naissance de Marion ?" Et il se fit ce jour-là.

— Et ils ont vécu heureux depuis lors ?

— Oui, dit Clémence. Jamais couple ne vécut plus heureux. Ils n'ont eu d'autre chagrin que celui-là. »

Elle leva la tête en pensant soudain aux circonstances qui la faisaient revenir sur ces événements, et elle regarda vivement l'étranger. Voyant que son visage était tourné vers la fenêtre et qu'il paraissait absorbé par le paysage, elle adressa quelques signes impatients à son mari, lui montrant l'affiche et faisant avec grande énergie des mouvements de lèvres comme pour répéter à maintes reprises un mot ou un tour de phrase. Mais étant donné qu'elle n'articulait aucun son et que ses signes muets étaient, comme la plupart de ses gestes, d'un caractère fort extraordinaire, cette conduite inintelligible réduisit M. Bretagne à un état voisin du désespoir. Il écarquilla les yeux en les fixant successivement sur la table, sur l'étranger, sur les cuillers, sur sa femme ; suivit sa pantomime avec un air d'ahurissement et de perplexité extrêmes ; demanda dans le même langage si le danger concernait la propriété, lui ou elle-même ; répondit à ses signaux par d'autres qui exprimaient la détresse et la confusion les plus profondes ;

suivit le mouvement de ses lèvres ; déchiffra presque
à haute voix « mes vieilles hardes », « montre-lui le
jardin », « serre-lui donc la main », sans parvenir à
saisir ce qu'elle voulait dire.

Clémence finit par renoncer à se faire comprendre ; et, approchant sa chaise de l'étranger par
tout petits à-coups, elle resta les yeux apparemment
baissés, mais non sans lui jeter de temps à autre des
coups d'œil aigus, attendant qu'il posât quelque
autre question. Elle n'eut pas longtemps à attendre,
car il demanda bientôt :

« Et quelle fut la suite de l'histoire de la jeune personne qui s'était enfuie ? On la connaît, je suppose ? »

Clémence hocha la tête.

« J'ai entendu dire, répondit-elle, que le Dr Jeddler
devait en savoir plus qu'il ne le révélait. Mlle Grâce a
reçu des lettres de sa sœur, disant qu'elle allait bien,
qu'elle était heureuse et surtout qu'elle se réjouissait
de savoir Mlle Grâce mariée à M. Alfred ; et elle a
répondu. Mais le mystère reste entier quant à son
existence et à son sort : rien n'est venu l'éclaircir
jusqu'à maintenant et… »

Arrivée là, sa voix trembla, et elle se tut.

« Et… ? répéta l'étranger.

— Et une seule personne au monde, je pense,
pourrait l'expliquer, dit Clémence, avalant sa salive.

— Et qui donc serait cette personne ? demanda
l'étranger.

— M. Michel Warden ! » répondit Clémence presque
dans un cri, révélant soudain à son mari ce qu'elle
avait voulu lui faire entendre et laissant comprendre
à Michel Warden qu'il était reconnu.

« Vous vous souvenez de moi, monsieur ? dit Clémence, tremblante d'émotion. J'ai vu à l'instant que

oui! Vous vous souvenez de moi, j'étais cette nuit-là dans le jardin. J'étais avec elle!

— Oui, vous étiez là, dit-il.

— Oui, monsieur, repartit Clémence. Oui, pour sûr. Je vous présente mon mari, si vous le permettez. Ben, mon cher Ben, cours chez Mlle Grâce... cours chez M. Alfred... cours n'importe où, Ben! Amène quelqu'un, tout de suite!

— Attendez! dit Michel Warden, s'interposant tranquillement entre la porte et Bretagne. Que voudriez-vous faire?

— Leur faire savoir que vous êtes là, monsieur, répondit Clémence, battant des mains dans son agitation; leur faire savoir qu'ils peuvent avoir des nouvelles, de votre propre bouche; leur faire savoir qu'elle n'est pas tout à fait perdue pour eux, qu'elle reviendra encore pour accorder à son père et à sa sœur aimante... et même à sa vieille servante, même à moi (elle se frappa la poitrine des deux mains)... la bénédiction que sera la vue de son doux visage. Cours, Ben, cours!»

Et elle le poussait toujours vers la porte, tandis que M. Warden se tenait toujours devant, étendant les bras d'un air non pas irrité, mais seulement triste.

«Ou peut-être même est-elle ici, dit Clémence, se précipitant devant son mari et agrippant dans son émotion le manteau de M. Warden; peut-être est-elle tout près d'ici. Je crois, à voir vos manières, qu'elle l'est. Laissez-moi la voir, monsieur, je vous en supplie. J'ai veillé sur elle, enfant. Je l'ai vue grandir, être l'orgueil de ces lieux. Je l'ai connue quand elle était promise à M. Alfred. J'ai tenté de la mettre en garde quand vous l'avez entraînée. Je sais ce que fut son foyer alors qu'elle en était l'âme, et le changement qu'y apportèrent son départ et sa perte. Laissez-moi lui parler, je vous en supplie ! »

Il la regarda avec une compassion non exempte d'étonnement ; mais il ne fit aucun geste d'assentiment.

« Je ne crois pas qu'elle puisse vraiment savoir, poursuivit Clémence, avec quelle sincérité ils lui pardonnent ; à quel point ils l'aiment ; quelle joie ce serait pour eux de la revoir. Peut-être craint-elle de rentrer. Peut-être que si elle me voyait, cela lui redonnerait courage. Dites-moi seulement, en toute vérité, monsieur Warden, est-elle avec vous ?

— Non », répondit-il en secouant la tête.

Cette réponse, ses façons, ses vêtements noirs, son retour si discret et son intention annoncée de continuer à vivre à l'étranger expliquaient tout. Marion était morte.

Il ne la contredit point ; oui, elle était morte. Clémence se laissa tomber sur une chaise, enfouit sa tête dans ses mains et se mit à sangloter.

À ce moment, un vieux monsieur aux cheveux gris entra précipitamment, tout hors d'haleine et haletant à tel point que l'on pouvait à peine reconnaître sa voix pour celle de M. Snitchey.

« Bonté divine, monsieur Warden ! dit l'avoué, le tirant à part. Quel vent... (Le vent semblait à tel point absent de ses propres poumons qu'il ne put aller plus loin sans faire une pause, après laquelle il ajouta faiblement :) Vous, ici ?

— Un vent de malheur, je le crains, répondit-il. Si vous aviez pu entendre ce qui vient de se passer, comment on m'a adjuré, supplié d'accomplir des choses impossibles, si vous saviez quelle confusion et quelle affliction j'apporte avec moi !

— Je devine tout. Mais pourquoi être venu précisément ici, mon cher monsieur ? répliqua Snitchey.

— Venu ici! Comment aurais-je pu savoir qui tenait cette maison? Quand je vous ai envoyé mon valet, je suis entré par hasard, parce que l'endroit était nouveau pour moi; et j'avais une curiosité bien naturelle pour toutes choses, neuves ou vieilles, touchant ces lieux; de plus, c'était en dehors de la ville. Je voulais me mettre en rapport avec vous avant d'y faire mon apparition. Je voulais savoir comment les gens réagiraient à mon égard. Je vois à votre expression que vous pouvez me le dire. N'était votre maudite prudence, il y a longtemps que je saurais tout...

— Notre prudence! répliqua l'avoué. Parlant en mon nom propre et en celui de... feu Craggs (ici, M. Snitchey, jetant un regard au ruban de son chapeau, hocha la tête), comment pouvez-vous raisonnablement nous la reprocher, monsieur Warden? Il avait été entendu entre nous que ce sujet ne serait jamais plus abordé et que ce n'était pas une question dans laquelle pouvaient intervenir des gens aussi sérieux que nous (j'ai pris bonne note des observations que vous nous fîtes à l'époque). Notre prudence, dites-vous! Quand M. Craggs est descendu dans sa tombe respectée, monsieur, croyant pleinement...

— Je vous avais solennellement promis d'observer le silence jusqu'à mon retour, quelque éloigné qu'il dût être, dit M. Warden, l'interrompant, et j'ai tenu parole.

— Oui, monsieur, mais je vous le répète, répliqua M. Snitchey, nous étions également tenus au silence. Nous étions tenus au silence par devoir envers nous-mêmes, mais aussi par devoir envers divers clients, dont vous, qui étaient aussi secrets que la tombe. Ce n'est pas à nous qu'il appartenait de vous poser des questions sur un sujet aussi délicat. J'avais bien mes soupçons, monsieur ; mais il n'y a pas six mois que je connais la vérité et que j'ai su formellement quelle perte vous aviez soufferte.

— Par qui ? demanda son client.

— De la bouche même du Dr Jeddler, monsieur, qui a fini par me faire volontairement cette confidence. Lui, et lui seul, a connu toute la vérité, depuis des années.

— Et vous la connaissez ? dit le client.

— Oui, monsieur ! répondit Snitchey. Et j'ai aussi des raisons de savoir qu'elle sera révélée à sa sœur demain soir. On lui en a fait la promesse. En attendant, peut-être m'accorderez-vous l'honneur de votre compagnie dans ma maison, puisque vous n'êtes pas attendu dans la vôtre. Mais pour ne pas vous exposer à des difficultés comme celles que vous avez rencontrées ici au cas où vous seriez reconnu — encore que vous ayez passablement changé : j'aurais pu moi-même ne pas vous reconnaître, monsieur Warden — nous ferions mieux de dîner ici avant d'aller chez moi. C'est un très bon endroit pour dîner, monsieur Warden ; et qui vous appartient, soit dit en passant. Moi-même et feu Craggs sommes parfois venus y manger une côtelette, et nous avons été fort bien servis. M. Craggs, dit Snitchey, fermant hermétiquement les yeux durant un instant, a été trop tôt rayé de la liste des vivants, monsieur.

— Le Ciel me pardonne de ne pas vous avoir présenté mes condoléances, répondit Michel Warden, se passant la main sur le front, mais je suis comme dans un rêve. Il me semble que je n'ai plus ma tête à moi. M. Craggs… oui… je regrette beaucoup que nous ayons perdu M. Craggs. »

Mais, ce disant, il regardait Clémence et paraissait sympathiser avec Ben qui tentait de la consoler.

«M. Craggs, monsieur, fit observer Snitchey, n'a pas trouvé la vie, je regrette de le dire, aussi facile à conserver que sa théorie le voulait, sans quoi il serait encore parmi nous. C'est une grande perte pour moi. C'était mon bras droit, ma jambe droite, mon œil droit, que M. Craggs. Je suis un paralytique sans lui. Il a légué sa part de l'affaire à Mme Craggs, à ses exécuteurs testamentaires, à ses curateurs et à ses ayants droit. Son nom reste dans la raison sociale, pour l'instant. J'essaie parfois, de façon assez puérile, de me donner l'illusion qu'il est encore vivant. Vous pouvez remarquer que je parle en mon nom propre et en celui de feu Craggs... de feu Craggs, monsieur», dit l'avoué au cœur tendre, agitant son mouchoir.

Michel Warden, qui observait toujours Clémence, se tourna vers M. Snitchey quand il cessa de parler et lui murmura quelques mots à l'oreille.

«Ah! la pauvre créature! dit Snitchey, hochant la tête. Oui. Elle a toujours été très fidèle à Marion. Elle l'a toujours beaucoup aimée. Pauvre Marion! Remettez-vous, madame — puisque enfin vous êtes mariée à présent, Clémence.»

Clémence se contenta de soupirer en secouant la tête.

«Allons, allons! Attendez jusqu'à demain, dit l'avoué avec douceur.

— Demain ne pourra pas ramener à la vie ceux qui sont morts, monsieur, dit Clémence avec des sanglots dans la voix.

— Non, c'est certain, sans quoi nous reverrions feu M. Craggs, répliqua l'avoué. Mais il peut amener des circonstances apaisantes; il peut amener quelque réconfort. Attendez jusqu'à demain!»

Clémence donc, serrant la main qu'il lui tendait, promit de s'y efforcer ; Bretagne, terriblement déprimé à la vue de son épouse abattue, approuva ; M. Snitchey et Michel Warden montèrent ; et ils se trouvèrent bientôt engagés dans une discussion si prudemment menée qu'aucun murmure n'en fut perceptible au milieu du fracas des assiettes et des plats, du grésillement de la poêle, du bouillonnement des casseroles, de la valse monotone et étouffée du tourne-broche — qui, de temps à autre, faisait entendre un affreux cliquetis, comme si, dans un accès de vertige, il eût été victime d'un accident mortel à la tête — et de tous les autres préparatifs qui se déroulaient dans la cuisine pour leur dîner.

Le lendemain se trouva être un jour clair et paisible ; et nulle part les teintes automnales n'étaient plus belles que dans le paisible verger du docteur. Les neiges de maintes nuits d'hiver avaient fondu sur son sol, les feuilles desséchées de maint été y avaient fait entendre leur bruissement depuis la fuite de Marion. Le porche couvert de chèvrefeuille était de nouveau verdoyant, les arbres projetaient sur l'herbe des ombres généreuses et changeantes, le paysage était aussi tranquille et serein que jamais ; mais elle, où était-elle ?

Pas là. Pas là. Elle eût fait maintenant plus étrange figure encore dans son ancienne maison, que cette même maison ne l'avait faite au début, sans elle. Mais, assise à l'endroit familier, se trouvait une dame, du cœur de laquelle elle n'avait jamais disparu ; dans la fidèle mémoire de laquelle elle vivait immuablement jeune, radieuse de toutes les promesses et de toutes les espérances ; dans l'affection de laquelle — c'était pourtant celle d'une mère, à présent, car une petite fille aimée jouait à ses côtés — elle n'avait point de rivale, point de successeur ; sur les douces lèvres de laquelle enfin frémissait son nom en ce moment même.

L'esprit de la jeune fille perdue se voyait dans ces yeux. Ces yeux de Grâce, sa sœur, assise avec son mari dans le verger, en ce jour anniversaire de leur mariage, en ce jour anniversaire de la naissance du mari et de Marion.

Il n'était pas devenu célèbre ; il n'était pas devenu riche ; il n'avait pas oublié les lieux et les amis de son enfance ; il n'avait accompli aucune des anciennes prédictions du docteur. Mais dans ses visites utiles, patientes, ignorées, aux logements des pauvres ; dans ses soins prodigués au chevet des malades ; dans sa connaissance quotidienne de la gentillesse et de la bonté qui fleurissent les sentiers détournés de ce monde sans être écrasés par les pas lourds de la pauvreté, mais surgissent au contraire, flexibles, dans son sillage et l'embellissent ; il avait mieux appris et vérifié, d'année en année, la véracité de son ancienne foi. Sa façon de vivre, bien que tranquille et effacée, lui avait montré que, souvent, les hommes accueillent encore inconsciemment des anges tout comme aux temps anciens ; et que les formes les moins faites pour cela — certaines même minables, laides à voir et pauvrement mises — s'irradient au chevet de la douleur, du besoin, de la souffrance, pour se muer en anges secourables, leur tête couronnée d'une auréole de gloire.

Il vivait avec plus de fruit peut-être sur le champ de bataille transformé que s'il avait combattu sans trêve en des luttes plus ambitieuses ; et il était heureux avec sa femme, cette chère Grâce.

Et Marion. L'avait-il oubliée, elle?

« Le temps s'est vite enfui depuis lors, ma chère Grâce, dit-il (ils venaient de parler de la fameuse nuit), et pourtant il semble que tout cela soit loin, loin. Nous comptons par les changements, les événements qui se produisent en nous. Non par les années.

— Nous pouvons cependant compter par années, aussi, le temps qui s'est écoulé depuis l'époque où Marion était parmi nous, répliqua Grâce. Par six fois, mon cher mari, en comptant ce jour, nous nous sommes assis ici le jour anniversaire de sa naissance pour parler de cet heureux retour, si anxieusement attendu et si longtemps différé. Ah! quand se produira-t-il? Quand donc?»

Son mari l'observa avec attention, tandis que les larmes lui montaient aux yeux, et, l'attirant à lui, il lui dit:

« Mais Marion vous a dit dans cette dernière lettre qu'elle avait laissée sur votre table, mon amour, et que vous relisez si souvent, que des années devraient s'écouler avant que ce retour *pût* avoir lieu. N'est-ce pas vrai?»

Elle tira une lettre de son sein, la baisa et dit: « Oui.

— Que durant toutes ces années d'attente, quelque heureuse qu'elle dût être, elle attendrait avec impatience le moment où vous pourriez être de nouveau réunies et où tout s'expliquerait; et qu'elle vous demandait avec espoir et confiance de faire de même. C'est bien ce que dit la lettre, n'est-ce pas, ma chérie?

— Oui, Alfred.

— Ainsi que toutes celles qu'elle a écrites depuis?

— Sauf la dernière — il y a quelques mois — dans laquelle elle parlait de vous, de ce que vous saviez alors, et de ce que je dois apprendre ce soir.»

Il tourna la tête vers le soleil qui descendait rapidement, et dit que le moment fixé était le coucher du soleil.

«Alfred! dit Grâce, posant la main sur son épaule d'un geste pressant, il y a quelque chose dans cette lettre... cette vieille lettre que je lis si souvent, comme vous le rappeliez... quelque chose que je ne vous ai jamais dit. Mais ce soir, mon mari aimé, alors que ce coucher de soleil approche et que toute notre vie semble prendre des teintes plus douces, plus étouffées avec le départ du jour, je ne puis plus le tenir secret.

— Qu'est-ce donc, mon amour?

— Quand Marion est partie, elle m'a écrit, là, que vous me l'aviez autrefois confiée en dépôt sacré, mais qu'à présent, c'était vous Alfred qu'elle me confiait en dépôt tout aussi sacré: elle me priait, me suppliait, si je l'aimais et si je vous aimais, de ne pas rejeter l'affection qu'elle pensait (qu'elle était sûre, selon ses propres termes) que vous reporteriez sur moi quand cette blessure fraîche serait cicatrisée, mais de l'encourager au contraire et d'y répondre.

— Et de me rendre la fierté et le bonheur, Grâce. Le disait-elle aussi?

— Elle entendait que je vécusse bénie et honorée de votre amour, fut la réponse de sa femme tandis qu'il la serrait dans ses bras.

— Écoutez-moi, ma chérie! dit-il... Non, écoutez-moi comme cela! (et, tout en parlant, il replaçait doucement sur son épaule la tête qu'elle levait vers lui). Je sais pourquoi je n'ai jamais entendu jusqu'à maintenant ce passage de la lettre. Je sais pourquoi nulle trace n'en a même transparu dans aucune parole, dans aucun regard de vous à l'époque. Je sais pourquoi Grâce, la plus fidèle des amies pour moi, fut si difficile à conquérir comme femme. Et, le sachant, mon adorée, je connais la valeur inestimable de ce cœur que j'étreins dans mes bras, et je remercie Dieu de ce don généreux!»

Elle pleurait, mais non de chagrin, tandis qu'il la pressait sur son cœur. Après un bref instant, il abaissa son regard sur l'enfant qui était assise à leurs pieds en train de s'amuser avec un petit panier de fleurs, et lui dit de regarder comme le soleil était rouge et doré.

«Alfred, dit Grâce, levant vivement la tête à ces mots. Le soleil se couche. Vous n'avez pas oublié ce que je dois apprendre avant sa disparition?

— Vous devez apprendre la vérité sur l'histoire de Marion, mon amour, répondit-il.

— Toute la vérité? dit-elle d'un air implorant. Rien ne me sera plus caché. C'est bien ce que l'on m'a promis. N'est-ce pas?

— Oui, répondit-il.

— Avant le coucher du soleil, le soir de l'anniversaire de Marion. Et vous le voyez, Alfred, il disparaît rapidement.»

Il passa le bras autour de sa taille et, la regardant fermement dans les yeux, il reprit:

«Cette vérité n'a pas attendu si longtemps pour que ce soit moi qui vous la dise, ma chère Grâce. Elle doit venir d'autres lèvres.

— D'autres lèvres! répéta-t-elle d'une voix faible.

— Oui. Je sais la fidélité de votre cœur, je connais votre courage, et je sais que pour vous un mot de préparation suffit. Vous avez dit avec raison que le temps était venu. Il l'est. Dites-moi que vous avez maintenant assez de force d'âme pour supporter une épreuve… une surprise… un choc: et le messager attend à la grille.

— Quel messager? dit-elle. Et quelle nouvelle apporte-t-il?

— J'ai donné ma parole, répondit-il, en maintenant son ferme regard, de n'en pas dire plus. Croyez-vous me comprendre?

— J'ai peur d'y penser», dit-elle.

Il y avait sur le visage de son mari, en dépit de la fermeté de son regard, une émotion qui l'effrayait. Elle enfouit de nouveau, tremblante, le visage dans son épaule et le supplia d'attendre... un moment encore.

«Courage, ma femme aimée! Quand vous aurez rassemblé assez de forces pour le recevoir, le messager est à la porte. Le soleil se couche sur le jour de naissance de Marion. Courage, Grâce, courage!»

Elle releva la tête et, le considérant, lui dit qu'elle était prête. Tandis que, debout, elle le regardait s'éloigner, il était étonnant de voir combien son visage ressemblait à celui de Marion lors des derniers jours que celle-ci avait passés à la maison. Il emmenait l'enfant avec lui. Elle la rappela (elle portait le nom de la jeune fille perdue) pour la presser sur son sein. Le petit être, rendu à la liberté, courut rejoindre son père, et Grâce resta seule.

Elle ne savait pas ce qu'elle redoutait ou ce qu'elle espérait, mais restait là, immobile, à regarder le porche par lequel ils avaient disparu.

Ah! quelle était donc cette forme qui émergeait de l'ombre et se tenait sur le seuil? Cette forme aux blancs vêtements bruissant dans l'air du soir, la tête posée sur la poitrine de son père, pressée contre ce cœur aimant? Ah, Dieu! était-ce une vision qui s'élançait impétueusement des bras du vieillard, et qui, avec un grand cri et un geste frémissant des

mains, dans l'élan effréné d'un amour sans bornes,
se jetait dans ses bras ?

« Ah ! Marion, Marion ! Ah ! ma sœur ! Ah ! cher
amour de mon cœur ! Ah ! quelle joie, quel bonheur
ineffables de nous retrouver enfin ! »

Ce n'était ni un rêve ni un fantôme évoqué par
l'espoir ou la peur, mais bien Marion, la douce
Marion ! Si belle, si heureuse, si peu touchée par les
soucis et les épreuves, si radieuse dans sa beauté
exaltée que, dans le soleil couchant qui éclairait bril-
lamment son visage levé, on eût pu croire à quelque
esprit visitant la terre pour une bienfaisante mission.

Agrippée à sa sœur, qui s'était laissée tomber sur
un siège et se penchait sur elle ; souriant à travers ses
larmes et agenouillée à ses pieds, les deux bras
passés autour de son corps sans quitter un instant
son visage des yeux ; avec tout l'éclat du couchant
sur son front et la douce tranquillité du crépuscule
autour d'elle ; Marion finit par rompre le silence,
d'une voix calme, basse, claire et plaisante, si bien
accordée au moment !

« Quand c'était ici ma chère maison, Grâce, comme
ce le sera de nouveau désormais...

— Attends, mon amour adoré ! Un instant ! Ah !
Marion, entendre à nouveau ta voix ! »

Elle ne pouvait tout d'abord supporter de l'entendre, cette voix bien-aimée.

« Quand c'était ici ma chère maison, Grâce, comme
ce le sera de nouveau désormais, je l'aimais, lui, de
toute mon âme. Je l'aimais profondément. Je serais
morte pour lui, si jeune que je fusse. Je n'ai jamais
manqué un seul instant à son affection, au plus
intime de mon cœur. Elle m'était de loin plus précieuse que tout. Bien que tout cela soit passé et bien
passé depuis si longtemps, je ne pourrais supporter

la pensée que toi, qui aimes si bien, tu puisses croire que je ne l'ai pas sincèrement aimé autrefois. Je ne l'ai jamais mieux aimé, Grâce, que lorsqu'il quitta ces lieux mêmes ce jour-là. Je ne l'ai jamais mieux aimé, ma chérie, que cette nuit où je partis. »

Sa sœur, penchée sur elle, put observer son visage, sans desserrer son étreinte.

« Mais, inconsciemment, il avait gagné un autre cœur, dit Marion avec un doux sourire, avant même que j'eusse su que j'en avais un à lui donner. Ce cœur — le tien, ma sœur ! — m'était si bien consacré dans tout ce qui lui restait de tendresse, il était si dévoué et si noble, qu'il extirpa cet amour et en dissimula le secret à tout autre regard que le mien — ah ! quel autre regard aurait pu être animé d'autant de tendresse et de gratitude ? — et il fut heureux de se sacrifier à moi. Mais j'en connaissais les profondeurs. Je savais quelles luttes il avait menées. Je savais quelle en était pour Alfred la valeur inestimable et combien il l'estimait, en dépit de tout l'amour qu'il pouvait me porter. Je savais quelle était ma dette envers ce cœur. J'avais chaque jour devant moi son grand exemple. Ce que tu faisais pour moi, je savais que je pouvais, si je voulais, le faire pour toi, Grâce. Je n'ai jamais posé la tête sur mon oreiller sans prier avec des larmes de pouvoir le faire. Je n'ai jamais posé la tête sur mon oreiller sans penser aux propres mots d'Alfred le jour de son départ et combien il avait dit vrai (car je le savais, te connaissant) en parlant de victoires remportées chaque jour dans des cœurs en lutte, et auprès desquelles ce champ de bataille n'était rien. Pensant de plus en plus à cette grande épreuve gaiement endurée, à l'insu de tous, sans que personne s'en souciât, qui devait se prolonger chaque jour et à chaque heure

dans ce grand conflit dont il avait parlé, mon épreuve
à moi me parut plus légère et plus aisée. Et Celui qui
lit dans nos cœurs en ce moment même, mon aimée,
et qui sait qu'il n'y a pas une goutte d'amertume ou
de peine — pas une goutte de quoi que ce soit d'autre
qu'un bonheur sans mélange — dans le mien, me
permit de prendre la résolution de ne jamais être
l'épouse d'Alfred. Il serait mon frère et ton mari, si la
conduite que j'adoptais pouvait amener cet heureux
dénouement; mais en aucun cas (Grâce, je l'aimais
alors tendrement, ah! combien tendrement!) je ne
serais sa femme.

— Oh, Marion! Marion!

— Je m'étais efforcée de lui paraître indifférente
(et elle pressa le visage de sa sœur contre le sien);
mais c'était bien difficile, et tu fus toujours pour lui
une avocate fidèle. J'avais essayé de te parler de ma
résolution, mais tu ne voulus jamais m'entendre,
jamais me comprendre. Le temps approchait de son
retour. Je sentis qu'il me fallait agir avant que nos
rapports quotidiens ne reprissent. Je savais qu'un
grand déchirement, enduré alors, nous épargnerait à
tous une douleur prolongée. Je savais que si je partais
alors, cette conclusion devrait se produire qui s'est
en effet produite et qui nous a rendues toutes deux si
heureuses, Grâce! J'écrivis à la bonne Tante Marthe
pour lui demander refuge dans sa maison; je ne lui
dis pas tout sur le moment, mais seulement une
partie de mon histoire; et ce refuge, elle promit de
me l'accorder. Tandis que je débattais de cette
mesure à prendre avec moi-même et avec mon
amour pour toi et pour la maison, M. Warden, introduit ici par un accident, devint pour quelque temps
notre compagnon.

— J'ai parfois redouté, ces dernières années, que

cela pût être! s'écria sa sœur, dont le visage devint d'une pâleur de cendre. Tu ne l'as jamais aimé... et tu l'as épousé par sacrifice pour moi!

— Il était alors, dit Marion en attirant sa sœur plus près d'elle, sur le point de partir secrètement pour longtemps. Il m'écrivit, après son départ d'ici, me disant quelles étaient en réalité sa condition et ses perspectives, et il m'offrait sa main. Il disait avoir vu que je n'étais pas heureuse à la pensée du retour d'Alfred. Il croyait, je pense, que mon cœur n'avait aucune part au mariage projeté; il croyait peut-être que j'avais pu l'aimer jadis, mais non plus alors; il croyait peut-être que, lorsque je m'efforçais de paraître indifférente, je tâchais de cacher mon indifférence — je ne saurais le dire. Mais je désirais que tu me sentisses entièrement perdue pour Alfred... sans aucun espoir de retour... morte. Tu me comprends, mon amour?»

Sa sœur scruta attentivement son visage. Elle semblait être dans le doute.

«Je vis M. Warden et, me fiant à son honneur, lui révélai mon secret la veille de son départ et du mien. Il le garda. Tu me comprends, ma chérie?»

Grâce la regardait d'un air interdit. Elle semblait à peine entendre.

«Mon amour, ma sœur! dit Marion. Rassemble tes esprits; écoute-moi. Ne me regarde pas d'un air aussi étrange. Il est des pays, ma chérie, où ceux qui abjurent une passion mal placée, ou qui voudraient lutter contre un sentiment chéri de leur cœur et le dominer, se retirent dans une solitude désespérée et mettent une barrière définitive entre eux-mêmes et le monde avec ses amours et ses espérances. Quand ce sont des femmes qui font cela, elles prennent ce nom qui nous est si cher à toi et à moi, et s'appellent entre elles "ma sœur". Mais il peut y avoir des sœurs, Grâce, qui, dans le vaste monde extérieur et sous son libre ciel, au sein de ses foules et de leur vie affairée, cherchent à assister, à réconforter, à faire du bien — et, ce faisant, apprennent la même leçon ; des sœurs qui, avec un cœur encore neuf et jeune, ouvert à tous les bonheurs et à tous les moyens de bonheur, peuvent dire que la bataille est depuis longtemps terminée, la victoire depuis longtemps remportée. C'est de celles-là que je suis ! Me comprends-tu maintenant ? »

Grâce la regardait toujours fixement sans répondre.

« Ah ! Grâce, chère Grâce, dit Marion, se cramponnant avec plus de tendresse encore à ce sein d'où elle avait été si longtemps bannie, si tu n'étais une épouse et une mère heureuse, si je n'avais point ici un petit homonyme, si Alfred, mon bon frère, n'était pas ton mari aimant, d'où pourrais-je tenir la joie délirante que j'éprouve ce soir ? Mais me voici de retour, telle que je suis partie. Mon cœur n'a connu aucun autre amour, ma main n'a jamais été accordée ailleurs. Je suis toujours ta sœur vierge, sans mari, sans fiancé, ta Marion aimante d'autrefois, dans l'affection de qui tu existes seule, sans nul rival, Grâce ! »

Elle comprenait, à présent. Son visage se détendit ; les sanglots vinrent la soulager et, se jetant au cou de sa sœur, elle pleura, pleura, en la câlinant comme si elle fût redevenue une enfant.

Quand elles eurent retrouvé un peu de calme, elles s'aperçurent que le docteur et sa sœur, la bonne Tante Marthe, se tenaient debout à côté d'elles avec Alfred.

« Cette journée n'est pas exempte pour moi de peines, dit la bonne Tante Marthe, souriant à travers ses larmes, car je perds ma chère compagne en vous rendant tous heureux; et que pourriez-vous me donner en compensation de ma Marion?

— Un frère converti, dit le docteur.

— C'est bien quelque chose, en vérité, répliqua Tante Marthe, dans une farce comme...

— Non, je t'en prie, dit le docteur d'un air contrit.

— Bon, je me tais, répondit Tante Marthe. Mais je me considère comme une victime. Je ne sais ce que je vais devenir sans ma Marion, après avoir vécu ensemble une demi-douzaine d'années.

— Il va falloir que tu viennes habiter avec nous, je suppose, répondit le docteur. Nous ne nous disputerons plus désormais, Marthe.

— Ou que vous vous mariiez, ma tante, dit Alfred.

— Certes, repartit la vieille demoiselle, je crois que ce pourrait être un assez bon calcul que d'entreprendre la conquête de Michel Warden, qui, à ce que j'apprends, est rentré après s'être fort bien trouvé de son absence, sous tous les rapports. Mais comme je l'ai connu enfant, alors que je n'étais plus moi-même une toute jeune fille, il se pourrait bien qu'il ne répondît pas à mes avances. Je me déciderai donc à aller habiter chez Marion quand elle se mariera, et jusqu'alors (cela ne saurait tarder) à vivre seule. Qu'en dis-tu, toi, mon frère?

— J'aurais bien envie de dire que c'est un monde totalement ridicule et qu'il n'y a rien de sérieux dedans, fit observer le pauvre vieux docteur.

— Tu aurais beau en obtenir vingt déclarations écrites sous serment, Antoine, dit sa sœur, personne ne te croirait avec des yeux comme ceux-là.

— C'est un monde plein de grands cœurs, dit le docteur étreignant sa fille cadette et se penchant par-dessus elle pour étreindre aussi Grâce, car il ne pouvait séparer les deux sœurs — et un monde sérieux en dépit de toute sa folie — de la mienne même, qui eût suffi à submerger le globe ; et c'est un monde sur lequel le soleil ne se lève jamais sans contempler mille batailles exemptes de sang, qui compensent les misères et la méchanceté des autres — un monde que nous devons nous garder de calomnier. Dieu nous pardonne, car c'est un monde de mystères sacrés, et seul son Créateur sait ce qui se cache sous la surface de sa très frivole image ! »

Vous ne seriez guère satisfait de ma lourde plume si elle cherchait à disséquer et à étaler sous vos yeux les transports de cette famille longtemps séparée et maintenant réunie. Aussi, ne suivrai-je pas le pauvre docteur dans l'humble récapitulation du chagrin qu'il avait éprouvé de la perte de Marion ; je ne vous dirai pas non plus combien il avait fini par trouver sérieux ce monde, dans lequel un certain amour, profondément ancré, est le lot de toutes les créatures humaines ; ni comment une bagatelle comme l'absence d'une seule petite unité dans le grand et absurde compte l'avait anéanti. Ni comment, dans la compassion qu'elle avait de sa détresse, sa sœur lui avait depuis longtemps révélé par degrés la vérité et l'avait amené à connaître le cœur de sa fille, qui s'était bannie de son propre gré, et à se ranger à ses côtés.

Ni comment la vérité avait été révélée aussi à Alfred Heathfield au cours de la dernière année ; et comment Marion l'avait vu et lui avait fraternellement promis que le jour anniversaire de sa naissance, dans la soirée, Grâce l'apprendrait enfin de ses lèvres.

« Excusez-moi, docteur, dit M. Snitchey, jetant un

regard dans le verger, mais me permettez-vous d'entrer ? »

Sans attendre la réponse, il vint droit à Marion et lui baisa la main d'un air tout à fait joyeux.

« Si M. Craggs était encore de ce monde, ma chère mademoiselle Marion, dit M. Snitchey, il prendrait grand intérêt à cet événement. Celui-ci aurait pu lui suggérer, monsieur Alfred, que notre vie n'est pas si aisée que cela ; que, dans l'ensemble, elle supporte tout petit adoucissement que l'on veut bien lui accorder ; mais M. Craggs était un homme qui acceptait de se laisser convaincre, monsieur. Il était toujours accessible à la persuasion. S'il était accessible à la persuasion, eh bien, je... mais je me laisse aller. Madame Snitchey, ma chère... (à cet appel, la dame apparut de derrière la porte) vous êtes parmi de vieux amis. »

Mme Snitchey, après avoir présenté ses félicitations, tira son mari à l'écart.

« Un moment, monsieur Snitchey, dit la dame. Il n'est pas dans mes habitudes de remuer les cendres de ceux qui ne sont plus.

— Non, ma chère, répondit son mari.

— M. Craggs est...

— Oui, ma chère, il est mort, dit Snitchey.

— Mais je vous demande si vous vous rappelez la soirée du bal ? poursuivit sa femme. C'est tout ce que je vous demande. Si oui, si votre mémoire ne vous a pas complètement abandonné, monsieur Snitchey, et si vous n'êtes pas totalement gâteux, je vous prie de faire un rapprochement entre ce moment-ci et celui-là — de vous rappeler les instances, les prières que je vous adressai à genoux...

— À genoux, chère amie ? dit M. Snitchey.

— Oui, dit Mme Snitchey avec assurance, et vous

le savez — de vous méfier de cet homme — d'observer ses yeux — eh bien, dites-moi maintenant si je n'avais pas raison et si, à ce moment-là, il ne connaissait pas des secrets qu'il ne désirait pas dévoiler.

— Madame Snitchey, lui répliqua son mari à l'oreille, avez-vous jamais rien observé dans mes yeux, à moi?

— Non, dit Mme Snitchey avec brusquerie. Ne vous flattez pas.

— Parce que, madame, ce soir-là, poursuivit-il, la tirant par la manche, il se trouve que nous connaissions tous deux des secrets que nous ne désirions pas dévoiler et que, professionnellement, nous connaissions exactement les mêmes. Aussi, moins vous en direz sur ces choses, mieux cela vaudra, madame Snitchey; et que cela vous apprenne à avoir des yeux plus sages et plus charitables une autre fois. Mademoiselle Marion, j'ai amené avec moi une de vos amies. Par ici, madame!»

La pauvre Clémence entra lentement, le tablier sur les yeux, escortée de son mari; ce dernier arborant un visage lugubre dû au pressentiment que, si elle s'abandonnait à son chagrin, c'en était fait de la Râpe à Muscade.

«Eh bien, madame, dit l'avoué, retenant Marion qui courait à elle, et s'interposant entre les deux femmes, qu'avez-vous donc?

— Ce que j'ai!» s'écria la pauvre Clémence.

Quand, l'étonnement, sans compter l'émotion supplémentaire provoquée par un énorme rugissement de M. Bretagne, lui ayant fait lever les yeux pour une protestation indignée, elle vit tout près d'elle le doux visage dont elle se souvenait si bien, elle resta un instant toute déconcertée; après quoi, elle se mit à sangloter, à rire, à pleurer, à crier, à embrasser

Marion, à l'étreindre, à la lâcher pour se jeter sur M. Snitchey et l'embrasser lui (à la grande indignation de Mme Snitchey), à se jeter sur le docteur pour l'embrasser à son tour, à se jeter sur M. Bretagne pour l'embrasser lui aussi, et elle finit par s'embrasser elle-même en lançant son tablier par-dessus sa tête et en se livrant sous ce couvert à une crise hystérique.

Un étranger avait pénétré dans le verger à la suite de M. Snitchey, et il était resté à l'écart, près de la grille, sans que personne l'aperçût, car il y avait peu d'attention de reste et ce peu avait été entièrement accaparé par les manifestations de Clémence. Il ne semblait pas souhaiter d'être remarqué, d'ailleurs, mais il restait debout, seul, les yeux baissés ; et il y avait sur toute sa personne un air de profond abattement (bien que ce fût un monsieur de belle prestance), que la joie générale ne rendait que plus singulier.

Nuls autres que les yeux vifs de Tante Marthe ne le remarquèrent, cependant ; mais à peine l'eut-elle aperçu qu'elle était déjà en conversation avec lui. Bientôt, elle alla à l'endroit où Marion se tenait avec Grâce et sa petite homonyme et lui murmura à l'oreille quelque chose qui la fit tressaillir de surprise ; mais, se remettant vite de sa confusion, la jeune fille s'avança timidement, accompagnée de Tante Marthe, vers l'étranger et engagea également la conversation avec lui.

Tandis que se déroulait cette scène, l'avoué porta la main à sa poche et, en tirant un document qui avait l'aspect d'une pièce légale, il dit :

«Monsieur Bretagne, je vous félicite. Vous êtes maintenant seul et unique possesseur de la propriété perpétuelle et libre, présentement occupée par vous-même comme auberge autorisée et généralement connue sous le nom de La Râpe à Muscade. Votre femme avait perdu une maison par la faute de mon client, M. Michel Warden; elle en acquiert maintenant une autre. J'aurai le plaisir de solliciter votre voix, un de ces beaux matins, pour les élections du comté.

— Cela ferait-il une différence quelconque pour le scrutin, si je modifiais l'enseigne, monsieur? demanda Bretagne.

— Pas le moins du monde, répondit l'avoué.

— Dans ce cas, dit M. Bretagne, lui redonnant l'acte de cession, voudriez-vous avoir la bonté d'ajouter simplement les mots "et le Dé"; et je ferai peindre les deux devises dans la salle au lieu du portrait de ma femme.

— Et permettez-moi, dit une voix derrière eux (c'était celle de l'étranger, de Richard Warden), permettez-moi de revendiquer le bénéfice de ces inscriptions. Monsieur Heathfield et vous, docteur Jeddler, j'aurais pu vous faire beaucoup de mal à tous deux. Que ce ne soit pas arrivé n'est aucunement le fait de ma vertu. Je ne dirai pas que ces six ans m'aient rendu plus sage ni meilleur. Mais ils ont été pour moi, en tout cas, une période de remords. Je ne puis alléguer aucune raison pour que vous me traitiez avec indulgence. J'ai abusé de l'hospitalité qui m'était donnée dans cette maison, et tiré la leçon de mes propres démérites avec une honte que je n'ai jamais oubliée, mais aussi avec profit, j'aime à l'espérer, grâce à quelqu'un (il regarda Marion) que j'ai humblement supplié de me pardonner quand j'ai connu son mérite et ma profonde indignité. Dans quelques jours, je quitterai ces lieux pour toujours.

J'implore votre pardon. "Fais ce que tu voudrais qu'on te fît." "Oublie et pardonne !" »

LE TEMPS — de qui j'ai appris la dernière partie de cette histoire et avec lequel j'ai eu le plaisir d'entretenir des relations personnelles depuis quelque trente-cinq ans — m'a informé, en s'appuyant paisiblement sur sa faux, que Michel Warden ne repartit jamais et ne vendit jamais sa maison ; mais qu'il l'ouvrit de nouveau au contraire, conformément à la règle d'or de l'hospitalité, et qu'il eut une épouse, l'orgueil et l'honneur de la région, dont le nom était Marion. Mais j'ai eu l'occasion d'observer que le Temps brouille parfois les faits ; je ne sais donc trop quel poids il faut accorder à son autorité.

L'Homme hanté
et
le marché du fantôme

Fantaisie pour le temps de Noël

Traduction de Francis Ledoux.

CHAPITRE PREMIER

LE DON OCTROYÉ

Tout le monde le disait.

Loin de moi la pensée d'affirmer que ce que dit tout le monde doive forcément être vrai. Tout-le-monde peut aussi bien se tromper qu'avoir raison : cela lui arrive souvent. Selon l'expérience commune, tout le monde s'est si souvent trompé et, dans la plupart des cas, il a fallu tant de temps et d'ennuis pour découvrir à quel point, que l'autorité de ce tout le monde s'est révélée bien faillible. Tout-le-monde peut avoir raison à l'occasion, bien sûr ; «mais cela ne prouve rien», comme dit le fantôme de Gilles Scroggins dans la ballade.

Ce mot redoutable de «FANTÔME» me rappelle à mon sujet.

Tout-le-monde disait qu'il avait l'air d'un homme hanté. Et je me bornerai à revendiquer pour tout-le-monde qu'en cela il avait raison : l'homme en avait bien l'air.

Qui donc eût pu voir ses joues creuses, ses yeux caves et brillants ; sa forme vêtue de noir, indéfinissablement sinistre en dépit d'une tournure élégante et bien proportionnée; ses cheveux gris tombant le long de son visage à la manière d'algues enchevêtrées — comme s'il eût été, tout au long de sa vie, solitairement en butte à l'érosion et aux coups du vaste océan de l'humanité —, qui donc eût pu voir cela sans dire qu'il avait l'air d'un homme hanté?

Qui eût pu observer son comportement taciturne, pensif, sombre, marqué d'une réserve habituelle, toujours farouche et jamais enjoué, avec l'air égaré de faire retour à un lieu et à un temps passés ou d'écouter quelques échos anciens dans son esprit, qui eût pu observer ce comportement sans dire que c'était celui d'un homme hanté?

Qui eût pu entendre sa voix, lente, profonde et grave, dotée d'une plénitude et d'une mélodie naturelles qu'il semblait décidé à contrecarrer, qui eût pu entendre cette voix sans dire que c'était celle d'un homme hanté?

Qui, l'ayant vu dans son cabinet, mi-bibliothèque et mi-laboratoire — car c'était, de notoriété publique, un expert en chimie et un professeur aux lèvres et aux mains duquel était chaque jour suspendue une foule d'oreilles et d'yeux, — qui, l'ayant vu là, par un soir d'hiver, seul parmi ses drogues, ses instruments et ses livres; l'ombre projetée par l'abat-jour de sa lampe évoquant quelque monstrueux coléoptère, immobile au milieu d'une foule de formes spectrales suscitées par la lueur vacillante du feu sur les objets étranges qui l'entouraient; certains de ces fantômes (reflets des récipients de verre contenant des liquides) tremblant jusqu'au fond du cœur comme s'ils connaissaient son pouvoir de dissocier leurs éléments pour les rendre au feu et à la vapeur; — qui, l'ayant vu alors, son travail accompli, méditer dans

son fauteuil devant la grille rouillée et la flamme rougeoyante en remuant ses lèvres minces comme s'il
parlait, mais dans un silence de mort, qui n'eût dit
que l'homme semblait hanté et la pièce hantée ?

Qui n'eût pu, par un envol assez aisé de l'imagination, croire que tout, autour de cet homme, prenait
une apparence hantée et qu'il vivait sur un terrain
hanté ?

Tant son habitation était solitaire, tant elle ressemblait à un caveau — vieille partie en retrait d'une
ancienne fondation pour étudiants, autrefois bel
édifice élevé sur un espace découvert, mais à présent
fantaisie désuète d'architectes oubliés ; noircie par
les fumées, le temps et les intempéries, resserrée de
tous côtés par l'envahissement de la grand-ville et
étouffée, comme un vieux puits, sous l'amas de
pierres et de briques ; avec ses petites cours quadran-
gulaires gisant au fond de véritables fosses formées
par les rues et les bâtiments qui, avec le temps,
avaient été construits au-dessus de ses lourdes cheminées ; ses vieux arbres, insultés par les fumées voi-
sines qui daignaient s'abaisser jusque-là quand elles
étaient très faibles et le temps très maussade ; ses
carrés de gazon, luttant avec la terre chancie pour
être de l'herbe ou pour parvenir tout au moins à un
semblant de compromis ; ses pavés silencieux, qui
avaient perdu l'habitude des pas et même des regards,
si ce n'est lorsque quelque visage vagabond l'observait d'en haut en se demandant quel pouvait être ce
repaire ; son cadran solaire placé dans une petite
encoignure de briques où nul soleil ne s'était aven-
turé depuis une centaine d'années, mais où, en compensation de la négligence de cet astre, la neige
demeurait des semaines, alors qu'elle ne restait nulle
part ailleurs, et le sombre vent d'est tournoyait telle

une immense toupie ronflante, quand en tout autre lieu il était silencieux et calme.

Tant cette habitation, en son centre, en son cœur — au-dedans — au coin du feu —, était sombre et vieille, bien que solide avec les poutres vermoulues de son plafond et son robuste plancher descendant en pente vers la grande cheminée de chêne ; tant elle était environnée, cernée par la pression de la ville, quoique si lointaine par sa facture, par sa vétusté, par ses mœurs ; tant elle était tranquille, bien que retentissant d'échos lorsque au loin s'élevait une voix ou se fermait une porte — échos qui, sans se limiter aux nombreux couloirs bas ou pièces vides, roulaient en grommelant jusqu'à ce qu'ils allassent se perdre dans l'air lourd de la crypte oubliée, dont les voûtes romanes étaient à demi enfouies dans la terre.

Il fallait le voir dans son habitat au crépuscule, au cœur de l'hiver.

À l'heure où le vent soufflait, âpre et perçant, et où descendait le soleil brouillé. À l'heure où il faisait juste assez sombre pour que les formes des choses grandissent en se faisant indistinctes, sans pourtant se perdre entièrement. À l'heure où les gens assis au coin du feu commençaient à voir dans les charbons des figures et des formes fantasques, des montagnes et des abîmes, des embuscades et des armées. À l'heure où ceux qui étaient dans les rues baissaient la tête et fuyaient devant l'intempérie. Où ceux qui étaient contraints de l'affronter se trouvaient arrêtés au coin des rues par la rafale furieuse, piqués par des flocons de neige vagabonds descendus sur leurs cils, flocons qui tombaient pourtant de façon trop éparse et étaient trop vite emportés pour laisser une trace sur le sol gelé. À l'heure où les volets se fermaient soigneusement, jalousement. Où le gaz commençait à s'allumer dans les rues affairées ou calmes, autrement vite enténébrées. Où les piétons aux pas errants, qui y frissonnaient, abaissaient leurs regards sur les feux rayonnants des cuisines et aiguisaient encore leur appétit en humant l'odeur de kilomètres de dîners.

À l'heure où ceux qui voyageaient par terre, saisis par le froid cinglant, contemplaient avec lassitude de mornes paysages en frissonnant sous les rafales. Où les marins en mer, perchés sur des vergues couvertes de glace, étaient affreusement secoués et ballottés au-dessus de l'océan mugissant. Où les phares des rochers et des promontoires apparaissaient, solitaires et vigilants, et où les oiseaux de mer surpris par la nuit se heurtaient à leur puissante lanterne et tombaient morts. À l'heure où les petits lecteurs de contes, à la lueur du feu, tremblaient à la pensée de Cassim Baba, dont les membres dépecés étaient suspendus dans la Caverne des Voleurs, ou se demandaient si la féroce petite vieille à béquille qui avait coutume de sortir de la boîte dans la chambre à coucher du marchand Abudah n'allait pas surgir un beau soir dans l'escalier lors du long, froid et obscur trajet qu'ils avaient à faire vers leur lit.

À l'heure où, dans les campagnes, la dernière lueur du jour se mourait au bout des avenues et où les arbres étendaient au-dessus de la tête leur voûte d'un noir lugubre. Où, dans les parcs et les bois, les hautes et humides fougères, la mousse détrempée, les lits de feuilles mortes et les troncs des arbres se dérobaient à la vue dans des masses d'ombre impénétrable. Où des brouillards s'élevaient des creux, des marais et des rivières. Où les lumières aux fenêtres des vieux manoirs et des chaumières offraient un spectacle réconfortant. Où le moulin s'arrêtait, où le charron et le forgeron bouclaient leur atelier, où se fermait la barrière de péage, où, ayant abandonné charrue et herse dans les champs, le laboureur et ses chevaux rentraient à la ferme; où l'horloge de l'église faisait entendre une sonnerie plus profonde qu'à midi et où le portillon du cimetière avait cessé de tourner pour ce soir-là.

À l'heure où le crépuscule libérait partout les ombres, toute la journée captives, qui à présent s'avançaient et s'assemblaient comme d'innombrables légions de fantômes. Où elles se tenaient, menaçantes dans les recoins des pièces, et vous contemplaient d'un air renfrogné de derrière les portes entrebâillées. Où elles étaient pleinement maîtresses des pièces inoccupées. Où elles dansaient sur les planchers, les murs et les plafonds des appartements habités quand le feu se languissait, pour se retirer comme le reflux quand il s'embrasait de nouveau. Où elles singeaient fantastiquement les formes des objets domestiques, faisant de la nourrice une ogresse, du cheval à bascule un monstre, de l'enfant surpris, à demi effrayé et à demi amusé, une créature étrangère à lui-même — des pincettes mêmes sur le foyer un géant aux jambes écartées et aux mains sur les hanches, flairant évidemment le sang d'Anglais[1] et prêt à moudre les os des gens pour en faire son pain.

À l'heure où ces ombres suscitaient dans l'esprit des vieillards des pensées autres et leur montraient des images différentes. Où elles se glissaient hors de leurs retraites sous l'apparence de formes et de visages appartenant au passé, à la tombe, au gouffre profond, profond, où errent toujours les choses qui auraient pu être et ne furent jamais.

Quand il était assis, comme nous l'avons mentionné, le regard fixé sur le feu. Quand, selon que la flamme montait et retombait, les ombres accouraient ou s'enfuyaient. Quand les yeux de son corps ne leur prêtaient aucune attention et que, sans s'occuper de leurs allées et venues, ils demeuraient rivés sur le feu. C'est alors qu'il fallait le voir.

Tandis que les sons qui s'étaient élevés avec les ombres et qui étaient sortis de leurs cachettes à l'appel du crépuscule, semblaient rendre l'immobilité de toute sa personne plus grande encore. Tandis que le vent grondait dans la cheminée et murmurait ou hurlait dans la maison. Tandis qu'au-dehors les vieux arbres étaient tellement secoués et maltraités qu'un vieux corbeau plaintif, incapable de dormir, récriminait de temps à autre d'un faible croassement, somnolent et aigu. Tandis que, par intervalles, la fenêtre tremblait, que la girouette rouillée grinçait au sommet de la tourelle, que l'horloge d'en dessous prenait acte qu'un autre quart d'heure s'était écoulé, ou que le feu s'affaissait et s'écroulait en crépitant.

Quand, enfin, quelqu'un frappa à sa porte, tandis qu'il était assis de la sorte, et le tira de sa rêverie.

« Qui est là ? dit-il. Entrez. »

Il n'y avait eu assurément aucune forme penchée sur le dossier de son fauteuil, aucun visage regardant par-dessus. Nul pas, c'est certain, ne glissa sur le parquet lorsqu'il leva la tête en sursaut et parla. Et pourtant il n'y avait dans la pièce aucun miroir à la surface duquel sa propre forme eût pu projeter un instant son ombre ; or quelque chose avait obscurément passé et disparu !

« Sauf votre respect, monsieur, dit un homme affairé, au teint frais, qui tenait la porte ouverte avec son pied pour livrer passage à sa propre personne et au plateau de bois qu'il portait, et qui la laissa se refermer par petits à-coups légers et mesurés quand ils furent entrés, de peur qu'elle ne fît du bruit, je crains d'être passablement en retard, ce soir. Mme William a été si souvent soulevée du sol…

— Par le vent? C'est vrai! je l'ai entendu se lever.

— … par le vent, monsieur… que c'est une bénédiction qu'elle ait pu même rentrer. Ah! mon Dieu, oui. Oui. Par le vent, monsieur Redlaw. Par le vent. »

Il avait maintenant posé le plateau du dîner et il se mettait en devoir d'allumer la lampe et d'étendre une nappe sur la table. Il abandonna en hâte cette occupation pour tisonner et alimenter le feu, puis la reprit, la lampe qu'il avait allumée et la flambée qui s'éleva par ses soins modifiant si rapidement l'apparence de la pièce que l'on eût dit que la simple entrée de son visage frais et coloré et ses façons actives avaient suffi à produire cet agréable changement.

« Mme William est sujette à perdre à tout moment l'équilibre, emportée par les éléments, monsieur. Elle n'est pas, par conformation, au-dessus de *cela*.

— Non, répondit M. Redlaw avec bonhomie, encore qu'un peu brusquement.

— Non, monsieur, Mme William peut perdre l'équilibre du fait de la Terre; ainsi, par exemple, il y a eu dimanche huit jours, alors que le sol était bourbeux et glissant et qu'elle allait prendre le thé chez la plus récente de ses belles-sœurs et qu'elle s'était mise sur son trente et un, et qu'elle aurait voulu se présenter sans la moindre éclaboussure bien qu'elle fût à pied. Mme William peut perdre l'équilibre du fait de l'Air; comme la fois où une amie la persuada trop bien, à la Foire de Peckham, d'essayer d'une balançoire, qui agit instantanément sur sa constitution à la manière d'un bateau à vapeur. Mme William peut perdre l'équilibre du fait du Feu; comme lors d'une fausse alerte des pompiers, quand elle parcourut deux milles en bonnet de nuit. Mme William peut perdre l'équilibre du fait de l'Eau ; comme à Battersea, quand son petit neveu Charley Swidger junior, qui a douze ans et qui ne connaît rien aux bateaux, l'a menée à la rame droit sur la jetée. Mais tout ça, ce sont les éléments. Il faut sortir Mme William des éléments pour que puisse entrer en jeu sa force de caractère. »

Comme il s'arrêtait, attendant une réponse, celle-ci fut un « oui » prononcé sur le même ton que précédemment.

« Oui, monsieur. Ah ! mon Dieu, oui ! dit M. Swidger, qui poursuivait toujours ses préparatifs en recensant les objets au fur et à mesure qu'il les posait sur la table. C'est comme cela, monsieur. Nous sommes si nombreux, nous autres Swidger !… Le poivre. Ainsi, il y a mon père, monsieur, gardien et surveillant en retraite de cette Institution ; il a quatre-vingt-sept ans. C'est un Swidger !… Cuiller.

— En effet, William, répondit-on avec patience et d'un ton distrait, quand il s'arrêta derechef.

— Oui, monsieur, dit M. Swidger. C'est ce que je dis toujours, monsieur. On peut l'appeler le tronc de l'arbre !… Le pain. Après, on arrive à son successeur, mon indigne personne… le sel… et à Mme William, tous deux des Swidger… Couteau et fourchette. Puis, il y a tous mes frères et leur famille, des Swidger, hommes et femmes, garçons et filles. En comptant mes cousins, oncles, tantes et parents à je ne sais quel degré, les mariages et les naissances, les Swidger… les verres… pourraient, en se donnant la main, nouer la ronde autour de l'Angleterre. »

N'entendant cette fois aucune réponse de l'homme pensif auquel il s'adressait, M. William s'approcha de lui et feignit de heurter accidentellement la table avec une carafe pour attirer son attention. Dès qu'il eut réussi, il poursuivit comme en proie à une fièvre d'acquiescement.

«Oui, monsieur! C'est exactement ce que je dis moi-même, monsieur. Mme William et moi, nous nous le sommes souvent dit. "Il y a bien assez de Swidger, que nous nous disons, sans que nous y apportions notre contribution volontaire"... Le beurre. En fait, monsieur, mon père représente une famille à lui tout seul... l'huilier... quant aux soins; et il est fort bon que nous n'ayons pas d'enfants à nous, bien que cela ait rendu Mme William comme qui dirait un peu trop quiète. Êtes-vous prêt pour la volaille et la purée de pommes de terre, monsieur? Mme William m'a dit, quand j'ai quitté la loge, qu'elle allait servir dans dix minutes.

— Je suis tout à fait prêt, dit l'autre, comme sortant d'un rêve et se mettant à arpenter lentement la pièce.

— Mme William a remis cela, monsieur!» dit le gardien, tandis qu'il se tenait devant le feu pour chauffer une assiette, dont il s'ombrageait plaisamment la figure.

M. Redlaw suspendit sa promenade, et une expression d'intérêt apparut sur son visage.

«C'est ce que je dis toujours, monsieur. Elle y tient absolument! Il y a dans la poitrine de Mme William un sentiment maternel qui veut toujours s'épancher, et qui y parvient.

— Qu'a-t-elle fait?

— Eh bien, monsieur, non contente d'être en quelque sorte une mère pour tous les jeunes messieurs qui viennent ici de toutes parts afin de suivre les cours que vous faites dans cette ancienne institution... c'est étonnant comme le grès prend la chaleur par ce temps glacial, vrai ! »

Sur quoi, il retourna l'assiette pour se rafraîchir les doigts.

« Eh bien ? dit M. Redlaw.

— C'est exactement ce que je dis moi-même, monsieur, répondit M. William, parlant par-dessus son épaule, comme enchanté de ce prompt acquiescement. C'est précisément cela, monsieur ! Il n'y a pas un de nos étudiants qui ne semble considérer Mme William sous ce jour. Quotidiennement, d'un bout à l'autre du semestre, ils passent l'un après l'autre la tête dans la loge, et ils ont tous quelque chose à lui dire ou à lui demander. "Swidge" qu'ils l'appellent entre eux, à ce que j'ai entendu dire ; mais voilà ce que je déclare, monsieur, mieux vaut qu'on vous appelle d'un nom estropié, si c'est par amitié, que si on vous le montait en épingle et qu'on s'en fiche ! À quoi sert un nom ? À reconnaître quelqu'un. Si Mme William est connue pour quelque chose de mieux que son nom — je veux dire ses qualités et son caractère —, peu importe son nom, bien que ce soit en fait Swidger, de droit. Qu'ils l'appellent Swidge, Widge, Bridge... mon Dieu ! London Bridge, Blackfriars, Chelsea, Putney, Waterloo ou le Suspendu de Hammersmith[1]... si ça leur chante ! »

La conclusion de ce triomphant discours l'amena à la table, sur laquelle il déposa ou plutôt laissa tomber l'assiette avec le sentiment qu'elle avait été chauffée à point, au moment même où l'objet de ses louanges pénétrait dans la pièce, portant un autre plateau et une lanterne, et suivi d'un vénérable vieillard aux longs cheveux gris.

Mme William, comme son époux, était une personne toute simple, à l'air sans malice, sur les joues lustrées de laquelle se répétait fort agréablement le rouge réjouissant du gilet officiel de son mari. Mais alors que les cheveux blonds de M. William se dressaient tout droits sur sa tête et semblaient tirer ses yeux vers le haut dans un excès de bonne volonté affairée et prête à toute besogne, la chevelure brune de Mme William était soigneusement lissée et ses ondes rangées sous un coquet et net petit bonnet, de la façon la plus exacte et la plus sobre qui se puisse imaginer. Alors que le pantalon de M. William remontait sur ses chevilles comme s'il n'était pas dans sa nature gris-fer de se laisser aller sans examiner les alentours, les jupes aux fleurs simples et de bon goût de Mme William — rouges et blanches comme son joli visage — étaient aussi bien ajustées, en aussi bon ordre que si le vent, qui soufflait si fort au-dehors, n'avait pu en déranger le moindre pli. Alors que l'habit du mari avait, dans la région du col et de la poitrine, quelque chose de flottant et d'à demi défait, le petit corsage de la femme était si placide et si bien ordonné qu'elle y eût trouvé, si le besoin s'en fût fait sentir, une protection contre les gens les plus grossiers. Qui donc aurait pu avoir le cœur de faire se gonfler de chagrin, battre de peur ou palpiter d'une pensée honteuse un sein si calme ? À qui donc sa sérénité et sa paix n'auraient-elles pas interdit toute atteinte, comme le sommeil innocent d'un enfant ?

« Ponctuelle, bien sûr, Milly, dit son mari, la débarrassant de son plateau, autrement ce ne serait plus toi. Voici Mme William, monsieur !

— Il a l'air plus solitaire que jamais, ce soir, murmura-t-il à l'oreille de sa femme tandis qu'il prenait le plateau, et plus spectral, somme toute. »

Sans aucune hâte, sans troubler le silence, sans

même se faire remarquer, tant elle était calme et tranquille, Milly posa sur la table les plats qu'elle avait apportés — M. William ne s'étant emparé, en dépit de beaucoup de vacarme et d'agitation, que d'une saucière, qu'il se tenait prêt à servir.

« Qu'est-ce donc que le vieillard a dans les bras ? demanda M. Redlaw, tandis qu'il s'asseyait devant son repas solitaire.

— Du houx, monsieur, répondit la voix sereine de Milly.

— C'est ce que je dis moi-même, monsieur, dit M. William, s'interposant avec la saucière. Les baies, ça convient si bien à cette époque de l'année !... Sauce brune !

— Encore un Noël arrivé, encore une année écoulée ! murmura le chimiste avec un morne soupir. Encore d'autres images qui s'ajoutent à la somme toujours plus longue de souvenirs que nous ressassons sans cesse pour notre tourment jusqu'à ce que la Mort en fasse un tas confus et vienne effacer le tout. Eh ! bien, Philippe ? ajouta-t-il, coupant court à ses réflexions amères et élevant la voix pour s'adresser au vieillard, debout à l'écart avec son scintillant fardeau, auquel la tranquille Mme William prenait de petites branches qu'elle taillait sans bruit avec ses ciseaux et dont elle décorait la pièce, tandis que son vieux beau-père la contemplait, fort intéressé par la cérémonie.

— Je vous présente mes devoirs, monsieur, répondit le vieil homme. J'aurais dû parler plus tôt, monsieur, mais je connais vos façons, monsieur Redlaw — je suis fier de pouvoir le dire, et j'attends qu'on m'adresse la parole ! Joyeux Noël, monsieur, un heureux Nouvel An et beaucoup d'autres semblables. J'en ai vu passablement moi-même — ha, ha ! — et je

peux prendre la liberté d'en souhaiter aux autres.
J'ai quatre-vingt-sept ans!

— En avez-vous vu tant de joyeux et d'heureux?
demanda l'autre.

— Oui, monsieur, tous tant qu'ils furent, répliqua
le vieillard.

— L'âge n'a-t-il pas un peu altéré sa mémoire? Il
faut s'y attendre maintenant, dit M. Redlaw, tourné
vers le fils et lui parlant à mi-voix.

— Pas un brin, monsieur, répondit M. William.
C'est exactement ce que je dis moi-même, monsieur.
On n'a jamais vu une mémoire comme celle de
mon père. C'est l'homme le plus merveilleux que je
connaisse. Il ne sait ce qu'oublier veut dire. C'est
précisément ce que je fais toujours remarquer à
Mme William, monsieur, si vous voulez bien m'en
croire!»

M. Swidger, dans son désir poli de paraître acquies-
cer en toutes circonstances, émit cette observation
comme s'il ne s'y rencontrait pas un atome de
contradiction et que tout fût dit en assentiment illi-
mité et sans réserve.

Le chimiste repoussa son assiette et, se levant de
table, traversa la pièce pour aller vers l'endroit où
se tenait le vieillard, les yeux fixés sur une petite
branche de houx qu'il avait à la main.

«Ainsi donc cela vous rappelle le temps où beaucoup de ces années étaient anciennes et nouvelles?
dit-il, l'observant attentivement tandis qu'il lui touchait l'épaule. N'est-il pas vrai?

— Oh! oui, beaucoup, beaucoup! dit Philippe,
s'éveillant à moitié de sa rêverie. J'ai quatre-vingt-
sept ans!

— Joyeuses et heureuses? demanda le chimiste,
d'une voix grave. Joyeuses et heureuses, vieillard?

— Je me les rappelle encore du temps que j'étais grand comme ça, dit le vieil homme, tenant la main à peine plus haut que son genou et regardant rétrospectivement son interlocuteur. Il faisait froid et soleil à marcher au-dehors, quand quelqu'un — c'était ma mère, aussi sûr que vous êtes là, quoique je ne sache plus comment était son visage béni, vu qu'elle tomba malade et mourut à cette Noël-là — me dit que c'était de la nourriture pour les oiseaux. Le joli petit gamin — c'était moi, vous comprenez — pensa que c'était peut-être parce que les baies dont ils vivaient en hiver étaient si brillantes que les oiseaux avaient les yeux si brillants aussi. Je me rappelle ça. Et j'ai quatre-vingt-sept ans!

— Joyeuses et heureuses! dit l'autre d'un ton rêveur, abaissant ses yeux sombres avec un sourire de compassion sur la forme courbée. Joyeuses et heureuses — et vous vous en souvenez bien!

— Oui, oui! reprit le vieillard, saisissant les derniers mots. Je m'en souviens bien, au temps de l'école, année après année, et de toutes les joyeusetés qui les accompagnaient. J'étais un gars solide à l'époque, monsieur Redlaw; et si vous voulez m'en croire, je n'avais pas mon pareil au football à dix lieues à la ronde. Où est mon fils William? Je n'avais pas mon pareil, William, à dix lieues à la ronde!

— C'est ce que je dis toujours, papa! répliqua vivement son fils avec le plus grand respect. Tu es vraiment un Swidger, s'il en fut dans la famille!

— Mon Dieu! dit le vieillard, qui hocha la tête en regardant à nouveau le houx. Sa mère — mon fils William est le plus jeune — et moi, nous nous sommes tenus au milieu d'eux tous, garçons et filles, enfants et bébés, bien des années, quand les baies comme celles-là ne brillaient pas autour de nous moitié

autant que leurs brillantes figures. Nombreux
sont ceux qui ont disparu ; elle a disparu, et mon fils
Georges (l'aîné, dont elle s'enorgueillissait plus que
de tous les autres réunis !) est tombé très bas ; mais je
les vois, quand je regarde ici autour de moi, bien
vivants, comme ils étaient à cette époque ; et je le
vois, lui, Dieu merci ! dans toute son innocence. C'est
une bénédiction pour moi, à quatre-vingt-sept ans. »

Le regard aigu qui était resté fixé sur lui avec tant
d'insistance se tourna graduellement vers le sol.

« Quand ma situation se fit moins bonne qu'auparavant parce qu'on ne m'avait pas traité honnêtement, et que je vins ici comme gardien, dit le vieillard
— c'était il y a plus de cinquante ans... Où est mon
fils William ? Plus d'un demi-siècle, William !

— C'est ce que je dis, papa, répondit le fils, toujours avec autant de promptitude et de soumission.
C'est bien cela. Deux fois tant, ça fait tant, deux fois
cinq, ça fait dix, et comme ça, on arrive à cent.

— Ce fut un vrai plaisir de savoir que l'un de nos
fondateurs, ou plus exactement, dit le vieillard, tirant
grande gloire de son sujet et de la connaissance qu'il
en avait, que l'un des savants messieurs qui contri-
buèrent à notre dotation au temps de la reine Elizabeth — car nous fûmes fondés avant cela — légua
entre autres par testament de quoi acheter du houx
pour garnir les murs et les fenêtres chaque fois que
reviendrait Noël. Il y avait là quelque chose d'intime
et d'amical. N'étant ici que des étrangers à l'époque
et venus au moment de Noël, nous nous prîmes
d'amitié pour son portrait, qui est suspendu dans ce
qui était autrefois, avant que nos dix pauvres messieurs ne modifient les statuts et ne réduisent les
choses à une subvention annuelle, notre Grand
Réfectoire — un monsieur à l'air calme, avec une

barbe en pointe et une fraise autour du cou, et au-
dessous une banderole portant en vieux caractères
anglais : "Seigneur, que verdoie ma mémoire !" Vous
connaissez toute son histoire, monsieur Redlaw ?

— Je sais que ce portrait se trouve là, Philippe.

— Oui, pour sûr. C'est le second à droite, au-dessus de la boiserie. J'allais dire... qu'il a contribué à
garder verdoyante ma mémoire à moi, ce dont je le
remercie ; car de faire le tour du bâtiment tous les
ans, comme je le fais en ce moment, et de rafraîchir les pièces vides de ces branches et de ces baies
rafraîchit aussi ma vieille cervelle vide. Une année
en ramène une autre et celle-là une autre encore, et
ainsi toute une foule ! À la fin, il me semble que
l'époque de la naissance de Notre Seigneur est celle
de tous ceux que j'ai aimés, que j'ai pleurés ou qui
m'ont réjoui le cœur — et ils sont nombreux, car j'ai
quatre-vingt-sept ans !

— Joyeuses et heureuses ! » murmura Redlaw pour
lui-même.

La pièce commença de se faire étrangement
obscure.

« Ainsi vous voyez, monsieur, poursuivit le vieux
Philippe, dont les vieilles joues encore fraîches
avaient pris sous l'échauffement une teinte plus rouge
et dont les yeux bleus s'étaient allumés au fur et à
mesure qu'il parlait, j'ai bien des choses à célébrer en
célébrant ce jour. Mais où est ma douce petite Souris ?
Les bavardages sont le défaut de mon âge et il reste
encore la moitié du bâtiment à décorer, à moins que
le froid ne nous gèle, que le vent ne nous emporte ou
que les ténèbres ne nous avalent auparavant. »

La douce Souris avait approché son calme visage
du sien et pris en silence le bras du vieillard avant
que celui-ci eût fini de parler.

«Viens-t'en, ma chérie, dit le vieillard. Autrement, M. Redlaw ne commencera pas son dîner avant que celui-ci ne soit aussi froid que l'hiver. J'espère que vous excuserez mon bavardage, monsieur; et je vous souhaite une bonne nuit et, encore une fois, un joyeux…

— Attendez! dit M. Redlaw, reprenant place à table, plutôt (eût-on pu croire à voir sa façon de faire) pour rassurer le vieux gardien qu'à la pensée de son propre appétit. Accordez-moi encore un moment, Philippe. William, vous alliez me dire quelque chose à la louange de votre excellente épouse. Il ne lui sera pas désagréable de vous entendre faire son éloge. Qu'était-ce donc?

— Eh bien, voilà ce que c'est, voyez-vous monsieur, répliqua M. William Swidger, tourné vers sa femme avec un embarras considérable. Mme William a l'œil sur moi.

— Mais vous ne craignez pas son regard?

— Oh! non, monsieur, répondit M. Swidger, c'est ce que je dis moi-même. Il n'a pas été créé pour faire peur. On ne l'aurait pas fait si doux, si telle avait été l'intention. Mais je n'aimerais pas… Milly!… Lui, tu sais bien. En bas des Bâtiments.»

M. William, debout derrière la table, fourrageait d'un air déconcerté parmi les objets qui y étaient disposés, tout en adressant des regards persuasifs à Mme William en même temps que de secrètes saccades de la tête et du pouce à M. Redlaw, comme s'il eût voulu la pousser vers lui.

«Lui, tu sais bien, mon amour, poursuivit M. William. En bas des Bâtiments. Raconte, ma chérie. Tu es comme les œuvres de Shakespeare en comparaison de moi. Dans les Bâtiments, tu sais bien, mon amour… L'étudiant.

— L'étudiant? répéta M. Redlaw, levant la tête.

— C'est ce que je dis, monsieur! s'écria M. William, avec l'assentiment le plus chaleureux. Si ce n'était le pauvre étudiant, en bas, dans les Bâtiments, pourquoi voudriez-vous l'entendre des lèvres de Mme William? Madame William, ma chérie... Les Bâtiments.

— J'ignorais que William en eût parlé, dit Milly avec une tranquille franchise, exempte de toute hâte et de toute confusion; sans quoi, je ne serais pas venue. Je l'avais prié de n'en rien dire. C'est un jeune homme malade, monsieur — et très pauvre, à ce que je crains —, qui est trop mal en point pour rentrer chez lui en ce temps de vacances et qui vit, à l'insu de tous, dans un logement bien ordinaire pour un monsieur, en bas des Bâtiments de Jérusalem. C'est tout, monsieur.

— Pourquoi ne m'a-t-on jamais parlé de lui? dit M. Redlaw, se levant vivement. Pourquoi ne m'a-t-il pas fait connaître sa situation? Malade!... Donnez-moi mon chapeau et mon manteau. Le pauvre!... Quelle maison?... Quel numéro?

— Oh! il ne faut pas y aller, monsieur, dit Milly, abandonnant son beau-père pour affronter le chimiste avec son calme petit visage et ses bras croisés.

— Pas y aller?

— Oh! mon Dieu, non! dit Milly, hochant la tête comme devant une impossibilité manifeste, qui allait de soi. On ne saurait y penser!

— Que voulez-vous dire? Pourquoi?

— Eh bien, voyez-vous, monsieur, dit M. William Swidger d'un ton persuasif et confidentiel, c'est ce que je dis. Croyez-moi, le jeune monsieur n'aurait jamais voulu faire connaître sa situation à quelqu'un de son propre sexe. Mme William est entrée dans son secret, mais c'est tout à fait différent. Ils se confient tous à Mme William ; en *elle*, ils ont tous confiance. Un homme, monsieur, n'aurait jamais obtenu de lui le moindre murmure ; mais une femme, monsieur, et Mme William... !

— Il y a du bon sens et de la finesse dans ce que vous dites là, William », répondit M. Redlaw, attentif au visage calme et composé qui se trouvait près de lui.

Et, posant un doigt sur ses lèvres, il mit sa bourse à la dérobée dans la main de la jeune femme.

« Oh ! mon Dieu, non, monsieur ! s'écria Milly, la lui rendant. Ce serait encore pire ! Il n'y faut pas même songer. »

C'était une ménagère si posée, si pratique, elle restait si calme en dépit de la hâte momentanée de ce rejet, qu'un instant après elle ramassait soigneusement quelques feuilles qui étaient tombées de ses ciseaux hors de son tablier lorsqu'elle avait arrangé le houx.

S'apercevant, quand elle se releva, que M. Redlaw l'observait toujours avec une expression de doute et d'étonnement, elle répéta tranquillement, non sans continuer à chercher des yeux si aucun autre fragment ne lui avait échappé :

« Oh ! mon Dieu, non, monsieur ! Il m'a dit que, de vous moins que de quiconque au monde, il ne voudrait être connu ou recevoir un secours — bien qu'il étudie dans votre classe. Je ne vous ai pas demandé le secret, mais je m'en remets entièrement à votre discrétion.

— Pourquoi a-t-il dit cela ?

— Je n'en sais assurément rien, monsieur, dit Milly après un instant de réflexion, car je ne suis pas bien intelligente, voyez-vous ; je voulais simplement lui être utile en mettant de l'ordre et un peu de confort dans son logis, et c'est à cela que je me suis employée. Mais je sais qu'il est pauvre et solitaire ; et je crois aussi quelque peu abandonné... Comme il fait sombre ! »

La pièce s'était de plus en plus obscurcie. Des ténèbres épaisses s'amassaient derrière le fauteuil du chimiste.

« Que pouvez-vous me dire d'autre à son sujet ? demanda-t-il.

— Il doit se marier aussitôt qu'il en aura les moyens, dit Milly, et il étudie, je crois, pour être à même de gagner sa vie. Voilà longtemps que je le vois travailler dur et se priver de tout... Mais comme il fait sombre !

— Le froid a augmenté aussi, dit le vieillard en se frottant les mains. Il y a de quoi frissonner et il fait triste ici. Où est mon fils William ? William, mon garçon, remonte la lampe et attise le feu. »

La voix de Milly reprit, comme une calme musique jouée avec grande douceur :

« Hier après-midi, il a marmonné dans l'agitation de son sommeil, après avoir conversé avec moi (elle disait cela pour elle-même), et il parlait de quelqu'un qui était mort et d'un grand tort qui avait été fait et qui ne pourrait jamais être oublié ; mais avait-il été fait à lui ou à une autre personne, je l'ignore. Pas *par* lui, en tout cas, j'en suis bien sûre.

— Bref, madame William, voyez-vous... elle ne le mentionnerait pas elle-même, dût-elle demeurer ici jusqu'au Nouvel An d'après celui qui vient..., dit M. William, s'approchant du chimiste pour lui parler à l'oreille, Mme William lui a fait un monde de bien ! Mon Dieu, oui, un monde de bien ! Tout à la maison exactement pareil... mon père douillettement soigné...

pas une miette de désordre visible à la maison, dût-on offrir cinquante livres d'argent comptant pour en trouver... Mme William apparemment jamais absente... et pourtant faisant sans cesse le va-et-vient, montant et descendant, une mère pour lui!»

La pièce se faisait toujours plus sombre et plus froide, et les ténèbres amassées derrière le fauteuil toujours plus lourdes.

«Non contente de cela, monsieur, voilà-t-il pas que Mme William découvre, ce soir même, alors qu'elle rentrait (y a plus de deux heures de ça), un petit être plus semblable à un animal sauvage qu'à un enfant, qui tremblait de froid sur le pas d'une porte. Qu'est-ce qu'elle fait, Mme William, si ce n'est pas de l'amener à la maison pour le sécher, le nourrir et le garder jusqu'à ce que notre vieille allocation de nourriture et de flanelle soit toute distribuée, le matin de Noël! Si jamais il a senti un feu, c'est bien ce soir : il est assis dans la vieille cheminée de la loge, et il contemple fixement le nôtre comme si jamais ses yeux dévorants ne devaient se refermer. Tout au moins est-il assis là, ajouta M. William, se corrigeant lui-même après réflexion, s'il n'a pas pris la poudre d'escampette!

— Dieu conserve le bonheur à Mme William! dit le chimiste à voix haute, et à vous aussi, Philippe! et à vous, William! Il faut que je réfléchisse à la conduite à tenir en cette affaire. Il se peut que je veuille voir cet étudiant; je ne vous retiendrai pas plus longtemps. Bonsoir!

— Je vous remercie, monsieur; je vous remercie pour Souris, pour mon fils William et pour moi-même, dit le vieillard. Où est mon fils William? William, prends la lanterne et passe devant, dans ces longs couloirs sombres, comme tu l'as fait l'année dernière et celle d'avant. Ha, ha! Je me le rappelle bien, moi — bien que j'aie quatre-vingt-sept ans! "Seigneur, que verdoie ma mémoire!" C'est une excellente prière, monsieur Redlaw, que celle du savant monsieur à la barbe en pointe et à la fraise autour du cou — qui est suspendu, le second à droite au-dessus de la boiserie dans ce qui fut, avant la transformation apportée par nos dix pauvres messieurs, notre Grand Réfectoire. "Seigneur, que verdoie ma mémoire!" Voilà qui est très bon et très pieux, monsieur. Amen! Amen!»

Tandis qu'ils passaient la lourde porte qui, en dépit de tout le soin qu'ils apportèrent à la retenir, déclencha, en se refermant, une longue suite d'échos sonores, la pièce devint encore plus sombre.

Tandis que le chimiste, resté seul, se replongeait dans ses réflexions, le houx vivace se flétrissait aux murs et retombait — en branches mortes.

Tandis que l'ombre s'épaississait derrière lui, à l'endroit même où elle s'était si ténébreusement assemblée, elle devint, par lents degrés — ou il en sortit par quelque processus irréel, immatériel que nul sens humain n'eût pu déterminer —, une affreuse image de lui-même.

Horrible et froide, sans couleurs dans son visage et ses mains de plomb, mais présentant bien cependant ses propres traits, ses propres yeux brillants et ses cheveux grisonnants, et revêtue de l'ombre lugubre de ses propres vêtements, elle assuma peu à peu, immobile et silencieuse, l'apparence de l'être. Tandis que, ruminant devant le feu, il laissait peser ses coudes sur les bras du fauteuil, la forme se tint penchée sur le dossier, juste au-dessus de lui, l'épouvantable figure regardant où regardait sa propre figure et portant la même expression qu'elle.

Voilà donc la Chose qui avait déjà passé et disparu. Voilà donc le terrible compagnon de l'homme hanté!

L'ombre sembla tout d'abord ne pas lui prêter plus d'attention qu'il ne lui en prêtait lui-même. Les ménétriers de Noël[1] jouaient quelque part au loin et, malgré sa méditation, il paraissait écouter la mélodie. L'ombre de même.

Il finit par parler, sans bouger ni lever la tête.

«Encore ici! dit-il.

— Encore ici! répondit le fantôme.

— Je te vois dans le feu, dit l'homme; je t'entends dans la musique, dans le vent, dans le silence de mort de la nuit.»

Le fantôme hocha la tête en signe d'assentiment.

«Pourquoi viens-tu me hanter ainsi?

— Je viens selon que l'on m'appelle, répondit le fantôme.

— Non. Ininvité, s'écria le chimiste.

— Ininvité, soit! dit le spectre. Il suffit. Je suis là.»

Jusqu'alors, la clarté du feu avait lui sur les deux visages — si l'on pouvait appeler ainsi les terribles traits de derrière le fauteuil —, tous deux tournés vers la flamme comme au début, et aucun des deux ne regardait l'autre. Mais à ce moment, l'homme hanté se retourna brusquement pour contempler le fantôme. Celui-ci, d'un mouvement tout aussi soudain, passa devant le fauteuil et regarda fixement le chimiste.

L'homme vivant et l'image animée de lui-même mort auraient pu ainsi s'observer l'un l'autre. Affreuse confrontation dans une partie écartée et solitaire d'un vieux bâtiment vide, par un soir d'hiver, tandis que le vent mugissant passait dans son mystérieux voyage — d'où il venait, où il allait, nul ne l'a jamais su depuis la création du monde — et que les étoiles, en inimaginables myriades, brillaient au travers de l'espace éternel où la masse du monde n'est qu'un grain et sa vénérable antiquité une simple enfance.

«Regarde-moi! dit le spectre. Je suis celui qui, abandonné dans sa jeunesse et misérablement pauvre, a lutté et souffert sans cesse jusqu'à ce que j'aie réussi à extirper le savoir de la mine où il était enfoui et à en tailler les marches rugueuses sur lesquelles j'ai pu poser mes pieds usés et m'élever.

— Je *suis* cet homme, répliqua le chimiste.

— Nul amour maternel plein d'abnégation, poursuivit le fantôme, nuls conseils paternels ne m'aidèrent. Un étranger prit la place de mon père alors que je n'étais qu'un enfant, et je ne tardai pas à devenir un étranger dans le cœur de ma mère. Le moins que l'on puisse dire, c'est que mes parents étaient de ces gens dont les soins durent peu et dont les devoirs sont vite remplis; qui rejettent leur progéniture de bonne heure, comme les oiseaux la leur; et, si elle prospère, en revendiquent le mérite; si elle tourne mal, quêtent la commisération de leur prochain.»

Le spectre s'arrêta et parut vouloir tenter et aiguillonner l'homme par son regard, par la tournure de son discours et par son sourire.

«Je suis, poursuivit le fantôme, celui qui, dans cette lutte pour s'élever, trouva un ami. Je le créai, le gagnai, me l'attachai! Nous travaillâmes ensemble, côte à côte. Toute la tendresse, toute la confiance qui, au début de ma jeunesse, n'avaient pu s'épancher ni s'exprimer, je lui en fis don.

— Pas toute, dit Redlaw, d'une voix rauque.

— Non, pas toute, répondit le fantôme. J'avais une sœur.»

L'homme hanté, la tête dans les mains, répliqua

«Oui, j'avais une sœur!». Le fantôme, avec un mauvais sourire, s'approcha du fauteuil et, posant le menton sur ses mains croisées et ses mains croisées sur le dossier, fixa sur le visage du chimiste des yeux de braise et poursuivit:

«Les seuls aperçus de la lumière d'un foyer que j'eusse jamais connus venaient d'elle. Comme elle était jeune, comme elle était belle, comme elle était aimante! Je l'emmenai sous le premier toit misérable que j'eusse possédé et fis ainsi de lui un palais. Elle entra dans les ténèbres de mon existence et la rendit lumineuse. — Elle est encore présente à mes yeux!

— Je l'ai vue dans les flammes, il y a un instant encore. Je l'entends dans la musique, dans le vent, dans le silence de mort de la nuit, répliqua l'homme hanté.

— L'aima-t-il vraiment? dit le fantôme, faisant écho à son ton rêveur. Je crois que oui, en un temps. J'en suis sûr. Mieux eût valu qu'elle l'aimât moins... moins secrètement, moins tendrement... qu'elle l'aimât moins profondément, d'un cœur plus partagé!

— Ah! laisse-moi oublier cela, s'écria le chimiste avec un geste d'impatience. Laisse-moi l'effacer de ma mémoire!»

Le spectre, sans bouger, sans un cillement du cruel regard qu'il tenait fixé sur lui, poursuivit:

«Un rêve semblable au sien s'introduisit dans ma vie aussi.

— Oui, dit Redlaw.

— Un amour, aussi semblable au sien qu'en pouvait caresser ma nature inférieure, s'éleva dans mon propre cœur, poursuivit le fantôme. J'étais alors trop pauvre pour en lier l'objet à ma fortune par le moindre soupçon d'engagement ou de sollicitation. Je l'aimais bien trop pour chercher à le faire. Mais, plus que jamais, je luttai pour m'élever! Le moindre centimètre gagné me rapprochait du sommet. Je grimpai à force de travail! Aux tardives heures de pause dans mon labeur acharné de cette époque — ma sœur (douce compagne!) partageant encore avec moi les cendres expirantes de l'âtre qui allait se refroidissant —, quand venait l'aurore, quelles images de l'avenir ne voyais-je pas!

— Je les voyais encore dans le feu, à l'instant, murmura le chimiste. Elles me reviennent dans la musique, dans le vent, dans le silence de mort de la nuit, dans la révolution des années.

— ... Images de ma vie domestique, dans les années à venir, avec celle qui était l'inspiratrice de tous mes efforts. Images de ma sœur, devenue la femme de mon cher ami, dans des conditions d'égalité (car il avait des espérances, que moi je n'avais pas)... images d'un temps de vie plus calme, d'un bonheur plus doux, et de liens d'or, remontant loin dans le passé, qui nous lieraient, nous et nos enfants, d'une radieuse guirlande, dit le fantôme.

— Images, dit l'homme hanté, qui ne furent que déceptions. Pourquoi suis-je condamné à me les rappeler avec tant d'acuité!

— Déceptions, répéta le fantôme de sa voix toujours égale, sans le quitter de ses yeux toujours fulgurants. Car mon ami (dans le sein duquel j'avais ancré ma confiance aussi solidement que dans le mien propre), s'interposant entre moi et le centre du système où gravitaient toutes mes espérances et tous mes efforts, la conquit pour son propre compte et bouleversa mon frêle univers. Ma sœur, doublement chère, doublement dévouée, doublement joyeuse à mon foyer, vécut assez pour me voir célèbre et pour voir mes anciennes ambitions ainsi récompensées alors que le ressort en était brisé, et puis...

— Et puis elle mourut, enchaîna le chimiste. Mourut toujours avec la même douceur, heureuse, sans nulle autre inquiétude que le souci de son frère. Paix à son âme!»

Le fantôme l'observa en silence.

«Son souvenir vit en moi! dit l'homme hanté, après un moment de silence. Oui. Il vit si bien que maintenant encore, après tant d'années, alors que rien ne me paraît plus futile, plus chimérique que l'amour enfantin auquel j'ai si longtemps survécu, j'y songe avec sympathie comme à celui d'un frère cadet ou d'un fils. Je me demande même parfois à quel moment son cœur commença de s'éprendre de lui et à quel point il avait été épris de moi... Pour de bon, en un temps, je crois... Mais cela n'est rien. La détresse tôt ressentie, une blessure infligée par une main pour laquelle j'éprouvais tendresse et confiance, une perte que rien ne saurait remplacer, vivent plus que pareilles illusions.

— C'est ainsi, dit le fantôme, que je porte en moi une peine et un tort qui me furent infligés. C'est ainsi que je fais une proie de moi-même. C'est ainsi que la mémoire m'est une malédiction; et si je pouvais oublier cette peine et ce tort, je le ferais aussitôt!

— Railleur! dit le chimiste, s'élançant pour porter une main vengeresse à la gorge de son autre soi-même. Pourquoi ces sarcasmes retentissent-ils toujours à mes oreilles?

— Arrête! s'écria le spectre, d'une voix terrible. Porte la main sur moi et tu es un homme mort!»

Le chimiste s'arrêta à mi-chemin, comme paralysé par ces mots, et resta là, les yeux fixés sur le spectre. Celui-ci s'était éloigné, les bras levés en avertissement, et un sourire passa sur ses traits surnaturels tandis qu'il redressait sa sombre forme d'un air de triomphe.

« Si je pouvais oublier mon chagrin et le tort qui m'a été causé, je le ferais, répéta le fantôme. Si je pouvais les oublier, je le ferais.

— Mauvais esprit de moi-même, répondit l'homme hanté d'une voix basse et tremblante, ma vie est assombrie par ce murmure incessant.

— C'est un écho, dit le fantôme.

— Si c'est un écho de mes propres pensées — et maintenant, je sais qu'il en est ainsi, reprit l'homme hanté, pourquoi donc en serais-je tourmenté ? Ce n'est pas une pensée égoïste. Je la laisse se répandre au-delà de ma propre personne. Tous les hommes et toutes les femmes ont leurs peines, et la plupart d'entre eux ont eu à subir quelque tort, l'ingratitude, la vile jalousie ou l'intérêt assaillant tous les degrés de l'existence. Qui ne voudrait oublier ses peines et les torts qui lui ont été faits ?

— Qui donc ne le voudrait sincèrement, et n'en serait que plus heureux ? dit le fantôme.

— Ces révolutions d'années que nous célébrons, poursuivit Redlaw, que nous rappellent-elles ? Est-il aucun esprit dans lequel elles ne réveillent quelque chagrin ou quelque affliction ? Que représentent les souvenirs du vieillard qui était ici ce soir ? Un tissu de chagrins et d'afflictions.

— Mais les natures ordinaires, dit le fantôme avec son mauvais sourire sur son visage vitreux, les esprits ignorants et communs ne ressentent ni ne raisonnent ces choses comme le font les hommes d'une culture plus élevée et d'une pensée plus profonde.

— Tentateur, répondit Redlaw, tentateur dont je redoute plus que les mots ne sauraient l'exprimer la voix et le regard trompeurs, et de qui s'élève, planant sur moi tandis que je parle, l'obscur pressentiment d'une peur plus grande encore, j'entends à nouveau un écho de ma propre pensée !

— Vois-y la preuve de ma puissance, répliqua le fantôme. Entends ce que je t'offre ! Oublie le chagrin, les torts et les afflictions que tu as connus !

— Les oublier ! répéta le chimiste.

— J'ai le pouvoir d'effacer leur souvenir… de n'en laisser que des traces très faibles et très confuses, qui ne tarderont pas à disparaître à leur tour, reprit le spectre. Réponds ! Marché conclu ?

— Attends ! s'écria l'homme hanté, arrêtant d'un geste de terreur la main levée. Je frémis de la défiance et des doutes que tu m'inspires ; et la peur obscure que tu répands en moi se mue en une horreur indéfinissable et grandissante que j'ai peine à supporter. Je ne voudrais pas me priver du moindre souvenir bienfaisant, du moindre sentiment de sympathie qui puisse être bon pour moi ou pour autrui. Que perdrai-je si je consens à ce que tu m'offres ? Quelles autres choses disparaîtront de ma mémoire ?

— Aucun savoir, aucun fruit de l'étude ; rien que la chaîne de sentiments et d'associations d'idées qui découlent l'une après l'autre des souvenirs repoussés dont ils se nourrissent. Voilà ce qui disparaîtra.

— Y en a-t-il donc tant ? dit l'homme hanté, réfléchissant, alarmé.

— Ils ont eu coutume de se révéler dans le feu, dans la musique, dans le vent, dans le silence de mort de la nuit, dans la révolution des années, répliqua le fantôme avec dédain.

— Et dans rien d'autre ? »

Le fantôme garda le silence.

Mais après être resté un moment debout devant le

chimiste sans mot dire, il s'avança vers le feu, puis s'arrêta.

«Décide-toi! dit-il. Avant que l'occasion ne soit perdue!

— Un moment! Je prends le Ciel à témoin, dit l'homme fort agité, que je n'ai jamais haï mes semblables... que je n'ai jamais fait preuve de morosité, d'indifférence ou de dureté envers mon entourage. Si, vivant ici solitaire, j'ai attaché trop d'importance à tout ce qui fut et aurait pu avoir été, et trop peu à ce qui est, le mal, je pense, en est retombé sur moi et non sur les autres. Mais s'il y avait du poison dans mon corps et que je fusse en possession d'antidotes dont je connusse l'emploi, ne devrais-je pas en faire usage? S'il y a un poison dans mon esprit et que je puisse, grâce à cette ombre terrible, le rejeter, ne le rejetterai-je pas?

— Réponds, dit le spectre: marché conclu?

— Encore un moment! répondit-il précipitamment. *«Je l'oublierais si je le pouvais!»* Est-ce moi qui ai pensé cela de mon propre mouvement, ou bien fut-ce la pensée de milliers de personnes, de génération en génération? Toute mémoire humaine est chargée de chagrins et d'afflictions. Ma mémoire est semblable à celle des autres hommes, mais les autres n'ont pas le choix qui m'est offert. Oui, je conclus le marché. Oui! Je VEUX oublier mon chagrin, les torts qui m'ont été faits, mon affliction!

— Réponds, dit le spectre. Est-ce conclu?

— C'est conclu!

— C'EST CONCLU. Emporte donc cela avec toi, homme que maintenant je renie! Le don que je t'ai fait, tu le transmettras, où que tu ailles. Sans pour cela recouvrer toi-même la faculté à laquelle tu as renoncé, tu la détruiras dorénavant chez tous ceux que tu approcheras. Ta sagesse a découvert que la mémoire des chagrins, des torts et des afflictions est le lot de tous les hommes et que, sans cette mémoire, l'humanité n'en serait que plus heureuse parmi ses autres souvenirs. Va ! Sois son bienfaiteur ! Dès cet instant, libéré de pareille mémoire, porte involontairement avec toi la bénédiction de cette liberté. Sa diffusion est dorénavant inséparable de ta personne et tu ne pourras plus aliéner ce don. Va ! Sois heureux du bien que tu as acquis et de celui que tu vas faire ! »

Le fantôme qui, tandis qu'il parlait, avait tenu au-dessus de lui sa main exsangue comme pour quelque invocation impie ou quelque anathème, et graduellement approché ses yeux de ceux de l'homme, en sorte que celui-ci pouvait voir qu'ils n'avaient aucune part au sourire terrible de son visage et qu'ils maintenaient l'horreur d'un regard fixe, inaltérable, rigide, le fantôme fondit devant lui, et disparut.

Comme le chimiste restait figé sur place, saisi de crainte et de stupéfaction et s'imaginant entendre répéter, en échos mélancoliques qui s'en allaient mourir au loin, les mots : « Tu le détruiras dorénavant chez tous ceux que tu approcheras ! », un cri strident frappa ses oreilles. Il venait non du couloir qui s'étendait devant la porte, mais d'une autre partie du vieux bâtiment, et de quelqu'un qui, semblait-il, avait perdu son chemin dans les ténèbres.

Le chimiste regarda d'un air interdit ses mains et ses membres comme pour s'assurer de sa propre identité et se mit à pousser en réponse des cris retentissants et sauvages, car il sentait monter en lui une étrange terreur, comme si lui aussi fût égaré.

Les cris se répétant, plus proches, il saisit la lampe et souleva une lourde portière sous laquelle il avait l'habitude de passer pour se rendre à l'amphithéâtre dans lequel il donnait ses cours et qui était adjacent à son appartement. Vide de toute la jeunesse qui l'animait d'ordinaire quand tous ses hauts gradins étaient garnis de visages que l'entrée du professeur suffisait à captiver, ce n'était plus qu'un endroit fantomatique, qui lui apparaissait comme un symbole de mort.

« Holà ! cria-t-il. Holà ! Par ici ! Venez à la lumière ! »

Et, tandis qu'il tenait d'une main le rideau et que de l'autre il élevait la lampe pour essayer de percer l'obscurité qui emplissait la salle, quelque chose de semblable à un chat sauvage passa tout près de lui pour pénétrer dans la pièce et s'alla blottir dans un coin.

« Qu'est-ce que c'est ? », dit-il vivement.

Il eût aussi bien pu demander « Qu'est-ce que c'est » en le voyant clairement, ce qui arriva presque aussitôt quand il considéra le quelque chose accroupi dans le coin.

C'était un tas de loques, rassemblées d'une main qui, pour la dimension et la forme, était celle d'un enfant, mais par l'étreinte avide et désespérée, celle d'un méchant vieillard. Un visage arrondi et lisse d'une demi-douzaine d'années seulement, mais que semblait avoir pincé et tordu l'expérience d'une vie entière. Des yeux brillants, mais non juvéniles. Des pieds nus, beaux dans leur délicatesse enfantine, — laids sous la couche craquelée de sang et de boue qui les recouvrait. Un bébé sauvage, un jeune monstre, un enfant qui n'avait jamais été enfant, un être qui pourrait, s'il vivait, revêtir la forme extérieure d'un homme, mais qui, intérieurement, ne serait jamais jusqu'à sa mort qu'une simple bête.

Accoutumé déjà à être tourmenté et pourchassé comme une bête, le petit garçon se tassait sur lui-même tandis qu'on l'examinait, rendant regard pour regard et levant le coude pour se protéger des coups attendus.

« Si vous me battez, je mords ! » s'écria-t-il.

Il avait été un temps, bien peu de minutes auparavant, où pareil spectacle eût étreint le cœur du chimiste. Il le contemplait à présent d'un œil froid ; mais avec un grand effort pour se rappeler quelque chose — quoi, il ne le savait —, il demanda au garçon ce qu'il faisait là et d'où il venait.

« Où est la femme ? répondit-il. Je veux trouver la femme.

— Qui donc ?

— La femme. Celle qui m'a amené ici et qui m'a installé près du grand feu. Elle a été partie si longtemps que je suis allé à sa recherche et que je me suis perdu. Je ne veux pas de vous. Je veux la femme. »

Il fit un bond si soudain pour s'échapper que le son mat de ses pieds sur le sol résonnait déjà près du rideau quand Redlaw le rattrapa par ses loques.

« Laissez-moi partir ! grogna l'enfant, qui se débattait en serrant les dents. Je ne vous ai rien fait. Voulez-vous bien me laisser rejoindre la femme !

— Ce n'est pas le chemin. Il y en a un plus court, dit Redlaw, le retenant non sans faire de vains efforts pour raviver en lui quelque association d'idées qui eût dû, logiquement, expliquer ce monstrueux objet. Comment t'appelles-tu ?

— Je n'ai pas de nom.

— Où demeures-tu ?

— Où je demeure ? Qu'est-ce que ça veut dire ? »

Le garçon secoua la tête pour écarter les mèches qui l'empêchaient de le regarder, puis, se tortillant les jambes et se débattant, il se remit à dire :

« Voulez-vous bien me laisser partir ! Je veux trouver la femme. »

Le chimiste l'amena à la porte.

« Par ici, dit-il, le regardant toujours d'un air interdit, mais avec une répugnance et un dégoût qui succédaient à sa froideur. Je vais t'amener vers elle. »

Le regard aigu qui brillait dans le visage de l'enfant, errant autour de la pièce, se posa sur les restes du dîner demeurés sur la table.

« Donnez-moi de ça ! dit-il avec convoitise.

— Ne t'a-t-elle pas nourri ?

— J'aurai de nouveau faim demain, non ? J'ai-t-y pas faim tous les jours ? »

Se voyant libre, il bondit vers la table comme une petite bête de proie et, serrant tout ensemble pain, viande et ses haillons contre sa poitrine, il dit :

« Voilà ! Maintenant, menez-moi à la femme ! »

Comme le chimiste, avec une répugnance nouvelle à le toucher, lui faisait durement signe de le suivre et se dirigeait vers la porte, il frémit et s'arrêta.

« Le don que je t'ai fait, tu le transmettras, où que tu ailles ! »

Les paroles du fantôme sifflaient dans le vent ; et le vent soufflait sur lui à le glacer.

« Je n'irai pas là-bas ce soir, murmura-t-il d'une voix faible. Je n'irai nulle part, ce soir. Gamin ! va tout droit le long de ce couloir voûté, et passe la grosse porte noire qui donne dans la cour — tu peux voir là le feu luire à travers la fenêtre.

— Le feu de la femme ? » demanda le garçon.

Il acquiesça de la tête, et les pieds nus s'étaient déjà élancés. Il revint, la lampe à la main, donna vivement un tour de clef et se laissa tomber dans son fauteuil, où il resta, le visage enfoui dans ses mains comme s'il avait peur de lui-même.

Car, à présent, il était certes seul. Seul... seul... !

CHAPITRE II

LE DON PROPAGÉ

Un petit homme était assis dans une petite pièce, séparée d'une petite boutique par un petit paravent recouvert de petits bouts de journaux collés. Aux côtés de ce petit homme, se trouvaient toute une foule de petits enfants — tout au moins est-ce l'impression que l'on avait, tant leur nombre paraissait imposant dans un champ d'action aussi limité.

De toute cette marmaille, on était arrivé, par quelque mécanisme coercitif, à mettre deux exemplaires dans un lit placé dans un coin, où ils auraient pu reposer assez confortablement dans le sommeil de l'innocence, n'eût été une propension congénitale à rester éveillés et aussi à se bousculer pour en descendre et y regrimper. La cause immédiate de ces incursions prédatrices dans le monde éveillé était la construction, effectuée dans un coin par deux autres jouvenceaux d'âge tendre, d'un mur de coquilles d'huîtres ; fortification à laquelle les deux alités livraient de harcelants assauts (comme ces maudits Pictes et Écossais qui investissent les premières études historiques de la plupart des jeunes Anglais) pour se retirer ensuite sur leur propre territoire.

Pour ajouter au remue-ménage causé par ces irruptions et par les ripostes des envahis qui exerçaient de chaudes représailles en s'attaquant aux couvertures sous lesquelles les maraudeurs cherchaient refuge, un autre petit garçon, couché dans un autre petit lit, apportait son obole de confusion au capital de la famille en jetant ses souliers sur le marché, autrement dit en lançant ceux-ci et divers autres petits objets inoffensifs en soi, encore que d'une substance fort dure en tant que projectiles, aux perturbateurs de son repos… qui ne perdaient pas de temps pour retourner la politesse.

En sus de quoi, un autre petit garçon — le plus grand de tous ceux qui étaient là, mais petit néanmoins — allait chancelant de-ci de-là, penché d'un côté et considérablement incommodé aux genoux par le poids d'un gros bébé qu'il était censé endormir, par une fiction qui a parfois cours dans les familles optimistes, à force de le bercer. Mais, ah! dans quelles immensités de contemplation vigilante les yeux du poupon ne commençaient-ils pas tout juste à se perdre, par-dessus l'épaule de son berceur inconscient!

C'était un véritable Moloch que ce bébé, sur l'autel insatiable duquel l'existence entière de ce jeune frère en particulier était offerte en sacrifice quotidien. On peut dire que sa personnalité consistait en ceci qu'il ne restait jamais tranquille dans un même endroit durant cinq minutes consécutives et qu'il ne s'endormait jamais quand on le désirait. Le bébé de Tetterby était tout aussi connu dans le voisinage que le facteur ou le garçon du cabaret. Il errait de perron en perron dans les bras du petit Johnny Tetterby et traînait lourdement à la queue des troupes juvéniles qui suivaient les acrobates ou le singe, et il arrivait, tout d'un côté, toujours un peu trop tard pour assister à n'importe quel spectacle attrayant du lundi matin au samedi soir. Où que les enfants s'assemblassent pour jouer, on voyait le petit Moloch faisant peiner et ahaner Johnny. Où que Johnny désirât rester, le petit Moloch se faisait rétif et se refusait à demeurer. Chaque fois que Johnny voulait sortir, Moloch

dormait et exigeait une surveillance. Chaque fois que
Johnny voulait rester à la maison, Moloch était
réveillé et il fallait le sortir. Et pourtant Johnny était
véritablement persuadé que c'était un bébé parfait,
qui n'avait pas son pareil dans tout le royaume
d'Angleterre ; et il était entièrement satisfait d'avoir
de temps à autre d'humbles aperçus des choses en
général de derrière ses robes ou par-dessus son
bonnet mou et flottant, et d'aller partout chancelant
sous son poids, tel un petit commissionnaire sous un
très gros colis qui n'eût été adressé à personne et
qu'il n'eût pu livrer nulle part.

Le petit homme qui était assis dans la petite pièce
et qui faisait de vains efforts pour lire son journal en
paix au milieu de cette agitation était le père de cette
famille et le chef de la firme désignée par l'inscription qui se lisait au-dessus de la devanture de la
petite boutique : A. TETTERBY & Cie, MARCHANDS
DE JOURNAUX. En fait, il était à strictement parler
le seul personnage répondant à cette dénomination,
Cie étant une simple abstraction poétique sans aucun
fondement ni personnalité réelle.

La boutique de Tetterby se trouvait à l'angle des
Bâtiments de Jérusalem. Il y avait dans la vitrine un
bel étalage de littérature, consistant principalement
en vieux numéros de journaux illustrés et en histoires de pirates et de voleurs publiées par livraisons.
Des cannes et des billes figuraient en outre parmi les
marchandises du fonds. Celui-ci s'était étendu, à une
certaine époque, à la confiserie légère ; mais il semble
que ces élégances de la vie ne répondissent pas à la
demande du quartier des Bâtiments de Jérusalem,
car il ne restait rien dans la devanture qui se rappor-
tât à cette branche de commerce, hormis une sorte
de petite lanterne de verre contenant une masse lan-

guissante de boules à la menthe qui avaient fondu en été pour se regeler en hiver, jusqu'à ce que fût perdu tout espoir de jamais plus les extraire ou les consommer sans avaler en même temps la lanterne. La Maison Tetterby s'était essayée en diverses directions. Elle avait, un moment, fait une légère incursion dans le commerce des jouets ; car, dans une autre lanterne, on voyait une masse de menues poupées de cire, toutes collées tête-bêche dans la plus affreuse confusion, les pieds des unes sur la tête des autres et, dans le fond, un précipité de bras et de jambes brisés. Elle avait esquissé une tentative vers les articles de mode, comme l'attestaient quelques carcasses de capotes, sèches et métalliques, demeurées dans un coin de la vitrine. Elle s'était imaginé aussi qu'il y avait des ressources cachées dans le commerce du tabac, et elle avait exposé la reproduction d'un indigène de chacune des trois parties constituantes de l'Empire britannique, occupé à la consommation de cette feuille odorante, avec une poétique légende indiquant qu'ils militaient pour une même cause : le premier chiquant, le deuxième prisant et le troisième fumant ; mais rien ne semblait en avoir résulté — hormis les mouches. Il fut un temps où elle avait mis un espoir désespéré dans la bijouterie d'imitation, car on voyait sous une vitrine une carte de cachets à bon marché, une autre de porte-mines, et une mystérieuse amulette noire dont la destination restait impénétrable et qui était marquée « neuf pence ». Mais, à cette heure, les Bâtiments de Jérusalem n'avaient rien acheté de tout cela. Bref, la Maison Tetterby avait tenté de si grands efforts pour tirer sa subsistance des Bâtiments de Jérusalem d'une façon ou d'une autre, elle semblait avoir si médiocrement réussi dans toutes, que la

meilleure situation dans la firme était trop évidemment celle de «Cie»; Cie, création incorporelle,
restant exempte des vulgaires inconvénients de la
faim et de la soif, n'étant assujettie ni à la taxe des
pauvres ni aux impôts directs et n'ayant à pourvoir
aux besoins d'aucune famille en bas âge.

Tetterby lui-même, cependant, assis dans sa petite
pièce comme nous l'avons dit, se voyait imprimer
dans l'esprit la présence de sa jeune famille de façon
trop bruyante pour qu'il lui fût permis de n'en pas
tenir compte ou de lire tranquillement le journal ; il
posa donc celui-ci, fit, dans son égarement, plusieurs
tours de chambre, tel un pigeon-voyageur indécis,
ainsi qu'un plongeon inefficace vers une ou deux
petites formes en chemise de nuit qui le frôlaient,
puis, fondant soudain sur le seul membre innocent
de la famille, talocha le garçon qui servait de nourrice au petit Moloch.

« Vilain garnement ! dit M. Tetterby, n'as-tu donc
aucune considération pour ton père après toutes les
fatigues et les inquiétudes d'une dure journée d'hiver
commencée à cinq heures du matin, et faut-il que tu
flétrisses son repos et que tu corrodes ses dernières
nouvelles avec tes vilains tours ? N'est-ce donc pas
assez, monsieur, que ton frère Dodolphe soit en train
de peiner et de s'échiner dans le brouillard et le
froid, tandis que toi tu te goberges dans le luxe avec
un... avec un bébé et tout ce que tu peux désirer, dit
M. Tetterby, ajoutant cela comme un comble de
bénédiction ; et faut-il que tu fasses de la maison un
lieu sauvage et de tes parents des fous furieux ? Le
faut-il vraiment, Johnny ? Hein ? »

À chaque question, M. Tetterby faisait mine de le
talocher à nouveau, mais se ravisait et retenait sa
main.

«Oh! papa! dit Johnny en pleurnichant, moi qui ne faisais rien, pour sûr, que de m'occuper si bien de Sally pour l'endormir! Oh! papa!

— Je voudrais bien que ma petite femme rentre! dit M. Tetterby, se radoucissant avec repentir. Je voudrais seulement que ma petite femme rentre! Je ne suis pas apte à les mener. Ils me font tourner la tête et ils ont toujours le dessus. Ah! Johnny! N'est-ce pas assez que ta chère mère t'ait gratifié de cette gentille petite sœur? (il désignait Moloch) n'est-ce pas assez que vous fussiez déjà sept garçons, sans une ombre de fille, et que ta chère mère ait enduré tout ce qu'elle a enduré à seule fin que vous puissiez tous avoir une petite sœur, sans que vous vous conduisiez de façon à me brouiller la cervelle?»

Se radoucissant de plus en plus à mesure que ses propres sentiments de tendresse et ceux de son fils lésé étaient mis en jeu, M. Tetterby finit par l'embrasser et, s'en détachant aussitôt, par attraper l'un des véritables délinquants. Sur un départ raisonnablement bon, il réussit, après une course brève mais non moins vive et un vigoureux «cross-country» mené sous et par-dessus les lits et au travers d'un dédale de chaises, à capturer son rejeton, qu'il punit justement avant de le reporter dans son lit. Cet exemple exerça une influence puissante et, apparemment, magnétique sur le lanceur de souliers, qui sombra tout aussitôt dans un profond sommeil, encore qu'un instant auparavant, on l'eût vu tout éveillé et doué du plus grand entrain possible. L'exemple ne fut pas non plus perdu pour les deux jeunes architectes, qui gagnèrent, avec beaucoup de hâte et de discrétion, leur lit, situé dans un débarras adjacent. Le camarade de l'intercepté s'étant aussi glissé dans son nid avec la même prudence, M. Tetterby, quand il s'arrêta pour reprendre haleine, se trouva de façon tout à fait inattendue au centre d'une scène des plus paisibles.

« Ma petite femme elle-même n'aurait guère pu faire mieux! dit-il, essuyant son visage tout empourpré. J'aurais seulement voulu que ce fût elle qui eût eu à le faire ; pour ça, oui ! »

M. Tetterby chercha sur son paravent un passage digne d'être imprimé dans l'esprit de ses enfants en pareille circonstance, et lut le suivant :

« "C'est un fait indubitable que tous les hommes remarquables ont eu des mères remarquables et qu'ils les ont respectées durant tout le reste de leur vie comme leurs meilleures amies." Pensez à votre propre mère si remarquable, mes enfants, ajouta-t-il, et appréciez sa valeur alors qu'elle est encore parmi vous ! »

Il se rassit dans son fauteuil devant le feu et s'y réinstalla bien, jambes croisées, pour se replonger dans la lecture de son journal.

« Que quelqu'un, peu m'importe qui, sorte encore de son lit, dit Tetterby en manière de proclamation générale émise sur un ton indulgent, et "l'étonnement ne manquera pas d'être le lot de ce respectable confrère" ! (expression que M. Tetterby choisit sur son paravent). Johnny, mon enfant, prends bien soin de ta sœur unique, Sally, car c'est le plus magnifique joyau qui jamais scintilla sur ton jeune front. »

Johnny s'assit sur un petit tabouret et se tassa avec dévouement sous le poids de Moloch.

« Ah ! quel don c'est pour toi que ce bébé, Johnny, dit son père, et comme tu devrais t'en montrer reconnaissant ! "C'est un fait généralement peu connu", Johnny (le marchand de journaux se référait de nouveau au paravent), "bien qu'il soit fondé sur des statistiques précises, que l'énorme pourcentage d'enfants indiqué ci-après n'atteint jamais l'âge de deux ans ; c'est-à-dire..."

— Oh ! non, papa, je t'en supplie ! s'écria Johnny. Je ne peux pas supporter d'entendre cela, quand je pense à Sally. »

M. Tetterby ayant renoncé à poursuivre, Johnny, avec un sentiment plus aigu encore de sa responsabilité, s'essuya les yeux et se remit à apaiser sa sœur.

« Ton frère Dodolphe est en retard, ce soir, Johnny, dit son père, attisant le feu ; et quand il rentrera, il sera comme un bloc de glace. Mais que fait donc ta chère mère ?

— La voici, papa, et Dodolphe aussi, je crois ! s'écria Johnny.

— C'est vrai, répliqua son père, prêtant l'oreille. Oui, c'est bien le pas de ma petite femme. »

Le processus d'induction par lequel M. Tetterby était arrivé à conclure que son épouse était une petite femme restait son propre secret. Elle eût fait aisément deux éditions de lui. Prise individuellement, elle se faisait déjà remarquer pour sa robustesse et sa corpulence, mais, en comparaison de celles de son mari, ses dimensions devenaient tout à fait majestueuses. Et elles ne paraissaient pas moins imposantes si on les observait par rapport à la taille de ses sept fils, laquelle était fort exiguë. Dans le cas de Sally, cependant, Mme Tetterby s'était enfin montrée digne d'elle-même, comme nul ne le savait mieux que le pauvre Johnny, qui pouvait peser et mesurer à chaque heure du jour cette exigeante idole.

Mme Tetterby, qui revenait de faire son marché et portait un panier, rejeta en arrière son bonnet et son châle et, se laissant tomber épuisée sur une chaise, ordonna à Johnny de lui apporter aussitôt sa douce charge pour une embrassade. Après s'être exécuté, Johnny revint à son tabouret, où il se tassa derechef ; mais le jeune Adolphe Tetterby, qui avait pour lors déroulé un cache-nez de toutes les couleurs de l'arc-en-ciel, apparemment interminable, dont était enveloppé son torse, réclama la même faveur. Et quand Johnny, s'étant de nouveau exécuté, fut de nouveau revenu à son tabouret où il s'était de nouveau tassé, M. Tetterby, frappé d'une idée soudaine, émit le même désir pour sa propre part paternelle. La satisfaction de ce troisième vœu épuisa complètement l'immolé, qui eut à peine le souffle suffisant pour regagner son tabouret et s'y tasser encore une fois en haletant à l'adresse de sa famille.

« Quoi que tu fasses, Johnny, dit Mme Tetterby avec un hochement de tête, prends bien soin d'elle ou ne regarde plus jamais ta mère en face.

— Ni ton frère, dit Adolphe.

— Ni ton père, Johnny », ajouta M. Tetterby.

Johnny, très affecté par cet abandon conditionnel, abaissa son regard sur les yeux de Moloch pour voir si tout allait toujours bien de ce côté, lui tapota artistement le dos (qui était sur le dessus) et la berça du pied.

« Es-tu mouillé, Dodolphe, mon garçon ? dit son père. Viens t'asseoir dans mon fauteuil pour te sécher.

— Non, merci, papa, dit Adolphe, lissant ses vêtements du plat de la main. Je ne suis pas très mouillé, je crois. Ma figure brille-t-elle beaucoup, papa ?

— Eh ! bien, elle est assez luisante, mon garçon, répondit M. Tetterby.

— C'est le temps, papa, dit Adolphe en polissant ses joues sur la manche usée de sa veste. Avec la pluie, le grésil, le vent, la neige et le brouillard, ma figure entre toute en éruption, quelquefois. Et puis, elle se met à briller — pour ça, oui!»

M. Adolphe était aussi dans la presse, étant employé par une firme plus florissante que son père et Cie à vendre des journaux dans une gare de chemin de fer, où sa petite personne joufflue qui ressemblait à un Cupidon en vêtements élimés et sa petite voix perçante (il n'avait guère plus de dix ans) étaient aussi familières que le halètement rauque des locomotives. Sa jeunesse aurait pu éprouver quelque peine à trouver un innocent exutoire dans son affectation précoce au commerce, n'eût été l'heureuse découverte d'un moyen de se distraire et de découper la longue journée en phases d'intérêt, sans négliger pour cela les affaires. Cette ingénieuse invention, remarquable, comme bien des grandes découvertes, par sa simplicité, consistait à varier la première voyelle du mot «journal» et à y substituer, aux diverses périodes de la journée, toutes les autres voyelles en succession grammaticale. Ainsi, l'hiver, avant l'aube, il allait et venait, avec sa petite casquette et sa pèlerine de toile cirée, et son gros cache-nez, perçant l'atmosphère épaisse de son cri de «Jour-nal du ma-tin!»; qui, une heure environ avant midi, se changeait en «Jeur-nal du ma-tin!»; qui, vers deux heures, se changeait en «Jir-nal du ma-tin!»; qui, une couple d'heures plus tard, se changeait en «Jor-nal du ma-tin!»; et déclinait avec le soleil jusqu'à devenir «Jur-nal du soir!», pour le plus grand soulagement et réconfort du moral de ce jeune personnage.

Mme Tetterby, sa digne mère, qui était restée assise avec son bonnet et son châle rejetés en arrière, comme nous l'avons dit, à faire tourner rêveusement son alliance autour de son doigt, se leva alors et, après s'être dépouillée de ses vêtements de ville, se mit en devoir de mettre la nappe pour le dîner.

« Ah! mon Dieu, mon Dieu! dit Mme Tetterby. Ainsi va le monde!

— Comment va-t-il, ma chère amie? demanda M. Tetterby, se retournant.

— Oh! rien!» dit Mme Tetterby.

M. Tetterby leva les sourcils, plia son journal d'une nouvelle façon, le parcourut de bas en haut, de haut en bas et de gauche à droite, mais son attention vagabondait ailleurs, et il ne lisait pas.

Pendant ce temps, Mme Tetterby mettait le couvert mais plutôt comme si elle punissait la table que comme si elle préparait le dîner de la famille, la cognant de façon inutilement brutale avec les couteaux et les fourchettes, la frappant avec les assiettes, la bossuant avec la salière et lui assenant un grand coup de la miche de pain.

« Ah! mon Dieu, mon Dieu! répéta Mme Tetterby. Ainsi va le monde!

— Tu l'as déjà dit, ma colombe, répliqua son mari, tournant de nouveau la tête. Comment va-t-il, le monde?

— Oh! rien! dit Mme Tetterby.

— Sophie! fit le mari d'un ton de remontrance. Ça aussi, tu l'as déjà dit.

— Eh bien, je le dirai encore une fois, si tu veux, répliqua Mme Tetterby: oh! rien — là! Et encore, si tu veux: oh! rien — là! Et encore, si tu veux: oh! rien — et alors?»

M. Tetterby fit peser son regard sur sa chère moitié et dit avec un doux étonnement:

« Qu'est-ce qui te chagrine, ma petite femme?

— Est-ce que je sais, moi? répliqua-t-elle. Ne me

le demande pas. Qui a dit que j'étais chagrinée? Pas moi toujours.»

M. Tetterby renonça à sa lecture comme à une vaine occupation et, se promenant lentement dans la pièce, les mains derrière le dos et les épaules levées dans une attitude qui s'accordait parfaitement à sa résignation, s'adressa aux deux aînés de ses rejetons.

«Ton dîner sera prêt dans une minute, Dodolphe, dit M. Tetterby. Ta mère est allée, sous la pluie, l'acheter chez le traiteur. Ç'a été très généreux de sa part. Toi aussi, tu auras très bientôt à dîner, Johnny. Ta mère est contente de toi, mon bonhomme, parce que tu veilles si bien sur ta chère petite sœur.»

Mme Tetterby, sans faire aucune remarque, mais en se montrant décidément moins agressive envers la table, termina ses préparatifs et tira de son vaste panier une substantielle portion de pudding aux pois chauds enveloppée dans un papier, ainsi qu'un bol couvert d'une soucoupe, lequel, une fois découvert, répandit une odeur si agréable que les trois paires d'yeux réparties dans les deux lits s'ouvrirent toutes grandes pour se fixer sur le banquet. M. Tetterby, sans égard à cette tacite invitation à prendre place, restait debout, répétant lentement: «Oui, oui, ton dîner sera prêt dans une minute, Dodolphe — ta mère est allée sous la pluie l'acheter chez le traiteur — ç'a été très généreux de sa part», jusqu'au moment où Mme Tetterby, qui avait montré divers signes de contrition derrière son dos, le saisit par le cou et se mit à sangloter.

«Oh! Adolphe! dit-elle; comment ai-je pu me conduire de la sorte?»

Cette réconciliation affecta si bien Adolphe jeune et Johnny que tous deux, comme d'un commun accord, poussèrent un cri lugubre qui eut pour effet immédiat de clore les yeux écarquillés dans les lits et de jeter dans une déroute complète les deux petits Tetterby restants, occupés à ce moment précis à se glisser hors du débarras voisin pour voir ce qu'il en était de la mangeaille.

«Je t'assure, Adolphe, dit Mme Tetterby en pleurnichant, qu'en rentrant, je n'avais pas plus qu'un enfant à naître l'idée...»

M. Tetterby parut ne guère apprécier cette image et fit observer: «Dis plutôt que le bébé, ma chère.

— ... pas plus que le bébé, je n'avais l'idée..., reprit Mme Tetterby — Johnny, ne me regarde pas moi; regarde-la, elle, sans quoi elle va tomber de tes genoux et se tuer; et alors, tu mourras dans les affres d'un cœur brisé, et tu n'auras que ce que tu mérites — pas plus que cette petite chérie l'idée d'être de mauvaise humeur en rentrant; mais je ne sais trop comment, Adolphe...»

Mme Tetterby s'arrêta et se remit à faire tourner son alliance autour de son doigt.

«Je vois! dit M. Tetterby. Je comprends! Ma petite femme a été contrariée. La dureté des circonstances, la dureté des temps, la dureté de ses travaux sont parfois éprouvantes. Je vois, ma parole! Il n'y a rien d'étonnant à cela! Dodolphe, mon gars, poursuivit M. Tetterby en explorant le bol de sa fourchette, voici que ta mère a été acheter chez le traiteur, en plus du pudding aux pois, tout un magnifique jambonneau rôti, avec plein de peau craquante et une quantité illimitée de jus et de moutarde. Tends ton assiette, mon garçon, et commence à manger pendant qu'il mijote encore.»

M. Adolphe, qui n'avait pas besoin de plus amples encouragements, reçut sa portion avec des yeux humectés par l'appétit et, retiré sur son tabouret personnel, s'attaqua avec acharnement à son dîner. Johnny ne fut pas oublié, mais reçut sa ration sur du pain, de peur qu'un trop-plein de jus ne dégouttât sur le bébé. Il fut prié, pour des raisons similaires, de conserver son pudding dans sa poche, tant que celui-ci n'était pas en service actif.

Il eût pu y avoir plus de porc sur le jambonneau (que le découpeur, chez le marchand, n'avait assurément pas oublié d'entamer pour servir des clients précédents), mais on n'avait pas lésiné sur l'assaisonnement, et c'est là un accessoire qui fait rêver au porc lui-même et trompe agréablement le sens gustatif. Quant au pudding aux pois, au jus et à la moutarde si, telle la rose d'Orient par rapport au rossignol, ils n'étaient pas absolument du porc, ils avaient tout au moins vécu en contact intime avec lui ; de sorte que, dans l'ensemble, il y avait là le fumet d'un cochon de moyenne dimension. Ce fumet fut irrésistible pour les deux Tetterby couchés, qui, bien qu'affectant de dormir paisiblement, se glissèrent hors de leur lit, pendant que leurs parents ne regardaient pas, pour adresser un silencieux appel à leurs frères et en recevoir quelque preuve gastronomique d'affection fraternelle. Ceux-ci, qui n'étaient pas durs de cœur, offrant en réponse de menus morceaux, il s'ensuivit qu'une escouade de tirailleurs en chemise de nuit parcourut la pièce durant tout le dîner, ce qui harcela à l'extrême M. Tetterby et le contraignit une ou deux fois à des charges devant lesquelles ces troupes de guérilla se retiraient dans toutes les directions et dans la plus grande confusion.

Mme Tetterby ne jouissait pas de son dîner. Elle semblait avoir quelque chose en tête. Par moments, elle riait sans raison, et par moments, pleurait de même ; et elle finit par rire et pleurer tout à la fois de façon si déraisonnable que son mari en fut tout déconcerté.

« Ma petite femme ! dit M. Tetterby, si c'est comme cela que va le monde, il semble qu'il aille de travers et qu'il soit en train de t'étouffer.

— Donne-moi une goutte d'eau, dit Mme Tetterby aux prises avec elle-même, et ne me parle pas pour le moment… ne fais pas attention à moi, je t'en prie ! »

M. Tetterby, après avoir administré l'eau, se retourna soudain contre le malheureux Johnny (qui était plein de sympathie) et lui demanda pourquoi il se vautrait là dans la gloutonnerie et la paresse au lieu de s'approcher avec le bébé afin que la vue de celui-ci pût ranimer sa mère. Johnny s'avança aussitôt, écrasé par son fardeau ; mais Mme Tetterby ayant étendu la main en avant pour signifier qu'elle n'était pas en état d'endurer l'épreuve d'un pareil appel à ses sentiments, il fut interdit au gamin de faire un pas de plus sous peine d'encourir la haine éternelle de toute sa chère famille ; il se retira donc de nouveau sur son tabouret, où il se tassa comme précédemment.

Après un moment, Mme Tetterby déclara qu'elle se sentait mieux et se mit à rire.

« Es-tu certaine d'aller mieux, ma petite femme ? dit son mari d'un ton dubitatif. Ou vas-tu te lancer dans une nouvelle direction, Sophie ?

— Non, Adolphe, non, répondit sa femme. J'ai retrouvé mes esprits. »

Sur quoi, arrangeant ses cheveux et pressant la paume des mains sur ses yeux, elle rit derechef.

« Quelle méchante folle j'étais de penser cela un seul moment ! dit-elle. Viens plus près, Adolphe, que je me calme l'esprit en t'expliquant ce que je veux dire. Je vais tout t'expliquer. »

M. Tetterby ayant obéi, son épouse rit encore, l'étreignit et s'essuya les yeux.

« Comme tu le sais, Adolphe, mon chéri, dit Mme Tetterby, quand j'étais jeune fille, j'aurais pu me marier dans plusieurs directions. À un certain moment, j'avais quatre prétendants ; deux d'entre eux étaient des fils de Mars.

— Nous avons tous notre mois de naissance, ma chère, dit M. Tetterby.

— Ce n'est pas ce que je veux dire, répliqua sa femme. J'entends des militaires…, des sergents.

— Ah ! fit M. Tetterby.

— Eh bien, Adolphe, je puis affirmer que je ne pense plus jamais à ces choses-là, pour les regretter ; et je sais que j'ai un aussi bon mari et que je ferais autant pour prouver que je l'aime, que…

— Que n'importe quelle petite femme au monde, dit M. Tetterby. Très bien, très bien. »

M. Tetterby eût-il mesuré dix pieds de haut, qu'il n'aurait pu exprimer plus douce considération pour la nature de fée de Mme Tetterby ; et, celle-ci eût-elle mesuré deux pieds de haut, n'aurait pu trouver que cette appellation lui convenait mieux.

« Mais, vois-tu, Adolphe, poursuivit Mme Tetterby, c'est l'époque de Noël, ce moment où tous ceux qui le peuvent font réjouissance et où tous ceux qui ont de l'argent se plaisent à la dépense ; et moi je me suis laissé un peu démonter, tout à l'heure dans les rues. Il y avait tant de choses à vendre… de si bonnes choses à manger, de si jolies choses à regarder, de si agréables choses à avoir… et il me fallait faire tant et tant de calculs avant d'oser sortir une pièce de six pence pour l'objet le plus commun ; le panier était si grand, il demandait à recevoir tant de choses ; et ma provision d'argent était si petite, elle offrait si peu de possibilités... Tu me détestes, n'est-ce pas, Adolphe ?

— Pas tout à fait, dit M. Tetterby, jusqu'à présent tout au moins.

— Enfin... Je vais te dire toute la vérité, poursuivit sa femme d'un ton contrit, et peut-être alors me détesteras-tu. Je ressentais tout cela de façon si aiguë, tandis que je cheminais dans le froid et que je voyais bien d'autres visages qui calculaient aussi et de grands paniers qui cheminaient de même, que je commençai à me demander si, par hasard, je n'aurais pas mieux fait de..., si je n'aurais pas été plus heureuse en... en ne... (et l'alliance de se remettre à tourner, tandis que Mme Tetterby hochait sa tête baissée).

— Je vois, dit posément son mari : en étant restée fille, ou en ayant épousé quelqu'un d'autre ?

— Oui, dit Mme Tetterby, sanglotant. C'est vraiment ce que j'ai pensé. Me détestes-tu, maintenant, Adolphe ?

— Mais non, dit M. Tetterby. Je ne crois pas jusqu'à présent. »

Mme Tetterby lui donna un baiser reconnaissant, et poursuivit :

« Je commence à espérer que tu ne le feras pas, maintenant, Adolphe, bien que je ne t'aie pas encore dit le pire, je le crains. Je ne comprends pas ce qui m'a pris. Je ne sais si j'étais malade, ou folle, ou quoi, mais je n'arrivais pas à évoquer quoi que ce soit qui me parût nous unir ou m'engager à me résigner à mon sort. Les seuls plaisirs dont nous ayons jamais joui... ils semblaient si pauvres et si insignifiants, que je les détestais. Je les aurais volontiers piétinés. Et je ne pouvais penser à rien d'autre qu'à notre pauvreté et aux nombreuses bouches à nourrir qu'il y avait à la maison.

— Que veux-tu, ma chère, dit M. Tetterby, lui serrant la main en manière d'encouragement, c'est la vérité, après tout. Nous le sommes, pauvres, et il y a effectivement bon nombre de bouches dans cette maison.

— Ah, mais, Dolphe, Dolphe ! s'écria sa femme, lui passant ses bras autour du cou, mon brave, mon bon, mon patient compagnon, quand j'ai été à la maison depuis un tout petit moment... quelle différence ! Oh, Dolphe, mon chéri, comme ce fut différent ! J'ai eu l'impression qu'un flot de souvenirs me submergeait tout à coup, m'attendrissant le cœur et l'emplissant à éclater. Toutes nos luttes pour le pain quotidien, tous nos soucis et nos besoins depuis notre mariage, toutes les époques de maladie, toutes les heures de veille que nous avons passées l'un auprès de l'autre ou auprès des enfants semblaient me parler et me dire qu'ils nous avaient faits un et que je n'aurais jamais pu ou voulu être autre chose que l'épouse et la mère que je suis. Alors, les pauvres plaisirs que j'aurais pu si cruellement fouler aux pieds me devinrent si précieux — ah ! si inestimablement chers ! — que je ne pouvais supporter la pensée de les avoir tant méprisés ; et je me dis, et je le répéterais cent fois : "Comment ai-je jamais pu me conduire ainsi, Adolphe ? Comment ai-je jamais pu avoir le cœur de le faire ?". »

L'excellente femme, toute transportée par la sincérité de sa tendresse et de ses remords, pleurait de toute son âme, quand elle sursauta en poussant un cri et courut se réfugier derrière son mari. Son cri marquait une telle terreur que les enfants, réveillés en sursaut, sautèrent hors du lit pour venir s'accro-

cher à ses jupes. Et son regard ne démentait pas sa
voix, tandis qu'elle désignait du doigt un homme
pâle, vêtu d'un manteau noir, qui venait d'apparaître
dans la pièce.

«Regarde cet homme! Regarde là! Que veut-il?

— Ma chérie, répliqua son mari, je vais le lui
demander si tu veux bien me lâcher. Mais qu'y a-t-il
donc? Comme tu trembles!

— Je l'ai vu dans la rue, quand je suis sortie tout à
l'heure. Il m'a regardée, et il s'est tenu près de moi.
Il me fait peur.

— Peur? Pourquoi donc?

— Je ne sais pas... je... non! Mon mari!» (car il se
dirigeait vers l'étranger).

Une main pressée contre son front et l'autre sur
son sein, toute sa personne était agitée d'une étrange
émotion, et ses yeux promenaient autour d'elle un
regard rapide et mal assuré, comme si elle avait
perdu quelque chose.

«Serais-tu souffrante, ma chérie?

— Qu'est-ce qui s'échappe encore de moi? murmura-t-elle à mi-voix. Qu'est-ce donc qui s'échappe?»

Puis elle répondit brusquement:

«Souffrante? Non je suis tout à fait bien», et elle
fixa sur le sol un œil atone.

Son mari, qui tout d'abord n'avait pas entièrement
évité la contagion de cette peur et que l'étrangeté
présente de la conduite de sa femme ne tendait aucunement à rassurer, apostropha le pâle visiteur en
manteau noir, qui se tenait immobile, les yeux baissés.

«Que désirez-vous, monsieur? demanda-t-il.

— Je crains, mon entrée étant passée inaperçue,
de vous avoir causé quelque alarme; mais vous étiez
en train de parler, et vous ne m'avez pas entendu.

— Ma petite femme dit... peut-être l'avez-vous

entendu, répondit M. Tetterby... que ce n'était pas la première fois que vous l'alarmiez ce soir.

— Je le regrette. Je me rappelle l'avoir observée, quelques instants seulement, dans la rue. Je n'avais aucune intention de l'effrayer.»

Tandis qu'il levait ses yeux en parlant, elle leva les siens. Il était extraordinaire de voir quelle crainte elle avait de lui et avec quelle crainte également il l'observait d'un regard scrutateur.

«Je m'appelle Redlaw, dit-il. Je viens du vieux collège qui se trouve juste à côté. Un jeune étudiant de ce collège habite votre maison, je crois?

— M. Denham? dit Tetterby.

— C'est cela.»

Ce fut un geste naturel et si insignifiant qu'il eût pu rester inaperçu, mais, avant de parler de nouveau, le petit homme passa la main sur son front et jeta rapidement les yeux autour de la pièce, comme s'il eût perçu quelque changement dans l'atmosphère. Le chimiste, reportant instantanément sur lui le regard de crainte qu'il avait jusqu'alors dirigé sur la femme, recula, et son visage devint plus pâle encore.

«La chambre du jeune homme est en haut, monsieur, dit Tetterby. Il y a une entrée particulière plus pratique; mais puisque vous êtes entré par ici, si vous désirez le voir, vous éviterez de ressortir dans le froid en prenant ce petit escalier (il en montrait un, qui donnait directement dans la pièce).

— Oui, je désire le voir, dit le chimiste. Auriez-vous une autre bougie?»

L'attention hagarde de son regard et l'inexplicable défiance qui l'assombrissait semblèrent inquiéter M. Tetterby. Il marqua un temps; et, les yeux fixés sur lui de même façon, resta une minute environ comme stupéfait ou fasciné.

Mais il finit par dire : « Si vous voulez me suivre, monsieur, je vais vous éclairer.

— Non, répondit le chimiste ; je désire n'être ni accompagné ni annoncé. Il ne m'attend pas, et je préférerais y aller seul. Ayez la bonté de me donner la bougie, si vous pouvez vous en passer, et je trouverai mon chemin. »

Dans sa hâte d'exprimer son désir et de prendre la bougie que tenait le marchand de journaux, il toucha la poitrine de celui-ci. Il retira vivement la main, presque comme s'il l'eût blessé par accident (car il ne savait dans quelle partie de sa personne résidait son nouveau pouvoir, comment il se communiquait, ni si les gens le subissaient de diverses façons, et, se détournant, il monta l'escalier.

Mais, en arrivant au palier, il s'arrêta pour regarder en bas. La femme se tenait toujours à la même place, faisant tourner son alliance autour de son doigt. Le mari, la tête penchée sur la poitrine, était plongé dans une profonde et morne rêverie. Les enfants, toujours pelotonnées contre leur mère, avaient suivi d'un regard timide le visiteur, et ils se resserrèrent en le voyant se retourner.

« Allons ! en voilà assez, dit brutalement le père. Au lit !

— La pièce est déjà bien assez incommode et petite sans vous, ajouta la mère. Allez vous coucher ! »

Toute la couvée, effrayée et triste, s'éloigna, tête baissée, le petit Johnny et le bébé traînant en arrière. La mère, jetant un regard dédaigneux sur la misérable pièce et repoussant loin d'elle les bribes du repas, s'arrêta alors qu'elle commençait à nettoyer la table et se laissa aller sur une chaise, dans une sorte de méditation découragée. Le père se retira au coin de la cheminée et, ranimant avec impatience le

pauvre feu, se pencha dessus comme pour le mono-
poliser entièrement. Aucune parole ne fut échangée.

Le chimiste, plus pâle qu'auparavant, continua de
monter furtivement, contemplant le changement qui
s'était produit en bas et craignant autant de poursuivre son chemin que de redescendre.

« Qu'ai-je fait ! se disait-il avec confusion. Et que
vais-je faire encore ?

— Tu seras le bienfaiteur de l'humanité », crut-il
entendre en réponse.

Il regarda autour de lui, mais il n'y avait personne ;
et un couloir cachant alors à sa vue la petite pièce, il
poursuivit son chemin, les yeux fixés droit devant lui.

« C'est depuis hier soir seulement que je suis resté
enfermé chez moi, murmura-t-il tristement, et déjà
tout me paraît étranger. Je me sens étranger à moi-
même. Je suis ici comme dans un rêve. Quel intérêt
ai-je en ce lieu ou en n'importe quel lieu, dont je
puisse me souvenir ? Mon esprit devient aveugle. »

Il vit devant lui une porte, à laquelle il frappa. Une
voix le pria d'entrer, et il s'exécuta.

« Est-ce ma bonne infirmière ? dit la même voix.
Mais la question est superflue : il n'y a personne
d'autre qui puisse venir. »

La voix s'exprimait gaiement, encore que d'un ton
dolent, et elle attira l'attention du chimiste vers un
jeune homme étendu sur un canapé que l'on avait
tiré devant la cheminée, le dossier tourné vers la
porte. Un maigre poêle, hâve et creusé comme les
joues d'un malade et encastré dans la brique d'un
foyer qu'il était à peine capable de chauffer, contenait le feu vers lequel était tourné le visage du jeune
homme. Situé si près du toit balayé par le vent, il se
consumait vite, avec un ronflement affairé, et les
cendres ardentes s'écroulaient promptement.

«Elles tintent en jaillissant, dit l'étudiant, souriant; aussi, s'il faut en croire les on-dit, ce ne sont pas des cercueils, mais des bourses. Je serai bien portant et riche, un jour, s'il plaît à Dieu, et je vivrai assez peut-être pour avoir et aimer une Milly comme j'appellerai ma fille en souvenir de la nature la meilleure, du cœur le plus doux qu'il y ait au monde.»

Il leva la main comme s'il s'attendait qu'elle la prît, mais, dans sa faiblesse, il resta comme il était, le visage appuyé sur l'autre main, sans se retourner.

Le chimiste examina rapidement la chambre: les livres et les papiers de l'étudiant entassés sur une table dans un coin où, de pair avec la lampe de travail éteinte, maintenant interdite et mise de côté, ils disaient les heures d'assiduité qui avaient précédé cette maladie et en avaient peut-être été la cause; les autres signes de santé et de liberté évanouies, tels que les vêtements de ville, suspendus inutiles au mur; les scènes différentes et moins solitaires qu'évoquaient les petites miniatures de la cheminée et un dessin de la maison; l'emblème enfin de son émulation et peut-être aussi d'un attachement personnel: le portrait encadré de celui qui regardait. Il avait été un temps, la veille encore, où pas un seul de ces objets, de par son association, si lointaine fût-elle, avec la figure vivante qu'il avait devant lui, n'aurait manqué de signification pour Redlaw. Ce n'étaient plus à présent que des objets; ou, s'il eut quelque lueur de l'existence d'une pareille relation, cela ne fit que le laisser plus perplexe sans l'éclairer, tandis qu'il restait planté là à regarder autour de lui avec un étonnement hébété.

L'étudiant, retirant sa main émaciée demeurée si longtemps sans étreinte, se redressa sur le canapé et tourna la tête.

« Monsieur Redlaw ! » s'écria-t-il, et il fit mine de s'élancer.

Redlaw étendit le bras.

« Ne vous approchez pas de moi. Je vais m'asseoir ici. Vous, restez où vous êtes ! »

Il s'assit sur une chaise près de la porte et, après avoir jeté un regard sur le jeune homme qui se tenait appuyé d'une main sur le canapé, parla, les yeux détournés vers le sol :

« J'ai entendu dire par hasard — peu importe de quelle façon — qu'un élève de ma classe était malade et solitaire. Je n'avais aucune autre indication à son sujet, sinon qu'il habitait dans cette rue. Ayant commencé mon enquête par la première maison, je l'ai trouvé.

— J'ai été malade, monsieur, répondit l'étudiant d'un ton dont l'hésitation était due et à la modestie et aussi à une sorte de respect craintif, mais je vais beaucoup mieux. Un accès de fièvre — cérébrale, je suppose — m'a affaibli, mais je vais beaucoup mieux. Je ne puis dire que j'aie été seul durant ma maladie, car ce serait oublier la personne secourable qui s'occupa de moi.

— Vous voulez dire la femme du gardien ? dit Redlaw.

— Oui », et l'étudiant inclina la tête, comme pour tendre à celle-ci un silencieux hommage.

Le chimiste, que sa froide et uniforme apathie faisait ressembler à une image de marbre placée sur le tombeau de l'homme qui s'était brusquement levé de table la veille à la première mention du cas de l'étudiant plutôt qu'à l'homme vivant lui-même, jeta encore un coup d'œil sur le jeune homme appuyé de la main sur le canapé, puis vers le Ciel, comme afin de demander la lumière pour son esprit aveuglé.

«Je me suis souvenu de votre nom, dit-il, quand on l'a mentionné tout à l'heure en bas, et maintenant je me rappelle votre visage. Nous n'avons eu que très peu de contacts personnels?

— Très peu, monsieur.

— Vous vous êtes, je crois, tenu plus éloigné de moi que tous les autres?»

L'étudiant fit un signe d'acquiescement.

«Pourquoi donc? demanda le chimiste sans la moindre expression d'intérêt, mais comme en passant, avec une curiosité maussade. Pourquoi? D'où vient que vous ayez voulu me cacher, à moi particulièrement, que vous fussiez resté ici, en cette période de vacances, alors que tous les autres s'étaient dispersés, et que vous fussiez malade? Je voudrais le savoir.»

Le jeune homme, qui l'avait écouté avec une agitation croissante, leva sur son visage les yeux qu'il tenait jusqu'alors baissés et, joignant les mains, s'écria avec une ardeur soudaine et un tremblement sur les lèvres:

«Monsieur Redlaw! Vous m'avez découvert. Vous connaissez mon secret!

— Votre secret! dit le chimiste d'une voix dure. Je le connais, moi?

— Oui! Votre manière, si différente de l'intérêt et de la sympathie qui vous rendent cher à tant de cœurs, le changement de votre voix, la contrainte qui perce dans vos paroles et vos regards, répondit l'étudiant, tout m'avertit que vous me connaissez. Que vous veuilliez le dissimuler encore ne m'est qu'une preuve de plus (et Dieu sait qu'elle n'était pas nécessaire!) de votre bonté naturelle et des obstacles qui se dressent entre nous.»

Un rire dédaigneusement distrait fut la seule réponse.

« Mais, monsieur Redlaw, reprit l'étudiant, vous êtes un homme juste et un homme bon ; pensez à quel point je suis innocent, si ce n'est par mon nom et mon ascendance, de toute participation au tort qui vous a été fait ou aux chagrins que vous avez dû endurer.

— Des chagrins ! dit Redlaw, riant à nouveau. Un tort ! En quoi pareilles choses me concernent-elles ?

— Pour l'amour du Ciel ! fit l'étudiant d'une voix suppliante et craintive, ne laissez pas un simple échange de mots avec moi vous transformer de la sorte, monsieur ! Laissez-moi redevenir l'étudiant inconnu et inobservé que j'étais. Laissez-moi reprendre mon ancienne place, écartée et discrète, parmi ceux qui suivent vos cours. Connaissez-moi seulement sous le nom que j'ai pris, et non sous celui de Longford...

— Longford ! » s'écria l'autre.

Il se prit la tête à deux mains et, durant un moment, tourna vers le jeune homme le visage intelligent et pensif qui était le sien. Mais la lumière l'abandonna, tel un rayon de soleil passager, et il se rembrunit bientôt comme précédemment.

« Le nom que porte ma mère, monsieur, balbutia le jeune homme, ce nom qu'elle prit alors qu'elle eût pu peut-être en prendre un plus honoré. Monsieur Redlaw (il hésita) je crois connaître cette histoire. Là où s'arrêtent mes renseignements, mes suppositions ont pu m'amener bien près de la vérité. Je suis le fruit d'une union qui ne s'est pas révélée des mieux assorties ni des plus heureuses. Dès la prime enfance, j'ai entendu parler de vous avec honneur et respect, avec un sentiment bien proche de la vénération. Tout ce que l'on m'a dit montrait tant de dévouement, tant de force d'âme et de délicatesse, tant de courage à

triompher d'obstacles qui eussent abattu tout autre,
que mon imagination, depuis que je reçus ma petite
leçon de ma mère, a nimbé de lumière votre nom.
Enfin, étudiant pauvre moi-même, de qui eussé-je pu
recevoir un enseignement sinon de vous ? »

Nullement touché, nullement changé, Redlaw le
contemplait, les sourcils froncés, sans répondre d'un
mot ni d'un signe.

« Je ne puis vous dire, poursuivit l'étudiant, il serait
vain d'essayer de le faire, à quel point j'ai été frappé
et ému de trouver les traces généreuses du passé
dans ce pouvoir certain d'emporter la gratitude et la
confiance qui s'associe parmi nous autres étudiants
(et surtout parmi les plus humbles d'entre nous) au
nom généreux de M. Redlaw. Nos âges et nos positions sont si différents, monsieur, et je suis si accoutumé à vous regarder de loin, que je m'étonne de ma
propre présomption en touchant, quelque légèrement que ce soit, à pareil sujet. Mais pour quelqu'un
qui... qui a témoigné autrefois à ma mère un intérêt
peu commun, puis-je dire... il peut être bon de savoir,
maintenant que tout cela est passé, avec quels indi-
cibles sentiments d'affection je l'ai, dans mon obscurité, considéré, avec quelle peine et quel regret je me
suis tenu à distance de ses encouragements, alors
qu'un seul mot de lui m'eût comblé ; et pourtant
combien j'ai senti qu'il convenait de ne pas dévier de
ma conduite, me contentant de le connaître tout en
restant inconnu de lui. Monsieur Redlaw, poursuivit-
il d'une voix faible, ce que j'aurais voulu dire, je l'ai
mal dit, car les forces ne me sont pas encore reve-
nues ; mais pardonnez-moi ce qu'il peut y avoir de
répréhensible dans ma tromperie ; quant au reste...
oubliez-moi ! »

Le sévère froncement de sourcils n'avait pas quitté

le visage de Redlaw, qui ne se laissa aller à aucune autre expression jusqu'au moment où, sur ces mots, l'étudiant s'avança vers lui comme pour lui toucher la main ; il recula alors en criant :

« Ne m'approchez pas ! »

Le jeune homme s'arrêta, heurté par la vivacité de son recul et la dureté de sa rebuffade ; et il passa la main sur son front d'un air pensif.

« Le passé est le passé, dit le chimiste. Il meurt comme les bêtes brutes. Qui vient me parler de ses traces dans mon existence ? Celui-là divague et ment ! Qu'ai-je à voir avec vos rêves désordonnés ? Si c'est de l'argent que vous voulez, en voici. Je suis venu vous en offrir ; et c'est le seul but de ma visite. Rien d'autre ne saurait m'amener ici, murmura-t-il en serrant de nouveau sa tête de ses deux mains. Non, rien vraiment, et pourtant… »

Il avait jeté sa bourse sur la table. Tandis qu'il se plongeait dans ce débat confus avec lui-même, l'étudiant la ramassa et la lui tendit.

« Reprenez-la, dit-il avec fierté, mais sans colère. Je voudrais que vous pussiez reprendre en même temps le souvenir que je garde de vos paroles et de votre offre.

— Vraiment ? répliqua le chimiste, une lueur sauvage dans le regard. Vraiment ?

— Oui, certes. »

Le chimiste s'avança près de lui pour la première fois, prit la bourse et, lui saisissant le bras, le regarda droit dans les yeux.

« La maladie engendre le chagrin et l'affliction, n'est-ce pas ? » demanda-t-il avec un petit rire.

L'étudiant, étonné, répondit affirmativement.

« De par ses inquiétudes, ses angoisses, ses incertitudes et tout son train de misères physiques et morales ? poursuivit le chimiste avec une exultation surnaturelle. Mieux vaudrait oublier tout cela, non ? »

L'étudiant ne répondit pas, se contentant à nouveau, dans son trouble, de passer la main sur son front. Redlaw le tenait toujours par la manche, quand la voix de Milly se fit entendre au-dehors.

« J'y vois très bien maintenant, dit-elle, merci, Dodolphe. Ne pleure pas, mon chéri. Papa et maman seront de nouveau bien demain et la maison retrouvera son atmosphère habituelle. Il y a un monsieur avec lui, dis-tu ? »

Redlaw relâcha son étreinte tandis qu'il écoutait.

« J'ai craint dès le premier instant de la rencontrer, se dit-il à part lui. Il y a chez elle une ferme qualité de bonté que je crains d'altérer. Je pourrais assassiner le meilleur et le plus tendre de ce qu'elle a dans le cœur. »

Elle frappait de nouveau à la porte.

« De tous les visiteurs qui pourraient se présenter ici, dit-il d'une voix rauque et effrayée en se tournant vers son compagnon, c'est bien celui que je voudrais le plus éviter. Cachez-moi ! »

L'étudiant ouvrit une frêle porte qui donnait sur un débarras, à l'endroit où le toit de la mansarde commençait à descendre vers le plancher. Redlaw entra vivement dans le réduit, refermant la porte derrière lui.

L'étudiant reprit alors sa place sur le canapé et cria à la jeune femme d'entrer.

« Cher monsieur Edmond, dit Milly jetant un regard circulaire, on m'avait dit qu'il y avait un monsieur avec vous.

— Il n'y a personne d'autre ici que moi.

— Mais quelqu'un est venu ?

— Oui, oui, en effet. »

Elle posa son petit panier sur la table et s'avança derrière le canapé comme pour prendre la main tendue — mais elle n'était pas là. Un peu surprise, tout en conservant sa manière calme, elle se pencha pour regarder le visage du jeune homme et lui toucha doucement le front.

« N'êtes-vous pas un peu moins bien, ce soir ? Vous avez le front moins frais que cet après-midi.

— Bah ! dit l'étudiant d'un ton irrité, je n'ai pas grand-chose. »

Une surprise un peu plus grande, dépourvue cependant de toute expression de reproche, se peignit sur le visage de la jeune femme tandis qu'elle se retirait de l'autre côté de la table et tirait un ouvrage de son panier. Mais, réflexion faite, elle le reposa pour passer la pièce en revue et remettre chaque chose à sa place, dans un ordre parfait, jusqu'aux coussins du canapé, qu'elle tapota d'une main si légère que l'étudiant, qui était étendu les yeux fixés sur le feu, parut à peine s'en rendre compte. Tout cela fait et le foyer balayé, elle se rassit, sous sa modeste petite capote, et ne tarda pas à être plongée dans sa calme besogne.

« C'est le nouveau rideau de mousseline pour la fenêtre, monsieur Edmond, dit Milly, sans cesser de coudre. Il aura un petit air tout propret malgré son prix modique, et il protégera vos yeux de la lumière. Mon William dit que la chambre ne devrait pas être trop claire encore, en ce moment où vous êtes en train de vous remettre si bien, sans quoi le jour trop vif pourrait vous donner des étourdissements. »

Il ne dit mot, mais il y avait un tel agacement, une telle impatience dans la façon dont il changea de position, que les doigts agiles de Milly s'arrêtèrent et qu'elle le regarda avec inquiétude.

« Les coussins ne sont pas bien disposés, dit-elle, posant son ouvrage et se levant. Je vais arranger cela.

— Ils sont très bien ainsi, répliqua-t-il. Laissez-les tranquilles, je vous en prie. Vous faites vraiment une histoire de tout. »

Ce disant, il leva la tête et la regarda avec tant d'ingratitude qu'après qu'il se fut rejeté sur sa couche, elle resta un instant debout en silence. Elle alla cependant se rasseoir et reprit son aiguille sans même lui avoir jeté un regard de reproche, et elle fut bientôt aussi affairée qu'auparavant.

« J'ai pensé, monsieur Edmond, que vous aviez vous-même souvent réfléchi ces derniers temps, tandis que j'étais assise à côté de vous, à la vérité du dicton qui veut que l'adversité soit une bonne école. La santé vous sera encore plus précieuse après cette maladie qu'elle ne l'a jamais été auparavant. Et dans quelques années, quand reviendra cette saison et que vous vous rappellerez les jours où vous étiez couché ici, malade, et seul afin que la connaissance de votre maladie n'affligeât point ceux qui vous sont le plus chers, votre foyer sera pour vous doublement précieux et doublement béni. Eh bien, n'est-ce pas là une bonne et belle chose ? »

Elle était trop attentive à son travail et trop convaincue de ce qu'elle disait, comme aussi trop calme et trop tranquille, pour guetter le regard qu'il pourrait lui jeter en réponse, si bien que la flèche qu'eût été son coup d'œil acerbe tomba, inoffensive, sans l'atteindre.

« Ah ! dit Milly, son joli visage incliné rêveusement de côté tandis qu'elle suivait des yeux ses doigts actifs. Même pour moi — et je suis bien différente de vous, monsieur Edmond, car je n'ai pas d'instruction ni ne sais raisonner convenablement —, même pour moi, cette manière de voir pareilles choses m'a fait une profonde impression. En vous voyant si touché de la bonté et des soins des pauvres gens d'en bas, j'ai senti que vous trouviez même dans cette cruelle expérience une compensation à la perte de votre santé, et j'ai lu sur votre visage, aussi clairement que dans un livre, que sans quelques vicissitudes et quelques chagrins, nous ne connaîtrions jamais la moitié du bien dont nous sommes environnés. »

La vue du jeune homme qui se levait de sa couche l'interrompit et l'empêcha d'en dire plus long.

« Il ne faut pas exagérer ce mérite, madame William, répliqua-t-il dédaigneusement. Les gens d'en bas seront rétribués le moment venu, croyez-moi, de tous les petits services supplémentaires qu'ils auront pu me rendre ; et sans doute s'y attendent-ils. Je vous suis également fort obligé. »

Les doigts de la jeune femme s'immobilisèrent, et elle regarda l'étudiant.

« Je ne saurais me sentir plus obligé du fait que vous exagérez l'affaire, dit-il. Je reconnais que vous vous êtes intéressée à moi et, comme je le dis, je vous suis fort obligé. Que voudriez-vous de plus ? »

L'ouvrage tomba sur les genoux de Milly, tandis qu'elle le regardait arpenter la pièce avec impatience, s'arrêtant de temps à autre.

« Je vous suis très obligé, je le répète. Mais pourquoi diminuer le sentiment de ce que je vous dois en remerciement par l'exagération de vos prétentions à mon égard ? Les peines, les chagrins, l'affliction, l'adversité ! on dirait vraiment que j'ai souffert ici vingt agonies !

— Pouvez-vous donc croire, monsieur Edmond, demanda-t-elle, se levant et s'approchant de lui, que j'aie parlé des pauvres gens qui vivent dans cette maison en pensant le moins du monde à moi-même ? À moi ? »

Ce disant, elle avait posé la main sur sa poitrine avec un simple et innocent sourire d'étonnement.

« Oh ! je ne pense rien à cet égard, ma brave femme, répliqua-t-il. J'ai eu une indisposition à laquelle votre sollicitude — je dis bien sollicitude, remarquez-le ! — prête une importance beaucoup plus grande qu'elle ne le mérite ; elle est passée, et nous ne pouvons l'éterniser. »

Il prit froidement un livre et s'assit à la table.

Elle le considéra un moment et son sourire s'évanouit complètement ; puis, revenant à l'endroit où était son panier, elle dit doucement :

« Monsieur Edmond, préféreriez-vous être seul ?

— Je n'ai aucune raison de vous retenir, répondit-il.

— Sauf…, dit Milly avec hésitation, montrant son ouvrage.

— Oh ! le rideau ! répondit-il avec un ricanement de dédain. Ce n'est vraiment pas la peine que vous restiez pour cela. »

Elle refit le petit paquet et le replaça dans son panier. Puis, debout devant lui avec une telle expression de patiente supplication qu'il ne put faire autrement que de la regarder, elle dit :

« Si jamais vous avez besoin de moi, je reviendrai volontiers. Quand vous désiriez ma présence, j'étais tout à fait heureuse de venir ; il n'y avait là aucun mérite. Je pense que, maintenant que vous vous rétablissez, vous craignez que je devienne importune ; mais je ne l'aurais point été, je vous l'assure. Je n'aurais pas prolongé mes visites au-delà de la durée de votre indisposition et de l'obligation où vous étiez de garder la chambre. Vous ne me devez rien; mais il est juste que vous me traitiez avec la même justice que si j'étais une dame... fût-ce celle de vos pensées; et si vous me soupçonnez d'exagérer mesquinement le peu que j'ai essayé de faire pour rendre plus confortable votre chambre de malade, vous vous faites plus de tort à vous-même que vous ne sauriez jamais m'en faire. C'est cela que je déplore. Et je le déplore du fond du cœur!»

Se fût-elle montrée aussi passionnée qu'elle était tranquille, aussi indignée qu'elle était calme, son regard eût-il été aussi irrité qu'il était doux, son ton aussi élevé qu'il était modéré et net, qu'elle n'eût sans doute laissé aucun sentiment de son départ comparable à celui qui s'appesantit sur l'étudiant solitaire aussitôt qu'elle fut partie.

Il contemplait d'un œil morne l'endroit où elle avait été assise, lorsque Redlaw sortit de sa cachette et se présenta à la porte.

«Quand la maladie étendra de nouveau sur vous son emprise, dit-il en le regardant d'un air féroce — et je souhaite que ce soit bientôt! —, vous pourrez bien mourir ici! Pourrir ici!

— Qu'avez-vous fait? répliqua l'autre, saisissant un pan de son manteau. Quel changement avez-vous apporté en moi? Quelle malédiction m'avez-vous jetée? Rendez-moi à moi-même!

— Rendez-*moi* à moi-même! s'écria Redlaw comme un fou. Je suis infecté! Je suis contagieux! Je suis chargé de poison pour mon propre esprit et ceux de tous les hommes. Là où je ressentais intérêt, compassion, sympathie, je suis transformé en statue de pierre. L'égoïsme et l'ingratitude surgissent sous mes funestes pas. Je ne suis inférieur en bassesse aux misérables que je rends tels que dans la mesure où, au moment de leur transformation, je suis encore capable de les haïr. »

Tout en parlant, il repoussa le jeune homme qui s'agrippait toujours à son manteau et le frappa ; puis il se précipita comme un insensé dans l'air nocturne, où le vent soufflait, où la neige tombait, où les nuages rapides glissaient, où la lune luisait faiblement ; et où, soufflant dans le vent, tombant avec la neige, glissant avec les nuages, luisant dans le clair de lune et planant lourdement dans les ténèbres, flottaient les paroles du fantôme : « Le don que je t'ai fait, tu le transmettras, où que tu ailles ! »

Où il allait, il ne le savait ni se s'en souciait, dès lors qu'il évitait les rencontres. Le changement qu'il sentait en lui faisait des rues affairées un désert, de lui-même un désert, et de la foule qui l'entourait, avec ses multiples manières de souffrir ou de vivre, une vaste étendue de sable, que les vents amoncelaient en tas désordonnés ou réduisaient en ruines confuses.

Ces traces qui, aux dires du fantôme, « ne tarderaient pas à disparaître de son cœur » n'étaient pas encore suffisamment engagées sur la voie de la mort pour qu'il ne comprît pas assez ce qu'il était et ce qu'il faisait des autres pour désirer être seul.

Cela lui remit en tête — et il y réfléchit tout en marchant — le gamin qui s'était précipité dans son cabinet. Puis il se rappela que, de tous ceux avec qui il avait été en contact depuis la disparition du fantôme, seul cet enfant n'avait montré aucun signe de changement.

Si monstrueuse, si odieuse que fût à ses yeux cette créature sauvage, il décida de la rechercher pour vérifier s'il en était bien de la sorte, et aussi dans une autre intention qui se présenta en même temps à son esprit.

Reconnaissant non sans peine où il se trouvait, il dirigea ses pas vers le vieux collège et plus précisément vers la partie de l'édifice où était le grand porche, seul endroit où le pavé fût usé par les pas des étudiants.

La maison du gardien était située juste derrière les grilles de fer et faisait partie d'un côté de la cour principale. Il y avait au-dehors un petit cloître et le chimiste savait que, de cet endroit abrité, il pourrait regarder par la fenêtre de la pièce commune de la loge et voir ainsi qui s'y trouvait. Les grilles étaient fermées, mais il connaissait la serrure et il n'eut aucune difficulté à tirer le pêne en passant le poignet entre les barreaux ; il se glissa à l'intérieur, referma la grille et s'approcha doucement de la fenêtre, faisant craquer sous ses pas la fine croûte de neige.

Le feu vers lequel il avait dirigé le petit garçon la veille brillait au travers de la vitre, projetant un cercle de lumière sur le sol. Après avoir instinctivement fait un crochet pour éviter cet espace, Redlaw regarda par la fenêtre. Il crut tout d'abord qu'il n'y avait personne dans la pièce et que la flamme ne jetait son rouge reflet que sur les vieilles poutres du plafond et les murs sombres ; mais en regardant plus attentivement, il aperçut l'objet de ses recherches enroulé sur lui-même, et endormi par terre devant le foyer. Il alla vivement à la porte, l'ouvrit et entra.

La créature était couchée au sein d'une chaleur si ardente qu'en se penchant pour la réveiller, le chimiste en sentit la brûlure sur sa tête. Aussitôt touché, le garçon, à peine éveillé, ramassa amour de lui ses guenilles avec l'instinct de la fuite et, autant roulant que courant, alla se réfugier dans un coin éloigné de la pièce, où, tassé sur le sol, il lança son pied en avant dans un geste de défense.

« Debout ! dit le chimiste. Tu ne m'as pas oublié ?

— Laissez-moi, vous ! riposta le petit garçon. C'est la maison de la femme, ici — pas la vôtre. »

Le regard assuré du chimiste le dompta quelque peu ou lui imposa une soumission suffisante pour qu'il se laissât remettre sur ses pieds et examiner.

« Qui t'a lavé les pieds et a placé ces bandages là où ils étaient meurtris et crevassés ? demanda le chimiste, montrant le changement qu'ils avaient subi.

— C'est la femme.

— Est-ce elle aussi qui t'a nettoyé la figure ?

— Oui, la femme. »

Redlaw avait posé ces questions pour attirer vers lui les regards du garçon et, dans ce même but, il lui souleva le menton et rejeta en arrière ses cheveux emmêlés, en dépit de l'horreur qu'il éprouvait à le toucher. Le garçon regardait attentivement les yeux du chimiste comme s'il eût cru cela nécessaire à sa défense, ne sachant ce que l'autre allait faire ; et Redlaw vit bien qu'aucun changement ne se produisait chez l'enfant.

« Où sont-ils ? demanda-t-il.

— La femme est sortie.

— Je le sais bien. Où sont le vieil homme aux cheveux blancs et son fils ?

— Le mari de la femme, que vous voulez dire ?

— Oui. Où sont ces deux-là ?

— Sortis. Y a quelque chose qui s'est passé quelque part. On est venu les chercher en hâte, et ils m'ont dit de rester là.

— Viens avec moi, dit le chimiste, et je te donnerai de l'argent.

— Où ça ? Et combien que vous me donnerez ?

— Je te donnerai plus de shillings que tu n'en as jamais vus, et je te ramènerai bientôt. Connais-tu le chemin de l'endroit d'où tu es venu ?

— Laissez-moi, vous ! répliqua le garçon, se dégageant soudain de l'étreinte du chimiste. Je ne vais pas vous amener là-bas. Laissez-moi tranquille, ou je vous lance du feu. »

Il était déjà baissé devant l'âtre et tout prêt à saisir, de sa petite main sauvage, les morceaux de charbon ardent.

Le sentiment qu'avait éprouvé le chimiste en observant l'effet de son influence ensorcelée sur ceux avec lesquels il entrait en contact n'était pas comparable à la froide et vague terreur qui fut la sienne en voyant ce petit monstre le mettre au défi. Il sentit son sang se glacer en observant cette créature insensible et impénétrable sous les dehors d'un enfant, avec sa figure vive et méchante tournée vers lui et sa main, presque celle d'un bébé, toute prête à agir à côté de la grille.

« Écoute, petit ! dit-il. Tu m'emmèneras où tu voudras pourvu que ce soit où les gens sont très misérables ou très méchants. Je veux leur faire du bien et non du mal. Tu auras de l'argent, je te l'ai dit, et je te ramènerai. Lève-toi ! Viens vite ! »

Il se dirigea vivement vers la porte, craignant le retour de la jeune femme.

« Vous me laisserez marcher tout seul, sans me tenir, ni même me toucher ? dit le garçon, qui retira sa main menaçante et commença de se lever.

— Oui !

— Et vous me laisserez aller devant, derrière, où je voudrai ?

— Oui !

— Donnez-moi de l'argent d'abord, et j'irai. »

Le chimiste déposa, un à un, quelques shillings dans la main tendue. Compter l'argent était au-delà des capacités de l'enfant, mais, à chaque pièce, il disait «Un», et promenait son regard avide de celle-ci au donateur. Il n'avait d'autre endroit où les mettre, en dehors de sa main, que sa bouche : et ce fut là qu'il les mit.

Redlaw écrivit alors au crayon sur une feuille de son carnet que le garçon était avec lui et, après avoir posé la note sur la table, fit signe à l'enfant de le suivre. Celui-ci rassembla comme à l'ordinaire ses loques autour de lui et, obéissant à l'injonction, sortit, la tête et les pieds nus, dans la nuit d'hiver.

Préférant ne pas repasser par la grille de fer par laquelle il était entré et où ils risquaient de rencontrer celle qu'il évitait avec tant d'anxiété, le chimiste mena son compagnon, par certains des couloirs dans lesquels celui-ci s'était perdu et par la partie du bâtiment où il demeurait, à une petite porte dont il avait la clef. Quand ils débouchèrent dans la rue, il s'arrêta pour demander à son guide — qui eut aussitôt un mouvement de recul — s'il savait où ils se trouvaient.

L'être sauvage regarda à droite et à gauche et finalement, avec un signe de tête affirmatif, montra la direction qu'il voulait prendre. Redlaw s'étant aussitôt mis en marche, il suivit d'un air un peu moins méfiant, tout en faisant passer l'argent de sa bouche dans sa main, puis de nouveau dans sa bouche après l'avoir furtivement frotté sur ses haillons pour le faire reluire.

Par trois fois, au cours du trajet, ils se trouvèrent côte à côte. Par trois fois, ils s'arrêtèrent ainsi ; et par trois fois, le chimiste regarda le visage de l'enfant et frissonna en y voyant le même reflet.

La première occasion fut lorsque, traversant un vieux cimetière, Redlaw s'arrêta parmi les tombes sans pouvoir les relier à la moindre pensée de tendresse, d'apaisement ou de consolation.

La seconde fut lorsque l'apparition soudaine de la lune l'amena à porter ses regards vers les cieux, où il la vit dans toute sa gloire, entourée d'une nuée d'étoiles, qu'il connaissait toujours par le nom et l'histoire que leur a assignés la science des hommes, mais où il ne vit alors plus rien de ce qu'il avait accoutumé de voir, il ne sentit plus rien de ce qu'il avait accoutumé de sentir quand il regardait là-haut par une nuit scintillante.

La troisième fut lorsqu'il s'arrêta pour écouter les accords plaintifs d'une musique, dans lesquels il ne put entendre qu'un air, à lui transmis par le mécanisme des instruments et de ses propres oreilles, et où il ne sentit aucun appel à quelque mystère de son âme, aucun bruissement du passé ou de l'avenir, un air qui n'avait pas plus de prise sur lui que le son de l'eau courante ou le souffle du vent entendu l'année passée.

À chacune de ces trois occasions, il vit avec horreur qu'en dépit de la vaste distance intellectuelle qui les séparait et de la différence qui existait entre eux sous tous les rapports physiques, l'expression de l'enfant était identique à celle de son propre visage.

Ils cheminèrent quelque temps — tantôt par des lieux si populeux que souvent le chimiste regardait par-dessus son épaule, craignant d'avoir perdu son guide, mais le retrouvant généralement dans son ombre de l'autre côté, tantôt par des voies si calmes qu'il eût pu compter les pas courts, rapides et nus qui le suivaient — jusqu'au moment où ils atteignirent un groupe de maisons délabrées, devant lesquelles le garçon lui toucha le bras, et où ils s'arrêtèrent.

« Là-dedans ! » dit le garçon, montrant une des maisons où brillaient à quelques fenêtres des lumières éparses et, au-dessus de la porte, une pâle lanterne, sur laquelle on pouvait lire peinte l'annonce : « Logements pour voyageurs ».

Redlaw promena son regard des maisons au terrain inculte sur lequel elles s'élevaient ou plutôt ne s'écroulaient pas tout à fait, terrain sans clôture, sans égouts, sans éclairage et bordé par un fossé bourbeux ; de là à la ligne en pente des arches, appartenant à quelque viaduc ou pont voisin, qui l'entouraient et qui diminuaient graduellement à leur approche jusqu'à ce que l'avant-dernière ne fût plus qu'un simple chenil, la dernière un petit tas de briques volées ; de là à l'enfant, qui, tout près de lui, tassé sur lui-même et tremblant de froid, sautait sur un de ses petits pieds en enroulant l'autre autour de sa jambe pour le réchauffer, sans cesser cependant de contempler tout cela avec cette terrible similitude d'expression si visible sur son visage que Redlaw s'écarta brusquement de lui.

« Là-dedans ! dit le garçon, montrant de nouveau la maison. J'attendrai.

— Me laissera-t-on entrer ? demanda Redlaw.

— Dites que vous êtes médecin, répondit-il avec un signe de tête affirmatif. Y a plein de malades, ici. »

Jetant un regard en arrière tandis qu'il s'avançait vers la porte de la maison, Redlaw le vit se traîner dans la poussière et se glisser sous le couvert de la plus petite arche comme s'il eût été un rat. Le chimiste ne ressentait aucune pitié pour cette créature, mais il en avait peur ; et quand elle le regarda du fond de son repaire, il hâta le pas vers la maison pour y trouver refuge.

« Le chagrin, les torts soufferts, l'affliction, dit le chimiste, faisant un pénible effort pour retrouver un souvenir plus distinct, hantent du moins cet endroit, ténébreusement. Il ne saurait faire nul mal, celui qui amène ici l'oubli de pareilles choses ! »

Sur ces mots, il poussa la porte qui n'offrit aucune résistance et entra.

Une femme était assise dans l'escalier ; abandonnée au sommeil ou au désespoir, elle se tenait courbée, la tête appuyée sur les mains et les genoux. Comme il n'était guère facile de passer sans lui marcher dessus et qu'elle ne tenait aucun compte de son approche, Redlaw s'arrêta et lui toucha l'épaule. Levant la tête, elle lui montra un visage jeune, mais d'où toute fraîcheur et toutes promesses avaient disparu, comme si l'hiver hagard dût, à rebours de la nature, tuer le printemps.

Sans montrer aucun intérêt pour le visiteur, elle se poussa un peu contre le mur pour lui livrer passage.

« Qu'êtes-vous ? dit Redlaw, s'arrêtant, la main sur la rampe brisée.

— Que pensez-vous que je sois ? » répondit-elle, montrant de nouveau son visage.

Il contempla ce Temple de Dieu en ruine, si récemment élevé et si vite défiguré ; et quelque chose qui n'était pas de la compassion — car les sources d'où s'élève une compassion véritable pour de telles misères s'étaient taries dans son cœur — mais qui s'en rapprochait davantage en cet instant qu'aucun des sentiments qui avaient lutté au milieu des ténèbres grandissantes, quoique imparfaites encore, de son esprit, quelque chose vint donner une nuance de douceur aux mots qu'il prononça alors :

«Je suis venu ici pour apporter quelque soulagement, dit-il. Pensez-vous à un tort que vous ayez
souffert ? »

Elle le regarda d'un air renfrogné, puis ricana ; et
son ricanement se prolongea en un soupir grelottant,
tandis qu'elle laissait retomber sa tête et enfouissait
ses doigts dans ses cheveux.

«Pensez-vous à quelque tort souffert ? demanda-
t-il de nouveau.

— Je pense à ma vie», dit-elle en lui lançant un
bref regard.

La voyant prostrée à ses pieds, il eut le sentiment
qu'elle n'était qu'une parmi bien d'autres et qu'il
voyait là le prototype de milliers de malheureuses.

«Que sont vos parents ? demanda-t-il.

— J'ai eu autrefois un bon foyer. Mon père était
jardinier, loin d'ici, à la campagne.

— Il est mort ?

— Il est mort pour moi. Toutes les choses de ce
genre sont mortes pour moi ! Mais vous êtes un monsieur et vous ne connaissez pas cela ! »

Elle leva de nouveau la tête et lui rit au nez.

«Voyons, ma petite ! dit durement Redlaw ; avant
cette mort de toutes choses, aucun tort ne vous fut-il
infligé ? En dépit de tout ce que vous pouvez faire, le
souvenir d'aucun tort ne reste-t-il pas incrusté en
vous ? N'est-il pas des moments où ce souvenir vous
obsède jour après jour ? »

Il restait si peu de féminité dans l'aspect de la
jeune femme que, lorsqu'elle éclata en sanglots, il
resta confondu. Mais il fut plus confondu encore et
fort troublé de remarquer qu'au souvenir ravivé de
ce tort sembla se montrer la première trace de son
ancienne humanité et de sa tendresse tarie.

Il se retira de quelques pas et, ce faisant, remarqua

que les bras de la femme étaient noirs de coups, son visage entaillé et son sein meurtri.

«Quelle main brutale s'est portée sur vous? demanda-t-il.

— La mienne. J'ai fait ça moi-même! répondit-elle vivement.

— C'est impossible!

— Je le jurerais! Il ne m'a pas touchée. Je me le suis fait moi-même dans une crise, et je me suis jetée ici en bas. Il n'était pas près de moi. Il n'a jamais porté la main sur moi!»

Dans la résolution livide du visage qui lui opposait pareil mensonge, il vit assez de bien corrompu et perverti survivant dans cette misérable poitrine, pour être frappé de remords de l'avoir jamais approché.

«Les chagrins, les torts soufferts et l'affliction! murmura-t-il en détournant son terrible regard. Tout ce qui la relie à l'état d'où elle est tombée a là ses racines! Au nom de Dieu, laissez-moi passer!»

Dans la terreur qu'il avait de la regarder à nouveau, de la toucher, de songer même qu'il avait pu couper le dernier fil qui la rattachait à la miséricorde du Ciel, il rassembla autour de lui les pans de son manteau et se glissa dans l'escalier, qu'il monta d'un pas rapide.

Devant lui, sur le palier, se trouvait une porte restée entrouverte et, tandis qu'il montait, un homme s'avança une chandelle à la main, pour la fermer. Mais, à sa vue, cet homme recula en manifestant une grande émotion et, comme mû par une impulsion soudaine, prononça son nom à voix haute.

Dans sa surprise d'être ainsi reconnu en pareil endroit, il s'arrêta, essayant de se rappeler le visage blême et effrayé. Il n'eut guère le temps d'y réfléchir, car, pour son étonnement plus grand encore, le vieux Philippe sortit de la chambre et lui prit la main.

« Monsieur Redlaw, dit le vieillard, voilà qui vous ressemble ! Vous en avez entendu parler, et vous nous avez suivis pour apporter l'aide que vous pourriez. Ah ! trop tard, trop tard ! »

Redlaw, la stupéfaction peinte sur le visage, se laissa mener dans la chambre. Un homme y était couché sur un lit de sangle, et William Swidger se tenait à son chevet.

« Trop tard ! murmura le vieillard, levant un regard attristé sur le visage du chimiste, tandis que les larmes coulaient le long de ses joues.

— C'est ce que je dis, papa, fit son fils à voix basse. La seule chose que nous puissions faire, c'est de rester aussi tranquilles que possible pendant qu'il sommeille. Tu as raison, papa ! »

Redlaw s'arrêta près du lit et regarda la forme étendue sur le matelas. C'était celle d'un homme qui eût dû être en pleine vigueur, mais sur lequel il était bien probable que le soleil ne luirait plus jamais. Les vices d'une carrière de quarante à cinquante ans l'avaient si bien flétri qu'en comparaison des effets qu'ils avaient produits sur son visage, la lourde main du temps dont était marqué celui du vieillard semblait ne s'être montrée que miséricordieuse et embellissante.

« Qui est-ce ? demanda le chimiste, se retournant.

— Mon fils Georges, monsieur Redlaw, dit le vieillard en se tordant les mains. Mon fils aîné, Georges, qui faisait l'orgueil de sa mère plus que tous les autres réunis ! »

Le regard de Redlaw se porta de la tête grise que le vieillard venait de laisser tomber sur le lit au personnage qui l'avait reconnu et qui s'était tenu sur la réserve dans le coin le plus écarté de la pièce. Il semblait être à peu près du même âge que le chimiste; et, bien que celui-ci ne connût personne d'aussi irrémédiablement déchu et ruiné que semblait l'être l'homme qu'il avait devant lui, il y avait quelque chose dans sa tournure, tandis qu'il le voyait de dos se diriger vers la porte, qui amena Redlaw à passer avec inquiétude sa main sur son front.

«William, murmura-t-il sombrement, qui est cet homme?

— Eh bien, voyez-vous, monsieur, répondit M. William, c'est ce que je dis moi-même. Comment un homme peut-il s'adonner au jeu et à pareilles choses et se laisser aller, degré par degré, à une déchéance telle qu'il ne saurait tomber plus bas?

— Est-ce donc ce qu'a fait cet homme? demanda Redlaw, le suivant du regard avec le même geste d'inquiétude qu'auparavant.

— Très exactement, monsieur, répliqua William Swidger, à ce qu'on m'a dit. Il a quelques connaissances médicales, semble-t-il, et comme il a fait route vers Londres avec mon malheureux frère que vous voyez là (M. William passa le revers de sa manche sur ses yeux) et qu'il loge là-haut pour la nuit — ce que je dis, voyez-vous, c'est que d'étranges compagnons viennent parfois ici ensemble —, il est entré ici pour s'occuper de lui, et il est venu nous chercher à sa demande. Quel triste spectacle, monsieur! Mais c'est comme cela. Il y a de quoi tuer mon pauvre père!»

Redlaw leva la tête à ces mots et, se rappelant où et avec qui il se trouvait, ainsi que le maléfice qu'il portait en lui — et que sa surprise lui avait voilé —, recula vivement d'un pas ou deux, se demandant s'il devait fuir à l'instant la maison ou demeurer.

Contes de Noël

Cédant à une certaine obstination morose contre laquelle il semblait que son sort fût de se débattre, il se persuada de rester.

«N'ai-je pas observé hier même, se dit-il, que la mémoire de ce vieillard n'était qu'un tissu de chagrins et d'afflictions, et aurai-je peur ce soir de l'ébranler? Les souvenirs que je puis chasser sont-ils si précieux à ce mourant que je doive craindre pour *lui*? Non, je reste ici.»

Mais en dépit de ces mots, ce fut en tremblant de peur qu'il demeura; et, enveloppé dans son grand manteau noir et le visage détourné, il se tint éloigné du lit, écoutant ce que les autres disaient, comme s'il se sentait un démon en ce lieu.

«Papa! murmura le malade, sortant un peu de sa léthargie.

— Mon garçon! Mon fils Georges! dit le vieux Philippe.

— Tu as rappelé tout à l'heure que j'étais le favori de maman, autrefois. Il est affreux d'y penser maintenant, à cet autrefois!

— Non, non, non! répliqua le vieillard. Penses-y. Ne dis pas que c'est affreux. Ce n'est pas affreux pour moi, mon fils.

— Cela te fend le cœur, papa (car les larmes du vieillard tombaient sur lui).

— Oui, oui, dit Philippe, c'est vrai; mais cela me fait du bien. C'est un grand chagrin de penser à ce temps-là, mais cela me fait du bien, Georges. Ah! penses-y aussi, et ton cœur sera de plus en plus attendri! Où est mon fils William? William, mon garçon, ta mère l'a aimé tendrement jusqu'à la fin et, dans son dernier souffle, elle a murmuré: "Dis-lui que je lui ai pardonné, que je l'ai béni et que j'ai prié pour lui." Voilà ce qu'elle m'a murmuré. Je n'ai jamais oublié ses paroles, et j'ai quatre-vingt-sept ans !

— Papa ! dit l'homme couché sur le lit. Je suis en train de mourir, je le sais. Je suis si bas que je puis à peine parler, même de ce qui préoccupe le plus ma pensée. N'y a-t-il aucun espoir pour moi au-delà de ce lit ?

— Il y a de l'espoir, répondit le vieillard, pour tous ceux dont le cœur s'attendrit et qui se repentent. Il y a de l'espoir pour chacun de ceux-là. Ah ! s'écria-t-il, joignant les mains et levant les yeux vers le Ciel, hier encore, j'étais reconnaissant de pouvoir me rappeler en ce malheureux fils l'innocent enfant qu'il a été. Mais quel réconfort c'est maintenant de penser que Dieu lui-même conserve de lui ce souvenir ! »

Redlaw enfouit son visage dans ses mains et recula comme s'il eût été un assassin.

« Ah ! gémit faiblement l'homme étendu. Quel gaspillage depuis lors ! Comme j'ai gaspillé ma vie depuis lors !

— Mais il a été enfant, dit le vieillard. Il a joué avec des enfants. Avant de se coucher le soir et de sombrer dans le sommeil de l'innocence, il disait ses prières aux genoux de sa pauvre mère. Je le lui ai vu faire bien des fois ; et je l'ai vue, elle, attirer la tête de son fils sur son sein pour l'embrasser. Ces souvenirs, si cruels qu'ils fussent pour elle et pour moi, quand il tourna mal et que tous nos espoirs et nos plans à son sujet furent mis en pièces, ces souvenirs lui donnaient encore une prise sur nous que n'aurait pu lui donner nulle autre chose. Ah ! père, tellement meilleur que tous les pères terrestres ! Ah ! père tellement plus affligé par les erreurs de tes enfants ! reprends cet égaré ! Non tel qu'il est maintenant, mais tel qu'il était alors; permets qu'il crie vers Toi, comme il a si souvent semblé crier vers nous.»

Tandis que le vieillard élevait ses mains tremblantes, le fils pour qui il faisait cette prière appuya contre lui sa tête moribonde pour y trouver soutien et réconfort, comme s'il était en effet l'enfant dont il venait d'être question.

Quel homme trembla jamais comme trembla Redlaw dans le silence qui suivit! Il savait que son influence devait s'appesantir sur eux, qu'il ne s'en fallait que d'un instant.

«Je n'ai plus que très peu de temps à vivre; j'ai de plus en plus de peine à respirer, dit le malade, appuyé sur un bras, tandis que l'autre tâtonnait dans l'air, et je me rappelle que j'avais quelque chose à dire sur l'homme qui était ici tout à l'heure. Papa, William... attendez!... Y a-t-il vraiment quelque chose de noir, là-bas?

— Oui, oui, c'est quelque chose de réel, dit son vieux père.

— Est-ce un homme?

— C'est ce que je dis moi-même, Georges, dit son frère en se penchant sur lui avec douceur. C'est M. Redlaw.

— Je croyais avoir rêvé de lui. Prie-le d'approcher.»

Le chimiste, plus livide que le moribond, parut devant lui et, obéissant au geste de sa main, s'assit sur le lit.

«Toutes les choses anciennes ont été si fortement ravivées, ce soir, monsieur, dit le malade, portant la main à son cœur et soulignant ce geste d'un regard dans lequel se concentrait en une muette imploration toute l'angoisse de sa condition, par la vue de mon pauvre vieux père et la pensée de toute l'affliction dont j'ai été cause et de tout le mal et le chagrin entassés à ma porte, que…»

Fut-ce l'extrémité à laquelle il en était venu ou l'aube d'un autre changement qui le contraignit à s'arrêter?

«… que le bien que je *peux* faire, en dépit des vagabondages croissants et de plus en plus rapides de mes pensées, je vais essayer de le faire. Il y avait un autre homme ici. L'avez-vous vu?»

Redlaw ne put répondre une seule parole car, en voyant ce signe fatal, qu'il connaissait si bien à présent, de la main passée sur le front, sa voix mourut sur ses lèvres. Il ne put qu'esquisser un signe d'assentiment.

«Il n'a pas un sou; il a faim et il est dénué de tout. Il est complètement abattu et n'a plus aucune ressource. Occupez-vous de lui! Ne perdez pas de temps! Je sais qu'il a l'intention de se suicider.»

Le charme opérait. On le voyait sur son visage. Son expression changeait, se durcissait, les ombres s'approfondissaient, et tout chagrin en disparaissait.

«Vous ne vous souvenez pas? Vous ne le reconnaissez pas?» poursuivit-il.

Il cacha un moment son visage derrière cette main qui, de nouveau, erra sur son front avant de s'abaisser sur Redlaw, insouciante, brutale, dure.

«Mais, que Dieu vous damne! dit-il avec un mauvais regard. Que m'a-t-on donc fait ici? J'ai vécu avec intrépidité, et je veux mourir de même. Allez au diable!»

Puis il s'allongea sur sa couche et leva les bras par-dessus sa tête et ses oreilles, comme résolu dorénavant à se fermer à toute intrusion et à mourir dans son indifférence.

Si Redlaw eût été frappé par la foudre, le choc ne

l'aurait pas jeté plus vite loin du lit. Mais le vieillard,
qui avait quitté le chevet de son fils pendant que
celui-ci lui parlait, et qui y retournait, s'en écarta
aussi promptement, et avec horreur.

«Où est mon fils William? dit en hâte le vieillard.
William, allons-nous-en d'ici. Rentrons à la maison.

— À la maison, papa! répliqua William. Vas-tu
abandonner ton propre fils?

— Où est mon propre fils? répondit le vieil homme.

— Où? Mais là!

— Ce n'est pas mon fils, dit Philippe, tremblant de
colère. Pareil misérable n'a pas de droits sur moi.
Mes fils sont plaisants à voir, ils s'occupent de moi,
me préparent à manger et à boire et me sont utiles.
J'y ai droit! J'ai quatre-vingt-sept ans!

— Tu es assez vieux pour ne pas le devenir davantage, murmura William avec un regard de rancune
et les mains dans les poches. Je me demande bien
moi-même à quoi tu sers. Sans toi, nous pourrions
nous donner bien plus de plaisir.

— _Mon_ fils, monsieur Redlaw! dit le vieillard.
Mon fils, aussi! Ce garçon me parle de _mon_ fils!
Enfin... qu'a-t-il jamais fait pour me donner du
plaisir, je vous le demande?

— Je ne sais ce que, toi, tu as jamais fait pour _me_
donner du plaisir, dit William d'un ton maussade.

— Laisse-moi réfléchir, dit le vieillard. Combien
de Noëls cela fait-il que je suis resté assis dans mon
coin bien au chaud, sans jamais avoir à sortir dans
la nuit glacée, et que j'ai fait bonne chère sans être
dérangé par une misérable et déplaisante vision
comme celle de ce garçon? Est-ce vingt ans, William?

— Plutôt quarante, je dirais, murmura le fils. Or
çà, quand je regarde mon père, monsieur, et que j'en
viens à y penser (il s'adressait à Redlaw avec une

impatience et une irritation toutes nouvelles), je veux bien être pendu si je vois autre chose en lui qu'un long calendrier d'années durant lesquelles il n'a fait que manger et boire et prendre ses aises à longueur de journée.

— Je... j'ai quatre-vingt-sept ans, dit le vieillard, poursuivant ses radotages d'une voix faible et enfantine, et je ne pense pas m'être jamais laissé troubler par quoi que ce soit. Je ne vais pas commencer maintenant à cause de ce qu'il appelle mon fils. Ce n'est pas mon fils. J'en ai eu du bon temps ! Je me rappelle une fois... non, je ne me rappelle pas... non, ça a disparu. Ça avait trait à une partie de cricket et à un ami à moi, mais le fil s'est rompu. Je me demande qui c'était... Je l'aimais bien, je crois. Et je me demande ce qu'il est devenu... il doit être mort, je pense. Mais je ne sais pas. Ça m'est bien égal, d'ailleurs ; bien égal. »

Et avec un gloussement somnolent accompagné d'un branlement de tête, il glissa les mains dans ses goussets. Dans l'un d'eux, ses doigts rencontrèrent un brin de houx (resté de la veille, sans doute), qu'il tira et se mit à contempler.

« Tiens, des baies ! dit le vieillard. Ah ! quel dommage qu'elles ne soient pas bonnes à manger. Je me rappelle que, quand je n'étais pas plus haut que ça et que j'allais me promener avec... voyons... qui était-ce donc ?... non, je ne me rappelle pas ce qu'il en était. Je ne me rappelle pas m'être promené avec quelqu'un en particulier, ni m'être soucié de personne, ni que personne se soit soucié de moi. Des baies, hé ? On fait bonne chère à l'époque des baies. Eh bien, je devrais en avoir ma part et être servi, et on devrait veiller à ce que je sois bien au chaud et que j'aie toutes mes aises ; car j'ai quatre-vingt-sept ans et je suis un pauvre vieillard. J'ai quatre-vingt-sept ans. Quatre-vingt-sept ans ! »

La manière pitoyable et imbécile dont, tout en répétant ces mots, il mordillait les feuilles et en recrachait les morceaux ; l'œil froid et indifférent avec lequel le regardait son plus jeune fils (combien changé !) ; l'apathie déterminée avec laquelle l'aîné demeurait endurci dans son péché ; tout cela cessa de s'imposer à l'observation de Redlaw, car il s'arracha à l'endroit où ses pieds semblaient avoir pris racine et s'enfuit de la maison.

Son guide sortit en rampant de son refuge et fut prêt à le conduire avant qu'il eût atteint les arches.

« On retourne chez la femme ? demanda le garçon.

— Oui, et vivement ! répondit Redlaw. Ne t'arrête pas en chemin. »

Pendant quelques instants, l'enfant alla devant ; mais leur retour ressemblait plus à une fuite qu'à une marche et, bientôt, les pieds nus du petit eurent même de la peine à suivre les enjambées rapides du chimiste. Se garant de tous les passants, enveloppé dans son manteau qu'il tenait étroitement serré contre lui, comme s'il y avait une contagion mortelle dans le moindre contact d'un vêtement flottant, Redlaw ne ralentit pas son allure jusqu'à ce qu'ils eussent atteint la porte par laquelle ils étaient sortis. Il l'ouvrit avec sa clef, entra, accompagné du garçon, et, par les couloirs sombres, se hâta de gagner son propre appartement.

Le garçon le surveilla tandis qu'il refermait soigneusement la porte et se retira derrière la table quand il se retourna.

« Vous, dit-il, ne me touchez pas ! Vous ne m'avez pas amené ici pour me reprendre mon argent ? »

Redlaw jeta quelques nouvelles pièces sur le sol.

Le garçon, s'élançant, se coucha dessus comme pour les lui cacher de peur que leur vue ne l'incitât à les redemander ; et ce ne fut que lorsqu'il le vit assis près de sa lampe, la tête enfouie dans ses mains, qu'il commença furtivement à les ramasser. Quand ce fut fait, il rampa jusqu'au feu et, s'étant assis devant sur une grande chaise, il tira de sa poitrine quelques miettes de nourriture qu'il se mit à mâchonner tout en tenant les yeux fixés sur la flamme, sauf lorsqu'il jetait un regard sur ses shillings, qu'il tenait serrés dans une main.

« Et voilà, dit Redlaw, le considérant avec une répugnance et une crainte encore accrues, voilà le seul compagnon qui me reste sur terre ! »

Combien de temps s'écoula avant qu'il fût tiré de la contemplation de cet être qu'il redoutait tant — fut-ce une heure ou la moitié de la nuit — il ne le sut jamais. Mais le silence nocturne fut soudain rompu par l'enfant (il l'avait vu tendre l'oreille), qui se dressa soudain et courut à la porte.

« Voici la femme qui vient ! » s'écria l'enfant.

Le chimiste l'arrêta au passage, au moment même où elle frappait.

« Laissez-moi aller à elle, vous ! dit le garçon.

— Pas maintenant, répliqua le chimiste. Reste là. Personne ne doit entrer dans cette pièce ou en sortir pour l'instant. Qui est là ?

— C'est moi, monsieur, dit Milly. Laissez-moi entrer, je vous en prie !

— Non ! Pour rien au monde ! dit-il.

— Monsieur Redlaw, monsieur Redlaw, je vous en prie, laissez-moi entrer.

— Qu'y a-t-il ? demanda-t-il, sans lâcher l'enfant.

— Le malheureux que vous avez vu est au plus mal et rien, à ma connaissance, ne peut le tirer de sa terrible aberration. Le père de William est retombé brusquement en enfance. William lui-même est tout changé. L'émotion a été trop forte pour lui ; je ne le comprends plus ; il n'est plus lui-même. Ah! monsieur Redlaw, je vous en supplie, conseillez-moi, venez à mon secours!

— Non! Non! Non! répondit-il.

— Monsieur Redlaw, cher monsieur Redlaw! Georges a murmuré quelque chose dans son assoupissement au sujet de l'homme que vous avez vu là et qui, à ce qu'il craint, va se suicider.

— Cela vaudrait mieux pour lui que de m'approcher!

— Il dit dans son délire que vous le connaissez, qu'il fut votre ami, il y a très longtemps ; qu'il est le père déchu d'un de vos étudiants... et j'ai le pressentiment qu'il s'agit du jeune homme qui a été malade. Que faut-il faire ? Comment le suivre ? Comment le sauver ? Monsieur Redlaw, je vous en prie, je vous en supplie, conseillez-moi! Aidez-moi!»

Durant tout ce temps, il tenait le garçon qui faisait des efforts désespérés pour se dégager et aller ouvrir à Milly.

«Fantômes! Vous qui châtiez les pensées impies! s'écria Redlaw, promenant autour de lui des yeux angoissés. Regardez-moi! Des ténèbres de ma pensée, faites que s'élève la lueur de la contrition que je sais y être, et qu'elle montre ma misère! Dans le monde matériel, comme je l'ai souvent enseigné, rien n'est inutile ; nul jalon, nul atome de la merveilleuse structure ne saurait être perdu sans qu'un vide se crée dans le grand univers. Je sais à présent qu'il en va de même du bien et du mal, du bonheur et de la peine dans la mémoire des hommes. Ayez pitié de moi! Délivrez-moi!»

Il n'y eut d'autre réponse que le «Aidez-moi, aidez-moi, laissez-moi entrer!» de Milly et les efforts désespérés de l'enfant pour la rejoindre.

«Ombre de moi-même! Esprit de mes heures les plus sombres! s'écria Redlaw, éperdu. Revenez et hantez-moi jour et nuit, mais reprenez ce don! Ou, s'il doit toujours demeurer avec moi, supprimez le terrible pouvoir de le transmettre à autrui. Défaites ce que j'ai fait. Laissez-moi dans les ténèbres, mais rendez la lumière à ceux à qui j'ai apporté la malédiction. Aussi vrai que j'ai épargné cette femme dès le début, et que je ne sortirai plus jamais d'ici, que j'y mourrai sans aucune autre main pour me soigner que celle de cet être qui est à l'abri de mon pouvoir — entendez-moi!»

La seule réponse fut encore la lutte désespérée de l'enfant pour la rejoindre tandis qu'il le retenait; et le cri qui allait toujours croissant: — Au secours! Laissez-moi entrer. Il fut votre ami autrefois. Comment le suivre? Comment le sauver? Ils sont tous changés; il n'y a personne d'autre pour m'aider; je vous en prie, je vous en prie, laissez-moi entrer!

CHAPITRE III

LE DON RÉVOQUÉ

Les ténèbres étaient toujours épaisses dans le ciel. En rase campagne, du haut des collines, et en mer, du pont des navires solitaires, on pouvait voir cependant, sur le terne horizon, une ligne lointaine et basse qui promettait de se changer par la suite en lumière; mais cette promesse était encore vague et douteuse, et la lune luttait toujours activement avec les nuages nocturnes.

Les ombres qui s'étendaient sur l'esprit de Redlaw se succédaient, épaisses et rapides, et obscurcissaient sa lumière comme les nuages nocturnes planaient entre la lune et la terre, maintenant celle-ci dans les ténèbres. Transitoires et incertaines telles les ombres répandues par les nuages nocturnes étaient leurs dissimulations et leurs révélations imparfaites ; et comme pour les nuages nocturnes encore, si la claire lumière jaillissait un instant, ce n'était que pour leur permettre de la recouvrir et pour rendre les ténèbres plus épaisses qu'auparavant.

Au-dehors, un silence profond et solennel pesait sur la vieille masse de l'édifice, dont les contreforts et les angles dessinaient sur le sol de sombres et mystérieuses formes qui semblaient tantôt se retirer dans la neige blanche et unie et tantôt en surgir selon que la trajectoire de la lune était plus ou moins assaillie. Au-dedans, la lampe expirante laissait le cabinet du chimiste dans une semi-obscurité fuligineuse ; un silence affreux avait succédé aux coups et à la voix de derrière la porte ; on n'entendait plus rien que, de temps à autre, un léger son parmi les cendres blanchies du feu, comme s'il rendait le dernier soupir. Le chimiste était assis dans son fauteuil comme il était demeuré depuis qu'avaient cessé les appels à la porte — tel un homme pétrifié.

À ce moment, la musique de Noël qu'il avait déjà entendue résonna de nouveau. Il l'écouta au début comme il l'avait écoutée dans le cimetière ; mais bientôt — comme elle continuait et que l'air nocturne lui apportait ses accents graves, doux et mélancoliques — il se leva et se tint les bras tendus en avant comme si se fût avancé à sa portée un ami sur qui sa main désespérée pût enfin se poser sans faire de mal. Tandis qu'il esquissait ce geste, son expression se fit moins figée, moins étonnée ; un léger frémissement l'envahit ; enfin ses yeux s'emplirent de larmes. Il y porta ses mains et courba la tête.

Le souvenir des chagrins, des torts soufferts et des afflictions ne lui était pas revenu ; il savait que ce souvenir n'était pas rétabli ; il n'eut aucune croyance, aucun espoir passager qu'il le fût. Mais certain tressaillement sourd en lui lui rendit la capacité d'être ému par ce qui se cachait au fond de la musique. Ne fût-ce que parce qu'elle lui disait, en ses tristes accents, la valeur de ce qu'il avait perdu, il en remercia le Ciel avec une fervente gratitude.

Comme le dernier accord mourait à ses oreilles, il leva la tête pour écouter la vibration qui se prolongeait. Derrière le garçon, dont la forme endormie était étendue à ses pieds, se tenait le fantôme, impassible et muet, les yeux fixés sur le chimiste.

Tout effrayant qu'il fût, comme toujours, son aspect était moins cruel, moins inflexible — tout au moins Redlaw le pensa-t-il ou l'espéra-t-il, tandis qu'il le regardait en tremblant. Le fantôme n'était pas seul : sa main spectrale tenait une autre main.

Et à qui appartenait-elle ? La forme qui se tenait à côté de lui était-elle bien celle de Milly, ou son ombre et son image ? La douce tête était un peu penchée selon sa coutume et de ses yeux abaissés, comme avec compassion, sur l'enfant endormi. Une lumière radieuse tomba sur son visage, mais sans toucher le fantôme ; car, bien que tout proche d'elle, il était aussi sombre et incolore que jamais.

« Spectre ! dit le chimiste, que cette vue emplit d'un trouble nouveau. Je n'ai fait preuve ni d'opiniâ-

treté ni de présomption en ce qui la concerne. Ah! ne
l'amène pas ici. Épargne-moi cela!

— Ceci n'est qu'une ombre, dit le fantôme; quand
l'aube luira, mets-toi en quête de la réalité dont je te
présente l'image.

— Est-ce mon sort inexorable de le faire? s'écria
le chimiste.

— Oui, répondit le fantôme.

— De détruire sa paix, sa bonté; de faire d'elle ce
que je suis moi-même et ce que j'ai fait des autres?

— J'ai dit: "Mets-toi en quête d'elle", répondit le
fantôme. Je n'ai rien dit de plus.

— Ah! dis-le-moi, s'écria Redlaw, saisissant l'espoir qu'il crut entrevoir dans ces mots. Puis-je défaire
ce que j'ai fait?

— Non, répondit le fantôme.

— Je ne demande nulle rénovation pour moi-
même. Ce que j'ai abandonné, je l'ai abandonné de
ma propre volonté et je l'ai perdu à juste titre. Mais
pour ceux à qui j'ai transmis le don fatal, qui ne l'ont
jamais cherché, qui reçurent à leur insu une malédiction dont ils n'avaient eu aucun avertissement et
qu'ils n'avaient aucun pouvoir d'éviter, pour ceux-là
ne puis-je rien?

— Rien, dit le fantôme.

— Si moi je ne puis rien, quelqu'un d'autre peut-il
quelque chose?»

Dans une immobilité de statue, le fantôme garda
un moment les yeux fixés sur lui; puis il tourna
soudain la tête et regarda l'ombre qui se trouvait à
ses côtés.

«Ah! le peut-elle, elle?» s'écria Redlaw, regardant
toujours l'ombre.

Le fantôme lâcha la main qu'il avait tenue jusqu'alors et leva légèrement la sienne en un geste de

congé. Sur quoi, l'ombre de la jeune femme, gardant toujours la même attitude, commença de s'éloigner ou plutôt de s'évanouir.

«Arrêtez! s'écria Redlaw avec une ardeur à laquelle il ne pouvait donner assez d'expression. Juste un moment! Par miséricorde! Je sais qu'un changement est intervenu en moi quand ces sons flottaient dans l'air tout à l'heure. Dis-moi, ai-je perdu le pouvoir de lui faire du mal? Puis-je l'approcher sans crainte? Ah! permets-lui de me donner quelque signe d'espoir!»

Tandis qu'il parlait, le fantôme regardait l'ombre — non pas lui —, et il ne répondit rien.

«Dis-moi au moins ceci: a-t-elle désormais conscience d'un pouvoir qui lui permette de réparer ce que j'ai fait?

— Non, répondit le fantôme.

— Ce pouvoir lui a-t-il été donné à son insu?»

Le fantôme se contenta de répondre: «Mets-toi en quête d'elle.»

Et l'ombre de la jeune femme s'évanouit.

Ils étaient de nouveau face à face et se regardaient l'un l'autre, par-dessus l'enfant toujours étendu à terre entre eux aux pieds du fantôme, avec la même intensité terrifiante qu'au moment où le don avait été octroyé.

«Maître terrible, dit le chimiste, tombant à genoux devant lui dans une attitude suppliante, maître terrible de qui je fus renié et dont je reçois pourtant à nouveau la visite (en lequel, en l'aspect plus doux duquel, je voudrais croire qu'il est pour moi une lueur d'espoir), je t'obéirai sans plus chercher à savoir, mais en priant pour que le cri que j'ai lancé dans l'angoisse de mon âme ait été ou soit entendu en faveur de ceux à qui j'ai fait un mal que ne saurait réparer aucun pouvoir humain. Mais une seule créature...

— Tu veux parler de celle qui est étendue là, dit le fantôme en l'interrompant pour désigner l'enfant.

— Oui, répondit le chimiste. Tu sais ce que je voudrais te demander. Pourquoi cet enfant est-il seul resté à l'abri de mon influence et pourquoi ai-je découvert dans ses pensées un terrible pendant des miennes ?

— Ceci, dit le fantôme, le doigt tendu vers le garçon, est l'ultime et le plus complet exemple d'une créature humaine entièrement privée de ces souvenirs auxquels tu as renoncé. Nulle mémoire attendrissante de chagrins, de torts soufferts ou d'affliction ne pénètre là, car ce misérable mortel a été, dès sa naissance, abandonné à une condition pire que celle des bêtes et n'a connu aucune contrepartie, aucun contact humanisant qui puisse faire surgir dans son cœur endurci le moindre de ces souvenirs. Tout dans cette créature solitaire n'est que désert stérile. Et ce même désert stérile se retrouve tout entier dans l'homme privé de ce à quoi tu as renoncé. Malheur à cet homme-là ! Malheur, bien plus encore, au peuple qui comptera par centaines, par milliers des monstres pareils à celui qui est couché là ! »

Redlaw recula, épouvanté de ces paroles.

« Il n'est pas un de ceux-là, dit le fantôme, pas un seul, qui ne soit à l'origine d'une moisson que l'humanité *doit récolter*. Chaque semence de mal en ce garçon engendre un champ de ruines qui sera moissonné, dont la récolte sera engrangée puis resemée en bien des lieux du monde jusqu'à ce que des régions entières soient assez couvertes de méchanceté pour soulever les eaux d'un nouveau Déluge. Tolérer quotidiennement qu'un meurtre commis en pleine rue demeure impuni serait moins coupable qu'un seul spectacle comme celui-ci. »

Le spectre semblait tenir son regard baissé sur l'enfant endormi. Redlaw, lui aussi, le considéra, avec une émotion nouvelle.

« Tout père qui jour ou nuit côtoie ces créatures, dit le fantôme ; toute mère dans la foule des mères aimantes de ce pays ; toute personne sortie de l'état d'enfance sera tenue pour responsable, à la place qu'elle occupe, de cette énormité. Il n'est pas un pays par toute la terre sur lequel elle n'attirerait la malédiction. Il n'est pas de religion sur terre à laquelle elle n'apporterait pas de démenti ; il n'est personne sur terre qu'elle ne couvre de honte. »

Le chimiste joignit les mains et, tremblant d'effroi et de pitié, reporta son regard de la forme endormie sur le fantôme dressé au-dessus d'elle et la désignant du doigt.

« Contemple, te dis-je, poursuivit le spectre, le type parfait de ce que tu as choisi d'être. Ton influence est ici sans pouvoir, parce que du cœur de cet enfant tu ne saurais rien bannir. Ses pensées ont été "un terrible pendant" des tiennes, parce que tu es descendu à son niveau hors nature. Ce garçon est le produit de l'indifférence des hommes ; et toi, tu es le produit de la présomption humaine. Les desseins salutaires de la Providence se trouvent dans les deux cas réduits à néant, et des deux pôles du monde immatériel, vous vous êtes rejoints. »

Le chimiste se courba sur le sol à côté de l'enfant et, avec la même sorte de compassion à son égard que celle qu'il éprouvait à présent pour lui-même, le couvrit dans son sommeil sans plus reculer d'aversion ou d'indifférence.

Mais bientôt la ligne lointaine de l'horizon s'éclaircit, l'obscurité s'évanouit, le soleil se leva rouge et resplendissant, et les cheminées et les pignons du vieil édifice se mirent à luire dans l'air clair qui transmuait en nuages d'or les fumées et les vapeurs de la cité. Le cadran solaire lui-même dans son recoin d'ombre, où le vent avait accoutumé de tournoyer avec une constance que l'on n'eût guère pensé lui attribuer, se débarrassa des fines particules de neige accumulées durant la nuit sur sa vieille face engourdie et contempla les petites volutes blanches qui tourbillonnaient autour de lui. Et sans nul doute, l'aube, se glissant à tâtons jusqu'à la crypte oubliée où régnaient le froid et l'odeur de la terre et où les arches romanes se perdaient à demi dans le sol, alla ranimer la sève engourdie au fond de la végétation paresseuse suspendue aux murs et activer le principe de vie ralenti dans le petit monde de création merveilleuse et délicate qui existait là, par la conscience confuse que le soleil était levé.

Les Tetterby étaient debout, déjà à l'ouvrage. M. Tetterby retirait les volets de la boutique et, panneau par panneau, révélait les trésors de sa devanture aux regards, si rebelles à leur séduction, des Bâtiments de Jérusalem. Adolphe était sorti depuis si longtemps qu'il était déjà parvenu à mi-chemin de son «Jeur-nal du Ma-tin». Cinq petits Tetterby, aux dix yeux ronds fort enflammés par le savon et les frictions, étaient en proie aux tortures d'ablutions froides dans l'arrière-cuisine, sous la haute surveillance de Mme Tetterby. Johnny, que l'on pressait et bousculait pour qu'il en finît rapidement avec sa toilette quand par hasard Moloch se trouvait d'humeur exigeante (ce qui était toujours le cas), allait et venait en chancelant sous le poids de sa charge devant la porte de la boutique, dans des conditions encore plus difficiles qu'à l'ordinaire, le poids de Moloch étant fort accru par un complexe équipement contre le froid, formant une cotte de mailles complète de tricots, avec un armet et des jambières bleues.

C'était une particularité de ce bébé que d'être toujours en train de faire ses dents. Qu'elles ne sortissent jamais ou que, sorties, elles redisparussent, n'a jamais été mis en lumière ; en tout cas, il en avait fait certainement assez, à en croire Mme Tetterby, pour fournir une ample denture à l'enseigne du Taureau et de la Mâchoire. Toutes sortes d'objets étaient destinés à la friction de ses gencives, sans préjudice d'un anneau d'os, assez grand pour rivaliser avec le rosaire d'une jeune nonne, lequel pendillait toujours à sa ceinture (c'est-à-dire juste sous son menton). Des manches de couteau, des poignées de parapluie, des pommes de canne choisis dans le stock de la boutique, les doigts de la famille en général et plus particulièrement ceux de Johnny, des râpes à muscade, des croûtons, les poignées de porte et les fraîches olives du bout des tisonniers étaient les plus habituels des instruments que l'on appliquait sans distinction au soulagement du bébé. On ne saurait calculer la quantité d'électricité que le frottement de ces divers objets devait tirer de lui en une semaine. Et Mme Tetterby disait toujours que « quand les dents auraient percé, l'enfant serait de nouveau elle-même » ; mais les dents n'en finissaient toujours pas de percer ni l'enfant d'être quelqu'un d'autre.

L'humeur des jeunes Tetterby avait déplorablement changé au cours des dernières heures. M. et Mme Tetterby étaient autant transformés que leur progéniture. Celle-ci était d'ordinaire une petite race de caractère facile et dénué d'égoïsme, qui partageait avec contentement et même générosité la portion congrue quand elle se présentait (c'est-à-dire souvent), et qui tirait grand plaisir de toute chère, même fort maigre. Mais à ce moment, les uns et les autres se battaient non seulement pour le savon et l'eau, mais même pour le petit déjeuner qui n'était encore qu'en perspective. La main de chaque petit Tetterby était levée contre les autres petits Tetterby ; et même la main de Johnny — de Johnny si patient, de Johnny qui endurait tant, de Johnny si dévoué — la main de Johnny se leva contre le bébé ! Oui, Mme Tetterby, allant à la porte par pur hasard, le vit choisir méchamment un endroit vulnérable dans la cotte de mailles où une tape produirait son effet et frapper le chérubin !

Comme un éclair, Mme Tetterby le traîna par le collet dans la pièce commune et le paya avec usure de son agression.

« Vilaine brute, petit assassin ! dit-elle. Comment as-tu eu le cœur de faire cela ?

— Et pourquoi que ses dents sortent pas, alors, au lieu de m'embêter ? répliqua Johnny d'une voix forte et rebelle. Tu aimerais ça, toi ?

— Si j'aimerais ça, monsieur ! dit Mme Tetterby, le délivrant du fardeau ainsi insulté.

— Oui, aimerais-tu ça ? dit Johnny. Tu n'aimerais pas ça du tout. À ma place, tu irais te faire soldat. Et c'est ce que je vais faire. Y a pas de bébés dans l'armée ! »

M. Tetterby, qui était entré sur ces entrefaites, se frotta le menton d'un air méditatif au lieu de corriger le rebelle et parut assez frappé de cette manière de voir la vie militaire.

« Je voudrais bien moi-même être dans l'armée, si cet enfant a raison, dit Mme Tetterby, regardant son mari, car ne n'ai pas un instant de paix ici. Je ne suis qu'une esclave... une esclave de Virginie (peut-être quelque indistincte association d'idées avec leur faible incursion dans le commerce du tabac suggérat-elle à Mme Tetterby cette aggravation d'expression). D'un bout à l'autre de l'année, je n'ai jamais un jour de repos, jamais aucun plaisir! Ah! que Dieu la bénisse! dit Mme Tetterby, secouant le bébé avec une irritabilité bien peu conforme à ce pieux souhait; qu'est-ce qu'elle a encore? »

N'étant pas arrivée à le découvrir, car les secousses infligées n'avaient guère éclairci la question, Mme Tetterby se débarrassa du bébé en le déposant dans un berceau, s'assit à côté et, les bras croisés, se mit à le bercer du pied avec irritation.

« Comment peux-tu rester là comme ça, Adolphe? dit-elle à son mari. Pourquoi ne fais-tu rien?

— Parce que je n'ai pas envie de faire quoi que ce soit, répliqua M. Tetterby.

— Moi non plus, pour sûr, dit Mme Tetterby.

— En ce qui me concerne, je jure que non », dit M. Tetterby.

À ce moment, une diversion se produisit, du fait que Johnny et ses cinq frères cadets, qui, tout en préparant la table pour le petit déjeuner familial, s'étaient livrés à des escarmouches en vue de s'assurer la propriété temporaire de la miche de pain, venaient de tomber à coups redoublés les uns sur les autres avec la plus franche vigueur, tandis que les plus jeunes, qui s'étaient tirés avec une précoce prudence du nœud des combattants, leur harcelaient les jambes. M. et Mme Tetterby se précipitèrent tous deux avec ardeur au milieu de la bagarre, comme si ce terrain fût le seul sur lequel ils pussent maintenant s'entendre; et, après avoir frappé de tous côtés sans la moindre douceur (ni le moindre vestige visible de leur indulgence antérieure) en faisant grand carnage, ils reprirent leurs positions respectives.

«Tu ferais mieux de lire ton journal que de ne rien faire du tout, dit Mme Tetterby.

— Qu'y a-t-il à lire dans les journaux? répliqua M. Tetterby, d'un air extrêmement mécontent.

— Quoi? dit Mme Tetterby. Mais les faits divers!

— Ça ne m'intéresse pas, dit Tetterby. Qu'est-ce que ça me fait, ce que font les gens ou ce qu'on leur fait?

— Les suicides, suggéra Mme Tetterby.

— En quoi cela me concerne-t-il? répondit son mari.

— Les naissances, les décès, les mariages, cela ne t'intéresse pas? dit Mme Tetterby.

— Quand bien même les naissances seraient toutes définitivement closes aujourd'hui même et les décès commenceraient à se produire tous à partir de demain, je ne vois pas en quoi cela devrait m'intéresser jusqu'au moment où je penserais que mon tour est venu, grogna Tetterby. Quant aux mariages, j'en ai tâté moi-même. Je sais assez à quoi m'en tenir là-dessus.»

À en juger par l'expression peu satisfaite de son visage et de son air en général, Mme Tetterby paraissait être d'une opinion assez semblable à celle de son mari; mais elle y contredit pour le plaisir de se quereller avec lui.

«Ah! oui, tu es un homme bien conséquent, n'est-ce pas? dit Mme Tetterby. Avec ce paravent de ta fabrication, qui n'est qu'un assemblage de coupures de journaux que tu restes à lire aux enfants pendant des demi-heures entières!

— Dis plutôt "lisais", s'il te plaît, répliqua son mari. Tu ne me verras plus le faire. J'ai compris, maintenant.

— Bah! compris, ouiche! dit Mme Tetterby. T'en portes-tu mieux?»

Cette question fit résonner quelque note discordante dans le cœur de M. Tetterby. Il se mit à ruminer d'un air découragé et passa à plusieurs reprises la main sur son front.

«Mieux! murmura M. Tetterby. Je ne sache pas qu'aucun de nous s'en porte mieux ou en soit plus heureux. Mieux, dis-tu?»

Il se tourna vers le paravent et promena le doigt dessus jusqu'à ce qu'il eût trouvé certain entrefilet qu'il y cherchait.

«Voici qui était autrefois un des passages favoris de la famille, je me rappelle, dit Tetterby d'un ton pitoyable et stupide; il tirait les larmes des yeux des enfants et leur faisait presque autant de bien que l'histoire des rouges-gorges dans le bois dès qu'il y avait entre eux quelque petite querelle ou quelque mécontentement: "Triste cas de misère. Hier, un petit homme portant un petit bébé dans les bras et entouré d'une demi-douzaine d'enfants en guenilles d'un âge variant entre deux et dix ans, tous dans un état visiblement famélique, a comparu devant l'honorable juge de paix et a fait le récit suivant"... Ah! je ne comprends pas, pour sûr, ajouta Tetterby. Je ne vois pas quel rapport cela a avec nous.

— Comme il a l'air vieux et minable, dit Mme Tetterby en l'observant. Je n'ai jamais vu pareil changement chez un homme. Ah! mon Dieu, mon Dieu, quel sacrifice j'ai fait!

— Quel sacrifice?» demanda son mari d'un ton aigre.

Mme Tetterby hocha la tête et, sans répondre par des mots, agita si violemment le berceau que le bébé dut avoir l'impression de se trouver perdu au sein d'une mer démontée.

«Si tu veux dire que ton mariage fut un sacrifice, ma bonne..., dit son mari.

— Bien sûr que c'est ce que je veux dire, répliqua sa femme.

— Eh bien alors je dirai moi, poursuivit M. Tetterby sans abandonner en rien son ton acerbe et maussade, qu'il y a deux parties en cette affaire ; et que c'est *moi* qui ai été sacrifié ; et que je voudrais bien que ce sacrifice n'eût pas été accepté.

— Moi aussi, Tetterby, du fond du cœur et de l'âme, je t'assure, dit sa femme. Tu ne pourrais le souhaiter plus que moi, Tetterby.

— Je me demande ce que j'ai pu voir en elle, murmura le marchand de journaux. Pour sûr, si jamais j'ai vu quoi que ce soit, ça n'y est plus maintenant. C'est ce que je me disais hier soir après dîner, près du feu. Elle est grosse, elle vieillit, elle ne supporte pas la comparaison avec la plupart des autres femmes.

— Il a l'air commun, il ne paie pas de mine, il est petit, il commence à se courber et il devient chauve, murmura Mme Tetterby.

— Je devais être un peu dérangé quand j'ai fait cela, murmura M. Tetterby.

— Ma raison avait dû m'abandonner ; c'est la seule explication», dit Mme Tetterby, approfondissant sa pensée.

Ce fut dans cette disposition qu'ils se mirent à table. Les petits Tetterby n'avaient pas pour habitude de considérer le petit déjeuner comme une occupation sédentaire : ils hésitaient entre une danse et un

trot, qui avaient quelque rapport avec une cérémonie cannibale par les houps stridents poussés de
temps à autre et les brandissements de tartines dont
cela s'accompagnait, aussi bien que par les défilés
enchevêtrés pour aller faire un tour dans la rue ou
en revenir et les bondissements par-dessus le pas de
la porte, inséparables de la célébration. Dans le cas
présent, les démêlés entre les enfants Tetterby au
sujet de la cruche au lait coupé d'eau qui se trouvait
sur la table pour l'usage de tous offrirent un exemple
tellement lamentable de passions coléreuses exacer-
bées qu'il constituait une véritable injure à la
mémoire du Dr Watts[1]. Ce ne fut pas avant que
M. Tetterby eût fait passer la porte à toute la troupe
qu'un moment de calme put être obtenu ; et celui-ci
même se trouva rompu par la découverte du retour
subreptice de Johnny, occupé pour lors à s'étrangler
avec le contenu du pot, ce qui, dans sa hâte indé-
cente et rapace, lui faisait produire des sons de ven-
triloque.

« Ces enfants finiront par me faire mourir ! dit
Mme Tetterby après avoir banni le coupable. Et le
plus tôt ce sera, le mieux cela vaudra, m'est avis.

— Les gens pauvres ne devraient pas avoir d'enfants du tout, dit M. Tetterby. Ils ne *nous* apportent
aucun plaisir. »

Il prenait à ce moment la tasse que Mme Tetterby
avait rudement poussée vers lui, et celle-ci portait
elle-même la sienne à ses lèvres, quand tous deux
s'immobilisèrent comme pétrifiés.

« Dites donc ! Maman, papa ! s'écria Johnny en se
précipitant dans la pièce. Voilà Mme William qui
descend la rue ! »

Et si jamais, depuis que le monde est monde, jeune
garçon saisit un bébé dans son berceau avec toutes

les précautions d'une nourrice chevronnée, et le fit
taire et le calma tendrement et s'en fut joyeusement
avec lui d'un pas chancelant, ce fut bien Johnny avec
Moloch, lorsqu'ils sortirent ensemble de la pièce !

M. Tetterby reposa sa tasse ; Mme Tetterby en fit
autant. M. Tetterby se frotta le front ; Mme Tetterby
fit de même. La figure de M. Tetterby commença de
s'adoucir et de s'éclairer ; celle de Mme Tetterby aussi.

« Mais, Dieu me pardonne, se dit M. Tetterby, à
quelle néfaste humeur me suis-je laissé aller ? Qu'est-
ce qui s'est donc passé ici ?

— Comment ai-je jamais pu me conduire de nouveau si mal à son égard après ce que j'avais ressenti
et exprimé hier soir ? dit Mme Tetterby, sanglotant
dans le tablier qu'elle avait porté à ses yeux.

— Je ne suis qu'une brute, dit M. Tetterby, et y
a-t-il quoi que ce soit de bon en moi ? Sophie ! Ma
petite femme !

— Adolphe, mon chéri, répliqua son épouse.

— Je... je me suis trouvé dans un état d'esprit dont
je ne puis supporter la pensée, Sophie, dit M. Tetterby.

— Oh ! ce n'est rien à côté du mien, Dolphe, s'écria
sa femme, laissant éclater un grand désespoir.

— Ma Sophie, dit M. Tetterby, ne te désole pas
ainsi. Je ne me le pardonnerai jamais. J'ai dû te
briser le cœur, je ne le sais que trop.

— Non, Dolphe, non. Ce fut moi ! Moi ! s'écria
Mme Tetterby.

— Ma petite femme, dit son mari, je t'en prie. Tu
augmentes terriblement mes remords en montrant
tant de grandeur d'âme. Sophie, ma chérie, tu ne
sais pas ce que j'ai pensé. Ce que j'en ai montré était
assez affreux, certes ; mais si tu savais, ma petite
femme... !

— Ah! mon Dolphe chéri! Non! s'écria sa femme.

— Il faut que je te révèle tout, Sophie, dit M. Tetterby. Je ne pourrais avoir la conscience en paix si je ne te le disais pas. Ma petite femme...

— Mme William est tout près d'ici! cria Johnny d'une voix perçante sur le pas de la porte.

— Ma petite femme, je me suis demandé, dit M. Tetterby d'une voix haletante, en prenant appui sur son fauteuil, je me suis demandé comment j'avais jamais pu t'admirer... J'avais oublié ces chers enfants que tu m'as donnés, et j'ai trouvé que tu n'étais pas aussi mince que je pourrais le désirer. Je... je n'ai pas accordé la moindre pensée, poursuivit M. Tetterby dans une sévère autocritique, à tous les soucis que tu avais depuis que tu étais ma femme, partageant à mes côtés les miens, alors que tu aurais pu n'en avoir à peu près aucun avec un autre homme qui se fût mieux débrouillé et qui eût eu plus de chance que moi (il n'aurait pas été difficile à trouver, je le sais bien!); et je t'ai reproché d'avoir quelque peu vieilli au cours de ces dures années que tu m'as rendues plus légères. Pourrais-tu croire cela, ma petite femme? Je le puis à peine moi-même.»

Mme Tetterby, dans une frénésie de rire et de pleurs, saisit la figure de son mari entre ses mains et l'y garda.

«Ah! Dolphe! s'écria-t-elle. Je suis si heureuse que tu aies pensé cela; combien je t'en suis reconnaissante! Car, moi, j'avais trouvé que tu étais commun, Dolphe; tu l'es d'ailleurs, mon chéri, et puisses-tu demeurer l'homme le plus commun à mes yeux jusqu'à l'heure où tu les fermeras de tes propres mains si bonnes. J'ai trouvé que tu étais petit, et tu l'es; et je ne t'en accorderai que plus d'importance et d'autant plus encore que j'aime mon mari. J'ai trouvé que tu commençais à te courber; et c'est vrai, et tu t'appuieras sur moi et je ferai tout mon possible pour te soutenir. J'ai trouvé que tu n'avais pas d'apparence; eh bien si, tu as celle que donne le reflet du foyer, et c'est la meilleure et la plus pure de toutes, et que Dieu bénisse à nouveau notre foyer et tout ce qui s'y rattache, Dolphe!

— Hourra! Voici Mme William!» cria Johnny.

Elle était bien là, et tous les enfants avec elle; et, comme elle entrait, ils l'embrassèrent et s'embrassèrent entre eux et embrassèrent le bébé et embrassèrent leur père et leur mère, puis coururent de nouveau s'attrouper et danser autour d'elle en lui faisant une triomphale garde d'honneur.

M. et Mme Tetterby ne furent pas en retard sur eux pour la chaleur de l'accueil. Ils n'éprouvaient pas moins de sympathie que les enfants à l'égard de la jeune femme; ils coururent au-devant d'elle, lui embrassèrent les mains, se pressèrent autour d'elle, ne sachant comment lui témoigner assez d'ardeur et d'enthousiasme. Elle venait parmi eux comme l'esprit même de toute bonté, de toute tendresse, de toute sollicitude, de tout amour et de tout attachement au foyer.

«Comment! Êtes-vous tous, vous aussi, si contents de me voir en ce beau matin de Noël? dit Milly, battant des mains dans son aimable étonnement. Ah! mon Dieu, comme c'est délicieux!»

C'était plus de cris de la part des enfants, plus de baisers, plus d'attroupements autour d'elle, plus de bonheur, plus d'amour, plus de joie, plus d'honneur, de tous côtés, qu'elle n'en pouvait supporter.

«Ah! mon Dieu! dit Milly, quelles larmes délicieuses vous me faites verser. Comment ai-je jamais pu mériter cela! Qu'ai-je fait pour être si bien aimée?

— Qui pourrait s'en empêcher? s'écria M. Tetterby.

— Qui pourrait s'en empêcher? s'écria Mme Tetterby.

— Qui pourrait s'en empêcher?» s'écria en écho le joyeux chœur des enfants.

Et ceux-ci se remirent à danser et à s'attrouper autour d'elle, à se presser et à appuyer contre la jupe leurs gentilles frimousses, à embrasser et à caresser celle-ci sans arriver à la caresser assez, ni elle, ni sa propriétaire.

«Jamais je ne me suis sentie tant émue que ce matin, dit Milly, se séchant les yeux. Mais il faut que je vous dise, aussitôt que je pourrai parler... M. Redlaw est venu me voir dès l'aube et, avec autant de délicatesse dans ses manières que si j'avais été sa fille chérie plutôt que moi-même, m'a suppliée de l'accompagner à l'endroit où Georges, le frère de William, est malade. Nous y sommes allés ensemble et tout le long du chemin il s'est montré si bon, si radouci, il a paru mettre en moi tant de confiance et d'espoir, que je ne pouvais me retenir de pleurer de plaisir. En arrivant, nous rencontrâmes à la porte une femme (quelqu'un l'avait battue et meurtrie, je le crains), qui, à mon passage, me saisit la main et me bénit.

— Elle avait raison», dit M. Tetterby.

Mme Tetterby approuva. Et les enfants aussi, à grands cris.

«Ah! mais ce n'est pas tout, dit Milly. Quand nous arrivâmes en haut, dans la chambre, le malade, qui était resté depuis des heures dans un état d'où nuls efforts ne pouvaient le tirer, se dressa sur son lit et, fondant en larmes, tendit les bras vers moi et dit qu'il avait gâché sa vie, mais qu'il se repentait sincèrement, qu'il avait une vive douleur de ce passé qui se présentait maintenant à ses yeux comme une grande étendue d'où se serait levé un épais nuage noir, et il me supplia de demander pour lui le pardon et la bénédiction de son pauvre vieux père et de dire une prière à son chevet. Et quand je le fis, M. Redlaw s'y joignit avec ferveur et puis me remercia tant et tant de fois, et remercia si bien le Ciel, que mon cœur déborda et que je n'aurais pu faire autre chose que pleurer et sangloter, si le malade ne m'avait demandé instamment de m'asseoir à côté de lui — ce qui m'obligea à garder mon calme, bien sûr. Tandis que j'étais ainsi, il tint ma main jusqu'au moment où il s'assoupit; et même alors, quand je la retirai pour le quitter et venir ici (ce que M. Redlaw souhaitait avec insistance me voir faire), sa main chercha la mienne, si bien que quelqu'un d'autre dut prendre ma place et faire semblant que c'était moi qui la lui rendais. Ah! mon Dieu, mon Dieu! dit Milly, sanglotant, quelle reconnaissance et quel bonheur je devrais ressentir — et je ressens — de tout cela!»

Pendant qu'elle parlait, Redlaw était entré et, après s'être arrêté un moment pour observer le groupe dont elle était le centre, il avait monté silencieusement l'escalier. C'est sur cet escalier qu'il reparut et qu'il resta pour laisser passer le jeune étudiant, qui descendait quatre à quatre.

«Bonne infirmière, la plus douce et la meilleure des créatures, dit-il, tombant à genoux devant elle et lui saisissant la main, pardonnez-moi ma cruelle ingratitude!

— Ah! mon Dieu, mon Dieu! s'écria innocemment Milly, en voilà encore un! Mon Dieu, voilà encore quelqu'un qui m'aime. Que faire?»

La façon simple et candide qu'elle eut de dire cela et de porter ses mains à ses yeux pour cacher ses larmes de pur bonheur était aussi touchante que délicieuse.

«Je n'étais plus moi-même, dit-il. Je ne sais ce qui s'était passé — peut-être était-ce quelque conséquence de ma maladie — j'étais fou. Mais je ne le suis plus. À mesure même que je parle, je me sens rendu à moi-même. J'ai entendu les enfants crier votre nom, et l'ombre qui pesait sur moi s'est évanouie aussitôt. Ah! ne pleurez pas! Chère Milly, si vous pouviez lire dans mon cœur, si vous saviez seulement de quelle affection et de quel reconnaissant hommage il brûle, vous ne permettriez pas que je vous voie pleurer. C'est un si profond reproche!

— Non, non, dit Milly, ce n'est pas cela. Non, vraiment. C'est la joie. C'est l'étonnement de ce que vous jugiez nécessaire de me demander pardon pour si peu de chose et en même temps le plaisir de vous le voir faire.

— Et vous reviendrez? Vous finirez le petit rideau?

— Non, dit Milly, séchant ses yeux et hochant la tête. Vous ne vous soucieriez plus de *mon* ouvrage à présent.

— Est-ce me pardonner que de dire cela?»

Elle l'attira à part et lui murmura à l'oreille:

«Il y a des nouvelles de chez vous, monsieur Edmond.

— Des nouvelles? Comment cela?

— Que ce soit le fait de n'avoir plus écrit quand vous étiez très malade ou le changement dans votre écriture quand vous avez commencé d'aller mieux, quelque chose a fait soupçonner la vérité; toujours est-il... Mais vous êtes bien sûr que des nouvelles

— pas des mauvaises nouvelles — ne vont pas vous faire du mal?

— Tout à fait sûr.

— Eh bien, quelqu'un est arrivé! dit Milly.

— Ma mère? demanda l'étudiant, jetant un regard involontaire vers Redlaw, qui avait descendu l'escalier.

— Chut! fit Milly. Non.

— Ce ne peut être personne d'autre.

— Vraiment! dit Milly. Vous en êtes sûr?

— Ce n'est pas...»

Avant qu'il eût pu en dire plus, elle lui avait appliqué sa main sur la bouche.

— Si! dit Milly. La jeune demoiselle (elle ressemble beaucoup à la miniature, monsieur Edmond, mais elle est plus jolie) était trop malheureuse pour avoir du repos sans éclaircir ses doutes, et elle est venue, hier soir, accompagnée d'une petite servante. Comme vos lettres portaient toujours l'adresse du collège, c'est là qu'elle s'est rendue, et avant de voir M. Redlaw ce matin, je l'ai vue, elle. Elle aussi, elle m'aime! dit Milly. Ah! mon Dieu, cela en fait une de plus!

— Ce matin! Où est-elle maintenant?

— Eh bien, maintenant, dit Milly, approchant les lèvres de son oreille, elle est dans mon petit salon, à la Loge, et elle attend de vous voir.»

Il lui pressa la main et allait s'élancer, mais elle le retint.

«M. Redlaw a beaucoup changé, et il m'a dit ce matin que sa mémoire était atteinte. Ayez beaucoup d'égards pour lui, monsieur Edmond; il en a bien besoin de notre part à tous.»

Le jeune homme l'assura d'un regard que sa recommandation n'était pas tombée dans l'oreille d'un sourd, et, en passant devant le chimiste pour sortir, il s'inclina respectueusement devant lui avec un intérêt visible.

Redlaw lui rendit son salut avec politesse et même humilité, et le suivit du regard tandis qu'il passait la porte. Il pencha aussi la tête dans sa main, comme s'il essayait de réveiller quelque chose qu'il avait oublié. Mais le souvenir était bien parti.

Le changement durable qui s'était opéré en lui depuis l'influence de la musique et la réapparition du fantôme consistait en ceci qu'il sentait véritablement à présent tout ce qu'il avait perdu, qu'il pouvait s'apitoyer sur sa propre condition et la mettre en clair contraste avec la condition naturelle de tous ceux qui étaient autour de lui. Et cela ravivait un intérêt pour son entourage et faisait naître en lui un sentiment doux et résigné de son infortune, assez semblable à celui qui a cours dans la vieillesse, quand les facultés mentales sont affaiblies sans que l'insensibilité ou la maussaderie soient venues s'ajouter à la liste de ses infirmités.

Il avait conscience qu'à mesure qu'il réparait de plus en plus, grâce à Milly, le mal qu'il avait causé, et qu'il se trouvait davantage avec elle, ce changement mûrissait en lui. En conséquence, et à cause de l'attachement qu'elle lui inspirait (mais sans autre espoir), il sentait qu'il dépendait entièrement d'elle et qu'elle était son soutien dans son affliction.

Aussi, lorsqu'elle lui demanda s'il voulait rentrer à la maison où se trouvaient le vieillard et son mari et qu'il répondit avec empressement que oui (car il en était fort désireux), passa-t-il son bras sous le sien pour marcher à côté d'elle ; non comme si ce fût lui l'homme savant et sage pour qui les merveilles de la nature étaient un livre ouvert et elle l'esprit ignorant, mais comme si leurs deux positions eussent été inversées : qu'il ne sût rien et elle tout.

Tandis qu'ils sortaient ensemble de la maison, il vit les enfants se presser autour d'elle en lui faisant mille caresses ; il entendit résonner leurs rires et leurs voix joyeuses ; il vit leurs claires figures assemblées autour de lui comme des bouquets de fleurs ; il fut témoin du renouvellement de l'affection et du contentement de leurs parents ; il respira l'atmosphère toute simple de leur pauvre foyer, rendu à la paix ; il pensa à la néfaste influence qu'il avait jetée sur lui et qui, sans elle, eût été en train de s'y diffuser ; et peut-être n'y a-t-il pas à s'étonner qu'il marchât humblement à ses côtés et qu'il attirât contre la sienne la douce poitrine de la jeune femme.

Quand ils arrivèrent à la loge, le vieillard était assis dans son fauteuil au coin du feu, les yeux fixés sur le sol, et son fils le regardait, appuyé de l'autre côté de la cheminée. Au moment où la jeune femme entra, tous deux, tressaillant, se retournèrent vers elle, et un changement radieux se produisit sur leurs visages.

« Ah ! mon Dieu, mon Dieu, ils sont contents de me voir, comme tous les autres ! s'écria Milly, battant des mains dans un transport de joie et s'arrêtant court. En voilà encore deux ! »

Contents de la voir ! Contents n'était pas le mot. Elle courut se blottir dans les bras de son mari, grands ouverts pour la recevoir, et il eût été bien heureux de la garder là, la tête appuyée contre son épaule, durant toute cette courte journée d'hiver. Mais le vieillard ne pouvait se passer d'elle. Lui aussi avait des bras prêts à la recevoir, et il l'y enserra.

« Et alors, où a été ma douce Souris tout ce temps ? dit le vieillard. Elle est restée bien longtemps absente.

Je m'aperçois que je ne peux vivre sans Souris. Je...
où est mon fils William ?... J'ai comme une idée que
j'ai dû rêver, William.

— C'est ce que je dis moi-même, papa, répondit
son fils. Moi aussi j'ai été en proie à un vilain cauchemar, je crois. Comment te sens-tu, papa ? Tu vas
vraiment bien ?

— Vaillant et robuste, mon garçon », répondit le
vieux.

C'était un réjouissant spectacle que de voir
M. William serrer la main de son père, lui donner
d'affectueuses tapes dans le dos, le caresser doucement de la main, comme s'il ne pouvait faire assez
pour lui témoigner son intérêt.

« Quel homme merveilleux tu fais, papa !... Comment vas-tu, papa ? Te sens-tu vraiment en forme ?
dit William, lui serrant à nouveau la main, lui tapotant encore le dos et le caressant doucement.

— Je n'ai jamais été plus gaillard et plus vigoureux, mon garçon.

— Quel homme merveilleux tu fais, papa ! C'est la
vérité pure, dit M. William avec enthousiasme. Quand
je pense à toutes les épreuves que mon père a traver-
sées, à tous les hasards, à tous les changements, à
tous les chagrins et à toutes les difficultés qu'il a rencontrés au cours de sa longue existence et qui lui ont
blanchi les cheveux et à toutes les années qui se sont
entassées sur sa tête, je me dis que nous ne pourrons
jamais en faire assez pour l'honorer et lui rendre sa
vieillesse facile... Comment vas-tu, papa ? Tu te sens
vraiment bien ? »

M. William aurait bien pu ne jamais cesser de
répéter sa question, de lui serrer encore la main, de
lui tapoter le dos et de lui prodiguer les caresses si le
vieillard n'avait aperçu alors le chimiste.

«Je vous demande pardon, monsieur Redlaw, dit Philippe, mais je ne savais pas que vous étiez là, monsieur, sans quoi je n'en aurais pas pris autant à mon aise. De vous voir ici un matin de Noël, monsieur Redlaw, me rappelle le temps où vous étiez vous-même étudiant et où vous travailliez avec tant d'ardeur que vous ne cessiez de fréquenter la Bibliothèque même pendant les vacances de Noël. Ha, ha! Je suis assez vieux pour me rappeler ça; et je me le rappelle bien, oui, quoique j'aie quatre-vingt-sept ans. C'est après votre départ que ma pauvre femme est morte. Vous vous souvenez de ma pauvre femme, monsieur Redlaw?»

Le chimiste répondit affirmativement.

«Oui, dit le vieillard. C'était une chère créature... Je me rappelle que vous êtes venu un matin de Noël avec une jeune demoiselle... Sauf votre respect, monsieur Redlaw, je crois que c'était une sœur à laquelle vous étiez très attaché?»

Le chimiste le regarda en hochant la tête.

«J'avais une sœur», dit-il d'un air vague.

Il n'en savait pas plus.

«Un matin de Noël, poursuivit le vieillard, que vous étiez venu avec elle... et il se mit à neiger, et ma femme invita la jeune demoiselle à entrer s'asseoir près du feu qui brûle toujours le jour de Noël dans ce qui était autrefois, avant que nos dix pauvres messieurs n'aient modifié les statuts, notre Grand Réfectoire. J'étais là; et je me rappelle que, tandis que j'attisais le feu pour que la demoiselle pût réchauffer ses jolis petits pieds, elle lut à haute voix la banderole qui se trouve sous le portrait: "Seigneur, que verdoie ma mémoire!". Elle et ma femme se mirent à en parler; et il est étrange de penser maintenant qu'elles dirent toutes deux (alors que leur mort à toutes deux paraissait si peu probable) que c'était une bonne prière et une prière qu'elles feraient avec la plus grande ferveur si jamais elles étaient rappelées jeunes, en pensant à ceux qui leur étaient le plus chers. «Mon frère», dit la demoiselle... «Mon mari», dit ma pauvre femme... «Seigneur, que verdoie sa mémoire de moi, et ne permets pas qu'il m'oublie!»

Les larmes les plus douloureuses et les plus amères qu'il eût jamais versées coulèrent sur le visage de Redlaw. Philippe, tout occupé à se rappeler son histoire, ne l'avait pas observé jusqu'alors, non plus qu'il n'avait compris que Milly souhaitait qu'il s'arrêtât.

«Philippe! dit Redlaw, posant la main sur son bras, je suis un homme éprouvé sur lequel la main de la Providence s'est abattue lourdement, encore qu'à juste titre. Vous me parlez, mon ami, de choses que je ne saurais suivre; ma mémoire m'a quitté.

— Bonté divine! s'écria le vieillard.

— J'ai perdu la mémoire des chagrins, des torts soufferts et de l'affliction, dit le chimiste, et avec cela j'ai perdu tout ce dont un homme voudrait se souvenir!»

À voir la compassion du vieux Philippe, à le voir avancer son propre fauteuil afin que le malheureux s'y reposât et le contempler avec toute la gravité que lui inspirait le sentiment de la perte qu'il avait éprouvée, on pouvait mesurer combien pareils souvenirs peuvent être précieux à la vieillesse.

Le garçon entra en courant et se précipita vers Milly.

«Voilà l'homme de l'autre pièce, dit-il. Je ne veux pas de lui.

— Quel homme veut-il dire? demanda M. William.

— Chut!» dit Milly.

Obéissant à un signe qu'elle lui fit, lui et son vieux père se retirèrent doucement. Tandis qu'ils sortaient, inaperçus, Redlaw fit signe au garçon d'approcher.

« J'aime mieux la femme, répondit-il, s'accrochant à ses jupes.

— Tu as bien raison, dit Redlaw avec un faible sourire. Mais tu n'as pas à craindre de venir près de moi. Je suis plus gentil que je n'étais. Et plus encore envers toi qu'envers quiconque, pauvre petit ! »

Le garçon commença par rester sur la réserve, mais, cédant peu à peu aux instances de la jeune femme, il consentit à s'approcher et même à s'asseoir aux pieds du chimiste. Tandis que Redlaw posait une main sur l'épaule de l'enfant en le regardant avec compassion et avec un certain sentiment de compagnonnage, il tendit l'autre à Milly. Elle s'accroupit à côté de lui, de façon à pouvoir observer son visage et, après un silence, elle dit :

« Puis-je vous parler, monsieur Redlaw ?

— Oui, répondit-il, fixant les yeux sur elle. Votre voix et la musique sont même chose pour moi.

— Puis-je vous poser une question ?

— Tout ce que vous voudrez.

— Vous rappelez-vous ce que je vous ai dit, quand j'ai frappé chez vous hier soir ? Au sujet de quelqu'un qui fut votre ami et qui se trouvait au bord du suicide ?

— Oui, je me rappelle, dit-il avec une certaine hésitation.

— Le comprenez-vous ? »

Il caressa les cheveux de l'enfant, sans cesser de la regarder fixement, et hocha la tête.

« Cet homme, dit Milly de sa voix claire et douce que ses doux yeux, qui le regardaient, rendaient plus claire et plus douce encore, cet homme, je l'ai trouvé

peu après. Je suis retournée à la maison et, avec
l'aide de Dieu, je l'ai découvert. Il était temps. Un
moment de plus et j'arrivais trop tard. »

Il retira sa main de sur le garçon et, la posant sur
le dos de cette main de Milly dont le toucher timide
et néanmoins suppliant lui faisait entendre une
prière non moins émouvante que sa voix et ses yeux,
la regarda avec une attention plus soutenue encore.

« C'est bien le père de M. Edmond, le jeune homme
que nous venons de voir. Son vrai nom est Lang-
ford... Vous vous rappelez ce nom ?

— Oui, je me rappelle ce nom.

— Et l'homme ?

— Non, pas l'homme. M'a-t-il jamais fait du tort ?

— Oui.

— Ah ! alors, c'est sans espoir... sans espoir. »

Il hocha la tête et pressa la main qu'il tenait,
comme en un muet appel à la commisération de la
jeune femme.

« Je ne me suis pas rendue chez M. Edmond hier
soir, dit Milly... Vous voulez bien m'écouter comme
si vous vous souveniez de tout ?

— J'entends chaque syllabe que vous prononcez.

— Aussi bien parce que je ne savais pas alors que
c'était vraiment son père que parce que je craignais
l'effet qu'aurait sur lui pareille nouvelle après sa
maladie, si ce devait l'être. Je n'y suis pas retournée
non plus depuis que je connais l'identité de cet
homme ; mais cela, pour une autre raison. Il est
séparé depuis longtemps de sa femme et de son fils
— il est devenu un étranger pour son foyer presque
dès l'enfance de son fils, m'a-t-il appris — et il a
abandonné et déserté ce qu'il eût dû considérer
comme son bien le plus cher. Durant tout ce temps,

il a de plus en plus déchu de son rang de gentleman, jusqu'à ce que... »

Elle se leva vivement et, après un moment d'absence, revint accompagnée de l'épave que Redlaw avait aperçue la veille.

« Vous me connaissez ? demanda le chimiste.

— Je serais heureux, répliqua l'autre — et c'est là un mot insolite dans ma bouche —, de pouvoir répondre par la négative. »

Le chimiste observa l'homme qui se tenait devant lui dans toute son humiliante dégradation, et il aurait prolongé sa vaine lutte pour se souvenir, si Milly, ayant repris sa position à son côté, n'avait attiré son regard scrutateur sur son propre visage.

« Voyez comme il est tombé bas et à quel point il est perdu ! murmura-t-elle, étendant le bras vers lui sans quitter le chimiste des yeux. Si vous pouviez vous rappeler tout ce qui a trait à lui, ne croyez-vous pas que cela exciterait votre pitié de penser qu'un être que vous avez aimé (ne nous demandons pas en quel temps lointain, ni avec quelle confiance, par lui trahie) a pu en arriver là ?

— Je l'espère, répondit-il. Je crois que oui. »

Ses yeux se portèrent sur la forme qui se tenait debout près de la porte, mais revinrent vivement à la jeune femme qu'il observa intensément comme s'il voulait tirer quelque leçon de chaque nuance de sa voix, de chaque rayon qui s'échappait de ses yeux.

« Je n'ai pas d'instruction, et vous en avez beaucoup, dit Milly ; je n'ai pas l'habitude de penser, et vous pensez sans cesse. Me permettrez-vous de vous dire pourquoi ce me semble une bonne chose que de se rappeler le mal qu'on nous a fait ?

— Oui.

— C'est afin de pouvoir pardonner.

— Ah! Seigneur! s'écria Redlaw, levant les yeux vers le Ciel, pardonne-moi d'avoir fait fi de ton sublime attribut!

— Et, dit Milly, si votre mémoire devait vous être rendue un jour, comme nous espérerons et prierons qu'elle le soit, ne serait-ce pas pour vous une bénédiction de vous rappeler en même temps l'injure et son pardon?»

Il jeta un regard à la forme voisine de la porte et fixa de nouveau ses yeux attentifs sur elle; un rai de lumière plus claire lui parut venir du limpide visage pour éclairer son esprit.

«Il ne peut regagner le foyer qu'il a abandonné. Il ne cherche pas à le faire. Il sait qu'il ne pourrait y apporter que honte et tourments à ceux qu'il a si cruellement négligés; et que la meilleure réparation qu'il puisse leur faire maintenant, c'est de les éviter. Une très petite somme d'argent judicieusement employée lui permettrait de gagner quelque endroit éloigné où il pourrait vivre sans faire de mal et racheter dans la mesure du possible celui qu'il a fait. À la malheureuse qui est sa femme et à son fils, ce serait certainement la meilleure et la plus bienfaisante des faveurs que puisse leur faire leur meilleur ami — et une faveur qu'ils n'auront pas à connaître jamais; pour lui, perdu de réputation, d'esprit et de corps, cela pourrait signifier le salut.»

Il prit le visage de la jeune femme entre ses mains, le baisa et dit:

«Ce sera fait. Je m'en remets à vous du soin de le faire pour moi, tout de suite et secrètement; et de lui dire que je lui pardonnerais, si seulement j'avais le bonheur de savoir quoi.»

Comme elle se levait et tournait vers l'homme déchu un visage radieux indiquant qu'elle avait réussi dans sa médiation, le malheureux avança d'un pas et, sans lever les yeux, s'adressa à Redlaw.

«Vous êtes si généreux, dit-il — vous le fûtes toujours —, que vous vous efforcerez de bannir le sentiment de justice rétributive qui naît en vous en contemplant le spectacle que vous avez devant les yeux. Je n'essaie pas de le bannir moi-même, Redlaw. Si vous le pouvez, croyez-moi.»

D'un geste, le chimiste implora Milly de s'approcher de lui; et, tout en écoutant, scruta son visage comme pour y trouver la clé de ce qu'il avait entendu.

«Je suis un misérable tombé trop bas pour faire des déclarations; je me rappelle trop bien ma carrière pour l'étaler devant vous. Mais depuis le jour où j'ai fait mon premier pas vers le bas en agissant déloyalement à votre égard, j'ai dégringolé selon une progression certaine, continue, fatale. Cela, je puis le dire.»

Redlaw, gardant Milly tout contre lui, tourna son visage vers l'homme qui lui parlait, et la tristesse s'y lisait. Quelque chose comme un mélancolique acquiescement aussi.

«J'aurais pu être un autre homme, ma vie aurait pu être tout autre, si j'avais évité ce premier pas fatal. Je ne sais ce qu'elle aurait été. Je ne revendique rien en vertu de cette possibilité. Votre sœur a trouvé le repos, et mieux qu'elle ne l'aurait pu avec moi, même si j'avais continué à être ce que vous me croyiez être, ce que j'ai cru être autrefois.»

Redlaw fit vivement un geste de la main comme pour écarter ce sujet.

«Je parle, poursuivit l'autre, comme un homme sorti de la tombe. J'aurais creusé la mienne, hier soir, sans l'intervention de cette main bénie.

— Ah! mon Dieu, il m'aime aussi! dit Milly d'une voix étouffée de sanglots. Ça en fait encore un!

— Je n'aurais pu me placer sur votre chemin, hier soir, fût-ce pour un morceau de pain. Mais aujourd'hui, mes souvenirs du passé sont si puissamment éveillés et se présentent à moi, je ne sais comment, de façon si vive que j'ai osé venir, sur son conseil, accepter votre générosité, vous en remercier et vous supplier, Redlaw, à votre heure dernière, de m'être aussi miséricordieux dans vos pensées que vous l'êtes dans vos actes. »

Il se dirigea vers la porte, mais s'arrêta un instant.

«J'espère que mon fils vous intéressera pour l'amour de sa mère. J'espère qu'il le méritera. À moins que je ne sois maintenu assez longtemps en vie pour savoir que je n'ai pas mésusé de votre aide, mon regard ne se posera plus jamais sur lui. »

Et, avant de sortir, il leva pour la première fois les yeux vers Redlaw. Celui-ci, dont le regard était fermement fixé sur lui, lui tendit la main comme dans un rêve. L'autre se retourna et la toucha — sans plus — des deux siennes; puis, courbant la tête, il sortit à pas lents.

Durant les quelques minutes qui s'écoulèrent tandis que Milly le menait silencieusement à la grille, le chimiste se laissa tomber dans son fauteuil et se couvrit le visage de ses mains. Le voyant ainsi quand elle rentra accompagnée de son mari et de son beau-père (qui tous deux s'inquiétaient grandement de lui), elle évita de le déranger ou de le laisser déranger; et elle s'agenouilla près du fauteuil pour mettre des vêtements chauds au garçon.

«C'est exactement cela. C'est ce que je dis toujours, papa! s'écria son mari admiratif. Il faut bien que le sentiment maternel qu'il y a dans le cœur de

Mme William trouve à s'employer, et c'est ce qu'il
fait !

— Oui, oui, dit le vieillard, tu as raison. Mon fils
William a raison.

— Sans nul doute, il est fort heureux que nous
n'ayons pas d'enfants à nous, Milly, ma chérie, dit
tendrement M. William ; et pourtant je souhaite
parfois que tu en aies eu à aimer et à choyer. Notre
petit enfant qui n'a pas vécu et sur lequel tu avais
fondé tant d'espérances... il t'a rendue comme résignée, Milly.

— Son souvenir me rend très heureuse, mon cher
William, répondit-elle. Je pense à lui chaque jour.

— Je craignais bien que tu n'y penses que trop.

— Ne dis pas "craignais" : ce m'est un réconfort ;
ce souvenir me parle de tant de façons. Cet être innocent qui n'a jamais vécu sur terre est pour moi un
ange, William.

— Tu es toi-même un ange pour papa et pour moi,
dit lentement M. William. Je le sais bien.

— La pensée de tous les espoirs que j'avais fondés
sur lui et des nombreuses fois que je m'étais représenté son souriant petit visage appuyé contre ma
poitrine où il ne reposa jamais et ses doux yeux, ces
doux yeux qui ne s'ouvrirent jamais à la lumière,
tournés vers les miens, dit Milly, cette pensée me
permet, je crois, de ressentir une plus grande tendresse pour les espérances innocentes qui ont été
déçues. Quand je vois un beau bébé dans les bras de
sa tendre mère, je ne l'en aime que mieux en pensant
que mon enfant aurait pu lui ressembler et qu'il
aurait pu éveiller en mon cœur la même fierté et le
même bonheur. »

Redlaw leva la tête et porta vers elle ses regards.

« Tout au long de l'existence, poursuivit-elle, il me

semble qu'il est auprès de moi pour me dire quelque chose. Mon petit plaide en faveur des enfants abandonnés comme s'il était vivant et s'il avait, pour me parler, une voix familière. Quand j'ai connaissance de jeunes gens livrés à la souffrance ou à la honte, je me dis que mon enfant aurait pu en arriver là, et que Dieu me l'a repris dans Sa miséricorde. Enfin, la vieillesse chenue, comme celle de Père à présent, me dit que lui aussi aurait pu atteindre un âge avancé, longtemps, longtemps après mon départ, et avoir besoin du respect et de l'amour d'êtres plus jeunes. »

Sa voix calme était plus calme que jamais, tandis qu'elle prenait le bras de son mari pour y poser sa tête.

« Les enfants m'aiment tant que je suis parfois tout près d'imaginer — est-ce assez bête, William ! — qu'ils ont une façon à eux d'être en sympathie avec mon petit et avec moi et de comprendre pourquoi leur affection m'est si précieuse. Si j'ai été résignée depuis lors, William, j'ai été plus heureuse de bien des façons. Et la moindre n'était pas, mon chéri, que même alors que mon enfant n'était né et mort que depuis quelques jours et que j'étais encore faible et triste et que je ne pouvais m'empêcher de me laisser aller au chagrin, la pensée me vint que si je m'efforçais de vivre saintement, je pourrais retrouver au Ciel une radieuse créature qui me donnerait le nom de Mère ! »

Redlaw tomba à genoux en poussant un grand cri.

« Ô Dieu, dit-il, Toi qui, par les enseignements du pur amour, m'as miséricordieusement rétabli dans la mémoire qui fut celle du Christ sur la croix et celle de tous les justes qui moururent pour sa cause, reçois mes actions de grâces, et bénis cette femme ! »

Il pressa alors Milly sur son cœur, et elle, qui san-glotait plus que jamais, s'écria en riant :

« Il est revenu à lui-même ! Et il m'aime beaucoup, lui aussi ! Ah ! mon Dieu, mon Dieu, en voilà encore un ! »

Alors entra l'étudiant, menant pas la main une ravissante jeune fille, qui semblait avoir peur d'avan-cer. Et Redlaw qui avait tant changé à son égard, voyant en lui et en sa jeune élue le reflet adouci de cette période éprouvante de sa propre vie vers laquelle la colombe longtemps emprisonnée dans son arche solitaire pourrait, comme vers un arbre ombreux, prendre son vol pour y trouver repos et compagnie, Redlaw se jeta à son cou, les suppliant de lui tenir lieu d'enfants.

Alors, Noël étant de toutes les périodes de l'année celle où le souvenir de tout chagrin, de tout tort souf-fert, de toute affliction réparables dans ce monde qui nous environne devrait, non moins que nos propres expériences, agir sur nous dans le sens de tout bien, il posa la main sur la tête du garçon et, prenant silen-cieusement à témoin Celui qui autrefois étendit la main sur les enfants en reprenant, dans la majesté de Sa connaissance prophétique, ceux qui voulaient les éloigner de Lui, il fit vœu de le protéger, de l'ensei-gner, de le régénérer.

Puis, il tendit joyeusement la main droite à Phi-lippe et déclara que, ce jour-là, un grand dîner de Noël aurait lieu dans ce qui était autrefois, avant que les dix pauvres messieurs n'eussent modifié les statuts, le Grand Réfectoire ; et que l'on y convierait, en aussi grand nombre qu'il serait possible d'en ras-sembler en si peu de temps, les membres de cette famille Swidger qui, aux dires de son fils, étaient assez nombreux pour former, en se donnant la main, une ronde tout autour de l'Angleterre.

Ce qui fut fait ce jour-là. Il y eut tant de Swidger présents, adultes et enfants, que l'on risquerait, en essayant d'en donner le nombre en chiffres ronds, d'inciter les lecteurs méfiants à douter de la véracité de cette histoire. On ne le tentera donc pas. Mais ils y étaient en tout cas, par douzaines, par vingtaines — et tous y reçurent de bonnes nouvelles pleines d'espoir au sujet de Georges, qui avait derechef reçu la visite de son père et de son frère ainsi que de Milly, et qu'on avait laissé dans un calme sommeil. Il y avait aussi à ce dîner les Tetterby, y compris le jeune Adolphe, qui arriva emmitouflé dans son cache-nez de toutes les couleurs de l'arc-en-ciel, à temps pour le bœuf. Johnny et le bébé arrivèrent trop tard, bien sûr, et ils entrèrent tout de côté, l'un épuisé et l'autre censé être en puissance de molaire ; mais cela était habituel et n'avait rien d'alarmant.

C'était une triste chose que de voir l'enfant sans nom ni ascendance regarder les autres enfants s'amuser sans savoir comment leur parler ni s'associer à leurs jeux, plus étranger aux manières de l'enfance qu'un chien mal dressé. Il était triste aussi, quoique d'une autre manière, de voir les plus jeunes enfants comprendre instinctivement qu'il était différent des autres et lui faire de timides avances, lui parlant, le touchant doucement, ou lui donnant de petits cadeaux pour qu'il ne fût pas triste. Mais il resta près de Milly, et commença de l'aimer — encore un, comme elle dit ! — et comme eux aussi aimaient Milly tendrement, ils en étaient contents et, quand ils le virent les observer de derrière la chaise de la jeune femme, ils furent heureux de le savoir si près d'elle.

Tout cela, le chimiste, assis avec l'étudiant et sa fiancée, et Philippe et les autres, le vit.

D'aucuns ont dit depuis qu'il n'avait que pensé ce qui a été consigné dans ces pages ; d'autres qu'il l'avait lu dans le feu, un soir d'hiver, au crépuscule ; d'autres encore, que le fantôme n'était que la représentation de ses sombres pensées et Milly la personnification de sa sagesse supérieure. Quant à moi, je ne dis rien.

... Sauf ceci, cependant. Tandis qu'ils étaient assemblés dans le vieux Réfectoire sans autre lumière que les reflets d'un grand feu (ils avaient dîné de bonne heure), les ombres sortirent une fois de plus de leurs cachettes et se mirent à danser autour de la salle, révélant aux enfants de merveilleuses formes et de merveilleux visages sur les murs et changeant peu à peu ce qui était réel et familier en sujets fantasques et enchantés. Mais il y avait dans la salle une chose vers laquelle se tournèrent souvent les yeux de Redlaw, de Milly et de son mari, du vieillard, de l'étudiant et de sa fiancée, une chose que les ombres n'obscurcirent ni ne changèrent à aucun moment. Avec sa gravité, que rendait plus profonde encore la lueur du feu, et les contemplant comme un être vivant du haut des boiseries sombres, le visage posé du portrait à barbe et à fraise, sous sa verdoyante guirlande de houx, baissait les yeux sur eux tandis qu'ils levaient vers lui les leurs ; et au-dessous, clairs et distincts comme si une voix les avait prononcés, étaient les mots : « Seigneur, que verdoie ma mémoire ! »

ANNEXES

G. K. Chesterton,
« DICKENS ET NOËL » *

En juillet 1844, Dickens fit en Italie un voyage qu'il résuma plus tard dans ses *Scènes italiennes*. Ces peintures sont évidemment très vives; mais il n'est guère nécessaire d'y insister en tant que croquis d'Italie; il n'est aucun besoin de les considérer comme représentant une phase de l'esprit de Dickens, lorsque celui-ci se trouvait absent d'Angleterre, car il n'est jamais sorti de l'Angleterre. Il n'existe en toutes ces amusantes pages nul indice qu'il ait véritablement senti les grandes réalités étrangères qui nous guettent au sud de l'Europe : la civilisation latine, l'Église catholique, l'art du centre, l'immortelle mort de Rome. Ses voyages ne sont pas voyages en Italie, mais en *Dickensianie*. Il voit des choses plaisantes; il les décrit plaisamment; mais il aurait vu des choses tout aussi excellentes dans une rue de Pimlico et les aurait décrites tout aussi bien. Peu de détails ont plus de saveur, même dans le plus savoureux de ses romans, que son tableau de la mort de Napoléon au théâtre des marionnettes. Rien ne saurait dépasser en perfection cette silhouette du

* G.K. Chesterton, *Dickens* [1906], traduit de l'anglais par Achille Laurent et L. Martin-Dupond, Paris, Gallimard, coll. « Vies des hommes illustres », 1927, chap. VII, p. 106-124.

docteur dont les ficelles étaient détraquées et qui par
conséquent «planait autour du lit et débitait en l'air
ses considérations médicales».

S'agit-il de saisir sur le vif l'esprit du drame populaire, rien ne pourrait être plus juste que la monstrueuse dépravation du «Sir Hudson Low» de bois
articulé. Mais en tout ceci, il n'est rien d'italien.
Dickens aurait tiré des effets d'un tout aussi bon
comique, et du même comique exactement, d'un
Guignol en représentation à Long Acre ou à Lin-
coln's Inn Fields.

Dickens a dirigé une juste et sincère satire contre
Plornish et Podsnap; mais Dickens n'était pas moins
anglais qu'un Podsnap ou un Plornish quelconque.
Envers tous les peuples, dans les limites de sa compréhension, il éprouvait un cordial sentiment de fraternité et de justice. Mais cette justice, cette fraternité
étaient britanniques par leur essence même. Il
appartenait à ce type d'Anglais qui a inventé le libre-
échange, la plus anglaise de toutes les institutions,
puisqu'elle est faite à la fois de calcul et d'optimisme.
Il respecta les gondoles et les catacombes; mais ce
respect même était anglais. Les brigands, les volcans
l'étonnèrent; mais cet étonnement même était pareillement anglais. La conception d'une Italie faite de
ces éléments-là est une conception tout anglaise. Il
ne comprit jamais les idées-mères, la légende romaine,
la vie antique de la Méditerranée, la civilisation mil-
lénaire de la vigne et de l'olivier, le mystère de
l'Église immuable. Il ne les comprit jamais, et j'en
suis bien aise; car il ne les aurait comprises qu'en
cessant d'être le *cockney* inspiré qu'il fut, l'ardent
Radical de la grande époque du radicalisme anglais.
Son esprit est une des forces les plus véritablement
nationales que nous ayons jamais possédées. Toutes

les autres, nous les avons empruntées, surtout celles dont nous sommes le plus fiers. L'impérialisme est étranger, le socialisme est étranger, le militarisme est étranger ; l'éducation est chose étrangère et, strictement parlant, le libéralisme même l'est aussi. Mais le radicalisme était bien nôtre, anglais comme les haies de nos champs.

Dickens en voyage n'était donc simplement, en matière d'affaire sérieuse, que l'Anglais en voyage ; et l'Anglais en voyage, en matière d'affaire sérieuse, n'est autre que l'Anglais chez lui. À cette thèse générale, une restriction s'impose. Dickens prit un plaisir immédiat aux apparences actives et gaies de la vie française, aux coiffes proprettes, aux uniformes éclatants, au ciel d'émail bleu, aux petits arbres verts, aux petites maisons blanches, à tout ce tableau rehaussé de couleurs élémentaires comme un livre d'images enfantin. Il ressentit toutes ces impressions et, par un trait de génie, il les mit dans la bouche de Mrs Lirriper, hôtelière londonienne en vacances ; car Dickens connut toujours que ce sont les simples et non pas les subtils qui perçoivent les différences ; toutes ses couleurs, il les vit par les yeux clairs des pauvres. Ainsi, s'attachant en quelque sorte aux rues plutôt qu'aux clochers du continent, il attestait de façon incontestable l'alliance dont nous avons parlé, celle du sens commun avec une sensibilité peu commune. En effet, si nous devons voyager, c'est à cause des rues, des magasins, des manteaux, des chapeaux, toutes choses qui méritent bien plus d'être vues que les châteaux, les cathédrales, les camps romains. Les merveilles du monde sont les mêmes par tout l'Univers, du moins par tout l'Univers européen. Des châteaux qui font planer l'ombre sur les vallées, des moutiers qui touchent le ciel, des routes si vieilles qu'elles semblent l'œuvre des dieux, on en retrouve dans tous les pays chrétiens. Les prodiges accomplis par l'homme sont à nos portes. Il est facile au paysan qui sarcle des navets dans le Sussex de savoir que les routes romaines forment la charpente de l'Europe ; loisible au commis de Lambeth d'être informé qu'un art chrétien exubérant existait au XIIIe siècle, puisque tout près, de l'autre côté de la rivière, il peut voir les pierres vives du Moyen Âge monter ensemble vers les étoiles. Mais, à la lettre, les choses qui frappent le touriste comme extraordinaires sont précisément les choses ordinaires, la nourriture, les vêtements, les véhicules ; les choses curieuses sont cosmopolites, les choses communes sont nationales et caractéristiques. Des voûtes pareilles supportent la flèche de Cologne et celle de Canterbury ; mais on ne peut voir nulle part hors d'Allemagne une brasserie allemande. Il est inutile qu'un Français s'en aille visiter, comme un monument de l'architecture anglaise, l'abbaye de Westminster ; elle n'est point, au sens littéral, un échantillon de cet art. Mais le *hansom cab* en est un ; il est issu de la poésie propre de nos cités ; il symbolise cette témérité amoureuse du confort qui est un trait spécifiquement anglais ; il est digne d'attirer les pèlerins des autres nations. On verra un Anglais de forte imagination passer sa journée dans un *café* ; un Français de forte imagination, dans un *hansom cab*.

Dickens trouva au spectacle de la vie latine un plaisir de cette nature, mais non de plus profonde essence. De l'attitude radicalement détachée qu'il conserva à cet égard, l'indice le plus probant est fourni par un fait entre tous. Pendant une grande partie du séjour qu'il fit en Italie, il s'occupa d'écrire *Le Carillon* et des contes de Noël analogues ; contes

du Noël des villes anglaises, contes pleins de brouillard, de neige, de grêle et de joie.

Dans n'importe quelle rue, Dickens savait discerner entre deux hommes des divergences plus fonda-
mentales que celles qui divisent les peuples. Son
défaut fut d'exagérer ces différences. Il sut découvrir
dans son cerveau et dans sa ville, — ces deux chaos
grandioses, — des types humains presque aussi distincts que les races diverses des animaux. Les deux
seuls Méridionaux qui jouent un rôle de premier
plan dans ses romans, ceux de *La Petite Dorrit*,
relèvent du préjugé populaire anglais, j'allais presque
dire du théâtre. La perfidie est, aux yeux de l'Anglais,
une caractéristique méridionale ; aussi l'un de ces
deux étrangers est-il un traître. La vivacité est, aux
yeux de l'Anglais, une autre caractéristique méridionale ; aussi, le second étranger est-il exubérant. Mais
la silhouette de ces deux personnages nous prouve
que Dickens n'eut pas besoin d'aller les chercher en
Italie. Tandis que de pauvres millionnaires essouf-
flés, de pauvres grands seigneurs harassés, de
pauvres intellectuels américains en détresse explorent
péniblement la péninsule en quête d'inspiration littéraire, Charles Dickens — je le soupçonne fortement — inventa tout le romanesque italien d'après
deux joueurs d'orgue de Londres.

Au soleil du monde méridional, il évoquait encore
le reflet des feux du Nord. Parmi les palais et les
blancs campaniles, il fermait les yeux pour revoir
Marylebone ; il rêvait un rêve charmant, peuplé de
tuyaux de cheminée. Hors des rues, disait-il, nul
bonheur pour lui. La saleté même, la fumée de
Londres lui étaient aimables ; elles pénètrent agréablement ses contes de Noël. Dans le ciel limpide du
Midi, il voyait au loin le brouillard londonien flotter

comme un nuage au soleil couchant; il avait hâte de s'y retremper. L'influence des voyages sur la façon dont Dickens a parlé de Noël ne peut s'expliquer que par la comparaison avec une autre de ses œuvres. Beaucoup de ce que nous avons dit ici de ses *Scènes italiennes* peut s'appliquer également à son *Histoire d'Angleterre d'un enfant*, avec cette différence que, si les *Scènes italiennes*, en un certain sens, ajoutent à sa gloire, l'*Histoire d'Angleterre*, à presque tous les égards, la diminue. Mais la nature de la restriction à faire est la même. Tel Dickens a été pendant son voyage en de lointains pays, tel il est pendant son voyage à travers les siècles lointains : un Radical anglais, opiniâtre, sentimental, de grand cœur et d'esprit étroit. Il ne sut pas se garder de l'erreur ou de la faiblesse ordinaire du progressiste moderne, de l'habitude de considérer les questions contemporaines comme des questions éternelles et le dernier mot comme le mot définitif. Il ne put jamais s'affranchir d'une conception instinctive d'après laquelle le problème qui se posait devant Saint Dunstan était en réalité de savoir s'il fallait se ranger du parti de Lord John Russel ou de Sir Robert Peel. Il ne put jamais s'empêcher de voir rougir les plus lointaines cimes au reflet du brasier dévorant qu'allumait en lui l'ardeur de sa crise politique. Il vécut pour l'heure actuelle et pour ses exigences; c'est-à-dire qu'il fit comme avait fait Saint Dunstan. Ainsi que tous les hommes simples, il s'absorba en un présent éternel. Son livre est bien l'*Histoire d'Angleterre d'un enfant*; mais cet enfant, ce n'est pas le lecteur, c'est l'auteur même.

Mais Dickens, en son plus vulgaire utilitarisme de badaud londonien, ne se montrait pas seulement Anglais; inconsciemment, il se rattachait à l'histoire.

La véritable tradition de la *Joyeuse Angleterre* se prolongeait en lui, bien plutôt qu'en ces pâles médiévistes qui crurent la faire revivre. Les Préraphaélites, les Gothiques, les admirateurs du Moyen Âge révélaient par leur subtilité et leur tristesse l'esprit du temps présent. Les bouffonneries, les bravades de Dickens portaient en elles l'âme du Moyen Âge.

Détracteur du médiévisme, il se montra plus proche de lui que ses défenseurs. Il avait, lui, hérité de Chaucer l'amour des amples plaisanteries, des longues histoires, de la bière brune, de toutes les blanches routes d'Angleterre. Comme Chaucer, il aimait qu'un conte jaillît d'un conte, que chaque personnage eût le sien à narrer. Comme Chaucer, il savait discerner en la diversité des métiers humains un élément de franche comédie. La compagnie de Sam Weller eût été d'un grand profit pour les pèlerins de Canterbury; il leur eût fait quelque récit admirable. Mais la Damoiselle Bénie de Rossetti les aurait mortellement ennuyés, trop hardie au gré de la Prieure, trop collet-monté pour le goût de la Commère de Bath. On dit que, pendant cette renaissance féodale quasi morbide qui marqua l'ère victorienne, un noble sire embaucha un ermite pour le faire vivre sur ses terres. On conte aussi que ledit ermite se mit en grève, réclamant une plus forte ration de bière. Vraie ou fausse, on cite généralement cette anecdote comme un indice de la déchéance que l'idéal du Moyen Âge a subie en descendant au niveau du présent. Mais le simple fait d'avoir fait grève pour réclamer de la bière prouve que le saint homme était beaucoup plus imbu de «Médiévisme» que son imbécile de patron.

Il serait malaisé de trouver à l'appui de cette doctrine un meilleur exemple que la grande campagne entreprise par Dickens en faveur de Noël. En la menant, il combattait pour le vieux festival européen, mi-païen, mi-chrétien ; pour cette trinité du bien manger, bien boire et bien prier que les modernes jugent impie ; pour ce jour de fête qui est, au vrai sens du mot, un jour férié. Lui-même entretenait à l'égard du passé les idées les plus enfantines. Il ne voyait dans le Moyen Âge que tournois et chambres de torture ; il se prenait lui-même pour un actif citoyen du grand siècle industriel, presque pour un utilitaire. Et, malgré tout, il défendait contre l'utilitarisme naissant la fête antique à son déclin. Il ne pouvait ignorer tout ce que l'esprit du Moyen Âge avait eu de mauvais ; mais il lutait pour tout ce qu'il y trouvait de bon. Et il éprouvait une sympathie d'autant plus sincère pour la force et pour la simplicité d'autrefois qu'il reconnaissait leur vertu en ignorant leur vieillesse. Le médiévisme lui importait aussi peu qu'aux hommes du Moyen Âge eux-mêmes ; mais autant qu'eux il appréciait la vigueur, la gaieté virile, les tristes histoires de tendres amants, les joyeuses histoires de bons drilles. Ruskin et Walter Pater l'auraient bien ennuyé en lui expliquant les étranges teintes vespérales des Lippi et des Botticelli. Le spectacle du Moyen Âge agonisant n'avait pour lui nul attrait ; il se tournait vers le Moyen Âge vivant, vers un vestige resté debout des vieilles superstitions bruyantes ; et il le saluait comme une religion nouvelle. Les héros de Dickens consommaient une quantité de pudding à faire pâlir les modernes médiévistes. Car ceux-ci rendraient à une vieille coutume tous les hommages, hors celui de s'y conformer ; ils feraient d'une fête religieuse tous les éloges, sans la vouloir célébrer.

Or, comme je l'ai déjà dit, les liens qui à son insu

le rattachaient à l'Angleterre étaient semblables à
ceux qui le reliaient à notre tradition européenne. Il
se croyait, en somme, une manière de cosmopolite,
tout au moins un champion des charmes et des
mérites des pays continentaux contre notre arro-
gance insulaire. En réalité, il était bien plutôt le
champion de la vieille, de la véritable Angleterre
contre cette Angleterre comparativement cosmopolite dont le spectacle nous est à tous donné. Ici
encore, Noël fournit l'argument décisif. Noël est,
nous l'avons dit, une de ces innombrables vieilles
fêtes européennes qui combinent en leur essence
une idée religieuse avec le goût du plaisir. Mais,
entre toutes, elle est aussi spécialement et franchement britannique par la nature même de ce plaisir,
voire par la nature de cette idée religieuse. Le caractère distinctif de Noël — qui diffère en ceci, par
exemple, de Pâques tel qu'on le célèbre sur le continent — consiste en deux traits surtout : d'abord, au
point de vue matériel, la recherche du confort plutôt
que de l'éclat ; ensuite, au point de vue spirituel, la
tendance à développer la charité chrétienne plutôt
que le mysticisme. Et le goût du confort est, comme
la charité, un instinct foncièrement anglais. Je dirai
plus, l'amour du confort est comme la charité une
vertu anglaise ; — bien que celui-là puisse dégénérer
en matérialisme, celle-ci en laisser-aller et en formalisme, comme il arrive trop souvent.

Il appartenait spécialement à l'Angleterre, à son
Christmas, à Dickens surtout, d'ériger ainsi le confort
en idéal. Mais sur cet idéal, on se méprend singulièrement. L'Europe le comprend mal ; plus mal encore,
si possible, l'Anglo-Saxon de la génération présente.
Sur le continent, les restaurateurs nous gavent de
bœuf cru comme si nous étions des sauvages ; la

vieille cuisine britannique cependant réclame autant
d'art que la française. Quant à l'Angleterre moderne,
il s'y est éveillé un patriotisme de parvenus qui tend
à représenter les Anglais comme étant tout ce qu'on
voudra excepté anglais ; comme un mélange de stoï-
cisme chinois, de militarisme latin, de raideur prus-
sienne et de mauvais goût américain. Ainsi notre
patrie, dont le défaut est un excès de correction, dont
la vertu est une cordialité naturelle, notre patrie,
malgré la tradition de ses héroïques et joyeux gentilshommes du siècle d'Élisabeth, est présentée aux
quatre parties du monde (comme dans les poèmes
religieux de R. Kipling) sous les traits grotesques
d'un solennel goujat.

De même, parce qu'il est très difficile de créer le
confort dans les faubourgs, les faubourgs ont décrété
que le confort est chose grossière et matérielle. Or, le
confort, et surtout celui dont Noël évoque la vision,
n'est point matériel et grossier, au contraire. Il est
beaucoup plus poétique, à proprement parler, que le
jardin d'Épicure, beaucoup plus artistique que le
Palais d'Art : plus artistique parce qu'il repose sur un
contraste, celui de la maison où le feu brille, où le vin
coule, avec l'hiver et la pluie qui fait rage au-dehors ;
beaucoup plus poétique, parce qu'il suggère l'idée de
la défensive, presque de la guerre ; parce qu'il évoque
le blocus de la neige et de la grêle, les joyeuses
ripailles dans le ventre d'une citadelle. L'homme qui
nomma la maison de l'Anglais sa forteresse, a dit
plus vrai qu'il ne croyait dire. L'Anglais conçoit sa
maison comme un refuge fortifié et approvisionné ;
son humeur revêche elle-même est romanesque en
son essence. Et cette conception a naturellement le
plus de force par les sauvages nuits d'hiver, où la
herse baissée et le pont-levis dressé interdisent aussi

bien la sortie que l'accès du logis. La maison de l'Anglais lui semble surtout sacrée aux heures où, non seulement le Roi n'y pourrait pas entrer, mais lui-même n'en peut pas sortir.

Ce confort donc est chose abstraite ; c'est un principe. Les pauvres gens d'Angleterre ferment leurs portes et leurs fenêtres jusqu'à ce que leurs chambres empestent comme un puits d'enfer. Ils sont les martyrs d'une idée. Un amateur de jouissances purement animales ne rêverait pas, comme nous autres Anglais, de fêtes hivernales en de petites chambres, mais de vastes jardins de paresse où l'on savoure des fruits. La simple sensualité souhaiterait la satisfaction de tous les sens. Mais il faut à nos bons rêves ce sombre et menaçant décor ; le plus vif plaisir que nous puissions imaginer est un plaisir qui défie la peine ; c'est un bonheur qui lui tient tête. Le mot *confort* n'est certes pas le mot juste ; il trahit l'idée en y mêlant un élément trop sensuel ; le mot juste serait *cosiness*, expression intraduisible. L'une de ses conditions essentielles, pour ne citer que celle-là, est un espace limité ; c'est la petitesse préférée à la grandeur, la petitesse appréciée pour elle-même. À qui fête Noël, un salon agréable est nécessaire ; foin d'un agréable continent !

En ces temps difficiles, bien entendu, la lutte pour l'espace s'est imposée. Au lieu d'être avides de bière blonde et de plum-pudding, nous sommes avides d'air respirable, appétit tout aussi sensuel. C'est sagesse, dans des conditions anormales ; le *veldt* sans bornes n'est chose excellente que pour les névro-pathes. Mais nos pères étaient gens assez forts et assez sains pour agir humainement sans s'inquiéter d'agir hygiéniquement. Ils étaient assez grands pour entrer dans de petites chambres.

Ce qui atteste la vertu esthétique et nettement caractérisée de cette chambre close où l'on célèbre *Christmas*, c'est encore l'attitude de Dickens en Italie. Par une nécessité artistique, au cœur d'un éternel été, il créa ces contes obscurs éclairés d'un reflet de l'âtre, comme de petits joyaux d'un rouge incertain. Parmi les blanches cités toscanes, aspirant à une vision romanesque, il rêva d'un Noël pluvieux. Parmi les tableaux des Uffizi, il eut faim de beauté et nourrit son souvenir de brouillard londonien. Sa tendresse pour celui-ci fut tout particulièrement vive et caractéristique. Dans le premier de ses trois récits, le populaire *Chant de Noël*, il en exprima l'âme même en une seule image, lorsque, parlant de l'atmosphère épaisse, il imaginait que « Dame Nature devait brasser sa bière en grande quantité ». Se représenter l'air épaissi comme quelque chose qu'on peut boire ou manger, quelque chose, non seulement de solide, mais de comestible, cela peut sembler presque folie ; cette comparaison toutefois n'exagère pas le sentiment de Dickens. Nous parlons d'un brouillard *à couper au couteau*. Il aurait aimé cette expression qui assimile le brouillard à un gâteau colossal ; il aimait davantage encore son évocation d'une brasserie de Titans ; aucun rêve ne lui aurait donné plus folle joie que celle de chercher à tâtons ces cuves gargantuesques et de boire la bière des géants.

Il existe contre le brouillard un préjugé universel, et Dickens est peut-être son unique poète. Au point de vue de l'hygiène, cette défaveur est sans doute plus ou moins légitime ; mais au point de vue de la poésie, le brouillard n'est pas indigne d'estime, il a une valeur réelle. Nous avons, en nos grandes villes, aboli les pures et saines ténèbres de la campagne. Nous avons proscrit la nuit ; nous l'avons envoyée errer parmi les agrestes prairies : pour empêcher son retour, nous avons allumé des feux éternels. Nous nous sommes créé un cosmos nouveau et partant, un soleil, des étoiles qui nous appartiennent. Par conséquent aussi, en bonne justice, nous avons créé nos propres ténèbres. De même que chaque lampe est aux hommes un astre tiède, chaque brouillard leur devient un opulent crépuscule. Sans ce mystique phénomène, nous ne connaîtrions plus l'ombre, et quiconque ignore l'ombre n'a jamais vu le soleil. Le brouillard est pour nous la matérialisation principale de cette force extérieure qui ramène le luxe pur et simple au véritable confort. Il rapetisse l'univers, ceci dans le sens même de cette heureuse expression populaire qui nomme le monde *petit* parce qu'il est plein d'amis. La première silhouette qui émerge des brumes, portant une lumière, est pour nous celle d'un Prométhée, du sauveur qui apporte le feu à ses semblables. Celui-là nous paraît le plus grand, le meilleur de tous, plus grand que les héros, meilleur que les saints : tel Vendredi pour Robinson.

C'est ainsi dans un nuage sacré que commence le récit intitulé *Christmas Carol*, le premier et le plus caractéristique de tous les *Contes de Noël* de Dickens. Ce n'est pas sans raison que nous insistons sur la vertu généreuse de ces ténèbres ; car, chose bien caractéristique, l'atmosphère des romans de Dickens est de plus d'importance que leur intrigue. L'ambiance de Noël importe ainsi plus que Scrooge, voire que les fantômes ; en un sens, le fond du tableau vaut plus que les personnages.

On peut faire la même remarque en ce qui concerne sa manière de traiter cette autre ambiance (il excellait à la créer comme à susciter la bonne humeur), cette ambiance de mystère et de crime qui environne,

par exemple, Mrs Clennam, rigide en son fauteuil, ou
la vieille Miss Havisham sous sa robe de fiancée déri-
soire. Là encore l'ambiance éclipse totalement l'intrigue, qui, par comparaison, déçoit souvent.

L'énigme est impressionnante, la solution est
banale. La surface des choses paraît plus terrible que
leurs profondeurs. Il semble que ces figures sinistres,
Mrs Chadeband et Mrs Clennam, Miss Havisham et
Miss Flite, Nemo et Sally Brats, cachent quelque
chose à l'auteur de même qu'au lecteur. Quand se
clôt le livre, nous ignorons leur secret véritable. Elles
ont leurré l'optimiste Dickens d'un mensonge moins
effrayant que la vérité. La sombre maison où Arthur
Clennam passa son enfance nous oppresse réellement ; elle nous offre un aperçu véridique de cette
rue muette de l'enfer où vivent les enfants victimes
du fléau que les théologiens nomment le calvinisme
et les chrétiens le culte du démon. Mais il s'y était
certes accompli quelque crime plus étrange, quelque
profanation ou quelque sacrifice humain plus monstrueux que la suppression d'un document stupide au
détriment des stupides Dorrit. Le travestissement et
la folie de l'effrayante Miss Havisham cachent autre
chose qu'une vulgaire aventure d'amour déçu. Dans
l'humide et lugubre pavillon au bord de la Tamise,
Quilp le difforme murmure à l'oreille de la sinistre
Sally de pires desseins que le maladroit complot
contre ce maladroit de Kit. Ces sombres tableaux
semblent être littéralement des visions, c'est-à-dire
des scènes auxquelles Dickens assista sans les comprendre.

Il en est de ses décors de joie bienveillante, dans le
Chant de Noël et dans des nouvelles semblables,
comme de ses décors de tristesse.

Le ton du récit garde d'un bout à l'autre une heureuse monotonie, bien que le récit lui-même soit constamment irrégulier et faible par endroits. Son unité artistique est analogue à celle des rêves. Il se peut qu'un rêve commence par la fin du monde et s'achève par un «five o'clock»; mais, ou bien la fin du monde aura la puérilité du «five o'clock», ou bien celui-ci aura l'horreur du Jugement dernier.

Les incidents varient follement; l'histoire ne change guère. Le *Chant de Noël* est une manière de songe philanthropique, un délicieux cauchemar dans lequel les tableaux se transforment de façon déconcertante et paraissent aussi divers que les gravures d'un album d'images, mais un cauchemar à travers lequel se prolonge un état d'âme unique, une humeur bruyamment bienveillante, à quoi se mêle l'impérieux désir de voir des visages humains. Le début met en scène, par une journée d'hiver, un avare; il n'a pourtant rien de glacial. L'auteur commence par pousser une sorte de joyeux hurlement; il ébranle de coups notre porte, comme un chanteur ivre; son style est jovial et populaire; il compare la neige et la grêle à des philanthropes prodigues et le brouillard à un océan de bière.

Scrooge, pas plus au dernier chapitre qu'au premier, n'est véritablement impitoyable. La vigueur de ses sentiments inhospitaliers est toute proche de l'humour, et par conséquent voisine aussi de l'humanité; il n'est qu'un vieux garçon grincheux, et je le soupçonne fort d'avoir toute sa vie fait en cachette des distributions de dindons. La beauté, la vérité bienfaisante de l'histoire ne résident pas dans le mécanisme de son intrigue, dans le repentir probable ou improbable de Scrooge; elles émanent de ce vaste foyer de joie véritable qui rayonne à travers Scrooge et tout ce qui l'entoure, de ce vaste foyer que fut le cœur de Dickens. Que les visions de Noël aient ou non converti Scrooge, elles nous convertissent nous-mêmes. Qu'elles aient ou non été évoquées par de vrais Esprits du Passé, du Présent et de l'Avenir, peu importe! Elles le furent par cet ordre suprême d'anges qu'on nomme à juste titre les Esprits supérieurs. Elles furent suscitées et inspirées par une faculté que nos artistes contemporains ignorent ou renient presque, mais qui, dans une vie sagement vécue, apparaît aussi normale, aussi facile que le sommeil : à savoir la joie positive, enthousiaste et consciente. Du commencement à la fin, le récit chante, comme chante un homme heureux en rentrant chez lui ; et, pareil à cet homme heureux et bon, quand il ne peut chanter, il crie. À partir de la première apostrophe, il garde l'accent du lyrisme et de l'exclamation. C'est celui proprement d'*Un chant de Noël*.

Comme il a été dit précédemment, Dickens partit pour l'Italie encore environné de ce bienfaisant nuage, méditant toujours sur les mystères de Noël. Parmi les oliviers et les orangers, à Gênes, en 1844, il écrivit son second grand conte de Noël, *Le Carillon*, qui ne diffère du premier qu'en ceci : les pluies grises de l'hiver et du Nord le pénètrent davantage. Ainsi que le *Chant*, *Le Carillon* est un appel à la charité et à la gaieté, mais un appel sévère et belliqueux ; si celui-là est un chant de Noël, celui-ci est un chant de guerre. Dickens s'y précipitait tête baissée, avec une ardeur qui dépassait même son allégresse militante et son ironie coutumières, à l'assaut d'un formalisme, d'un *cant*[1] qui, déclarait-il, lui échauffait la bile. Ce *cant* n'était rien moins que l'attitude

1. Discours hypocrite. [Note de l'éditeur.]

adoptée par les trois quarts du monde politique et économique vis-à-vis de la classe pauvre. C'était un Benthamisme vague et vulgaire, aggravé d'allures joviales empruntées au Torysme. Ce système expliquait aux pauvres leurs devoirs à l'aide d'une froide et grossière philanthropie, insupportable à tout homme libre.

Il employait aussi une façon de brutale plaisanterie, une bruyante belle humeur que Dickens a furieusement caricaturée en esquissant l'Alderman Cute. Il attaqua sans merci toutes les idées de ces sophistes : le pauvre conseil de vivre pauvrement, l'indigne conseil de vivre bassement, par-dessus tout cette idée ridicule que les riches doivent donner leurs avis aux pauvres, mais non les pauvres aux riches. Il existait, il existe encore des centaines de ces tyranneaux bénévoles. Les uns disent que les pauvres devraient renoncer à avoir des enfants, ce qui revient à dire qu'ils devraient abdiquer leur grande vertu, la santé sexuelle. D'autres jugent qu'ils devraient cesser de se «régaler» les uns les autres, ce qui signifie qu'ils feraient bien de réprimer tout ce qui leur reste du beau sentiment de l'hospitalité. Contre toutes ces hérésies, Dickens dans *Le Carillon* a tonné en conscience. On peut remarquer en passant qu'il y a là un exemple nouveau de la confusion, dont nous avons déjà parlé, en vertu de laquelle Dickens croyait exalter le Présent au détriment du Passé, alors qu'en réalité il portait des coups mortels à des sentiments strictement propres au Présent. Dans cette œuvre même se trouve intercalée une conversation passablement inutile entre Trotty Veck et les cloches ; celles-ci y réprimandent celui-là d'avoir cru (pourquoi ? je l'ignore) qu'elles regrettaient le Moyen Âge. Il n'y a aucune raison pour que Trotty Veck ou un autre porte aux nues le Moyen Âge ; mais Trotty est assurément le dernier être au monde à qui l'on puisse demander de glorifier le XIXᵉ siècle, lui dont la vie, tout au long du récit, est empoisonnée par cette philosophie pimpante et mesquine, création exclusive de son temps. Toutefois, je le répète, le plus ardent médiéviste peut absoudre Dickens d'avoir haï les bonnes choses que le Moyen Âge a emportées avec lui, en considération de son amour pour toutes les bonnes choses que le Moyen Âge nous a léguées. Il est indifférent qu'il ait détesté les antiques châteaux féodaux au temps où ils étaient déjà vieux ; il importe beaucoup qu'il ait détesté la nouvelle loi sur le paupérisme à l'époque où elle était encore récente.

La morale de tout ceci joue dans *Le Carillon* un rôle essentiel. Dickens avait pour les pauvres de la sympathie, au sens grec et littéral de ce mot ; il souffrait dans son cœur avec eux ; car ce qui les exaspère l'exaspérait aussi. Ce n'était pas qu'il eût pitié du peuple, qu'il s'en fît le champion, ou même simplement qu'il l'aimât : en cette affaire, il était lui-même le peuple. Seul dans notre littérature, il est la voix, non seulement des couches sociales profondes, mais du subconscient de ces couches. Il donne une voix à la colère secrète des humbles. Il dit ce que les classes ignorantes ne font que penser des classes cultivées, ou même ne font que sentir à leur égard. Et rien ne l'atteste si véritablement issu d'elles que ce fait : il réserve son plus farouche antagonisme à des méthodes que l'on considère comme scientifiques et progressistes. Des athées intransigeants et échauffés se persuadent à force de discours que les classes laborieuses se détournent des églises avec une indignation méprisante. Les églises ne provoquent nullement l'indignation des classes laborieuses. Ce sont en réalité les hôpitaux qui la suscitent. Le peuple ne nourrit aucun scepticisme défini à l'égard des sanctuaires de la théologie ; mais son scepticisme à l'endroit des temples de la science physiologique est impétueux et positif. Les choses que haïssent les pauvres sont choses modernes et rationnelles : c'est l'œuvre des médecins, des inspecteurs, des commissaires de la loi sur les pauvres, c'est la philanthropie professionnelle. Ils n'ont jamais montré aucune répugnance à accepter les secours des monastères corrompus d'antan. Ils préfèrent souvent la mort à la ressource de l'hospice moderne, si bien organisé. De toutes ces colères, justes ou injustes, Dickens est la voix, pleine d'énergie accusatrice. Lorsque, dans *Un chant de Noël*, Scrooge fait allusion à l'excédent de la population, l'Esprit lui dit, avec raison, de se taire jusqu'à ce qu'il sache ce qu'est l'excédent et où il est. Le sous-entendu est sévère, mais juste. Quand un groupe d'économistes dédaigneusement bienveillants interroge l'abîme pour y découvrir l'excédent de la population, il n'est assurément qu'une réponse à leur faire :

« S'il y a un excédent, c'est vous-mêmes qui êtes l'excédent ! »

Et s'il fallait jamais retrancher quelqu'un, ce serait eux. Si les barricades s'élevaient dans nos rues et que les pauvres fussent les maîtres, j'imagine que les prêtres en réchapperaient, et les aristocrates aussi, j'en ai peur ; mais je crois que les ruisseaux déborderaient du sang des philanthropes.

En dernier lieu, Dickens ne faisait qu'un avec les pauvres lorsqu'il s'agissait de cette question primordiale, la question de Noël, c'est-à-dire celle des fêtes spéciales. On ne critique jamais plus vivement les pauvres gens que lorsqu'ils dépensent de grosses sommes à de menues réjouissances ; et, malgré les objections pratiques, leur façon d'agir n'est jamais plus justifiée. On raconte qu'à Boston, un faiseur de paradoxes disait : « Qu'on nous donne le superflu, nous nous passerons du nécessaire. » La race humaine tout entière s'exprime ainsi, depuis le premier sauvage qui s'attifa de plumes au lieu de vêtements, jusqu'au dernier camelot qui préfère un copieux dîner à trois repas ordinaires.

Le troisième des récits de Noël, *Le Grillon du foyer*, bien que fort caractéristique, n'exige pas de long commentaire. Il possède toutes les qualités dont nous avons noté la prépondérance dans le sentiment que Noël inspire à l'auteur. Il a cette chaude intimité, qui dépend de la peinture du confort en opposition avec les circonstances environnantes. Il atteste de la sympathie pour les pauvres et surtout pour les extravagances des pauvres, pour ce que l'on peut appeler leur opulence temporaire. Il révèle le sens du foyer, c'est-à-dire le sentiment que l'âtre est comme le cœur ardent de la chambre. Ce brasier est le vrai feu de l'Angleterre ; il brûle encore malgré la mesquine civilisation qui préconise les poêles. Mais tout ce qui fait la valeur du *Grillon du foyer*, le titre l'exprime peut-être aussi bien que l'histoire. Celle-ci, malgré quelques-unes de ces inimitables trouvailles que Dickens ne manque jamais de faire, a un peu trop de placidité heureuse pour être tout à fait convaincante. *Un chant de Noël* retrace la conversion d'un adversaire de Noël ; *Le Carillon*, c'est le massacre de pareils ennemis.

Au *Grillon du Foyer* manque cette note belliqueuse, et c'est peut-être dommage. Car toute chose a son point faible, et après avoir rendu justice à cette poésie du confort qu'on néglige habituellement, il faut se souvenir que le point faible en est très réel. Son côté défectueux dans l'œuvre de Dickens apparaît à ceci qu'il eut parfois tendance à empiler des coussins autour de ses personnages jusqu'à ce qu'il ne fût plus possible à aucun d'eux de se mouvoir. Il s'appliquait avec tant d'intérêt à établir une ambiance de bonheur statique qu'il en oubliait totalement l'intrigue. Dès le début de ses contes, ses princes commencent à vivre heureux à jamais. Ceci se sent fortement dans *L'Horloge de Maître Humphrey*, et parfois aussi dans ces récits de Noël. Il assure si bien le bonheur de ses héros que ses héros se perdent dans le rêve et le radotage ; et si bien la tranquillité de son lecteur que son lecteur s'endort.

L'histoire notamment du voiturier et de sa femme résonne à nos oreilles comme en un songe ; elle ne peut fixer notre attention, bien que nous ayons conscience qu'une sorte de chaleur en émane, comme d'un grand feu de bois. Nous savons trop bien que tout s'arrangera bientôt pour nous associer aux soupçons du voiturier ou pour trembler quand grommelle ce bourru de Tackleton. La rumeur de la fête de Noël qui termine le récit nous arrive plus affaiblie que jadis les cris joyeux des Cratchit ou le tintement des cloches de Trotty Veck. Toutes les silhouettes débonnaires qui, lorsque Scrooge sortit en grognant du brouillard, en surgirent à sa suite, s'évanouissent de nouveau dans le brouillard.

Alain,

«LES CONTES DE NOËL»

Je suis entré dans les *Christmas* et je n'en puis sortir, attendu que de là je dois découvrir tout Dickens. Dickens s'ordonne naturellement à partir du réel des *Contes*, qui heureusement est assez grand pour contenir la ville et le fleuve, les ponts et les maisons, enfin tout le peuple qui va en sortir. Il me semble que l'imagination de Dickens fonctionne au contact de la perception, et c'est précisément pourquoi il va du fantastique au réel. Une imagination moyenne procède par associations ; une grande, par constructions, c'est-à-dire application aux données d'un plan tyrannique. Il est clair, par les *Contes de Noël*, que l'imagination de Dickens formait naturellement de tels produits, et c'est quand cette puissance se montre qu'il faut la saisir.

Qu'est-ce qu'un *Conte de Noël* ? J'ai sur Noël une idée trop lourde, et que Dickens ne peut porter. Toujours est-il qu'il y a une saison Noël, par la neige et par les lumières. L'homme est alors de Noël (comme il est !) c'est-à-dire perdu dans la nuit et dans le froid. Dans la nuit, les choses ne nous soutiennent pas, on ne peut former que des contes. Première raison

* Alain, *En lisant Dickens*, Paris, Gallimard, coll. «Blanche», 1945, p. 87-95.

d'écrire, et d'écrire des contes. Et tel est le fond d'un *Conte de Noël*. On pourrait avancer avec vraisemblance que c'est le *Conte de Noël* qui a produit tous les romans de Dickens. La préparation en est toujours une sorte de chaos. Quand cela commence on le voit par la neige, par le vent, par une nature informe et faite de brouillard; c'est alors que le monde Dickens se montre. Ce ne sont absolument que *Contes de Noël*! Contes sur contes. Jamais le surnaturel n'y manque, et c'est toujours Noël, le froid, le cimetière. C'est toujours le voyage, la campagne et la ville, c'est toujours un réel né d'un rêve, et continué par le rêve, et multiplié par le voyage. D'où vient que le réel a cet aspect de vision ou de souvenir qui est la couleur Dickens. Le surnaturel a fondu entre la maison et la rue; on le sent plutôt qu'on ne le voit; cela fait une bordure de fantastique qui donne expression aux choses les plus simples. C'est le lecteur, après l'auteur, qui porte le rêve et il le sait.

Le surnaturel de Dickens consiste en l'Esprit, cet être qui emporte l'homme au-dessus du monde. C'est en vérité une magnifique métaphore, car c'est bien l'esprit qui imagine. D'après cela j'ai relu l'histoire de Scrooge, cet avare qui devient par la volonté de l'Esprit le spectateur de la fête humaine et du courage qui s'y fait voir. Cette création s'opère, dans Dickens, par le secours de l'Esprit, symbole sublime, ravivant la fête avec les étincelles de sa torche. Sous ce rapport les formules abondent et sont toutes de grand style. C'est ainsi que l'Esprit fait voir, autour de lui, des enfants très animés. «Qu'est-ce donc», dit Scrooge? L'Esprit répond : «Ce sont les enfants des hommes; dès qu'ils souffrent, ils invoquent l'Esprit.» Et en effet, qui invoqueraient-ils? Me voilà ainsi lancé dans Dickens, et entraîné par l'Esprit créateur,

Veni creator!... Tenons-nous bien, et franchissons les espaces. Car refaire Dickens, c'est la même chose que refaire l'humanité, que faire la paix. Au reste, jamais on n'a vu un romancier montrer ainsi ses ressorts. Mais c'est aussi qu'il a puissance, et qu'il exerce puissance.

Ce génie de *Christmas*, c'est le génie des familles anglaises. On ne demandait à Dickens que des *Contes de Noël*, c'est-à-dire un Esprit pour parcourir la terre et un diable pour dessiner l'Esprit. On sait que *Le Magasin d'antiquités* fut d'abord un *Conte de Noël* de la suite de Master Humphrey, et le seul qui ait réussi. Aussi Dickens n'a pas eu à choisir. Il a tracé son *Conte de Noël*, ce sinistre voyage de l'ange et du vieil homme, véritable purgatoire de la ville à la campagne, de la corruption à la pureté. Il n'y manque point le diable grimaçant, Quilp, le célèbre nain, qui corrompt par la grimace, une des plus fantastiques figures du romancier, exemple d'une fiction qui borne le réel et lui donne contour. Dickens, dont l'imagination est si bien appuyée sur les choses, pense donc à Noël, et il fait aussitôt ce qu'il sait si bien faire ; il crée une atmosphère. Comment ? Simplement en se tenant tout près des perceptions de Noël, les plus vulgaires et les mieux ordonnées, qui sont dindes, puddings et choses de ce genre, si bien rangées dans les étalages. Lui ne se lasse point de décrire des choses si simples et si communes ; il se sert de la qualité, mais encore bien mieux de la quantité. Ce procédé continué finit par évoquer toute la fête, et toutes les âmes et toutes les pensées. Il n'y a pas ici de recherches ; simplement énumération et entassement. C'est le réel qui porte l'imaginaire. Oui ; ces rideaux de lit, et ces anneaux tirés, ce sont des anneaux bien réels ; aussi le spectre est-il effrayant de réalité, par cette main qui tire réellement de réels anneaux. Ainsi est créé un puissant climat qui soulève même Scrooge l'avare. Je vois très bien, ici, comment un artiste trouve des idées.

Même méthode dans un autre conte, *Carillons*. Le son des cloches y est décrit infatigablement. C'est une sorte de musique marquée de nécessité. Tel est le fond du tableau, et peu à peu les discours de Trotty s'élèvent jusqu'aux vagues du son et planent sur les hommes. Voilà par où l'imagination de Dickens attaque le monde et finit par le rompre. Ces fictions sont de prodigieuses perceptions, qui envahissent tout l'être. Ce n'est plus que dindes, puddings et cloches. L'auteur ne se lasse point de son procédé si simple ; il rompt l'univers à coups de perceptions. On peut suivre cette idée et se rappeler que l'univers de Dickens ne prend réalité qu'au conflit avec de gigantesques fictions, comme Quilp, ce monstre, dessine la petite Mme Quilp et sa belle-mère, non sans quelques traits véritables, le bonheur en l'absence de Quilp, le penchant à le considérer comme mort, très tendrement... Ces articulations sont choquantes, mais je veux rendre compte de la puissance de Dickens qui dépasse toute puissance littéraire. Certainement ses énormes caricatures sont ainsi montées. Ce sont des perceptions non atténuées ; et c'est en poussant devant lui des monstres pris dans l'existence, que Dickens fait sonner l'existence et y abrite ses personnages. Il faut savoir et ne pas oublier que le réel des choses humaines n'est qu'une apparence absolument trompeuse ; de là des erreurs fortement établies sur l'homme, la femme et le bonheur. Le génie observateur doit d'abord détruire cette surface, ces reflets trompeurs ; alors paraît la vérité de l'homme ; alors seulement. Dans les *Contes de*

Noël, je vois que Dickens substitue au monde incohérent un monde de visions cohérent et plein. Je dis bien de visions, car ces étalages de nourriture sont des visions, et parfaitement rangées. Et voilà des pensées pour Noël; on n'en conçoit pas d'autres. C'est ainsi que l'imaginaire bien tendu vient toucher le réel et lui donner consistance. Quant aux caractères, cela est moins clair, mais non moins vraisemblable, car il y a une partie cohérente du caractère qui soutient l'homme, et, comme je dirai plus d'une fois, ce sont des caractères jurés. Sans ces fictions, je ne vois pas comment les caractères pourraient tenir. Aussi sont-ils jurés, et cela fait des bonshommes très consistants qu'on est bien aise de reconnaître et de lier à eux-mêmes.

Carillons est là-dessus tout à fait clair; on y est témoin du travail de l'artiste. La volée des cloches ne cesse de porter les fictions, tout à fait fantastiques, qui font le bonheur de Trotty. Ces fictions n'auraient point de lieu sans ces cloches qui effacent le monde et fournissent justement un fond riche pour les fictions. En sorte que Dickens, en ce *Conte de Noël*, écrit une sorte de réflexion sur la fiction. Il faut partir de là pour expliquer ce génie créateur. Jamais vous ne le voyez décrire, mais plutôt il fait naître du chaos tous ses personnages. Ce chaos est la substance de Dickens. Comme Dieu, Dickens a besoin du chaos, et il le fait! Les personnages y étaient; on les découvre. Par exemple, dans *La Petite Dorrit*, il n'y a point de première fois où l'on voit Merdle. Il paraît à nos yeux attentifs; il naît du chaos, il y était caché. De même la ville n'est pas décrite; on y est; elle entoure l'Esprit et Scrooge. Elle se forme autour d'eux. Il n'y a pas une de ces pages qui ne ressemble au demi-rêve d'un malade. Le monde est puéril; il n'arrive pas à être, sinon par l'aveuglante vérité d'un monstre qui est comme le révélateur de ce monde gris et noir.

On ne se tromperait pas beaucoup en considérant un roman de Dickens supposé inconnu, comme un *Conte de Noël* développé. Ce caractère consiste d'abord en ceci que tout commence par une sorte de fumée où se dessinent des formes et des personnages, et où l'on reconnaît bientôt Londres, ses tours et ses ponts, et la prodigieuse foule qui s'y écoule. Le commencement étant tel, tout marche avec l'ensemble et chaque personnage habite un morceau de fumée. C'est ce qu'on voit très bien dans *Barnabé Rudge*, dans *Olivier Twist*, et surtout dans *L'Ami commun* si merveilleusement construit de l'ensemble au détail. Même dans le *Magasin*, comme je l'ai déjà dit, on reconnaît encore la couleur et le dessin des *Contes de Noël*; ce caractère ne suffit pas; il y a aussi la prolifération remarquable des couloirs et des escaliers, toujours peuplés de personnages éternels à leur place. L'imagination de Dickens, en somme, va toujours du chaos à l'existence, comme la création, et c'est pourquoi l'on y est si bien pris; cela ne se discute pas plus que le monde; on le prend comme il est. Il en résulte que le personnage est perdu dans cette immensité, et disposé à se sentir faible et abandonné; tout personnage est enfant dans Dickens; tout personnage a peur de ce qui va surgir à ses côtés. D'où une crédulité intrépide dont le conteur abuse aussitôt. Le monde dit réel est dissous et remplacé par le monde véritable qui est effrayant; je ne vois que les hommes de loi qui s'en arrangent; comme ce notaire de *Bleak House*, qui loue les institutions impossibles par cette belle raison qu'elles ont exercé merveilleusement de bonnes têtes, d'où la grande Angleterre. Et à ce point on commence à

croire que c'est vrai et que les Anglais sont remarquables et invincibles par cette opinion même d'une
Angleterre invincible. Il est clair que la vie en Angleterre repose sur cette admirable confiance, ce qui est
le fond de l'esprit pickwickien et ce qui explique le
prodigieux succès de *Pickwick*, qui est l'Angleterre
même, agissant avec une incroyable légèreté et se
tirant de tous les dangers par une simplicité étonnante.

Tel est, il me semble, le fond des *Contes de Noël* qui
sont absolument anglais et apportent à tout Anglais
la certitude qu'il est bon d'être Anglais. Les romans
ne sont que des variations sur ce thème, que la fête
Christmas rappelle et ravive ; et tout le mérite d'un
Christmas est de varier sur ce thème sans le changer.
En somme il est né quelque chose de national, pour
l'ébahissement des peuplades sauvages, qui se colo-
nisent instantanément. Il serait injuste de ne pas
citer ici le monde Fielding, qui est bien anglais de
cette même flegmatique façon. L'esprit va de soi,
quand on occupe cette position insulaire ou supérieure. Voltaire a eu cet esprit parce qu'il s'était ainsi
isolé, refusant les superstitions des peuplades sauvages. Le XVIIIe français découvrit ainsi l'Angleterre,
et fit alors sa Révolution, exécrable à tout Anglais,
attendu qu'on est sans excuse de se révolter contre
un ordre qui ne tient que par un refus de révolte et
une reconnaissance de l'Esprit comme puissance.
Nous revenons à l'Esprit de Scrooge qui est l'Esprit
même de Noël. Ne demandez pas à un Anglais pourquoi il faut fêter Noël, car il vous colonisera aussitôt.
Quelquefois j'ai vu que les contes et romans de
Dickens tous ensemble sauvaient l'humanité et, sur
le point des plus grands malheurs, fondaient l'immobilité, principe de tous les sports et de tous les

records ; pour bien conduire, soyez immobile ; pour bien boxer de même et attendez si longtemps que l'autre se voie à jamais vaincu. (Cf. la bataille de Jutland.) Faites-vous donc Anglais si vous ne l'êtes. Et commencez par lire Dickens, qui vous enseignera le secret de l'anglais tel qu'on le parle, chose qui n'est pas dans les grammaires.

Pierre Leyris,
CONTES DE NOËL

Les contes qui terminent ce volume s'échelonnent de 1843 à 1848. Ils appartiennent donc à un Dickens encore jeune, mais qui, depuis *Nickleby*, a donné à ses impatients lecteurs *Le Magasin d'antiquités* et *Barnaby Rudge*. Pour achever de les relier à la chronologie des romans, précisons que le premier, *Un chant de Noël*, fut écrit entre deux livraisons de *Martin Chuzzlewit*, le quatrième, *La Bataille de la vie*, en marge de *Dombey et Fils*, et le dernier, *L'Homme hanté*, comme Dickens commençait à caresser le projet de *David Copperfield*.

Nous retrouvons en eux les contes que nous lisions dans notre enfance, habillés de rouge par Hachette, sous le titre de *Contes de Noël*; mais ils ont été réunis outre-Manche sous le titre de *Livres de Noël*, pour éviter toute confusion avec les contes plus tardifs, beaucoup moins connus chez nous, groupés quant à eux sous le titre d'*Histoires de Noël* (et qui interviendront ultérieurement dans notre édition[1]).

* Extrait de l'Introduction de Pierre Leyris à son édition de Dickens, *La Vie et les Aventures de Nicolas Nickleby. Livres de Noël*, Paris, Gallimard, coll. « Bibliothèque de la Pléiade », 1966.

1. *La Maison d'Âpre-Vent. Récits pour Noël et autres*, édition sous la direction de Sylvère Monod, Paris, Gallimard, coll. « Bibliothèque de la Pléiade », 1979. [Note de l'éditeur.]

Car il ne se passa guère de Noël que Dickens, tout du long de sa carrière, ne voulût marquer d'un conte. Sans doute peut-on reconnaître là le désir jaloux qu'il eut toujours d'être à l'unisson de son immense public populaire, mais on aurait tort de croire qu'il n'était mû que par un froid calcul. Il n'y eut jamais rien de froid chez Dickens. Et il est hors de doute que Noël avait pour lui une résonance profonde. Lorsque son plus jeune fils émigra en Australie, il lui écrivit : « J'ai mis un Nouveau Testament parmi tes livres pour la même raison et avec la même espérance qui me firent en écrire un récit familier pour vous tous quand tu étais tout petit. Parce que c'est le meilleur livre qui fut ou sera jamais connu des hommes. » Et plus significativement encore, la veille même de sa mort, à quelqu'un qui l'avait accusé d'irrespect religieux : « Je me suis toujours efforcé dans mes écrits d'exprimer de la vénération pour la vie et les leçons de Notre Sauveur, parce que tel est mon sentiment et parce que j'ai moi-même récrit le récit de cette vie pour mes enfants — qui déjà le connaissaient tous pour l'avoir souvent entendu raconter — longtemps avant qu'ils pussent lire, et presque aussitôt qu'ils purent parler. Mais je n'ai jamais crié cela sur les toits. » Je tire ces professions de foi si nettes de l'avant-propos au petit livre, alors privé, auquel Dickens fait allusion, *La Vie de Notre-Seigneur Jésus-Christ*. Il m'a semblé opportun de le relire en même temps que les *Contes*, et j'y ai retrouvé une paraphrase très attentive et très respectueuse de l'Évangile.

Il ne faut pas demander à Dickens beaucoup de théologie. Ni beaucoup de sens ecclésial. Je ne suis pas sûr qu'il se souciait des trente-sept articles de l'Église d'Angleterre. Nous savons qu'il détestait

cordialement les Puritains d'une part et les Papistes
de l'autre. Quant au contenu de sa foi intime, tout ce
que l'on en peut dire, c'est qu'il paraît s'être rappro-
ché, au moins pour un temps, du credo (oserai-je
dire : quasi déiste?) des Unitariens. La meilleure
formule dans laquelle on puisse embrasser son œuvre
sans négliger ses références ou ses prolongements
religieux ni les circonscrire trop étroitement, c'est
celle dont usa l'évêque qui prit la parole à son enterrement. Il l'a appelée, cette œuvre, « un Évangile de
la sympathie ». Voilà qui certes débouche de plain-
pied dans la liesse communautaire de Noël.

Il paraît bien inutile de tirer la morale de contes
qui constituent d'aussi patentes leçons de charité.
Non sans rester des contes. Ils sont d'un bonheur
inégal? C'est vrai; car s'ils portent tous la trace de
son génie et s'ils offrent tous des passages délec-
tables, c'est armé du temps et de l'espace du roman
que Dickens déploie à coup sûr ses prestiges. Cependant, deux fois au moins dans sa vie, il a écrit un
chef-d'œuvre du conte. Ici, d'emblée, avec *Un chant
de Noël*; beaucoup plus tard, avec l'histoire centrale
de *L'Embranchement de Mugby*. Encore cette dernière pourrait-elle être qualifiée de nouvelle; au lieu
qu'*Un chant de Noël* respecte de façon si exemplaire
les lois du genre et en retrouve de telle sorte les
vertus qu'il resplendit dans l'*Ursa Major* des contes
de l'Occident. Conte imprégné des brouillards indus-
triels et victoriens de Londres, mais universel sché-
matique, mais grouillant d'humanité; simpliste, mais
magique. Et je ne vois pas qu'on y puisse échapper.

DOSSIER

CHRONOLOGIE

1812

Naissance de Charles Dickens le 7 février à Landport, près de Portsmouth.

Byron, *Childe Harold*, I et II.

1813

La famille Dickens déménage à Southsea.

Jane Austen, *Orgueil et préjugés*.
Shelley, *La Reine Mab*.

1815

En janvier 1815, John Dickens est muté à l'Amirauté, à Londres, où sa famille le suit.

Bataille de Waterloo.
Vote de la loi sur les céréales.

1817

John Dickens est muté à Chatham (Kent), où sa famille le suit.

Byron, *Manfred*.
Coleridge, *Biographia Literaria*.
Keats, *Poèmes*.
Walter Scott, *Rob Roy*.
Fondation du *Blackwood's Magazine*.

1821

Dickens s'inscrit à l'école de William Giles à Chatham. Il écrit une tragédie, *Misnar, the Sultan of India*[1].

De Quincey, *Confessions d'un mangeur d'opium*.
Walter Scott, *Kenilworth*.
Shelley, *Adonais*.

---

1. Les titres cités uniquement en anglais ne sont pas disponibles en traduction française.

1822

John Dickens est rappelé
à Londres et la famille
s'installe dans le faubourg
de Camden Town. La sco-
larité de Dickens est interrompue.

1823

Émeutes paysannes.
Walter Scott, *Quentin
Durward*.
Charles Lamb, *Essais
d'Elia*.

La famille Dickens s'ins-
talle à Gower Street
North. Mrs Dickens essaie
sans succès d'ouvrir une
école.

1824

Walter S. Landor, *Conversations imaginaires*.
James Hogg, *Les Mé-
moires intimes et confes-
sions d'un pécheur justifié*.
Début de la *Westminster
Review*.

En janvier, Dickens est
envoyé travailler dans la
fabrique de cirage War-
ren. John Dickens est em-
prisonné pour dettes en
février à la prison de Mar-
shalsea. Sa femme et ses
plus jeunes enfants l'y rejoignent. Charles Dickens
loge chez des amis de la
famille à Camden Town,
puis à Southwark. John
Dickens est libéré en mai.
La famille s'installe à So-
mers Town.

1825

En mars 1825, John
Dickens prend sa retraite
de la Marine. En avril,
Charles Dickens est retiré
de la fabrique de cirage et
envoyé à Wellington House
Academy, à Hampstead. Il
y obtient le prix de latin et
participe à la troupe de
théâtre.

1826

John Dickens trouve un emploi comme correspondant parlementaire pour le *British Press*.

Fondation de la Royal Zoological Society.
Benjamin Disraeli, *Vivian Grey*.

1827

La famille Dickens est expulsée pour non-paiement des impôts locaux. Dickens est retiré de l'école et devient clerc dans le cabinet d'avocats Ellis et Blackmore.

Fondation de l'Université de Londres.
Premier guide de voyage Baedeker.

1828

John Dickens travaille comme reporter pour le *Morning Herald*.

E. Bulwer-Lytton, *Pelham*.

1829

La famille s'installe dans Norfolk Street. Dickens apprend la sténographie et travaille comme rapporteur parlementaire indépendant pour la société d'avocats de Doctors' Commons.

Début de la Police métropolitaine à Londres.
Loi sur l'émancipation des catholiques.

1830

Dickens prend une carte de lecteur au British Museum. Il fait la connaissance de Maria Beadnell.

Mort de George IV. Début du règne de Guillaume IV.
Ouverture de la ligne de chemin de fer entre Manchester et Liverpool.
Sir Charles Lyell, *Principes de géologie*.
Alfred Tennyson, *Poèmes*.

1831

Il commence à travailler comme correspondant parlementaire pour le *Mirror of Parliament*.

Épidémie de choléra à Londres.

1832

Il est correspondant par-
lementaire pour le *True
Sun*. Début de son atta-
chement amoureux pour
Maria Beadnell. Il obtient
une audition au Covent
Garden Theatre, mais ne
peut s'y rendre pour cause
de maladie.

Première loi de réforme.
Tennyson, *Poèmes*.
Bulwer-Lytton, *Eugene
Aram*.

1833

Il met en scène des pièces
de théâtre dans la maison
de ses parents à Bentinck
Street. Il met fin à sa relation avec Maria Beadnell.
Sa première nouvelle, «A
Dinner at Poplar Walk»,
est publiée dans le
Monthly Magazine. La
nouvelle sera ensuite inti-
tulée «Mr Minns and His
Cousin» («Mr Minns et
son cousin»).

Le premier navire à va-
peur franchit l'Atlantique.
Abolition de l'esclavage
dans l'empire britannique.
Loi interdisant l'emploi
d'enfants de moins de
neuf ans.
Début du Mouvement
d'Oxford.
Thomas Carlyle, *Sartor
Resartus*.

1834

Il devient reporter au
Morning Chronicle. Il
rencontre Catherine Ho-
garth. Il prend une
chambre à Holborn. Son
père est à nouveau arrêté
pour dettes. Six nouvelles
sont publiées dans le
Monthly Magazine. Cinq
«Street Sketches» sont
publiés dans le *Morning
Chronicle*.

Loi sur les pauvres.
Bulwer-Lytton, *Les Der-
niers Jours de Pompei*.

1835

Il se fiance à Catherine Hogarth. Deux nouvelles sont publiées dans le *Monthly Magazine*. Vingt «Sketches of London» paraissent dans l'*Evening Chronicle* et dix «Scenes and Characters» dans *Bell's Life in London*.

Loi de réforme sur le gouvernement local.
Robert Browning, *Paracelsus*.
A. de Tocqueville, *La Démocratie en Amérique*.
Ouverture du musée de figures de cire Madame Tussaud's à Londres.

1836

Il s'installe dans un logement plus grand. Il épouse Catherine Hogarth à Chelsea. Ils passent leur lune de miel à Chalk, dans le Kent. Il quitte le *Morning Chronicle* et prend la direction du magazine *Bentley's Miscellany*. Première rencontre en décembre avec John Forster, qui devient son conseiller littéraire et sera son biographe. Il publie deux «Scenes and Characters» dans *Bell's Life*, quatre «Sketches by Boz» dans le *Morning Chronicle*. En février, publication de *Sketches by Boz, First Series* (*Esquisses de Boz*). Il commence la publication de vingt épisodes mensuels des *Pickwick Papers* (*Les Aventures de M. Pickwick*). Deux pièces de lui sont montées au St James's Theatre : une farce, *The Strange Gentleman*, puis une opérette pastorale, *The Village Coquette*. En

Début du mouvement chartiste.
Premier train de Londres à Greenwich.
Début du télégraphe.
Pugin prône le retour à l'architecture gothique.
Frederick Marryat, *Mr Midshipman Easy*.

décembre, publication de *Sketches by Boz, Second Series* (*Esquisses de Boz*). Début de sa collaboration avec l'illustrateur Hablot Knight Browne (« Phiz »).

1837

Naissance de son premier enfant, Charles. Sa pièce *Is She His Wife?* est montée au St James's Theatre. La famille déménage Doughty Street. Il est élu au Garrick Club. Mort de sa belle-sœur Mary Hogarth à 17 ans. Première visite en Europe en juillet : France et Belgique. Premières vacances familiales à Broadstairs.

Mort de Guillaume IV. Début du règne de la reine Victoria.
Carlyle, *La Révolution française*.
Isaac Pitman, *La Sténographie*.

1838

Il visite des écoles dans le Yorkshire avec Hablot Browne pour rassembler du matériau en vue de *Nicholas Nickleby*. Naissance de son second enfant, Mary (Mamie). Il est élu à l'Athenaeum Club. Publication de *Sketches of Young Gentlemen* et de l'autobiographie *Memoirs of Joseph Grimaldi* (Mémoires du clown Joseph Grimaldi). Il commence la publication de vingt épisodes mensuels de *Nicholas Nickleby* (*La Vie et les aventures de Nicolas Nickleby*). Publication d'*Oliver Twist* (*Les Aventures d'Oliver Twist*) en trois volumes.

Début de la première guerre d'Afghanistan.
Début d'une ligne régulière de navires à vapeur entre l'Angleterre et les États-Unis.
Ouverture d'une ligne de chemin de fer entre Londres et Birmingham.
Fondation à Manchester de la Ligue contre la loi sur les céréales.
Les Chartistes demandent le suffrage universel.
John Ruskin, *La Poésie de l'architecture*.
William Wordsworth, *Sonnets*.

1839

Il abandonne la direction de *Bentley's Miscellany*. Long conflit avec Bentley au sujet d'un livre qui deviendra *Barnabé Rudge*. Naissance de son troisième enfant, Kate. La famille va habiter Devonshire Terrace, près de Regent's Park.

Première guerre de l'opium entre la Grande-Bretagne et la Chine. Émeutes chartistes. Débuts de la photographie. Carlyle, *Le Chartisme*. W. H. Ainsworth, *Jack Sheppard*. Charles Darwin, *Journal d'un naturaliste autour du monde*.

1840

Publication de *Sketches of Young Couples*. Premier numéro de l'hebdomadaire *Master Humphrey's Clock*. Publication de *The Old Curiosity shop* (*Le Magasin d'antiquités*) en quarante épisodes hebdomadaires dans *Master Humphrey's Clock*.

La reine Victoria épouse le prince Albert. Introduction du timbre-poste. Browning, *Sordello*. Ainsworth, *La Tour de Londres*.

1841

Naissance de son quatrième enfant, Walter. Il doit subir une opération pour une fistule. Il refuse d'être candidat pour le parti libéral à Reading. Un dîner public est organisé en son honneur à Édimbourg. Publication de *Barnaby Rudge* (*Barnabé Rudge*) en quarante-deux épisodes hebdomadaires dans *Master Humphrey's Clock*. Publication de *The Old Curiosity Shop* et *Barnaby Rudge* en volumes. Théâtre : *The Lamplighter*.

Fondation de *Punch*. Premier *Guide de Chemin de fer* de Bradshaw. Début de la compagnie de voyages Thomas Cook. Ainsworth, *Old St Paul's*. Carlyle, *Sur les héros, le culte des héros et l'héroïque dans l'histoire*. R. W. Emerson, *Essais*.

1842

Voyage aux États-Unis avec son épouse. Il visite des prisons à New York, Philadelphie, Pittsburgh. Il rencontre Longfellow et Washington Irving. Il visite la Cornouailles avec Forster. Georgina Hogarth, sa belle-sœur, s'installe avec la famille de Dickens. Il commence un partenariat philanthropique avec la riche héritière Angela Burdett-Coutts. Publication des *American Notes* en octobre. Début de la publication de *Martin Chuzzlewit* (*Vie et aventures de Martin Chuzzlewit*) en vingt épisodes mensuels.

Fin des guerres avec la Chine et l'Afghanistan.
Loi interdisant le travail dans les mines des femmes et des enfants de moins de dix ans.
Rapport de Chadwick sur les conditions sanitaires de la classe ouvrière.
Émeutes chartistes.
Loi sur le copyright.
Tennyson, *Poèmes*.

1843

Il préside à l'inauguration de l'Athenaeum Club de Manchester. Publication à Noël de **A Christmas Carol** (**Un chant à Noël**), premier des *Contes de Noël*, qui se vend très bien mais ne lui rapporte pas grand-chose à cause d'une fabrication trop couteuse.

Lancement du premier navire à hélice transocéanique.
Premières cartes de Noël imprimées.
Wordsworth devient poète officiel de la reine (Poet Laureate).
Carlyle, *Passé et Présent*.
Macaulay, *Essais*.
J. Stuart Mill, *Système de Logique*.
Ruskin, *Peintres modernes*, I.

1844

Naissance de son cinquième enfant, Francis. Il rompt avec les éditeurs Chapman et Hall et passe chez Bradbury et Evans. Voyage à Gênes en juillet. Il va à Londres lire *The Chimes* (*Le Carillon*) à des amis. Publication de *Martin Chuzzlewit* en volume. **Publication à Noël du Carillon, le deuxième des Contes de Noël**.

Loi restreignant les heures de travail en usine pour les femmes et les enfants. Première société coopérative.
Disraeli, *Coningsby*.
W. M. Thackeray, *Barry Lyndon*.

1845

Voyage à Rome, Naples et Gênes avec son épouse. Il met en scène *Every Man in His Humour* (*Chacun dans son caractère*) de Jonson pour une troupe de théâtre amateur et y tient un rôle. Naissance de son sixième enfant, Alfred. **Publication à Noël de *The Cricket of the Hearth* (*Le Grillon du foyer*), son troisième des Contes de Noël**. Il commence la rédaction de l'«Autobiographical Fragment», qui ne sera publié que dans la biographie de Dickens par Forster en 1872-1874.

Début de la famine en Irlande.
Disraeli, *Sybil, ou les deux Nations*.
Engels, *La Condition de la classe ouvrière en Angleterre*.
Edgar Allan Poe, *Histoires extraordinaires*.
Construction du British Museum.
Edward Lear, *Le Livre du non-sens*.

1846

Voyage à Lausanne de juin à novembre, puis à Paris, où il rencontre Lamartine, Théophile Gautier, Alexandre Dumas, Victor Hugo. Publication de *Pictures from Italy*

Abrogation des lois sur les céréales.
Poèmes des sœurs Brontë.

(*Images d'Italie*). Il commence la publication de *Dombey and Son* (*Dombey et Fils*) en vingt épisodes mensuels. **Publication à Noël de *The Battle of Life* (*La Bataille de la vie*), son quatrième des *Contes de Noël*.** Il écrit *The Life of Our Lord* (*La Vie de Notre-Seigneur Jésus-Christ*) pour ses enfants.

1847

Il rentre de Paris en février. Naissance de son septième enfant, Sydney. Il loue une maison à Shepherd's Bush pour le «Foyer des Femmes sans logis» (Urania Cottage) de Miss Burdett-Coutts et publie *An Appeal to Fallen Women*. Il joue avec une troupe d'amateurs, les Amateur Players, à Manchester et Liverpool. Début de la publication en volumes mensuels de la Cheap Edition, la première édition bon marché des œuvres de Dickens.

Loi limitant la journée de travail en usine à dix heures pour les femmes et les enfants.
Anne Brontë, *Agnes Grey*.
Charlotte Brontë, *Jane Eyre*.
Emily Brontë, *Les Hauts de Hurlevent*.
Disraeli, *Tancrède*.
Tennyson, *La Princesse*.

1848

Il fait des mises en scène et tient des rôles pour les Amateur Players à Londres et en province. Il organise une représentation des *Merry Wives of Windsor* (*Les Joyeuses Commères de Windsor*) pour lever des fonds afin de

Épidémie de choléra à Londres.
Loi sur la santé publique.
Fin du mouvement chartiste.
Fondation de la Confrérie préraphaélite.
Elizabeth Gaskell, *Mary Barton*.

sauvegarder le lieu de naissance de Shakespeare. Mort de sa sœur bien-aimée Fanny. Publication de *Dombey and Son* (*Dombey et fils*) en volume. **Publication à Noël de *The Haunted Man* (*L'Homme hanté*), le dernier des *Contes de Noël*.**

Naissance de son huitième enfant, Henry. Il commence la publication de *David Copperfield* en vingt épisodes mensuels. Il passe l'été dans l'île de Wight avec sa famille.

Naissance de son neuvième enfant, Dora. Il fonde avec Bulwer-Lytton la Guilde de la littérature et des arts pour aider les écrivains et artistes nécessiteux. Il fait un discours lors de la première assemblée de la Metropolitan Sanitary Association. Début de la publication du magazine hebdomadaire *Household Words*, dont il est le rédacteur en chef. Publication de *David Copperfield* en volume.

Son épouse Catherine souffre d'une dépression nerveuse et est soignée à Malvern, où Dickens lui

Marx et Engels, *Manifeste du parti communiste*.
J. Stuart Mill, *Principes d'économie politique*.
Thackeray, *La Foire aux vanités*.
Macaulay, *Histoire de l'Angleterre*, I-II.

1849

Ruée vers l'or en Californie.
Charlotte Brontë, *Shirley*.
Charles Kingsley, *Alton Locke*.
Sir John Herschel, *Éléments d'astronomie*.

1850

Loi limitant à soixante heures par semaine le travail en usine pour les femmes et les enfants.
Loi sur les bibliothèques publiques.
Pose d'un câble télégraphique entre Douvres et Calais.
Tennyson devient Poet Laureate.
Tennyson, *In Memoriam*.
Thackeray, *L'Histoire de Pendennis*.
Wordsworth, *Le Prélude* (posthume).

1851

Exposition universelle au Crystal Palace à Londres. Découverte d'or en Australie.

rend visite. Mort de son père et de sa fille Dora. Il met en scène *Not So Bad as We Seem* de Bulwer-Lytton pour aider financièrement la Guilde de la littérature et des arts et y joue un rôle en présence de la reine. Dernières vacances à Broadstairs. La famille s'installe à Tavistock Square, Bloomsbury. Il commence la publication en épisodes de *A Child's History of England* dans *Household Words*.

George Meredith, *Poèmes*.
Ruskin, *Le Roi de la rivière d'or*.
Ruskin, *Les Pierres de Venise*, I.

1852

Naissance de son dixième enfant, Edward. Il va en tournée dans le nord de l'Angleterre pour jouer *Not So Bad as We Seem*. Il commence la publication de *Bleak House* (*La Maison d'Âpre-Vent*) en vingt épisodes mensuels. Premières vacances à Boulogne. **Publication en un volume des *Contes de Noël*.**

Livingstone commence sa traversée de l'Afrique.
Ouverture du Victoria and Albert Museum à Kensington.
P. M. Roget, *Roget's Thesaurus*.
Thackeray, *L'Histoire de Henry Esmond*.

1853

Vacances d'été à Boulogne. Il visite la Suisse avec Wilkie Collins et le peintre Augustus Egg. Première lecture publique — d'*Un chant de Noël* — à Birmingham. Publication de *La Maison d'Âpre-Vent* en volume. Fin de *A Child's History of England* dans *Household Words*. Lectures publiques d'*Un Chant de Noël* et du *Grillon du foyer* à Birmingham.

Matthew Arnold, *Poèmes*.
Charlotte Brontë, *Villette*.
Elizabeth Gaskell, *Cranford*.

1854

Été à Boulogne. Il va à Preston, dans le Lancashire, pour s'informer sur une grève d'ouvriers et sur l'état de l'Angleterre industrielle. Publication de *Hard Times* (*Les Temps difficiles*) dans *Household Words*. Lectures publiques d'*Un chant de Noël* à Reading, Sherborne et Bradford.

Réforme de l'administration publique.
Début de la guerre de Crimée.
Tennyson, « La Charge de la brigade légère ».
C. K. D. Patmore, *L'Ange dans la maison*.

1855

Il rencontre à nouveau Maria Beadnell dont il tourne aussitôt en dérision les minauderies dans *La Petite Dorrit*, devenue Mrs Winter. Il met en scène *The Lighthouse* de Wilkie Collins à Tavistock House et y joue un rôle. Lectures publiques d'*Un chant de Noël* à Peterborough et Sheffield. Il rejoint l'Association pour la réforme administrative. Il commence la publication de *Little Dorrit* (*La Petite Dorrit*) en vingt épisodes mensuels. À partir d'octobre, la famille réside à Paris, où Dickens rencontre des écrivains, des éditeurs et des artistes.

Fondation du *Daily Telegraph*, premier journal à un penny.
Chute de Sébastopol.
Découverte des lois de l'hérédité par G. J. Mendel.
Robert Browning, *Hommes et femmes*.
Elizabeth Gaskell, *Nord et Sud*.
Tennyson, *Maud*.

1856

En mars 1856, il achète Gad's Hill Place, près de Rochester, dans le Kent. En avril, la famille Dickens revient en Angleterre. Été à Boulogne.

Fin de la guerre de Crimée.
Fondation de la National Gallery à Londres.

1857

La discorde s'installe dans le couple Dickens. Il met en scène *The Frozen Deep* de Wilkie Collins et y joue un rôle. Hans Christian Andersen lui rend visite pendant cinq semaines. Dickens s'éprend de la comédienne Ellen Ternan, qui joue dans *The Frozen Deep* à Manchester. Vacances dans le Cumberland avec Wilkie Collins pour rassembler du matériau en vue de *The Lazy Tour of Two Idle Apprentices*, qui est ensuite publié dans *Household Words*. Publication de *Little Dorrit* en volume.

Premiers tribunaux sur le divorce.
Matthew Arnold devient professeur de poésie à Oxford.
Début de la révolte des Cipayes en Inde.
Elizabeth Barrett Browning, *Aurora Leigh*.
Elizabeth Gaskell, *Vie de Charlotte Brontë*.
Richard Hughes, *Les Années d'école de Tom Brown*.
A. Trollope, *Les Tours de Barchester*.

1858

Lectures publiques à Londres d'avril à juillet. Dickens et son épouse Catherine se séparent. Il publie une déclaration concernant sa situation familiale dans le *Times* et *Household Words*. Il se sépare de ses éditeurs Bradbury et Evans. Première tournée de lectures publiques en province, ainsi qu'en Irlande et en Écosse. Publication de *Reprinted Pieces* (*Morceaux republiés*).

La révolte des Cipayes est réprimée. La reine Victoria est proclamée impératrice des Indes.
R. M. Ballantyne, *L'Île de corail*.
George Eliot, *Scènes de la vie du clergé*.
Carlyle, *Frédéric le Grand*.

Chronologie

1859

Deuxième tournée de lectures publiques en province. Le 30 avril, premier numéro du nouvel hebdomadaire dirigé par Dickens, *All the Year Round*, qui contient le premier épisode de *A Tale of Two Cities* (*Un conte de deux villes*). Dernier numéro de *Household Words* en mai. Tournée de lectures publiques en province. Publication de la nouvelle «Hunted Down» («Pourchassé») dans le *New York Ledger*.

Darwin, *De l'origine des espèces*.
George Eliot, *Adam Bede*.
George Meredith, *L'Épreuve de Richard Feverel*.
Edward Fitzgerald, *Les Roubaiyates d'Omar Khayyam*.
J. Stuart Mill, *Sur la liberté*.
Samuel Smiles, *Self-Help*.
Tennyson, *Les Idylles du roi*.

1860

Il brûle symboliquement toutes les lettres et tous les papiers inutiles venant de Tavistock House. Il vend sa maison de Londres et va s'installer avec sa famille à Gad's Hill, où c'est sa belle-sœur Georgina Hogarth qui tient la maison. Début de la série *The Uncommercial Traveller* (*Le Voyageur sans commerce*) dans *All the Year Round*. Premier épisode de *Great Expectations* (*Les Grandes Espérances*) dans *All the Year Round*.

Wilkie Collins, *La Femme en blanc*.
George Eliot, *Le Moulin sur la Floss*.

1861

Lectures publiques à Londres. Troisième tournée de lectures publiques en province. Mariage de son fils Charles. Publication de *Great Expectations* (*Les Grandes Espérances*) en deux volumes.

Début des tramways tirés par des chevaux à Londres.
George Eliot, *Silas Marner*.
F. T. Palgrave, *The Golden Treasury*.
Mrs Henry Wood, *East Lynne*.

1862

Lectures publiques à Londres. Il passe l'hiver à Paris avec Georgina Hogarth et sa fille Mamie. Il refuse à regret l'offre d'une tournée de lectures publiques en Australie.

Famine chez les ouvriers du Lancashire.
Mary Braddon, *Le Secret de lady Audley*.
Christina Rossetti, *Le Marché des lutins*.
Herbert Spencer, *Premiers principes*.

1863

Lectures publiques à l'ambassade de Grande-Bretagne à Paris pour des œuvres de charité. Lectures publiques à Londres. Mort de sa mère, et de son fils Walter en Inde à l'âge de 22 ans.

Début des travaux du métro de Londres.
George Eliot, *Romola*.
J. Stuart Mill, *L'Utilitarisme*.

1864

Il écrit la notice nécrologique de Thackeray dans le *Cornhill Magazine*. Début de la publication de *Our Mutual Friend* (*L'Ami commun*) en vingt épisodes mensuels chez Chapman et Hall. Passe une partie de l'été en France.

Fondation de la Croix-Rouge internationale
Sheridan Le Fanu, *L'Oncle Silas*.
John Henry Newman, *Apologia pro Vita Sua*.

1865

Sa santé se détériore et il souffre d'un début de thrombose. Dickens et Ellen Ternan sont victimes d'un sérieux accident de train à Staplehurst, dans le Kent, alors qu'ils rentrent de France. *Our Mutual Friend* (*L'Ami commun*) est publié en volume. Seconde série des récits de *The Uncommercial Traveller* (*Le Voyageur sans commerce*).

Premières Missions chrétiennes dans Whitechapel, qui deviendront l'Armée du Salut.
Pose du premier câble transatlantique.
Lewis Carroll, *Alice au pays des merveilles*.
Fondation de la *Fortnightly Review* et de la *Pall Mall Gazette*.

1866

Malgré sa fatigue, il fait une tournée de lectures publiques à Londres et en province. Publication de « Mugby Junction » (*L'Embranchement de Mugby*) dans *All the Year Round*.

Elizabeth Garrett ouvre un dispensaire pour les femmes.
Le Dr T. J. Barnardo ouvre un foyer pour les enfants indigents dans l'East End à Londres.
George Eliot, *Felix Holt, le radical*.
Elizabeth Gaskell, *Épouses et filles*.
A. C. Swinburne, *Poèmes et ballades*, I.

1867

Publication des premiers volumes de la Charles Dickens Edition, qui réunit ses œuvres. Tournée de lectures publiques en Angleterre et en Irlande. Contre l'avis de ses médecins, il commence une série de lectures publiques aux États-Unis : Boston, New York, Philadelphie, Washington, Baltimore.

Deuxième loi sur la réforme.
Loi sur le travail en usine.
Soulèvement fénian en Irlande.
Début de la construction du Royal Albert Hall.
Matthew Arnold, *Nouveaux poèmes*.
Walter Bagehot, *La Constitution anglaise*.
Karl Marx, *Le Capital*, I.

Publication dans *All the Year Round* de *No Thoroughfare* (*Voie sans issue*), écrit en collaboration avec Wilkie Collins.

Trollope, *La Dernière Chronique de Barser*.

1868

Retour de New York en avril. Malgré l'épuisement du voyage, il donne une série de lectures publiques d'adieu. De janvier à mars, publication de « George Silverman's Explanation » (« L'explication de George Siverman ») dans l'*Atlantic Monthly* et de « A Holiday Romance » (« Une romance de vacances ») dans *Our Young Folks*. Sa santé se détériore.

Fondation du Congrès des syndicats.
Wilkie Collins, *La Pierre de lune*.

1869

Il continue sa tournée de lectures publiques d'*Oliver Twist* contre l'avis de ses médecins, mais elle est interrompue par la maladie. En fin d'année, il commence *The Mystery of Edwin Drood* (*Le Mystère d'Edwin Drood*).

Fondation de Girton College pour les jeunes filles à Cambridge.
Abolition de l'emprisonnement pour dettes.
Ouverture du canal de Suez.
Matthew Arnold, *Culture et anarchie*.
Robert Browning, *L'Anneau et le Livre*.

1870

Douze lectures publiques d'adieu à Londres. Publication des six premiers épisodes de *The Mystery of Edwin Drood* (*Le Mystère d'Edwin Drood*). En mars, il donne sa dernière lecture publique d'*Un chant*

Loi agraire en Irlande.
Loi sur les femmes mariées, leur donnant droit de disposer de l'argent qu'elles gagnent.
Loi sur l'instruction élémentaire en Angleterre et au pays de Galles.

de Noël. Il est reçu par la reine Victoria. Il meurt d'une hémorragie cérébrale à Gad's Hill le 9 juin, à l'âge de 58 ans. Il est enterré dans l'abbaye de Westminster. Publication posthume du volume inachevé de *The Mystery of Edwin Drood* (*Le Mystère d'Edwin Drood*) en août.

Dante Gabriel Rossetti, *Poèmes*.
Herbert Spencer, *Principes de psychologie*.

1871-1874

Forster publie *The Life of Charles Dickens* (*La Vie de Charles Dickens*).

ANDRÉ TOPIA

BIBLIOGRAPHIE

PREMIÈRES ÉDITIONS DES *CONTES DE NOËL*[1]

Éditions séparées

Christmas Carol (*Un chant de Noël*), Londres, Chapman & Hall, 1843.
The Chimes (*Le Carillon*), Londres, Bradbury & Evans, 1844.
The Cricket of the Hearth (*Le Grillon du foyer*), Londres, Bradbury & Evans, 1845.
The Battle of Life (*La Bataille de la vie*), Londres, Bradbury & Evans, 1846.
The Haunted Man (*L'Homme hanté*), Londres, Bradbury & Evans, 1848.

Édition en un volume

Christmas Books (*Contes de Noël*), Londres, Chapman & Hall, 1852.

PRINCIPALES ŒUVRES DE DICKENS

En anglais

Sketches by Boz (*Esquisses de Boz*), 1836.

---

1. Les principales œuvres, les ouvrages biographiques et les ouvrages de référence sont classés par ordre chronologique. Les ouvrages critiques sont classés par ordre alphabétique.

Memoirs of Joseph Grimaldi (*Mémoires du clown Joseph Grimaldi*), 1838.
Oliver Twist (*Les Aventures d'Oliver Twist*), 1838.
Nicholas Nickleby (*Vie et aventures de Nicolas Nickleby*), 1838.
The Old Curiosity Shop (*Le Magasin d'antiquités*), 1841.
Barnaby Rudge (*Barnabé Rudge*), 1841.
Martin Chuzzlewit, 1844.
Pictures of Italy (*Images d'Italie*), 1846.
The Life of Our Lord (*La Vie de Notre-Seigneur Jésus-Christ*), 1846.
Dombey and Son (*Dombey et Fils*), 1848.
David Copperfield, 1849.
Bleak House (*La Maison d'Âpre-Vent*), 1852.
Hard Times (*Temps difficiles*), 1854.
Little Dorrit (*La Petite Dorrit*), 1855.
A Tale ok Two Cities (*Un conte de deux villes*), 1859.
Hunted Down (*Pourchassé*), 1859.
The Uncommercial Traveller (*Le Voyageur sans commerce*), 1860.
Great Expectations (*Les Grandes Espérances*), 1861.
Our Mutual Friend (*L'Ami commun*), 1864.
Mugby Juction (*L'Embranchement de Mugby*), 1866.
No Thoroughfare (*Voie sans issue*), 1867.
The Mistery of Edwin Drood (*Le Mystère d'Edwin Drood*), 1870.

En français

Souvenirs intimes de David Copperfield. De grandes espérances, édition sous la direction de Pierre Leyris, Paris, Gallimard, coll. «Bibliothèque de la Pléiade», 1954.
Dombey et Fils. Temps difficiles, édition sous la direction de Pierre Leyris, Paris, Gallimard, coll. «Bibliothèque de la Pléiade», 1956.
Les Papiers posthumes du Pickwick Club. Les Aventures d'Oliver Twist, introduction et notes de Pierre Leyris, Paris, Gallimard, coll. «Bibliothèque de la Pléiade», 1958.
Le Magasin d'antiquités. Barnabé Rudge, édition sous la direction de Pierre Leyris, Paris, Gallimard, coll. «Bibliothèque de la Pléiade», 1963.
La Vie et les Aventures de Nicolas Nickleby. Livres de Noël, édition sous la direction de Pierre Leyris, Paris, Gallimard, coll. «Bibliothèque de la Pléiade», 1966.

La Petite Dorrit. Un conte de deux villes, édition sous la direction de Pierre Leyris, Paris, Gallimard, coll. «Bibliothèque de la Pléiade», 1970.

La Maison d'Âpre-Vent. Récits pour Noël et autres, édition sous la direction de Sylvère Monod, Paris, Gallimard, coll. «Bibliothèque de la Pléiade», 1979.

Esquisses de Boz. Martin Chuzzlewit, édition sous la direction de Sylvère Monod, Paris, Gallimard, coll. «Bibliothèque de la Pléiade», 1986.

L'Ami commun. Le Mystère d'Edwin Drood, édition sous la direction de Sylvère Monod, Paris, Gallimard, coll. «Bibliothèque de la Pléiade», 1991.

Voir aussi les éditions «Folio classique», p. 713.

OUVRAGES BIOGRAPHIQUES SUR DICKENS

En anglais

FORSTER, John, *The Life of Charles Dickens*, Londres, 1872-1874, 3 vol.; Londres, Dent, 1966, 2 vol.

KAPLAN, Fred, *Dickens. A Biography*, New York, William Morrow, 1988.

NAYDER, Lilian, *The Other Dickens. A Life of Catherine Hogarth*, Ithaca, NY, Cornell University Press, 2010.

SMITH, Graham, *Charles Dickens. A Literary Life*, Londres, Macmillan, 1996.

SLATER, Michael, *Charles Dickens. A Life Defined by Writing*, New Haven, CT, et Londres, Yale University Press, 2009.

TOMALIN, Claire, *Charles Dickens. A Life*, Londres, Viking, 2011.

SLATER, Michael, *The Great Charles Dickens Scandal*, New Haven, CT, et Londres, Yale University Press, 2012.

En français

WILSON, Angus, *Le Monde de Charles Dickens* [1970], traduit de l'anglais par Suzanne Nétillard, Paris, Gallimard, 1972; coll. «Tel», 1995.

JOHNSON, Edgar, *Dickens. His Tragedy and Triumph* [1952], traduit de l'anglais par Marie Tadié, Paris, Julliard, 1977.

ACKROYD, Peter, *Dickens* [1990], traduit de l'anglais par Sylvère Monod, Paris, Stock, 1993.

KAPLAN, Fred, *Charles Dickens* [1988], traduit de l'anglais par Éric Diacon, Paris, Fayard, 1991.

OUVRAGES DE RÉFÉRENCE

HAYWARD, Arthur L., *The Dickens Encyclopædia*, Londres, G. Routledge & Sons ; New York, E.P. Dutton, & Co, 1924.

PIERCE, Gilbert A., *The Dickens Dictionary*, 1914, Londres, Chapman & Hall, 1965.

HARDWICK, Michael and Mollie, *The Charles Dickens Companion*, Londres, Murray, 1965.

WILLIAMS, Mary, *The Dickens Concordance* [1907], New York, Haskell House, 1970.

PHILIP, Alexander John, *A Dickens Dictionary*, New York, B. Franklin, 1970.

HOBSBAUM, Philip, *A Reader's Guide to Charles Dickens*, Londres, Thames and Hudson, 1972.

BENTLEY, Nicolas, SLATER, Michael, BURGIS, Nina, *The Dickens Index*, Oxford, Oxford University Press, 1988.

PAGE, Norman, *A Dickens Chronology*, Boston, Mass., G.K Hall, 1988.

DAVIS, Paul, *The Penguin Dickens Companion. The Essential Reference to His Life and Work*, Londres, Penguin, 1999.

SCHLICKE, Paul, *The Oxford Reader's Companion to Charles Dickens*, Oxford, Oxford University Press, 1999.

JORDAN, John O. (dir.), *The Cambridge Companion to Charles Dickens*, Cambridge, Cambridge University Press, 2001.

OUVRAGES CRITIQUES

En anglais

BUTT, John et Tollotson, Kathleen, *Dickens at Work* [1957], Londres, Methuen, 1963.

CAREY, John, *The Violent Effigy. A Study of Dicken's Imagination*, Londres, Faber and Faber, 1979.

COLLINS, Philip, *Dickens and Crime*, Londres, Macmillan, 1962.

DAVIS, Paul, *The Penguin Dickens Companion. The Essential Reference to His Life and Work*, Londres, Penguin, 1999.

EIGNER, Edwin, *The Dickens Pantomine*, Berkeley, University of California Press, 1989.

GRANT, Allan, *A Preface to Dickens*, Londres, Longman, 1984.

HOLLINGTON, Michael, *Dickens and the Grotesque*, Londres, Groom Helm, 1984.

HOUSE, Humphry, *The Dickens World*, Oxford, Oxford University Press, 1941.

JORDAN, John O. (dir.), *The Cambridge Companion to Charles Dickens*, Cambridge, Cambridge University Press, 2001.

KINCAID, James R., *Dickens and the Rhetoric of Laughter*, Oxford, Oxford University Press, 1971.

MILLER, J. Hillis, *Charles Dickens. The World of his Novels*, Cambridge, MA, Harvard University Press, 1958.

POINTER, Michael, *Charles Dickens on the Screen*, Lanham, Maryland, et Londres, The Scarecrow Press Inc., 1996.

SANDERS, Andrew, *Charles Dickens*, Oxford, Oxford University Press, 2003.

SLATER, Michael, *Dickens and Women*, Palo Alto, Stanford University Press, 1983.

SPILKA, Mark, *Dickens and Kafka. A Mutual Interpretation*, Londres, Dennis Dobson, 1963.

STEIG, Michael, *Dickens and Phiz*, Bloomington, Indiana University Press, 1977.

STONE, Harry, *Dickens and the Invisible World. Fantasy, Fairy Tales, and The Novel-Making*, Bloomington, Indiana University Press, 1979.

En français

ALAIN, *En lisant Dickens*, Paris, Gallimard, coll. « Blanche », 1945.

BOWEN, John, HOLLINGTON, Michael, HUGUET, Christine et al., *Charles Dickens. L'inimitable*, Paris, Democratic Books, 2011.

CALVINO, Italo, « Charles Dickens, *L'Ami commun* », dans *Pourquoi lire les classiques* [1991], Paris, Éd. du Seuil, 1993 ; coll. « Points », 1996.

CHESTERTON, G. K., *Dickens* [1906], traduit de l'anglais par

Achille Laurent et L. Martin-Dupont, Paris, Gallimard, coll. « Vies des hommes illustres », 1927.

GATTEGNO, Jean, *Dickens*, Paris, Éd. du Seuil, « Microscosme », 1975.

MAUROIS, André, *Un essai sur Dickens*, Paris, Grasset, 1927.

MONOD, Silvère, *Dickens romancier*, Paris, Hachette, 1953.

MONOD, Silvère, *Charles Dickens*, Paris, Seghers, coll. « Écrivains d'hier et d'aujourd'hui », 1958.

ORWELL, George, « Charles Dickens » [1940] dans *Dans le ventre de la baleine et autres essais (1931-1943)*, traduit de l'anglais par Anne Krief, Michel Petris et Jaime Semprun, Paris, Ivrea, 2005.

SADRIN, Anny, *Dickens ou le roman-théâtre*, Paris, PUF, 1992.

VANFASSE, Nathalie, *Charles Dickens. Entre normes et déviances*, Aix-en-Provence, Presses universitaires de Provence, 2007.

NOTES

UN CHANT DE NOËL

Page 45.

1. *Aller au d...* : au diable, dont il est malséant de prononcer le nom.

Page 47.

1. *Le moulin de discipline* : grande roue que les condamnés au travail forcé actionnaient en montant sur ses gradins. — *La Loi des pauvres* : il s'agit de la Nouvelle Loi sur le Paupérisme de 1834 que Dickens connaissait bien pour avoir assisté en tant que journaliste parlementaire aux débats d'où elle était sortie, et qu'il avait déjà attaquée à maintes reprises, notamment dans *Oliver Twist*. Cette loi cruelle supprimait les secours à domicile et, dans les hospices, rendait obligatoire la séparation des époux.

Page 49.

1. *Saint Dunstan* : saint du Xe siècle qui fut grand conseiller de rois, grand réformateur de monastères et grand reconstructeur de cathédrales. Comme il reconstruisait celle de Cantorbery, le diable vint le tenter sous les traits d'une femme, et il lui pinça le nez à l'aide d'une pincette de forgeron chauffée à blanc.

Page 51.

1. *La pente de Cornhill* : quartier du nord de Londres.
2. *Camden Town* : assez pauvre quartier du nord de Londres où Dickens habita dans son enfance.

Page 63.

1. *La vitre de la fenêtre* : il s'agit naturellement d'une fenêtre à guillotine.

Page 66.

1. *N'aurait pas eu plus de valeurs qu'un chiffon de papier* : le texte ne porte pas «chiffon de papier», mais «une simple valeur des États-Unis». La traductrice a transposé cette allusion à quelque krach ou à quelque filouterie financière d'origine américaine.

Page 73.

1. *Valentin et Orson* : personnages d'un conte de nourrice. Ce sont deux frères jumeaux élevés l'un par un roi, l'autre par un ours et qui récoltent les fruits de leurs éducations contrastées.

Page 75.

1. *Maître* : titre donné aux jeunes garçons par opposition à *Mister* (monsieur).

Page 77.

1. *Le vieux Fezziwig* : il y a «perruque» (*wig*) dans le nom du burlesque Fezziwig.

Page 79.

1. Les *mince-pies* sont de petites tartes contenant une compote de raisins secs, de pommes, d'écorce d'orange, etc., liée de graisse et arrosée de cognac.

Page 80.

1. *L'air de Sir Roger de Coverley* : air de contredanse composé sur un personnage du *Spectator* d'Addison (1672-1719) qui est le type du bon et paternel gentilhomme campagnard.

Page 97.

1. *Fermer ces boutiques le jour du sabbat* : Dickens fut toujours ennemi des règlements et des usages qui rendaient si maussade le jour de congé des travailleurs. Le premier texte qu'il ait publié, *Sunday under Three Beads* (1836), avant même

les *Esquisses de Boz*, était un essai dirigé contre un projet de loi pour une plus stricte observance du dimanche.

Page 98.

1. *Bob* : nom familier pour shilling.
2. *Tiny* signifie tout petit.

Page 144.

1. *Joe Miller n'a jamais imaginé de plaisanterie plus cocasse* : allusion à un recueil de farces et de plaisanteries du XVIIᵉ siècle, *Joe Miller's Jests*.

Page 149.

1. Un *bol de bishop* : vin chaud épicé.

Page 150.

1. *Il n'eut plus de commerce avec les Esprits, s'abstenant même, dorénavant, de tout spiritueux* : le jeu de mots est plus elliptique et plus léger en anglais. *Spirits* (esprits) étant un terme courant pour désigner les boissons alcooliques, Dickens, sans répéter le mot, se contente d'une allusion aux Sociétés de Tempérance.

LE CARILLON

Page 155.

1. *Henry VIII [avait] fondu leurs timbales :* on sait que Henry VIII fit confisquer et fondre l'orfèvrerie et l'argenterie des églises, des monastères, etc.

Page 174.

1. *Filer* signifie fichier.
2. Un *alderman* (étymologiquement : un ancien) est un magistrat municipal.
3. *Cute* signifie finaud.

Page 175.

1. *On a constaté qu'une livre de tripes subissait au cours de la cuisson...* : satire des économistes statisticiens (notamment de

Malthus) dans lesquels Dickens voyait les pères de l'utilitarisme et qu'il dénoncera tout à loisir en la personne de M. Gradgrind dans *Temps difficiles*.

2. Un *grain* est une mesure de poids qui vaut 0 gramme 0648.

Page 185.

1. *Qu'on divise le nombre de tortues vives...* : à cause du potage à la tortue, mets recherché.

Page 187.

1. Le nom de *Sir Joseph Bowley* (*bowl* : boule) évoque un personnage rondouillard.

2. *Portier* veut dire à la fois portier et commissionnaire.

Page 188.

1. *Fish* veut dire poisson et *fishy* douteux, suspect.

Page 196.

1. *Chickenstalker* veut dire chasse-poulet.

Page 202.

1. *De ce juge* : il y a ici une nuance impossible à rendre, *justice* en anglais signifiant à la fois juge et justice.

Page 215.

1. *Il les vit projeter au moyen de miroirs enchantés...* : il y a peut-être ici un souvenir du petit elfe Ferme-l'œil d'Andersen, dont Dickens chérissait les contes.

Page 226.

1. Le *roi Hal* : diminutif de Henry comme on le voit chez Shakespeare, où le prince Hal devient Henry IV dans la pièce de ce nom. Il s'agit ici de Henry VIII.

Page 245.

1. Les *Crumpets* sont des sortes de petites crêpes que l'on prend avec le thé, notamment au petit déjeuner.

Page 246.

1. Il y a dans *tugby* l'idée d'un pesant effort.

Page 255.

1. *Farthing* : le quart d'un penny ; on dirait aujourd'hui un sou.

Page 268.

1. *Flip* : boisson chaude composée de bière, d'eau-de-vie et de sucre.

LE GRILLON DU FOYER

Page 273.

1. *Lord Jeffrey* : critique influent d'Édimbourg qui venait de porter aux nues *Oliver Twist* et qui devait devenir un grand ami de Dickens.

Page 280.

1. *Dot*, petit nom d'amitié, littéralement un point, signifie un mioche.

2. *Une mioche et sa pou...* : littéralement *Dot and Carry*, « Dot et sa charge » ou « Mioche et sa charge », mais aussi, en calcul : « je pose tant et je retiens tant ».

Page 281.

1. *Slow boy* signifie gamin lent.

Page 288.

1. *Gruff & Tackleton* : autrement dit Bourru et Empoigne.

Page 290.

1. Le *Vieux Monsieur* : appellation du diable dont il est plus prudent de ne pas parler en clair.

Page 291.

1. *Les six autres* : allusion aux Sept Dormants d'Éphèse.

Page 295.

1. *Avec soin* : là où nous inscririons fragile, les Anglais mettent *with care* (avec soin) et Caleb a lu *with cash* (avec de

l'argent à délivrer). Mais *care* signifie aussi souci, c'est pourquoi Caleb dira : « c'est bien ce qui me convient ».

Page 298.

1. *Tout ce qui pouvait évoquer le cauchemar faisait ses délices* : il faut se souvenir ici de l'étymologie de « cauchemar » où *calcare* signifie fouler et *mare*, fantôme nocturne.

Page 304.

1. *Boîte à feu* : boîte à phosphore contenant une petite bouteille d'acide sulfurique dans laquelle on plongeait des allumettes.

Page 312.

1. Le *bolduc rouge* : fil de lin et de coton, souvent rouge.

Page 317.

1. *Une vraie échappée de Bedlam !* : nous dirions de Charenton.

Page 323.

1. Un *larron* est un feuillet qui, étant resté plié, n'a pas été suffisamment rogné et comporte trop de papier.

Page 329.

1. Les *ronds des fées* : ces ronds que produisent les trames de champignons ont toujours été associés aux fées.

Page 333.

1. Un *vrai chien* de *jardinier* qui ne mange pas de choux, mais n'en laisse pas non plus manger aux autres. On connaît la pièce de Lope de Vega qui porte ce nom.

Page 342.

1. *Le géant gallois lui-même, qui fut assez « lent »...* : dans le vieux conte gallois, l'hôte du géant fait mine de se couper la gorge afin que le géant qui répète ses gestes se la coupe pour de bon.

Page 345.

1. *Cribbage* : jeu de cartes remontant au XVIIᵉ siècle et ressemblant au boston.

LA BATAILLE DE LA VIE

Page 407.

1. *Snitchey et Craggs* : approximativement Duflair et Falaise.

Page 415.

1. *Nombre infini d'ingénieux et interminables procès en Cour de Chancellerie* : les lenteurs meurtrières de la *Cour de Chancellerie* seront inlassablement dénoncées par Dickens dans ses romans.

Page 418.

1. *Frère Bacon du Docteur* : du docteur Faust dans la pièce de Marlowe.

Page 420.

1. *Mais elle est folle! Elle relève du Grand Chancelier…* : les fous tombaient sous la juridiction du Lord Chancelier.

Page 421.

1. *Eh bien, Newcome* : on appelait communément les domestiques des deux sexes par leur nom de famille.

2. La *rotule de mouton* passait pour guérir les crampes.

Page 430.

1. *L'un de ces répréhensibles articles vestimentaires* : il s'agit du mot *pantalons* qui en anglais ne s'emploie guère qu'au pluriel et dont l'usage, en ce temps, était «répréhensible».

Page 432.

1. *Esq.* : abréviation d'*Esquire*, soit gentleman.

Page 468.

1. *Doe et Roe* : personnages fictifs qu'on fait intervenir dans certains actes juridiques.

Page 478.

1. Un *barbotage* signifie de l'eau dans laquelle on a délayé de la farine ou du son.

L'HOMME HANTÉ ET LE MARCHÉ DU FANTÔME

Page 518.

1. *Flairant évidemment le sang d'Anglais* : voir *Le Roi Lear* (III, IV, 174) : « Le jeune Roland s'en vint au noir donjon. Son mot de passe était : Fie, foh, et fum. Je flaire le sang d'un Breton », qui invoque un ancien conte connu aujourd'hui sous le nom de *Jack et les Géants*.

Page 523.

1. *London Bridge, Blackfriars, Chelsea, Putney, Waterloo...* : du pont de Londres, M. Williams passe aux quartiers voisins, puis éloignés.

Page 536.

1. *Les ménétriers de Noël* : à Noël des chanteurs et parfois, comme ici, des musiciens et des chanteurs vont de maison en maison en donnant une aubade pour recevoir une gratification.

Page 617.

1. Isaac *Watts* (1674-1748) : théologien et poète, auteur de chants divins et moraux.

CONTES DE NOËL

UN CHANT DE NOËL

LE CARILLON

LE GRILLON DU FOYER

LA BATAILLE DE LA VIE

L'HOMME HANTÉ
ET LE MARCHÉ DU FANTÔME

ANNEXES

DOSSIER

DU MÊME AUTEUR

Dans la même collection

Composition Interligne
Impression 🐎 *Grafica Veneta S.p.A.*
à Trebaseleghe, le 25 octobre 2016
Dépôt légal : octobre 2016
1ᵉʳ dépôt légal dans la collection : octobre 2012

ISBN : 978-2-07-044884-5./Imprimé en Italie